東アジア文化講座 4

東アジアの自然観

東アジアの環境と風俗

ハルオ・シラネ［編］

文学通信

目次

第1部　地理、気候、文化

第2部 四季の文化と詩歌――二次的自然の世界

第3部　風俗と文化

第4部　食文化と文芸

第5部　年中行事と芸能

※原文の引用は各論中に断りがない場合、読みやすさに配慮して、かなに濁点・半濁点を付し、漢字は通行の字体に改めるとともに適宜ふりがなを施して、句読点を付けた。

序——環境と二次的自然

ハルオ・シラネ

はじめに

本講座の第四巻は、東アジアの「環境と風俗」というテーマで、第一部「地理、気候、文化」、第二部「四季の文化と詩歌」、第三部「風俗と文芸」、第四部「食文化と文芸」、第五部「年中行事と芸能」の五部構成からなる。環境文学は近年の環境問題の深刻化に関わり、注目を集めつつある分野であり、日本だけにとどまる視点ではとらえきれず、地球規模で追究されるべき課題であることが明らかになっている。本講座ではひとまず身近な東アジアへの視野からこの課題に挑戦してみたい。

また、文学は単なる机上の所産ではなく、人々のさまざまな生活に即したものであり、身近でありながらふだん意識されない領域に深く関わっている。これを「風俗」の問題として取り出し、文芸との関わりを追究していきたいと思う。以下、環境と風俗にまつわるキーワードとして「二次的自然」を提起し、ついで各部ごとに具体的に敷衍し、ひとつのモデルケースとしてみたい。なお、「二次的自然」に関しては、拙著（英語版 *Japan and the Culture of the Four Seasons*, Columbia University Press, 2012、日本語版『四季の創造―日本文化と自然観の系譜』、KADOKAWA 二〇二〇年）に詳しく論じているので、あわせて参照いただければと思う。

日本における二次的自然

わたしたちは環境について考えるとき、環境を一次的自然（人間の手の加わっていない野生の自然）と二次的自然という二つの側面からとらえる必要がある。一次的自然である野生の自然は、今日の日本にはほとんど残っていない。しかし、たとえば、海、山、島といった自然はまだ存在しているし、そうした自然やそこから文化的に再構築されたものが文化的想像力に重要な役割を果たし、わたしたちが世界を認識する方法に大きな影響を与えている。一方、二次的自然は人間社会が創造し、表現してきた自然である。庭園、絵画、服飾デザイン、詩歌、演劇をはじめとする数多くの文化現象を例として挙げることができる。二次的自然は、日常のさまざまな事柄――たとえば着物の柄、桃色や山吹色といった色の名前、うぐいす餅やおはぎといった和菓子など――にもみられる。

日本文化には二種類の二次的自然が存在する。一つは奈良と京都で貴族が発展させたもので、もう一つはわたしが「里山パラダイム」と呼ぶ、平安中期から後期にかけ、地方の荘園に現れたものである。古代に始まり平安時代から中世にかけて拡大した荘園制度にとって、新田の開発は最も重要であった。未開地を田に変えていく過程で、より多くの耕作可能な土地を作り出すために、人々は大木を伐採して森を切り開き、動物を殺した。古代においては自然の荒ぶる神と人間の世界との間には明確な境界が存在し、人間は周囲の山の麓に社を建てて人間に危害を加える神を敬い、鎮めようとした。

しかし、平安中期から後期にかけ、荘園における自然に対する態度に大きな変化が起こる。土地を農作に用いることを妨害していた荒ぶる神が、稲作の神に姿を変える。神々は稲作に欠かせない水、堰《せき》、灌漑《かんがい》の神、そして土地を守る鎮守の神となり、「田遊び」のような儀式や豊作祈願をとおして崇《あが》められるようになった。これは（人間の側から見て）自然とのさらなる協力関係を象徴している。

このようなタイプの自然環境が、生態学者が「里山」と呼ぶものの始まりである。村人は川の近くに住み、川を水田の灌漑に用いた。また、中世の説話や民間伝承の登場人物はよく「山に芝刈り」に行く。これは薪を拾ったり、肥料として下生えや落葉を集めたりするために藪や森に出かけることを意味する決まり文句である。つまり、里山の自然は水田と周囲の山から常に収穫が得られ、循環処理と再利用が行われる二次的自然の一つであった。それは都で見られるような優雅で小ぶりの二次的自然とは根本的に異なっていた。この二種類の二次的自然の表象は平安時代から鎌倉時代にかけて出会い、室町時代には多くの文化的ジャンルで混じり合うようになる。

第一部　地理、気候、文化

日本は夏冬ともに降水量が多く、夏の降水量は熱帯諸国にも匹敵する。そして、日本には常緑広葉樹、笹、棕櫚《しゅろ》、猿のような、通常、熱帯地域を連想させるような動植物が存在している。こうした気候のもたらす京都と奈良の湿度の高さが、天象に大きく焦点をあてた梅雨の文化を育んだ。

春と秋は穏やかな季節だが、夏と冬という長く厳しい二つの季節に挟まれている。梅雨と梅雨明けに八月の暑い気候が加わり、夏が一年のおおよそ三分の一に及ぶ。より大きな視点で見ると、春と秋は寒い大陸性気候と暑い太平洋気候の間の過渡期にあたる。奈良や平安の貴族文化は、実際の気候を反転させ、短い春と秋を最高の季節として重んじ、古代中国でもそうであったように春と秋を文学や視覚芸術で褒め称え、春と秋に関連する美的、宗教的、文化的連想を発展させた。

古代から平安時代にかけての日本文化は、奈良盆地と京都盆地が中心であった。『古今集』『伊勢物語』『源氏物語』のような古典に見られる「自然」観は、もっぱらこの二つの盆地の自然や気候を反映している。そのため日本の古典文学に描かれた冬は穏やかで、静かに降る雪が豊作を告げる吉兆とされた。これに対し、本州のほかの地域、とくに日本海側と東北地方では雪は厳しい苦難をもたらす脅威とみなされた。しかし、「雪国」と呼ばれる日本海側の豪雪は伝統的な文学や詩歌には描かれていない。十九世紀初頭に、信州の農民であった小林一茶《こばやしいっさ》のような俳人が現れるまで、豪雪が詩歌に登場することはなかった。

古代や平安時代には、国の秩序と自然の秩序には相関関係があるとされ、天変地異は治世の乱れの証しと考えられていた。また、天災は不当な仕打ちを受けた天皇や権力者たちの怨霊の仕業とされ、天災が起こると怨霊となった人々の霊を慰め、苦悩のうちに死んだ人々の名誉の回復を図ることが求められた。しかし、十三世紀初めの『方丈記』ではそうしたことは問題にされていない。『方丈記』冒頭の有名な一節「ゆく河の流れは絶えずして、しかももとの水にあらず」は、自然や人生がはかないこと、変化は一瞬にして起こることを表している。重要なのは、そうした時間とは異なるもう一つの時間が後半部に描かれていることである。後半部に描かれる日野の長閑《のどか》で美しい四季とゆったりとした時の流れは、前半部で描かれる都市の混沌と対応関係を作りだしている。つまり、『方丈記』は、天災をこうむりやすい日本の自然環境という制御できない時間と空間と、制御可能な時間と空間——様々な二次的自然、特に四季の文化、そして、それとなくではあるが、浄土——との間に、人間という存在を位置づけているといえるであろう。

第二部　四季の文化と詩歌

日本の文学と視覚芸術に自然と四季が偏在する大きな理由の一つは、日本の詩歌、とくに近代以前、重要な文学ジャンルであった和歌の影響である。さらにいえば、日本の詩歌の主な形式である漢詩、和歌、連歌はすべて、自然にまつわる主題を広く用いている。和歌や和歌に関連するジャンルやメディアにおいて自然界と人間界の「調和」がとれているのは、言葉が同時に二つのレベルで機能する「二重性」とでもいうべきレトリック上の重要な特徴に起因する。和歌の特徴の一つは掛詞《かけことば》と縁語《えんご》の多用だが、そのことが（多くの場合、自然と人間という）二つのレベルの共存を可能にした。たとえば、富士山は八世紀に歌に詠まれるようになるが、「おもひ（憂鬱な思い）」を連想させる。なぜなら、「おもひ」の「ひ（火）」が火山の炎とくすぶる情熱を暗示するからである。平安時代には富士山の煙を詠んだ歌を作ることは、暗に恋の歌を詠むことであった。和歌の代表的な二つの題は四季と恋だが、恋は季節の歌にもそれとなく詠み込まれ、四季と自然は恋を表現する主な手段となった。

平安時代にさまざまな自然が特定の季節を連想させるようになり、その結果、自然の歌の多くが季節の歌となった。たとえば、鹿は一年を通して棲息するが、和歌における鹿のイメージは秋、そして、つがいの相手を求める雄鹿の悲しげで寂しげな鳴き声と結びついている。鹿は秋という季節を示唆するとともに、ある特定の感情を具体的に表現するようになり、さらに萩や露といった秋のほかの題と結びつき、季節の歌に関するより大きな体系の一部を形成することになった。季節の題の一つ一つがひとまとまりの連想を作り出し、四季そのものもよく知られた歌の名所とともに、連想の集合体を発展させ、それが文化的語彙の一部となった。

和歌という言葉は一般的には、「やまと」（大和、倭）の歌という意味である。「やまと」とは、もともと奈良盆地を指していたが、平安時代までには「やまとのくに」、つまり、当時、「日本」と考えられていた地域を意味するようになる。また、「和歌」の「和」という言葉は、「やわらぐ」あるいは「やさし」を、さらには「調和」という意味も含むようになる。この「調和」という意味を『奥義抄《おうぎしょう》』（藤原清輔《ふじわらのきよすけ》　一一〇四～一一七七年）が発展させ、ついで『毎月抄《まいげつしょう》』（藤原定家《ていか》か。一二一九年頃）がさらに明確にした。

まづ歌はただ和国の風にて侍るうへ、先哲のくれぐれ書き置ける物にも、やさしく物あはれによむべき事とぞ見え侍るめる。げにいかに恐ろしき物なれども、歌によみつれば、優に聞きなさるるたぐひぞ侍る。それに、もとよりやさしき花よ月よなどやうの物を恐ろしげによめらむは、何の詮か侍らむ。

この文章が言わんとしているのは、優しく、深く心を動かす和歌の真髄は、すべてのものの調和がとれた国ぶりにあるということである。恐ろしいものも歌に詠めば優雅になるともあり、優しさや調和に価値が置かれていたのである。ここで強調されているのは、自然とは何かではなく、自然はどうあるべきかである。

古代や中世の京都の夏は、実際には極度な暑さと疫病、そして死の時期であった。そのため、都のさまざまな地域や宮廷で祇園祭や葵祭のような祭りが行われ、田舎では神々を鎮め、罪や災厄を祓う祭りが数多く行われた。たとえば、京都の祇園祭は、近代以前には梅雨明けの、暑さの最も厳しい時期である旧暦六月前半に行われていたが、平安中期に疫病退散を祇園社に祈願したのが始まりである。しかし、夏の持つこうした負の側面は詩歌や王朝文化にふさわしい主題とはみなされず、和歌、とくに、国家や森羅万象の調和がとれていることを表現することを目的とした勅撰和歌集の和歌に登場することはなかった。この点で、『古今集』における季節の循環は、天皇の支配を慶賀し、国の平和と調和を祈る五節句のような、宮廷で行われる年中行事のサイクルと似ている。

第三部　風俗と文芸

平安時代の貴族が創造した二次的自然には基本となる二つの役割がある。両者は互いに関連し合うが、一つは、都や貴族の住まいが自然と調和しているというイメージを創り出す役割である。もう一つは、祝儀、吉兆、お守り、厄払い、奉納、供養、そして浄土や蓬莱のような理想郷との結びつきなどを担う役割である。たとえば、本巻所収の小山弓弦葉の論文では、中国と日本における染織模様の歴史に関して「常に吉祥や瑞祥が意識されて来た」ことが指摘されている。「染織が衣服や帳、寝具など人間の身体に近い部分を覆い、守る役割があった」のである。

花や草木の持つ特別な力に対する信仰は、唐から日本に伝わり、七世紀から八世紀にかけて貴族の間で流行した唐草文様にも明らかである。唐草文様の中でも最も人気のあった文様は、蓮《はす》、忍冬《すいかずら》、宝相華《ほうそうげ》、唐草だが、どれも決して枯れることはないとされた草木や花である。また、宝相華の文様に牡丹《ぼたん》、蓮、柘榴《ざくろ》などの花を組み合わせ、唐草模様に一つの美しい花を浮かび上がらせた文様もある。その花は中国では極楽や不老不死の世界に咲くと考えられ、日本では仏典を納める経箱などに描かれた。

季節を越える木々のなかでも、松は最も重要でとりわけ人気が高かった。古代において松の枝に紐を結ぶことは、無事と長寿を祈る行為であった。さらに松は、神が降臨する場所である依代《よりしろ》でもある。新年の門松、能舞台の橋懸《はしがか》り手前にある三本の松、鏡板に描かれた老松はすべて、松に対する信仰に由来する。同じように、平安時代に正月の子《ね》の日《ひ》に行われた小松引きも、長寿を祈る行事であった。さらに、慶事の折に作られる屏風絵にも松は欠かせない要素となった。

中国同様、日本でも日常生活で竹を多く用いた。竹は成長が早く、縁起がよいと考えられたため、長寿と繁栄を意味するようになったと考えられる。中国で竹林といえば、世俗を離れ、竹林の下に集って清談を楽しむ「竹林の七賢《しちけん》」を連想させたが、日本でも「竹林の七賢」は人気の高い画題となる。さらに、竹が常緑でまっすぐに伸びることから、忠義や貞節の象徴ともなった。

天平年間（七二九～七四九年）に、古代アッシリアやエジプト、ペルシャなどを起源とする装飾文物が、唐からの使節や新羅《しらぎ》から日本にもたらされたが、それらの文物の多くが、鳳凰《ほうおう》、迦陵頻伽《かりょうびんが》、鸚鵡《おうむ》、鴛鴦《えんおう》、孔雀《くじゃく》といった特別な力を持ち、縁起がよいとされた瑞鳥《ずいちょう》や花喰鳥《はなくいどり》などの文様で装飾されている。鳳凰は中国で麒麟《きりん》、龍、亀と並んで四霊《しれい》とされ、さらに、中国と日本において平和と賢帝による治世の象徴となり、皇帝や天皇の袍《ほう》（表衣）には桐、竹、鳳凰の文様が施された（もともとは龍が王で、鳳凰が后を象徴）。さらに、日本では、飛鳥時代に鳳凰が手工芸品に描かれはじめ、平安時代には鳳凰堂の名で知られる宇治の平等院阿弥陀《あみだ》堂のように、絵画や建築の重要な題やモチーフ、文様になった。桃山時代には大名の間でも人気が高まり、彼らは屏風に鳳凰を描かせたが、その風習は江戸時代も続いた。

植物や鳥と同じく、魚にも縁起のよいものがあり、とくに鯉と鯛がそうであった。中国では「魚」という語は「余」と「玉」と音が同じなので、「幸運」や「子孫繁栄」を意味した。魚は大量に排卵するので多産豊穣の象徴となり、古代から日本でも人気のある文様であった。エビは漢字で「海老」と表記するように長寿を連想させ、カツオは「勝つ」と音が同じなので、武士の間で縁起がよいと考えられた。黒豆が「まめ」（健康や丈夫な身体）を連想させるので、新年に食されるのとよく似ている。また、江戸時代には、美味で姿形が美しく、縁起もよいとされた鯛が最良の魚とみなされるようになり、それまで魚の中の魚とされていた鯉に取ってかわった。また、鯛は縁起のよい色をしているとされ、また「めでたい」という形容詞とも音が重なるため、七福神の一神である恵比須《えびす》と結び付き、恵比須は鯛を手にした姿で描かれるようになり、商売繁盛の神となった。

古代日本の貴族文化における護符的で縁起のよいモチーフの多くは、中国にその起源がある。たとえば、中国起源の梅は、花が優雅なことと、冬の寒さの中でほかの花よりも早く咲くところから、力や忍耐を示す花として称賛された。宋の時代になると、常緑の松や冬でも葉を茂らせる竹と組み合わされて、梅は誠実さと不屈の精神を意味する「歳寒三友《さいかんのさんゆう》」という画題を形成するようになる。また、梅は菊、蘭、竹（いずれも風、霜、雪、氷を堪え忍ぶ）と組み合わされ、「四君子《しくんし》」の一つとされた（「四君子」は学問にすぐれ、高徳な人物の清廉さや高潔さを表現するのに用いられた）。また、漢詩や室町時代の漢画の屛風絵、さらに江戸時代の文人画のような中国の影響を受けたジャンルでは、梅の堅忍さや強い幹や枝に注目することが多く、梅は護符的な役割と同時に強靭さ、順応性、清廉さ、高潔さという道徳的な性質を帯びた。

自然の持つ護符的機能を理解する鍵は、いけ花の起源に見いだせるだろう。仏典では浄土は花で満ちた場所として描かれることが多く、寺の内部もこの世に浄土を表現する花で飾られ、花は蝋燭や香と一緒に仏画の前に供えられた。この習慣からいけ花が生まれたと考えられる。同時に、日本では古代から花は、自然の中に住むとされた神々の力を目に見える形で表現したり、利用したりすることができると信じられていた。たとえば、元旦に家の門に飾る門松は、元来は神が降臨する場と信じられ、門松は神々の出迎えとして機能した。また、書院造の床の間も同様の機能があった。つまり、仏教の儀式であれ、日本の神々に対する祭祀であれ、自然、とくに花のイメージは仏陀や神々を表すものとして機能した。

第四部　食文化と文芸

食べ物の性質と利用法は地域、社会的あるいは経済的階層、さらに共同体ごとに大きく異なる。一方、食べ物は東アジア文化の大きな共通項のひとつでもある。米、酒、麺、茶、大豆などが広く用いられていることはその一例である。また、酒や茶などのように東アジアで重要な文化的役割を果たしているものもある。

日本では近代になるまで野菜と魚が主たる食料であった。この点で中国や朝鮮半島、ヨーロッパのような、豚、牛、羊などを食べる肉食の文化と異なっている。日本は縄文時代以来、植物型の食体系であり、弥生時代になっても、牛や羊は日本に入ってこなかった。馬や牛が人に飼われるようになり、家畜化したのは、古墳時代以降（五世紀以降）である。農民は田畑を耕すのに馬や牛を用いたし、武士は馬に乗る必要があったので、馬や牛は家畜として飼われていたが、食用ではなかった。六七六年（天武紀四年四月）に天武《てんむ》天皇が出した肉食禁止令では、鶏も食べることが禁じられた。その後も、鹿や猪など野生動物の狩猟は行われ、それらの動物を食べることはあったが、動物を食用として育て、殺すことはほとんどなかった。考古学者の佐原真によると、このような非畜産農業は世界的にも珍しく、この現象が中国や朝鮮半島の食文化と日本の食文化との大きな違いを生んだ。

典型的な農村の風景には、山に面する里山と海に面する里海の二種類があり、山は狩猟の、海は漁業の場であった。飼育された豚、牛、羊が一年中、食べられるのとは違って、里山でとれる果物や野菜、海や河川でとれる魚は季節とのつながりがはっきりと見られる。現在、世界で注目されている日本料理の文化が、食材の新鮮さや季節と強く結びついているのはこうした理由からである。

第五部　年中行事と芸能

東アジアにおける年中行事は祭り、儀式、芸能（語りもの、舞踊、歌、音楽、演劇）と不可分に結びつき、長寿や豊穣の祈り、神楽《かぐら》、鬼払い、鎮魂などの役割を担ってきた。多くの世俗的芸能の伝統はこうした儀式や年中行事から生まれてきたものである。年中行事は、場所、共同体、時代によって大きく異なる。年中行事は、初詣や盆のような宗教儀式から、田植えや稲刈りのような農耕儀礼まで、幅広い領域の活動に及ぶが、花見や月見、紅葉狩りなど季節の自然を鑑賞するものもあれば、三月三日の雛祭りのように娯楽的な行事になったものもある。多くは五節句のように、もともとは宮廷の行事だが、衣替えのように家庭で行われるものもあった。いずれの場合も、こうした年中行事は四季の推移と密接に結びついた独特の飾り付けや衣装、供物、食べ物などによって、日常の時間とは明確に区別されていた。

たとえば、古代中国では三月の最初の巳の日は水辺で祓除《ばつじょ》（穢れを祓う儀式）が行われた。日本ではこの儀式が曲水《きょくすい》の宴《えん》となり、奈良時代には三月三日に行われるようになる。桃の日とも呼ばれ、五節句の一つとなるが、平安時代には巳の日の祓として、穢れを人の体から人形へと移し、その人形を川か海に流す儀式へと変化した。着物を着せた人形で遊ぶ風習はここから生まれたもので、室町時代には三月三日は雛祭りとなり、さらに江戸時代には庶民にまで広がり、庶民の家でも雛人形を飾る風習が生まれ、俳諧の題ともなった。

宮廷行事は、藤原北家《ほっけ》による摂関政治が最盛期を迎えた一条天皇の頃には、貴族の屋敷でも行われるようになった。『枕草子』などからわかるように、平安中期の貴族にとって最も重要な年中行事は五節句である。一月一日、三月三日、五月五日、七月七日、九月九日という奇数の重なる縁起のよい日として、重要な宴が催された五節句は、季節感を形作るのに大きな役割を果たした。

鎌倉幕府は平安時代の宮廷で行われていた年中行事をおおむね踏襲したが、室町幕府はそれまでの行事に替えて、新しい行事を年中行事の日程に組み込んだ。そして、江戸時代には、宮廷の主な年中行事、とくに五節句は、新興の都市庶民社会で不可欠なものとなる。さらに八朔《はっさく》のような農村に起源を持つ行事も付け加えられた。八朔は農村で八月一日に近所で贈り物をする行事であったが、一五九〇年八月一日に徳川家康が初めて江戸城入りしたことから、大名や旗本にとっても年中行事となり、将軍に祝辞を述べる日となった。

民俗学者が重視してきたハレ、ケ、ケガレは、大まかに解釈すれば、「公的／儀礼的」（ハレ）の時間、「日常」（ケ）の時間、そして「穢れ」（ケガレ）である。神への祭祀であるハレは季節の境目に起こることが多く、一年の終わりにケガレを清め、一年の始めに再生することを目的としている。ケガレがたまると清めと再生の儀式が必要となるため、芸能者がその儀式を行った。とくに季節の変わり目――とくに冬の終わり――は危険で安定を欠くと考えられ、そうした状態を正すために祓の儀式と祈りが芸能者によって行われたのである。たとえば、節分は文字通り「季節の間の点」を意味し、冬の最後の一日と旧暦の大晦日を指す。その節分には、芸能者が「鬼は外、福は内」などと告げながら、鬼を追い払う儀式である追儺《ついな》を行った。つまり、儀礼、演劇、そして数々の芸能が、これらの年中行事に大きな役割を果たしていたのである。

おわりに

では、日本に関する問題をどのようにして東アジア全体の問題へと発展させることができるだろうか、また、今後、どのような研究テーマが考えられるだろうか。まず、一つの可能性として、樹木、植物、魚、動物、水、山といった自然を、浄土教や禅など東アジアの仏教がそれぞれどのようにとらえているか、その自然観を比較することが挙げられる。自然のとらえ方は時代や共同体によって異なるので、そこでは地域の特性が鍵となるであろう。また、宗教、文学、視覚芸術、文化に関する研究が、考古学、地理学、環境史、農業、経済史、医学と交差する地点にも豊かな可能性が存在している。本巻で取り上げられた多くの事項――稲作、茶、デザイン、年中行事、祭り、詩歌など――は東アジア全体への広がりをみせているが、その多くは中国から朝鮮半島や日本へと伝播したものである。そこでは、たとえば、中国から伝わった暦と日本列島の実際の気候や風土とのズレを埋めるために日本に住む人々が絶えず努力してきたことが示すように、相違点が類似点と同様に重要となるであろう。

参考文献

・佐原真「家畜・奴隷・王墓・戦争―世界の中の日本」、金関恕・春成秀爾編『佐原真の仕事4　戦争と考古学』岩波書店、二〇〇五年。

（訳：北村結花）

第1部　地理、気候、文化

01

海と島の文学誌

小峯和明

1　日本海から東シナ海へ

今は廃刊となった月刊誌『国文学　解釈と鑑賞』で「日本海」特集号（二〇〇四年十一月）が組まれ、巻頭論文の依頼が来て、それまで十分考えていなかった日本海についてあれこれ思いをめぐらすことになった。お蔭でそれが東アジア文学圏の問題にもつながってきた。かつて網野善彦がひろめた、通常の日本列島の地図を反転させた「逆さ日本図」でみると、日本海がまさに内海のごとく見えてくる。左端（北方）はサハリン、北海道（蝦夷）、右端（南方）は対馬、朝鮮半島で区切られる。ちょうど能登半島が左右を区分する目安にもなる。前稿では、この日本海を北方から玄界灘あたりまで駆け足でたどってみたので、ここではその続編を意識して、日本海域から南の東シナ海、さらには南シナ海へ漕ぎ出してみたい【図1・2】。

2　中央と辺境の座標軸

島に思いをめぐらすと、常にそこは向こうとこちらの境界につらなることに気づかされる。東アジアの国々の国境の如何にもかかわって政治上の厄介な問題となっている。人が住んでもいない島が、領有をめぐる国と国との線引きの具と化している。国境の島は中央から見ればまさに辺境であり、古来、日本では北は外ヶ浜、南は鬼界が島という線引きがならわしであった。もとより蝦夷や琉球は異国であった。いうなれば帝国主義・植民地主義路線の近代化の過程で日本が膨張し、アジア太平洋戦争の敗北で再度縮んだのが現状である。そのしこりや残滓が一部の無人島に残った。中央の視座に立っている限り、この問題の解決は難しい。中央と辺境の二項対比という発想自体、中央からのまなざしにほかならず、逆に基軸を反転させて視座を島の側においてみる必要があるだろう。

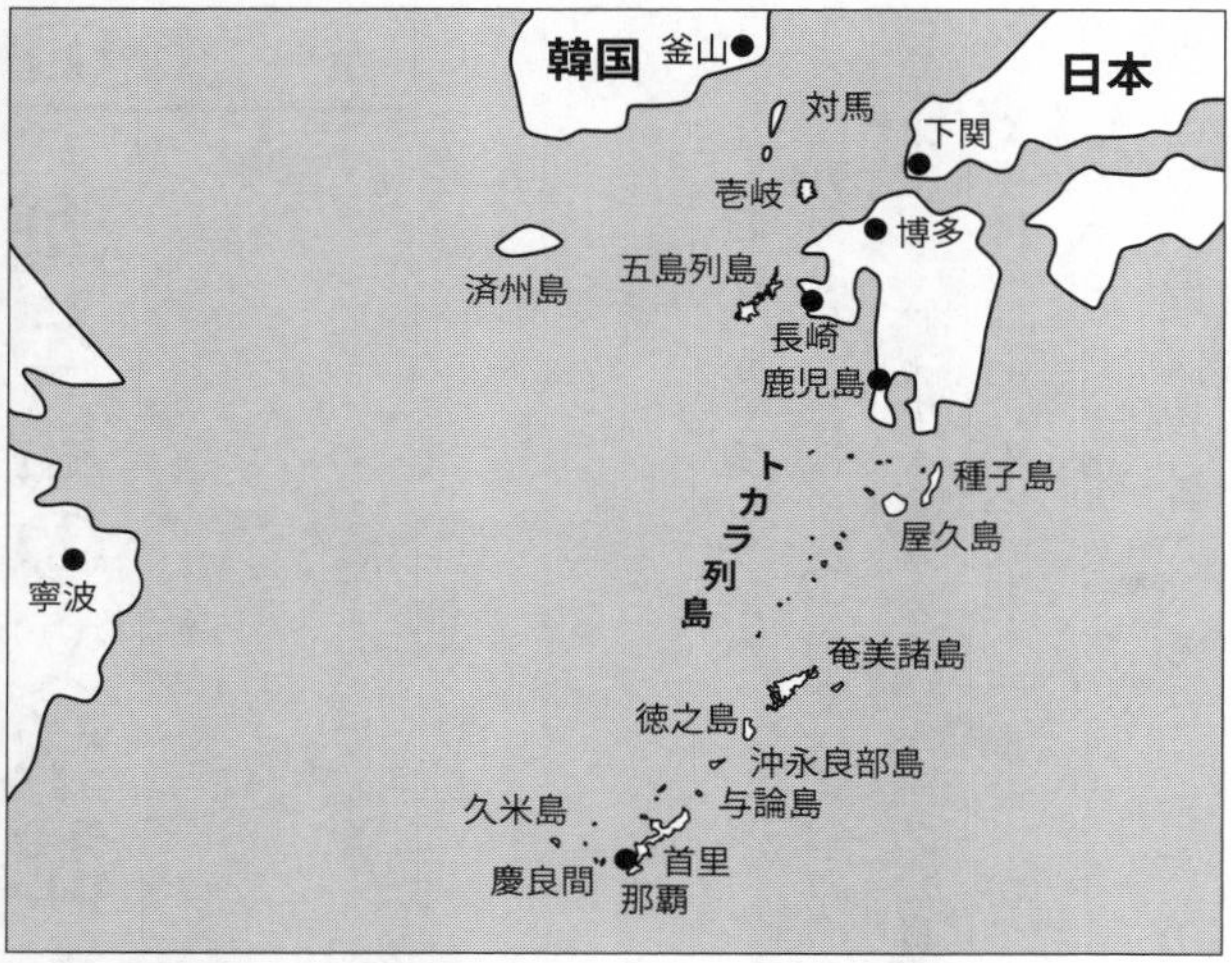

図１　対馬―五島―済州島―琉球列島

たとえば、沖縄はかつて琉球王国として中国の冊封体制下にある独立国であった。明治政府が王国を取りつぶして沖縄県に取り込んだわけだが（琉球処分）、そのような企図はすでに足利幕府や豊臣秀吉あたりからきざしており、一六〇九年、徳川幕府初期に薩摩藩が琉球侵略を断行して奄美を割譲、中国との冊封体制を残したまま在蕃制を敷く巧妙な二重支配を続けた。琉球処分はその延長にほかならず（清の冊封体制の瓦解）、さらにはアジア太平洋戦争の地上戦によってそのまま米軍に占領された。いわば、二度の琉球処分である。中央による沖縄の辺境化が、今も続く米軍の基地問題にもかかわっている。沖縄からみれば、東京こそが辺境だ、という視座が必要ではないだろうか。そしてその沖縄でも、本島と離島、先島との格差、差別化の問題が潜在的にある。沖縄自体も中心と辺境を抱えており、入れ子式に幾重にも構造化されているのであった。

沖縄を中心にすれば、東京もソウルも北京も同じ同心円状に入

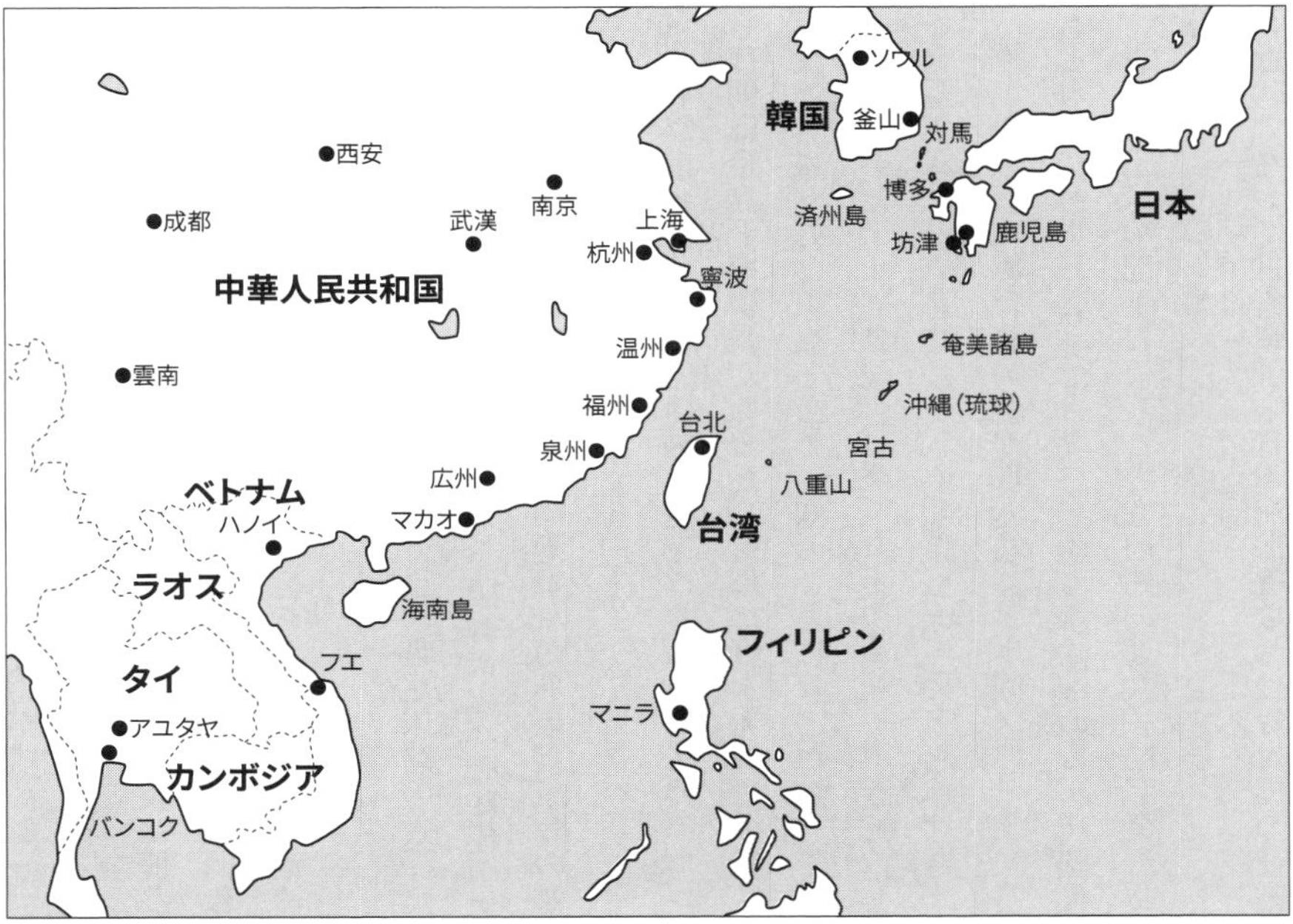

図２　南シナ海―海南島

り、まさに東アジアの要に相当する位置がみえてくる（それゆえ、米軍の極東戦略の要石になっている）。台湾はもとよりフィリピンをはじめ東南アジアも近くなる。同じように、北海道を中心にすれば北方四島どころかサハリンやロシアやアリューシャン列島は近い。アイヌより古層のオホーツク文化も見えてくる。東京や関西からは見えない世界が広がる。要は中心軸を固定化させずに、ずらしたり反転させたり、相対化させる発想や手立てを常に模索し続けることである。島を課題とする意義も、そのような地政学上の問題に根ざしている。島から日本や東アジアの文化総体をとらえかえす視座の確立がもとめられるのである。

３　対馬の地政学

上のような島をめぐる問題の典型は対馬である。ちょうど日本海の西端の仕切りに相当し、朝鮮半島と九州をつなぐ文字通りの結節点に相当する。古来、日本と朝鮮半島の往還の経路であり、外交上の要になってきた。ここでも対馬に基軸を置いた見方が必要で、島の北方の山から見れば釜山は指呼の距離にあり、夜は煌々たる釜山の灯りがよく見える（戦前、地元の人は床屋や映画は日帰りで釜山に行ったという）。中央から見ると、地図上の対馬と壱岐はセットのような印象を与えるが、潮流の影響もあって意外に双方の隔たりは大きい。壱岐は博多の圏内といえるのに対して、対馬はやはり遠い。ここには、地図だけでは見えない海域の問題がある。似たような例は、沖縄の宮古と八重山にもいえる。沖縄本島からすれば先島として一括されかねないが、宮古と八重山はやはり潮流の関係もあって隔たりが大きく、言語も文化もかなり異なる。

対馬の情勢をうかがう古い例に、十一世紀末期の大江匡房《おおえのまさふさ》の『対馬貢銀記《つしまこうぎんき》』がある。その概要はすでに述べたことがあるが（『院政期文学論』笠間書院）、匡房が大宰府在任中に遭遇した銀採掘にかかわる、時の高麗政権との緊張関係が背景にあったと思われる。対馬の地勢や仏典の訓読みの対馬音をはじめ、銀採掘の労役等々にふれる、対馬の地誌として着目される（近藤剛『日本高麗関係史』八木書店、二〇一九年）。

それ以前のいわゆる刀伊の入寇をはじめ、以後のモンゴル襲来（実際は高麗軍と江南軍）、秀吉の朝鮮侵略など、しばしば朝鮮半島との緊張があるたび対馬は真っ先にその犠牲となり、先兵としての役割をおびてきた。江戸期の朝鮮通信使は日韓友好の象徴として周知のことになったが、それより以前の室町期から朝鮮通信使といえる使者がしばしば往来していた。十五世紀、日本にも来た宰相の申叔舟《しんしゅくしゅう》が著した『海東諸国紀《かいとうしょこくき》』は日本や琉球をめぐる史書、地誌として重要で、対馬や壱岐についても詳しい。文字通り対馬は日朝交流の架け橋であった。

有名な金沢文庫保管の龍が取り巻く日本図（西日本のみ現存、逆さ日本図でもある）では、対馬は龍の外側に描かれ、これをもって対馬は日本ではないとする議論もあるが、歴代、対馬国として日本六十六国の一つで対馬国司がいた。中世以降は宗家の配下になることも周知の通り。同じ金沢文庫には『対馬記』の資料も伝わり、独自の宗教、儀礼や習俗も伝わる。

近代になって日露戦争の日本海海戦における対馬の役割もよく知られているが、それより前に『一島未来記』なる小冊が出ていた。明治十九年（一八八六）、ロシアのラリオノフ（拉里阿諾布）による著書の翻訳本で（小嶋泰二郎・木下賢良訳、二書房出版）、近代の帝国主義による欧米列強のアジア進出をめぐって、ロシアやドイツとのかかわりにおける対馬の位置が問題視されている。「一島」とはまさに対馬のことである。

一八六一年、ロシアのポサドニック号が占領を目的に対馬に来航、芋崎の永久租借を要求したが、対馬藩、幕府は拒否、退去をもとめたが、結局、イギリスが軍艦出動の示威行動を起こしたため、ロシアは引き下がった。本書はこの事件と密接にかかわるであろう（深谷克己『東アジア法文明圏の中の日本史』岩波書店、二〇一二年）。

日清戦争（甲午戦争）の八年前、日露戦争の十八年前に当たる。かなり微細な国際情勢分析を行っており、まさにその後の日清、日露戦争の予言書のごとき意義をおびている。対馬を軸とすることで東アジアの動静が見えてくるであろう。朝鮮半島まで飛行機で自由に行き来できる時代にはなったが、対馬の歴史文化の重みが消えることはない。

4　五島列島——みみらくの島からキリシタンの島へ

対馬から玄界灘を南下、東シナ海域に入り、五島列島に到る。北東から南西へ百四十ほどの島々からなり、中通島を主とする上五島、福江島を主とする下五島に区分けされる。七四〇年、大宰府に左遷された藤原広嗣《ふじわらのひろつぐ》が反乱を起こすが敗れ、「知賀島」経由で耽羅（済州島）近くまで行くが逆風で漂流し、五島に連れ戻されて捕縛、大宰府護送の途中で処刑される。『続日本紀』には、漂着地に「色都嶋」、捕縛は「長野村」とあり、いずれも上五島に相当、五島から耽羅（済州島）の海上ルートがあったことをうかがわせる。

とくに五島は中国に向かう遣唐使が最後に寄港する島として知られる。福江島の西北から東シナ海に突き出た三井楽半島がかつての「みみらくの島」である。東シナ海を横断する最終寄港地の一つとされた。『肥前国風土記』には「美禰良久之埼」とあり、遣唐使船に飲料用水を供給した井戸という「ふぜん河」などがある。十世紀の『蜻蛉日記』では、死んだ老母の十余日後、僧たちの念仏の合間の「物語」に、亡くなった人が再び現れる島があるが、近づくと姿は消え失せてしまい、遠ざかると見える。名前だけが人に知られて「みみらくの島」という、ぜひとも知りたいものだ、「ありとだによそにても見む名にし負はば我に聞かせよみみらくの島」と歌をよむ。説教の場で語られる説話であったろう。「みみらく」は「耳楽」につながる。「みみらくの島」は、後世、異国との境界の島、死者に会える西方浄土の島として歌枕にもなった。藤原長能《ふじわらのながよし》の「いづことか音にのみ聞くみみらくの島隠れにし人をたづねむ」や源《みなもとの》俊頼《としより》「みみらくのわがひのもとの島ならばけふも御影にあはましものを」（『散木奇歌集《さんぼくきかしゅう》』）などにもみえる。

中通島の南側に若松島があり、その西北にまた小さな日島があり、十四、五世紀の石塔群で知られる。この石は日本海側の若狭から運んだ日引石とされ、海人集団のネットワークを思わせ、そのまま倭寇につながってくる。また、壇ノ浦の平氏滅亡の折り、平家盛《たいらのいえもり》は五島の宇久島まで逃げて宇久氏となり、後に五島氏となったという平家落人伝説もある。

その後、十六世紀のキリシタン時代以降、五島はキリシタンの聖地ともなる。領主の宇久純定は有名な宣教師アルメイダやロレンソと福江の江川城で会い、治療も受ける。五島は平戸に入る経由地であり、おのずとキリシタンが広まるが、十七世紀の禁教で下火になったものの、十八世紀に大村藩から大勢の農民が移住、彼らは長崎の西彼杵半島の外海《そとめ》から来た潜伏キリシタンであった。一八六八年、明治維新の年に前年の長崎で起きた浦上四番崩れのキリシタン迫害事件のあおりを受けて、福江島の北側の久賀島で多くの信徒が逮捕され、拷問を受けるも棄教せず、殉教した。これが五島崩れでとくに「牢屋の搾事件」といわれる。諸外国から非難され、五年後に禁教令が廃止、四年後にパリ外国宣教会のマルマン神父が来て布教、信者が広まり、現在、五島には五十三もの教会があるという。「みみらくの島」の他界は、天国をめざす潜伏キリシタンから今日のキリシタンに引き継がれたともいえようか（『旅する長崎学13　海の道Ⅲ五島列島』長崎文献社、二〇一〇年）。

5　「ちくらが沖」と「入唐道」——海の境界

ところで、中世になると海の境界を示す「ちくらが沖」が語り物などでしばしば目に付くようになる。幸若舞曲の『大織冠《だいしょくかん》』では人と修羅とが戦い、『百合若《ゆりわか》大臣』では百合若が蒙古軍と戦い、『浄瑠璃物語』では唐土の猿と日本の猿とが争う。いずれも「ちくらが沖」が境界になっている。日本と異国との境界の意識が強まったからであろうか。すでに紹介したことのある十五世紀初のハーバード大学本『日本須弥諸天図《にほんしゅみしょてんず》』にみる行基図型の日本図では、対馬と壱岐が並び、長門国の沖合の島（名称不明）と壱岐との間あたりに「入唐道」とみえる【図3】。先にみた五島列島はここではまったく描かれていない。この地図がやはり中央の発想によることを示しているが、この表示は遣唐使時代の名残とみてよいだろう。とすれば五島の島々こそ描かれないが、実質的には五島の「みみらく」を指すのではないだろうか。壱岐・対馬には「西海道」の名がみえるから、それに応じた「入唐道」の名称なのであろう。この「入唐道」の名辞がどの程度流通して一般化していたのか今は不明であるが、「入唐道」と中世の語り物などにみえる「ちくらが沖」とはほとんど同義とみてよいように思われる。

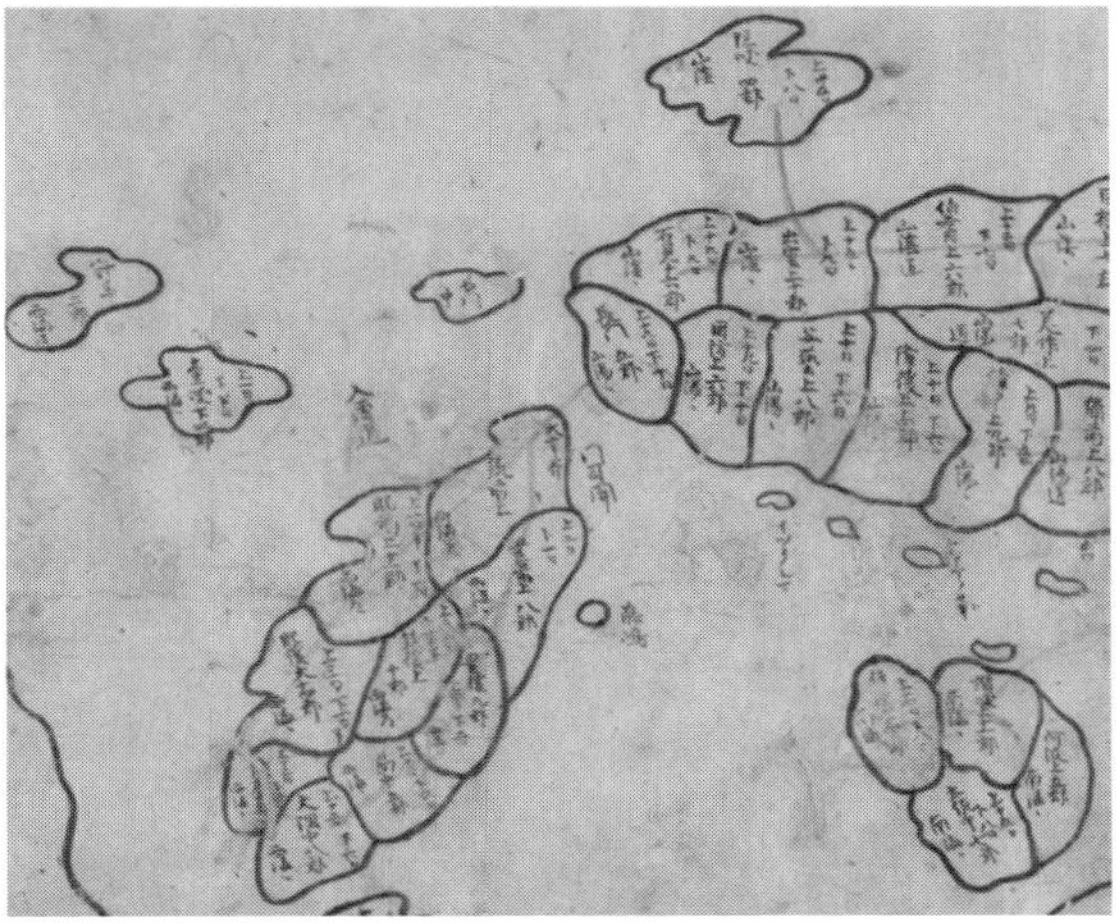

図3　『日本須弥諸天図』（ハーバード大学蔵）「日本図」に見る「入唐道」

「ちくらが沖」に関しては、『日本書紀』神代巻のスサノヲの高天原追放における大祓祝詞の一節「千座置戸」（チクラノヲキド）によるとの阿部泰郎説（『中世日本の世界像』名古屋大学出版会、二〇一八年）がある。まさに海の境界から外部に祓われ追いやられるイメージで、たしかに説得力があるが、それをふまえれば、この例が中世の語り物にみられることとあいまって、日本のナショナリティに強く結びつくものがあり、双方向からの自在な往還ではなく、内部から外部へ追いやる一方通行性を想起させずにはおかない。南の境界が「鬼界が島」であった事情と似かようものがあるだろう。中央からの辺境化の典型例ともいえようか。朝鮮と対馬との間の巨済島の古称説、薩南の吐噶喇列島の転訛説もあるようだが、いずれにしても、東アジアの海域の境界が強く意識されていた。

6　朝鮮半島の多島海と済州島（耽羅）

朝鮮半島西南部は多島海と呼ばれるたくさんの島々からなる特有の海域である。二〇一四年、韓国のフェリー、セウォル号が沈没し、多くの修学旅行生が犠牲になっておおきな問題になった海域でもある。一三二三年、鎌倉時代末期に新安の道徳島沖合で沈没した寧波発博多行きの船が一九八〇年代に海底から引き上げられ、満載された荷物が出現、陶器をはじめ当時の歴史文化がタイムカプセルのごとく今日に蘇ったことでも知られる。京五山の東福寺や博多の箱崎宮にまつわる船と考えられ、往時の東アジア交流の活発なさまを彷彿とさせる。

新羅時代、多島海の一角にある清海鎮（全羅南道莞島郡）を拠点に活躍した海商が張保皐《ちょうほこう》である。新羅南部から中国の山東半島に渡り、その地の徐州武寧軍に入り、八二八年頃に新羅に帰国。興徳王に新羅人が中国で奴隷売買されている実情を報告、清海鎮大使に任命され、清海鎮を拠点に新羅南部の群小海上勢力を傘下に収め、唐・日本と交易活動を行い（山東、博多）、中国沿海諸港に居住するイスラム商人とも交易した。八三六年に興徳王死後、都金城（慶州）で後継争いが起こり、いったんは敗れた金祐徴《きんゆうちょう》が張保皐のもとに身を寄せ、張保皐はこれを支援して閔哀《びんあい》王を討ち、金祐徴は神武王として即位。この功により張保皐は感義軍使に任命されるが、神武王は即位後半年で急死、後を継いだ文聖王は群臣の反対で娘を王妃に迎える約束を反古にする。恨んだ張保皐は八四六年に反乱を起こし、最後は閻長という剣客に暗殺される（『三国史記』新羅本紀八四六年条、『三国遺事』紀異・神武大王閻長弓巴条）。『続日本後紀《しょくにほんこうき》』では八四一年十一月までに死去とする。文聖王は八五一年に清海鎮を廃止した（『三国史記』巻四十四「張保皐伝」も『新唐書』巻二百二十・新羅伝を引用）。

とりわけ張保皐の名が記憶されるのは、当時多くの新羅商人が居留する山東半島の先端の赤山をも拠点としており、赤山法華院を寄進、日本から来た入唐請益僧円仁を庇護したことである。事情は名高い円仁の『入唐《にっとう》求《ぐ》法《ほう》巡礼《じゅんれい》行《ぎょう》記《き》』に詳しい。円仁は最後の遣唐使の一員、揚州で入国許可が下りず、そのまま帰国せざるを得なかったが赤山で下船、長期不法滞在を断行、円仁のために地方役人と交渉して公験（旅行許可証）下付を取り付けたのが張保皐であった。円仁の求法の旅を物心両面にわたって支援した。円仁が五台山から長安に向かう途次、張保皐暗殺の情報が入っていたと思われるが、円仁は一切、日記にふれていない。長安で法難に会った円仁が再び赤山に帰還、麾下の張詠が円仁の帰国実現に尽力した。円仁は直接会ってはいないものの、張保皐の名前が日記に数箇所みられる（円仁ゆかりの延暦寺文殊楼脇には張保皐顕彰碑が建てられている）。

ついで、円仁の帰還の途次、『巡礼記』にも遠景が記される済州島に移ろう。済州島は日本における沖縄に相当する、朝鮮半島における辺境であった。流刑地として知られるが、もともと耽羅という独自の世界であり、後に朝鮮に包括される。

済州島には起源神話が伝わる。昔、島には人が住んでいなかったが、ある日、忽然と高氏、梁氏、夫氏という三人の神が地面から姿を現わす。三人の神は獣皮の服を着て、肉を食べ、狩猟を行った。やがて碧浪国から木箱に乗ってたどり着いた三人の王女と結婚し、王女が持ってきた五穀の種をもとに農耕、牧畜を始め、ついに人間世界を作り出した、という。三人の神が現れた三姓穴（毛興穴とも）の遺跡がある。やがて三人はそれぞれ自分の領土を持つことにし、漢拏山の北に位置する射先長元岳から、それぞれ矢を放ち、その先の地を自分の領土とし、部族が繁栄した。これがやがて耽羅王国として発展した、という。狩猟民と農耕民との融合が起源神話になっている。

他方、日本の古典に耽羅はあまり多くをみない。『今昔物語集』巻三十一第十二「鎮西人、至度羅島語」は、鎮西の人が商いで異国に行き、帰る途中、鎮西の南西に大きな島を見て食糧補給に寄るが、山の方から烏帽子折に白の水干袴をつけた男が百人ほど現れる。船人たちは警戒して近寄せず、弓矢で威嚇すると男たちは山の方へ引き上げる。戻ってそのことを話すと、古老からそこは「度羅島」で人を食う「度羅人」だ、と教わる。「人ニ不似ズ弊キ物ナド食フ者ヲバ、度羅人トハ云フ」という、謗らしき文言も引用される。この「度羅人」の謗的な文言がどの程度広まっていたのか不明であるが、異界にも近い異国訪問譚や蔑視譚になっている。この「度羅」は通説通り「耽羅」とみなせるだろう。ところが、この話の表題で、本文につく表題とは別に、巻三十一巻頭の目録表題のリストでは、「鎮西人至度羅島値虎語」となっており、度羅島で虎と遭遇する話であることを示している。しかしながら、今の本文の要約のごとく、島で遭遇したのは百人程の人間であり、虎は一切出てこない。

本文表題と巻頭表題が食い違う例は『今昔物語集』にはしばしば見出されるので、これもその一例といえるが、おそらく「度羅島」の「度羅」音に引かれて「虎」との遭遇を連想して、巻頭の目録表題を先につけてしまったのであろう。同じ『今昔物語集』巻二十九には、第三十一話「鎮西人渡新羅値虎語」があり、こちらは実際に鎮西の商い人たちが新羅で虎に襲われるが間一髪助かり、虎と鰐との決闘を目撃する話である。表題の付け方から見て、おそらくこの二つの表題はもともとセットで対になっていたのではないかと想像される。ちなみに後者は本文表題と目録表題は一致する（『今昔』の表題論は小峯『院政期文学論』笠間書院）。度羅島の話題は鎮西の人が京に上って語り伝えたというから、この説話は都に回収されるわけで、いずれにしても、耽羅は日本の中央から見て、異境の知られざる島であったことをよく示している。

十三世紀の高麗時代、朝鮮半島が元・蒙古に制圧されるに応じて、済州島も占領され、日本に共闘を呼びかけた高麗軍の三別抄が最後までここで抵抗したことはよく知られる。三別抄は、果ては琉球に渡ったともいう。後に衰退した元軍が半島から撤退しても済州島には最後まで駐留し、その結果、馬が特産にもなったとされる。なお、済州島にも徐福伝説がある。

十五世紀朝鮮の崔溥《さいほ》（一四五四～一五〇四年）は、済州島の役人となるが、一四八八年、父の病没で漢陽（ソウル）に向かう船で遭難、十四日間漂流して中国の浙江省台州に漂着。倭寇の嫌疑をかけられて護送され、寧波、紹興、杭州、蘇州や徐州など運河を経て北京にまで達し、東北部の遼陽を経て鴨緑江《おうりよつこう》を渡り、朝鮮に戻る。誠に数奇な運命といえ、『漂海録《ひようかいろく》』はその記録として知られる。十五世紀末期の中朝関係や明代の文化を知る上でも、海洋文学としても貴重である。この記録は日本でも注目され、その訓読本が『唐土行程記《とうどこうていき》』として近世に出版されている。

また、秀吉の朝鮮侵略の壬辰倭乱にも連関する薩摩の琉球侵略をめぐって、『琉球王世子外伝《りゆうきゆうおうせいしがいでん》』なる小伝がある（『藫庭遺藁』巻九「丹良稗史」、『韓国文集叢刊』二八九冊所収）。一六〇九年、薩摩藩の琉球侵略によって、琉球国尚寧《しようねい》王を人質として江戸まで護送するが、一方でその王子が済州島へ漂着。役人の李灤《りらん》が王子の持っていた財宝を引き渡すよう要求するが拒否したため殺害し、財宝を奪い、海賊に襲われたと偽証し、後に露見して処刑される。王子は辞世の悲愴な詩を詠んだ、というもの。尚寧には王子はおらず、虚構の可能性が高いが、『仁祖実録』仁祖元年（一六二三）四月十四日条には、琉球国世子が朝鮮に漂到する似たような事件が記録されている。貿易立国だった琉球への富の幻想が背景にあるだろう。

済州島をめぐる近代の事件で忘れられないのは、一九四八年、島民の蜂起に伴い、韓国軍らが一九五四年に到るまで引き起こした一連の島民虐殺事件のいわゆる四・三事件である。韓国は事件に南朝鮮労働党が関与しているとして、政府軍・警察による大粛清を行い、島民の五人に一人に相当する六万人が虐殺され、済州島の村々の七〇パーセントが焼き尽くされた、という。また、多くの人々が日本に逃れてきた。金石範《きんせきはん》『火山島』全七巻（文藝春秋、一九八三〜一九九七年）はこの事件を克明に描いた大作である。

7　海南島の鑑真と蘇東坡

本来ならここから南下して、屋久島、種子島、喜界が島、トカラ列島、奄美諸島など南西諸島から琉球列島、さらには台湾とたどるべきところだが、すでに紙数を超えているのでここでは割愛し、別の機会に述べることにしたい。あえて中国の沿海をたどり、寧波（明州）から福建、さらに南の玄関、広州、香港、マカオを経て、一気に海南島に行く

図4　海南島

【図4】。

海南島は古くから珠崖と呼ばれ、三国・呉の時代に珠崖郡が成立した。唐代の李《り》徳裕《とくゆう》、宋代の蘇軾《そしょく》などが左遷、配流された地で、とりわけ唐代に鑑真《がんじん》が漂着した所として知られる。七四八年、日本僧栄叡《ようえい》が再度、鑑真に渡日を懇願、五度目の渡航を決意して出航するが、激しい暴風に遭い、漂流の末、はるか南方の海南島に漂着。鑑真は当地の開元寺に一年間滞留し、医薬の知識を伝えた。有名な『東《とう》征伝絵巻《せいでんえまき》』にも海南島の鑑真の様子が描かれている。開元寺は島の北端の海口にあったらしいが現存しない。二〇一九年二月に訪れた際、清時代の石片が出土したというネット情報を頼りにそこらしい地を訪ね、地元の人が案内してくれたが、結局よくわからなかった。現在、鑑真漂着の地とされる島の南部の中心地、三亜市の南端に南山寺があり、巨大な海上観音像がそびえている。周辺はテーマパーク的な一大仏教施設となっているが、弘法大師の漂着伝説まであった（おそらく日本軍占領期の作為であろう）。

七五一年、鑑真は揚州に戻るため海南島を離れるが、途上の広州で高弟の祥彦《しょうげん》と日本僧栄叡が死去。揚州に帰還する間に鑑真は疲労などにより、両眼を失明する。そして七五三年、遣唐使の大使藤原清河《きよかわ》らが帰途に揚州の鑑真を訪れ、日本への渡航を約束する。この時の副使の一人が吉備真備《きびのまきび》であり、阿倍仲麻呂も帰還をめざして同行していた。しかし、明州当局の許可が出ず、大使清河は鑑真の乗船を拒否するが、遣唐副使の大伴古麻呂は秘密裏に第二船に鑑真を乗せる（おそらく清河も黙認）。これが運命の分かれ道であった。三隻は十二月に阿児奈波嶋（沖縄本島）に到着。沖縄から多禰嶋（種子島）めざして出航するが、清河と仲麻呂の乗った第一船は座礁、後にベトナム北部に漂着。結局は唐に戻り、二人は日本に帰ることなく、客死する。鑑真の乗った第二船は屋久島から薩摩の秋妻屋浦（坊津）に漂着。翌年、大宰府を経て奈良平城京に入る。渡航の企図から実に十二年の歳月がたっていた。吉備真備の乗った第三船も紀州にたどりつき、帰還できた。

海南島をめぐる文学者で著名なのは、北宋の詩人蘇軾（蘇東坡、一〇三七〜一一〇一年）である。晩年の一〇九四年に政争のために海南島の役人に左遷された。『蘇軾文集』巻七十一「書海南風土」に「嶺南天気卑湿、地気蒸溽、而海南為甚、夏秋之交、物無不腐壊者」とあり、『詩集』巻四十三「澄邁驛通潮閣二首」に「餘生欲老海南村、帝遣巫陽招我魂。杳杳天低鶻沒處、青山一髪是中原」という。流謫の地から本土に還る際、海南島北部の澄邁駅にある通潮閣に上って詠じたもの、とされる。任地の州と海口の間に位置する。流謫中の詩文は『居儋録』に収集、後に『海外集』にまとめられた。

海南島の歴史に関しては、小葉田淳『海南島史』（台北・東都書籍、一九四三年）が詳しい。当時、台北帝大助教授だった小葉田が海軍特務部の委嘱を受けてまとめたもので、時局と深いつながりがあった。日中戦争で日本軍が海南島を占領、ビルマ独立の志士アウン・サンらの軍事訓練がこの島で行われたりもした。序文に、「漢籍に拠る文献学的考察」を主に「漢人の開拓、漢人による統治の経過及び漢人文化の発展」から「本島史の推移を観た」というように、唐代までを黎明期、宋元を開発期、明清を近代とし、政治、経済、文化等々、多角的に考察する。倭寇についても取り上げられる。

アジア太平洋戦争後、第二次国共内戦が勃発、国民党政権は一九四九年四月に海南特別行政区を設置して内戦の反撃拠点とし、同年十月の新中国成立時点でもまだ海南島を占有していた。中国人民解放軍は一九五〇年三月から海南島の制圧作戦（海南島戦役）を開始、同年五月に海南島全域を占領して事実上、国共内戦を終結させた。一九八八年に広東省から新たに海南省となり、経済特区に指定されて今日に到り、現在はリゾート地として発展している。

海南島からベトナムは近い。仲麻呂と清河の漂着をはじめ、古来、『安南漂流記』をはじめベトナムと日本は相互に漂着の歴史を持っている。〈漢字漢文文化圏〉の海と島めぐりの文学誌の旅、ひとまずベトナム近海で閉じることにし、続稿を期したい。

02

山と森の文化史

山林にて、虎と遭う

北條勝貴

1 はじめに──中国の自然環境とトラ

一言で東アジア地域、あるいは東部ユーラシア地域といっても、その自然環境、気候や地形とそれに即した植生、動物相はきわめて多様である。たとえばその大半を占める中国は、張栄祖氏の分類によれば、①季節風の影響を受ける北側地域の東北亜界、②西部高原一帯を含む中亜亜界、③季節風区の南部に当たる中印亜界に大別され、それぞれがさらに二／二／三の中分類、三／二／三／二／二／二／五の小分類に細分化される。気候は北方の寒帯から南方・島嶼部の熱帯まで変化に富み、植生も針葉樹林、落葉広葉樹林、常緑広葉樹林、モンスーン林、草原に砂漠、それぞれの混合と、地域によってまったく異なる様相をみせる。[*1] 平面的な広大さのみならず、国土の七〇パーセント近くを高地が占め垂直方向に伸張していることも、[*2] 多様性を生じる一因であろう。そうした広汎かつ複雑な環境に適応し、大きく分布した生物がトラ（Panthera tigris）であり、現在、東北区長白山《ちょうはくさん》亜《あ》区、華北区黄淮平原《こうわいへいげん》亜区・黄土高原《こうどこうげん》亜区、青蔵区青海蔵南《せいかいぞうみなみ》亜区、西南区西南山地亜区・ヒマラヤ山亜区、華中区東部丘陵平原亜区・西部山地高原亜区、華南区閩《びん》広沿海《こうえんかい》亜区・滇南《てんなん》山地亜区に棲息が確認されている。[*3] そのイメージについては、明・李時珍《りじちん》撰『本草綱目《ほんぞうこうもく》』獣二に引く『格物論《かくぶつろん》』に、簡にして要を得た次のような説明がある。

虎は、山獣の王である。形は猫に似て大きさは牛のようであり、黄色い体毛に黒色の縞模様がある。牙は鋸《のこぎり》、爪は鉤《かぎ》のようで、鬚《ひげ》は丈夫で尖《とが》り、舌は人間の掌《てのひら》ほど（逆向きの棘が生えている）、首は短く鼻は詰まっている。夜には、一方の目で光を放ち、もう一方の目で物をみる。吼《ほ》え声は雷のようで、そこから風が生じ、あらゆる獣が震えおののく。[*4]

いうまでもなく、トラは山林生態系に君臨する王者なのである。後半はほぼ迷信だが、この文章が後世次々と引用され、トラのいない日本にまで伝わることを考えても、彼らが前近代の東アジアでいかに恐れられたか、よく反映した内容といえよう。分類については諸説あるが、中央・東南アジアやインドも含めて掲げると、シベリアトラ（Panthera tigris altaica。モンゴルトラ／アムールトラ／東北トラ／チョウセントラ。アムール〜中国東北部・朝鮮半島〜モンゴル東部。全長は四メートルに達し長い冬毛が特徴的）、アモイトラ（Panthera tigris amoyensis。チュウゴクトラ。揚子江《ようすこう》以南。色が濃く中形。野生下では絶滅）、ベンガルトラ（Panthera tigris tigris。インドトラ。インド南部〜ネパール・アッサム。大形で体毛は短い）を中心に十種余りに及ぶ。[*5]「虎害《こがい》」「虎患《こかん》」の言葉があるとおり人間の脅威となり続けたが、毛皮の美しさによって常に狩猟の危機に曝《さら》され、確認されている種の半数が、近代の組織的な駆除で絶滅に至っている。[*6]しかし前近代のアジアにおいて、トラと人間との関わりは、殺すか殺されるかという二項対立だけではない、多様な双方向性を内包していた。

これについては、シベリアトラを扱ったニコライ・A・バイコフ（Nikolai Apollonovich Baikov）の小説やルポルタージュ、[*7]アモイトラの視点から中国環境史を通史的にたどった上田信氏『トラが語る中国史』[*8]をはじめ、トラの挿話を多く含む志怪・伝奇研究などに相当な知見の蓄積がある。近年の中国では、人文系では考古遺物から少数民族の伝承、古小説、諺や格言まで、トラ関連の文物を網羅的に検討した汪玢玲氏『中国虎文化』[*9]、自然科学系では前述の張氏『中国動物地理』を踏襲した動物誌が複数著され、[*10]虎爺《こや》信仰の盛んな台湾では、北方から東南アジアまでを見据えた研究が次々と上梓されている。[*11]小論の本章では、概説のアップデート以上の意味を持たないかもしれないが、古代・中世の中国を中心に朝鮮半島や日本へも目配りしつつ、トラ／人間の関わりのなかから〈山林の文化史〉を浮かび上がらせてゆきたい。なおサブ・タイトルは、未知のものどうしが出会うことで新たな文化が誕生するとの観点から、「山林にて、虎と遭う」とした。[*12]

2　虎を呪う／虎で呪う——山林の生業・信仰から

中国の春秋・戦国時代は、温暖な気候のなか、鉄製農耕具や各種機械の発明・普及、競合する国家群の軍備増強のために耕地開発が展開し、自然環境の大規模な改変が出来した時代であった。黄河《こうが》流域では急速に森林が失われて乾燥化が進み、露出した黄土の流出と粉塵化が顕著になって、かつては澄んでいた黄河の水も黄色に混濁してしまった。『老子《ろうし》』『墨子《ぼくし》』などの諸子百家も、自然の秩序の攪乱《かくらん》が国家の存亡につながると警鐘を鳴らし、『春秋左史伝《しゅんじゅうさしでん》』や『国語』などでは、無理な開発や治水を行う王侯への、賢人たちによる諫止《かんし》のさまが描かれている。たとえば、『荘子《そうじ》』胠《きょ》篋《きょう》篇十は「知を好む過ち」の弊害を述べ、知＝文明の展開により鳥魚獣、そして人間自身までもが秩序を失うとする。[*13]同様の指摘は、前漢・劉安《りゅうあん》撰『淮南子《えなんじ》』巻八本経訓《ほんけいくん》、および後漢・高誘《こうゆう》注にみえ、蒼頡《そうきつ》が文字を発明したことで環境に依拠する生業が放棄され、やはり環境に基づく神霊への崇敬の破壊されてゆくことが、予言的に危惧されている。文明が際限のない欲望を助長する働きをなし、それが自分たち自身をも危機に陥《おとしい》れることを、当代の知識人たちはよく理解していたのである。[*14]

古代文明の生じた中原《ちゅうげん》地域にも、殷代の発掘品にゾウやサイの造形があることから明らかなように、かつては大型哺乳類の住む草原や森林が広がっていた。トラもその一員で、人類がユーラシア大陸を東漸《とうぜん》してゆく過程でさまざまな亜種に遭遇し、命がけの戦いを繰り広げてきたものと推測される。それゆえにこそ人間は、かかる暴戻な野生との一体化を図り、同種の力を獲得しようとした。強力な野獣を祖先とするトーテミズムなどは、そうした〈取り込み（領有化《アプロプリアシオン》）〉の一形式だろう。仰韶《ぎょうしょう》文化の西水坡《せいすいは》遺跡（河南《かなん》省濮陽《ぼくよう》市、六四〇〇年前）で出土した龍虎葬（埋葬者の左右に、貝殻で龍／トラのレリーフを作成したもの）は、彼らが早くから権力者のシンボルとされたことを示している。統一秦で軍兵を動員する割符が「虎符」と呼ばれ、のちに「虎牙」「虎賁」「虎騎」「虎士」が将軍や勇士の称号となってゆくのも、類似の事例と解釈できよう。前掲『荘子』の警鐘と呼応する城郭都市の建設、周辺の耕地化は、トラへの心的態度を一体化から搾取へ、文明の〈素材化〉へと微妙に変質させていった。もちろん象徴面の利用が大きいが、『本草綱目』には、フィジカルな面でも毛皮のほか、身体の各部、骨、肉、内臓諸器官から尿に至るまで、漢方医学的な効能が列挙されている。六朝《りくちょう》の医書逸文《いつぶん》によると、肉や骨、掌などの薬剤化が早かったらしい。トラは人間を襲うが、人間もトラをしゃぶりつくすのである。その捕獲には弓矢のほか、機檻《きかん》、機穽《きせい》などの罠も多用された。池田温氏によると、檻穽《かんせい》を用いたトラ捕獲の報償は漢代に始まり、晋令で厳密に成文化されて、以降大枠が受け継がれてゆく[*15]。すでに、戦国秦の田律《でんりつ》（『睡虎地秦墓竹簡《すいこちしんぼちっかん》』「秦律十八種」第七簡）は、禁苑内で得た野獣の肉は狩猟者が食べてもよいが、皮は国へ納めるよう規定している。かかる枠組みが、次第に禁苑外へも適用されるに至ったのだろう。檻穽が多用されたのは、虎皮を可能な限り傷つけないようにするため、そして江南《こうなん》の稠密《ちゅうみつ》な照葉樹林では、弓矢が巧く機能しなかったためと考えられる。近世半島の朝鮮王朝では、最大亜種シベリアトラ（チョウセントラ）の被害が長く続いたが、捕獲の方法は、最上が弩刀《どとう》（半月形で、表裏に刃がある）、続いて檻牢《かんろう》（檻穽）、阱槍《せいそう》（穴を穿《うが》ち、底に槍を五〜六本立たせ、上に麻の棒を敷いて土で覆い、トラを落とす）、最低が火砲とされた（丁若鏞《ていじゃくよう》撰『牧民心書《ぼくみんしんしょ》』巻十一刑典六條《けいてんろくじょう》／除害《じょがい》）[*16]。火砲は大げさにしても、『水滸伝《すいこでん》』よろしくトラに素手で立ち向かうことなど、（アモイトラならと思わないでもないが）普通にはありえまい。ただしバイコフの記録には、巨大なシベリアトラを二叉《ふたまた》の棒のみで捕らえるロシア人猟師たちがみえ、トラ狩り専門の職能者には可能だったのかもしれない[*17]。

　森林の山地への後退は、その過程で人間とトラとの軋轢《あつれき》を激化したと考えられる。『礼記《らいき》』檀弓下《だんぐう》には、孔子が泰山の傍らを過ぎたとき、舅も夫も子供もトラに喰い殺されたという婦人に出会い、「なぜ別の土地に行かないのか」と訊ねたところ、「苛政《かせい》がないからです、苛政は虎よりも怖ろしい」と答えたという、著名な逸話が載る[*18]。結論先にありきの内容だが、舞台が泰山の麓、すなわち野生／文化の境界である点には注意を要する。政治の善悪と虎患との関係は、以降もまことしやかに語られてゆき、たとえば劉宋・范曄《はんよう》撰『後漢書《ごかんじょ》』巻四十一 列伝／鍾離宋寒列伝三十一／宋均《そうきん》では、九江太守《きゅうこうたいしゅ》に遷《うつ》った均が虎害に檻穽で対応することを止め、民衆への課役を低減することでトラを去らせたと記す。[*19] 同種の話題は、後漢・応劭《おうしょう》撰『風俗通義《ふうぞくつうぎ》』巻二正失《せいしつ》（同話）、『後漢書』巻三十八 列伝／張法滕馮度楊列伝二十八／法雄《ほうゆう》、巻七十六 列伝／循吏《じゅんり》列伝六十六／童恢《どうかい》、巻七十九上 列伝／儒林列伝六十九上／劉昆《りゅうこん》、北宋・李昉《りぼう》ら撰『太平御覧《たいへいぎょらん》』巻八百九十一 獣部三／虎上所引呉・謝承《しゃしょう》撰『後漢書』逸文／劉陵《りゅうりょう》伝などにもみえる。『太平御覧』巻八百九十二 獣部四／虎下に引く劉宋・劉敬叔《りゅうけいしゅく》撰『異苑《いえん》』逸文、東晋・干宝《かんぽう》撰『捜神記《そうじんき》』（二十巻本）巻二―四十二によれば、扶南王范尋《ふなんおうはんじん》は、トラが対象者を喰うか否かに基づく一種の神判を行っていたという。オリエンタリズム的表象である点を考慮しなければならないが、やはり、トラが天理を代表するとの認識は共通している。しかし、先の孔子の逸話が「善政下でも虎患が絶えない」内容である以上、宋均などの事例は楽観的に過ぎ、イデオロギー先行の印象は拭えない。すでにそれ以前、後漢・王充《おうじゅう》撰『論衡《ろんこう》』巻十六 遭虎《そうこ》篇四十八も、虎患に汚職官僚への譴責《けんせき》など特別な意味を認める見解を批判、人間は彼らに喰われる動物のひとつに過ぎないと相対化している。[*20] 森林の後退は、人間社会のトラに対する感受性を鈍らせていったのだろうか。あるいは、そう喧伝せねばならないほど、トラに対する危機感は未だ強かったのか。山内弘一氏によると、朝鮮王朝においては、隣国へのギフトでもある虎皮が、一種の貢納物として民衆に課された結果、直接の虎患に匹敵する被害が出来したという。[*21] 氏の引用する儒者丁若鏞は、「民のために害を除くのは、牧《ぼく》（地方官）の務めである。一に盗賊、二に鬼魅《きみ》、三に虎狼。この三つがやめば、民の患いは除かれる」と虎患の問題を重視したうえで、前掲のとおりその捕獲法である火砲に触れ、砲手が一群となって村里に酒飯を求める弊害は虎・豹より甚だしい[*22]と、トラを狩猟する制度のほうこそが苛政を出来しうる点に注意している。

　中原の漢人たちが多く江南へ移住した南北朝時代には、多様なテクストに同地の自然環境が描かれるが、とくに山林に分け入った道士や僧侶たちによって、東南山地に分布するアモイトラが記録されるようになる。うち、東晋・葛《かつ》洪《こう》撰『抱朴子《ほうぼくし》内篇』巻十七 登渉《としょう》（以下、「登渉」と略記）には、道士が山林修行を実践する際に必要な心得、知識・技術が網羅されており、トラへの言及も随所にみられる。*23 彼らにとって、山中は危険な虫や獣のほか、強力な精霊・神霊の宿る場所であり、それらの害から自らの身を守るためには、鬼魅の正体を看破し指摘する必要があると考えられていた。かかる方法は戦国末期『睡虎地秦簡』「日書《にっしょ》」甲種《こうしゅ》／詰篇《きつへん》に、厲鬼《れいき》の名称／禍害の様態／対処法を列挙する形で現れ、以降神呪経系の道教経典へ継承されてゆく。*24 平安期日本の医書、丹波康頼《たんばのやすより》撰（天元五年［九八二］）『医心方《いしんぽう》』巻二十六 避虎狼方《へきころうほう》十四に引く『得富貴方《とくふうきほう》』にも、「神仙が山に入って虎や蛇を避けるには、その名前を呼べば去って姿を消す。虎の姓は黄子義《こうしぎ》であり、虎をみたら『黄子義』と呼べば、すぐに去って姿を隠してしまう」と述べる。*25「登渉」にも類似の技法があり、日時に即して山の神霊や獣が変化する姿を示し、たとえば卯の日に「丈人《じょうじん》」と自称する者は兎、辰の日に「雨師《うし》」と自称する者は龍、巳の日に「寡人《かじん》」と自称する者は蛇などとし、トラについては、「山中で寅の日に、虞吏《ぐり》（山の管理者）と自称する者があれば、虎である」と書いている。

「登渉」はまた、虎患回避のいくつかの方術を、次のとおりさらに具体的に掲げる。

（ア）護符……辟虎狼符《へきころうふ》（丹砂《たんさ》で絹に書き、入山に際し常に身につけるほか、住居にも貼っておく）、入山佩帯符《にゅうざんはいたいふ》（三種類あり、牛舎・馬舎の前後左右、豚を囲う柵の上にまとめて貼る）、玉神符《ぎょくしんふ》、八威五勝符《はちいごしょうふ》、李耳太平符《りじたいへいふ》、西岳公禁山符《せいがくこうきんざんふ》。

（イ）章印……黄神越章印《こうしんえつしょういん》（幅四寸、百二十字からなる。入山の際に身につければ虎狼の害はなく、悪神の災禍も避けられる。新しい虎の足跡をみつけたとき、その足跡を順に封印してゆくと、虎は去る。逆に封印してゆくと、虎は戻ってくる）、中黄華蓋印文《ちゅうこうけがいいんもん》。

（ウ）禁法……三五禁法（山中で虎に遭遇した場合、その害を避ける方法で、すべて口伝による。たとえば、自分を長三丈の朱鳥《しゅちょう》［朱雀《すざく》］と思い、虎の頭上に来て気息を閉じれば、虎は去る。山中へ宿る場合、密かに頭の釵《かんざし》を取って気息を閉じ、白虎の上に突き刺せば畏れる必要はない。あるいは、左手に刀を持って気息を閉じ、地面に方形を描き、「恒山の陰、太山の陽、盗賊起たず、虎狼行かず、城郭完《まった》からずとも、閉じるに金関を以てす」と呪し、刀を旬日《じゅんじつ》中の白虎の上に横たえれば、何も畏れる必要はない）、大禁《だいきん》（三百六十の気息を呑み、左から取って右へ、虎に吹きかければ、虎は起き上がれない）。

（エ）その他……歩法《ほほう》（七星虎歩）、製薬（石流黄散、牛・羊の角を焼いたもの）

葛洪の道教は、神仙思想を核に、医術・薬学、のちの本草学、呪術とが渾然一体となっており、それらは自然環境に対する詳細な観察から昇華されている。*26 右の（ア）〜（エ）には不明な点も多いが、あえてこの公式を当てはめれば、猟師や樵夫《しょうふ》ら山林生活者に通底する心性が浮かび上がってくる。（イ）については、章印の具体的な内容は記載がないが、足跡を利用した感染呪術である点が注意される。山中における動物の足跡は、狩猟者にとって情報の宝庫であり、それを付けた動物の種類から、身体の大きさや状態、生活圏や行動パターンなどが推測できる。*27 後述のとおり、トラを扱った志怪や伝奇でも、人間がその足跡を追ってゆくくだりは、常套的に確認できる（たとえば、李昉等撰『太平広記《たいへいこうき》』巻百二十六虎一所引唐・包滑《ほうしょ》撰『会昌解頤録《かいしょうかいいろく》』逸文「峡口《きょうこう》道士」など）。東晋・干宝撰『捜神記』（二十巻本）巻十二―三百七には、人間に変身できる貙虎《ちゅこ》のエピソードがあるが（後述）、「貙虎は化して人となり、好んで紫葛衣《しかつい》を着け、足には踵がない。虎に五指があれば、皆な貙である」との、張華《ちょうか》撰『博物志《はくぶつし》』巻二異人の記事を伴う。*28 同様に「登渉」にも、鏡で映した際に踵があるか否かで、山神／魑魅《ちみ》を区別する方法が書かれている。これも、山中を跋扈《ばっこ》する得体のしれないモノについて、足跡から類推する意識の延長だろう。

（ウ）については、やはり自然環境を観察するなかで得た天敵どうしの捕食関係を、陰陽五行説を介して展開した論理が根底にあろう。*29 五行配当では白虎が金、朱鳥（朱雀）は火であり、火克金（「火は金を克す」の意）の相剋《そうこく》説によって、朱雀克白虎の関係が成り立つ。山林生態系の頂点に立つトラには、実質的に天敵がいないため、呪術によって、それに相当する存在を創り出しているのだと考えられよう。

（エ）について、まず七星歩法は、のちの反閇《へんばい》にみられるように、北斗の星の位置を踏む護身法と推測される。製薬のうち「石流黄散」は自然生の硫黄鉱石、「石硫黄」の散薬だろう。南梁・陶弘景《とうこうけい》撰『本草経集注《ほんぞうきょうしっちゅう》』は、主な効能として、婦人陰蝕、疽、痔、悪血、堅筋骨、頭禿などを挙げているが、とくにトラとの関係は見出せない。恐らくは石硫黄が山谷で採れること、黄色いことなどから、類似したものを呑み込んでトラに勝つという、感染呪術の一種とみ

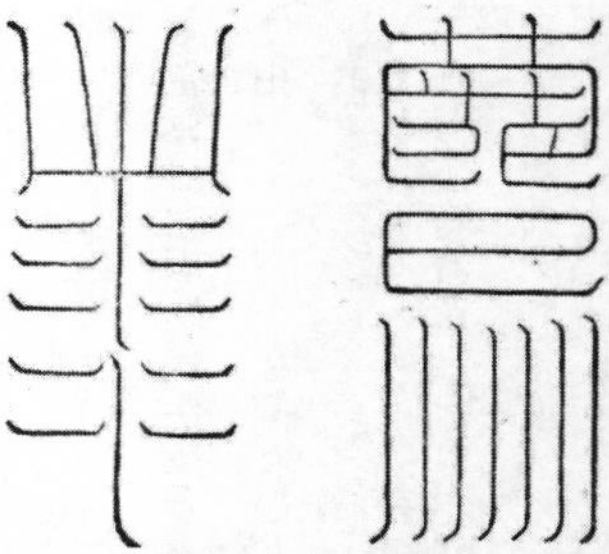

図1　辟虎狼符の二符（王明撰『抱朴子内篇校釈（増訂本）』、310 頁より）

図2　トラを描いた木板（甘粛省文物考古研究所編『天水放馬灘秦簡』、148 頁より）

られる。「焼牛羊角」については、まず北宋・李昉ら撰『太平御覧』巻八百九十一獣部三／虎上に引く前漢・劉安《りゅうあん》撰『淮南萬畢術《わいなんばんひつじゅつ》』逸文に、「角を焼いて山に入れば、すなわち虎や豹は自ら遠のく。その臭さを嫌うためである」とある。[30]『医心方』巻二十六 避兵刃方《へきへいじんほう》十二に引く『録験方』『九薬』には、携帯すると兵刃、虎・野狼・毒虫の害を避ける入軍丸の素材七種のうちに、「羖羊角一分半」が挙げられている。同巻避虎野狼方《へきこやろうほう》十四に引く『得富貴方』にも、「山に入ろうとするなら、羊の角を焼いて携帯すれば、虎・野狼は皆な走って人を避ける」とあり、『集験方《しゅうけんほう》』では同文を「牛羊角」とするようで、いずれも虎狼を避ける効果が期待されたものとわかる。

（ア）については、辟虎狼符の二符、入山佩帯符の三符の図様が、「登渉」に残っている。関係する文字を積み重ね煩雑化してゆくのがひとつの傾向だが、とくに前者の二符は、トラの姿形を形容したものとみえ（【図1】）、やはり感染呪術の一例と推測される。この点と関連して注意されるのが、甘粛《かんしゅく》省天水放馬灘《てんすいほうばたん》十四号秦墓から出土した、トラを描いた木板である（M一四・九B、【図2】）[31]。トラが針葉樹につながれ逃げようともがいている、「繋虎図」ともいうべき図様で[32]、トラの自由を封じる呪具ではないかと考えられる。同一号秦墓からは、秦始皇八年（前二三九）をさかのぼる戦国中期の木板地図四部七幅が出土しており、山・水系・溝渓、関隘《かんあい》などの情報が、いくつかの地名とともに描かれている。その復元案や、具体的にどの地域を指すのかについては諸説あるが、どうやらひとつの大きな地図を構成するものらしい[33]。注目すべきは、そのなかに一定の植生情報がみえることで（たとえばM一・一二のA面には、「陽有剸木」「北有灌憂百録」「楊谷」「陽尽柏木」「橚材」「大楠材」などとある）[34]、原宗子氏はこれらの地図を、当該地域から河川などを利用、有用樹種を伐り出すための案内図ではないかと推測している。*35地名のうちには「虎谷」もあり、これが文字どおりトラの出没する場所とすれば、伐木作業を続けるためにはその襲撃を回避せねばならない。最近、姜守誠氏は「繋虎図」について、のちの四神の白虎のように墓主の棺室を鎮護するよう、トラをつなぎ止めておくための呪術であったと位置づけている。後述する儺を伴うような喪葬の祭儀が、実施された痕跡と理解するのである。*36守護獣を束縛する図像は寡聞にして知らないが、同木板が遺体の胸腹部に置かれていた点、甘粛省武威市五壩山七号漢墓南壁壁画などに類例が発見されている点などから、必然性の高い見解ではあろう。しかし、規模・構造に共通点の多い一号墓・十四号墓の被葬者に同様の地方官文化をみるとき、前掲の木板地図と連結する視点は想定しえないだろうか。ここではあえて、特徴的な木板案内図とセットで用いられた、辟虎符の原型であった可能性を指摘しておきたい（裏面には博局図が描かれているが、*37山中での行路の吉凶を占ったものだろうか。一号墓出土の「日書」にも、同様の用途を想定できよう）。六朝期に江南の山中で修行し、医術や薬学を発展させていった道士たちの知識には、戦国期の山中で生業を展開、あるいは資源管理など公的職務に従事していた人々の民俗知が、より洗練された形で継承されていたのかもしれない。

『医心方』巻十八には、種々の武器や植物、昆虫、動物によって生じた外傷の治療法がまとめられているが、その多くは山林で効果を発揮する類のものである。トラについても、『様要方《ようようほう》』『葛氏方《かつしほう》』『短劇方《たんげきほう》』『千金方《せんきんぼう》』『医門方《いもんほう》』『枕中方《ちんちゅうほう》』などが引用されているが、その牙には毒があると考えられたらしく、葛根《かっこん》の煮汁で洗う、青布を焼いた煙で燻《いぶ》すなど、毒抜きの処方が散見する。実際に咬み跡が化膿するなどの事態はあったろうが、その威力が事実以上に怖れられたことが、かかる記述からも想像される。しかしだからこそ、逆にトラは辟邪の象徴ともなってゆく。鬼魅を斥《しりぞ》ける祭儀として最も典型的な儺《な》について、『論衡』訂鬼《ていき》第六十五所引『山海経《せんがいきょう》』逸文は、黄帝が「凶魅《きょうみ》」を防ぐため「大桃人《だいとうじん》」を立て、門戸に神荼《しんと》・鬱塁《うつるい》の二神と虎とを描き、草索《そうさく》を懸ける形式を整えたとする。トラは、鬼門を守る二神に従い、鬼魅を喰らう。『風俗通義』巻八祀典／桃梗《とうこう》・葦茭・画虎《がこ》もそれを詳述したのち、「虎は陽なるもので、百獣の長である。強い力で捕らえ打ち挫《くじ》き、鬼魅を咬み喰らう。いま、人が悪い情況に置かれたとき、虎の皮を焼いて飲んだり、虎の爪を撃ったりすれば、よく悪を辟《さ》けることができるのは、それゆえである[38]」と、その辟邪性を特記する。トラに対する恐怖／憧憬の両義的態度は、山中で遭遇するリアルな危機感を基底に、現代にまで受け継がれてゆくことになる。

3　虎に変わる／虎を変える——志怪・伝奇とトラのエスノグラフィー

『太平広記』巻四百二十六～四百三十三には、志怪小説や唐代伝奇に載るトラの逸話がまとめられており（以下『広記』と略記）、史書や法律など公的な文書からはうかがい知れない、一般社会の多様なトラ観を確認することができる。同様の試みは、のちに明・王遅登《おうちとう》撰『虎苑《こえん》』三巻、陳継儒《ちんけいじゅ》撰『虎薈《こわい》』六巻へと受け継がれてゆくが、ここでは『広記』虎を用い、北宋初期までの情況を整理しておきたい。

まず、緒巻虎一に収められた中唐・戴孚《たいふ》撰『広異記《こういき》』逸文「巴人《はじん》」からみてゆこう。

巴人は大勢で木を伐り、板を作ることを生業とした。開元（七一三～七四一）の初年、百人余りで山に沿って伐木を続け、太白廟《たいはくびょう》に至った。廟前には松の巨樹が数百あり、彼らは喜んで伐り始めたが、二十株余りを倒したところで、帽子を被り杖をついた老人が現れた。老人は太白神と名乗り、松を神樹として伐採の中止を求めたが、巴人はこれを聞き入れなかった。そこで、老人がやむをえず「斑子《はんし》」と呼びかけると、突然数百頭の虎が現れ、巴人のほとんどを咬み殺してしまった。このときに伐り倒された木は、天宝（七四二～七五六）の末年まで残っていたという[39]。

太白神は、秦嶺《しんれい》山脈の最高峰太白山の神格化であり、トラは、かつて東南山地周辺に跋扈したアモイトラを指す。彼らは大きな群れを作らないため、襲撃をそのまま現実の出来事と捉えることはできず、山神の使者、もしくは山神そのものとの観念に基づく想像だろう。内容的には、神霊を愚弄する行為に残酷な神罰が下るもので、過度な開発のもたらすカタストロフィへの警告と考えられる。ある時代にどの程度の開発が可能となるかは、自然環境の状態、道具や方法、労働力動員などの水準を基底に、宗教的禁忌の表象を採る共同体規制で決まることが多い。技術や社会・経済制度が改変され開発の可能性が上昇すると、規制を支える心性が動揺し、試行錯誤の過程で自然環境との調和が破壊され、その反動が災害となって出来することもある。傍線部のあとには、「詔令《しょうれい》により内殿を修理する際、楊国忠《ようこくちゅう》は人を山所へ派遣して勅を宣し、樹を取り板を作らせて使用した。神はついにこれを与えた」とある。事件の痕跡が現存することを述べるのは、志怪や伝奇が事実性を強調するためのレトリックだが、王宮修理の用材確保をめぐる人の動きが、伝承を生む契機になった可能性はある。巨樹の倒れ重なる場所に遭遇した役夫たちの経験が、不可解さへの説明を求めて在地の伝承に取材、具体化されたものだろうか。同時代の事業を正当化しつつも、やはり山林への畏れと、前代から受け継がれた開発への不安感が透けてみえる。北魏・酈道元《れきどうげん》撰『水経注《すいけいちゅう》』巻十七 渭水《いすい》所引魏・曹丕《そうひ》／張《ちょう》華《か》撰『列異伝《れついでん》』逸文には、神樹が伐採に抵抗し役夫たちを傷害するものの、秘密を知られてついに伐り倒されるという〈大木の秘密〉型説話の初見記事がみえる。梓の巨樹から出現した牛を祀る怒特祠《どとくし》の縁起であり、かつ王権の開発事業に伴う自然環境の抑圧、〈神殺し〉譚の典型でもある。前漢・司馬遷《しばせん》撰『史記』巻五 本紀／秦本紀／文公二十七年条「南山大梓・豊大特を伐つ」の、民族名称を樹木と読み違えたために生じた伝承であり、恐らくは『列異伝』の編纂をそれほどさかのぼらない頃の成立だろう。同伝承には、文公を始皇帝に置き換えたヴァリアントもあるが（初唐・道世《どうせい》撰『法苑珠林《ほうおんじゅりん》』巻六十七 怨苦篇七十七所引西晋・郭璞《かくはく》撰『玄中記《げんちゅうき》』逸文）、秦嶺山脈南麓の山林伐採や咸陽《かんよう》への木材運搬は、統一秦の時代から始まっていた。怒特祠のあった武都郡故道県《ぶとぐんこどうけん》は、現在の甘粛省隴南《ろうなん》市両当《りょうとう》県・陝西《せんせい》省宝鶏《ほうけい》市鳳《ほう》県の境に当たり、太白山からも数十キロ程度の距離である。「巴人」という物語りが、宮材確保に伴う伐採抵抗伝承であることにも、充分注意をしておきたい[*40]。

『後漢書』巻八十六 列伝／南蛮西南夷《なんばんせいなんい》列伝七十六は、巴郡・南郡の蛮《ばん》すなわち巴《は》・樊《はん》・瞫《たん》・相《そう》・鄭《てい》五姓の始祖、直接的には巴氏出身の廩君《りんくん》について、その魂魄が死後白虎となったこと、巴氏が人の血をもってトラを祀る供犠を行っていたことを記す。廩君の実体はトラであり、この虎トーテムのあり方が、現在四川・貴州・雲南などの山林地域に分布する、イ（彝）族、ドアン（徳昂）族、トゥチャ（土家）族、ナシ（納西）族、ペー（白）族、リス（傈僳）族、ロッパ（珞巴）族ら、西南少数民族まで接続しているのである。[*41] イ族には、葬儀の際に遺体に虎皮を掛けたり、虎皮で包む習俗があるという。[*42] 秦嶺山脈を移動しつつ伐木に従事している点からしても、右の「巴人」が、『後漢書』の巴南五姓と無関係であるとは考えにくい。かかる彼らが山神に背きトラの襲撃を受けるのは、この伝承の核が漢人に構築されたからだろうか。あるいは時代を追って山林奥地まで開発が進むなか、過度の環境破壊を抑制する共同体規制との間に、激しい軋轢が生じていたのだろうか。いずれにしろそこには、トラを山林活動の監視者、虎患を禁忌の違背への処罰とみる認識がうかがえる。

『広記』虎には、トラ／人間の変身譚も多くみられる。富永一登氏は、人間がトラになるという「幻想」の成立について、六朝志怪の段階では、①地方官、②廟神《びょうしん》、③狂疾《きょうしつ》、④蛮夷《ばんい》への恐怖が介在して生まれた説話であり、唐代伝奇に至り、人間の心理描写を読み込む創作性・複雑性を加え、次第に文学化してゆくと整理した。[*43] また近年王貝氏は、トラ／人間の変身譚を網羅し、その目的・理由の時代的変化を跡づけている。まずトラ→人間の変身については、南北朝期の①男女の交わり、②人間に助けを求めるパターンが主要なもので、唐代に③報恩などが出現し多様化するが、以降の時代へは①②以外ほぼ継承されないという。一方人間→トラの変身については、漢代の①病気、②風土、南北朝期の③神罰、④罪があり、②は早くに消失、③④は仏教や道教との関係で発生すると整理している。[*44] すでに氏の論のなかで指摘されているが、トラへの変身譚の初見は、『太平御覧』巻八百九十五獣部四／虎下に引く前漢『括地図《かっちず》』逸文に、「越・俚の民は、年老いると化して虎となる」とあるもので、現在の広東《かんとん》・広西《こうせい》といった南方地域の民俗知とみなされる。また同時代の『淮南子』巻二俶真訓《しゅくしんくん》には、公牛哀《こうぎゅうあい》という人物が転病（変化の病）に罹《かか》って七日でトラとなり、兄を打ち殺したとの記事がある。後漢・高誘はこれについて、長江と淮河《わいが》の間の公牛氏にはこの種の病があり、人を食べた者は本当の虎になるが、食べなかった者はもとに戻れると注釈している。[*45] 志怪・伝奇の変虎譚は、これら長江以南、東南山地に関わる習俗が、南北朝の民族大移動と文化の融合によって、多様に変化しながら中国社会の表面へ言説化されてきたものだろう。よってここでは、地域や民族の基層、環境文化に注意しつつ、（ア）トーテム信仰に基づき変身を肯定的に捉えるもの、（イ）神罰などと否定的に捉えるもの（天の配剤として受容するものも含む）に大別・検討し、トラ観の時代的な、あるいは階層／民族集団的な相違・変化を照射してゆくことにしたい。

二つのうち、特定の動物を始祖と考え異類婚姻の対象とし、それゆえに相互に変身しうるものとする（ア）トーテム信仰が、最も古く基層的であると考えることは許されよう（もちろん狩猟文化においては、追跡する動物種との間に主体の転換が生じるパースペクティヴィズム、トランス・スピーシーズ・イマジネーション［Trans-Species Imagination、以下TSIと略記］が働く場合もある）[*46]。これが前述した西南夷に色濃く受け継がれてゆくのは、山林で生活する彼らにとって、トラが身近な脅威であったからにほかなるまい。よって史料的に立証は難しくとも、北方や西方など他のトラの生息地においても、同様の信仰が存在した可能性は高い。（イ）は、それが社会的・経済的推移によって、あるいは漢文化との接触によって、多様に変質したものと考えてよかろう（もちろん、志怪から伝奇への表現形式の変化によって、個人の内面の葛藤が具体的に描かれるようになった点も注意される）。依田千百子氏によると、朝鮮半島のトラ表象も、北方系の狩猟文化と南方系の焼畑農耕文化の融合したものと位置づけられるという[*47]。朝鮮の始祖檀君王倹《だんくんおうけん》はクマの所生だが、その誕生神話には、桓雄との婚姻をめぐるトラとの競合が含まれている。ナーナイやニヴフ、ウデへなどの北方狩猟民では、クマ／トラ双方の異類婚姻譚が混在しており[*48]、朝鮮の場合もそれらと同ケースとみられる。

（ア）に分類されるものは、変身する主体に注目するとその歴史的変遷を想定できる。たとえば、前掲『捜神記』貙虎の物語りは、『広記』にも「亭長《ていちょう》」（虎一）のタイトルで収められるが、長沙の民衆が仕掛けた機穽に亭長がかかっており、助け出してやるとトラに変じて逃げ去る。初唐・樊綽《はんしやく》撰『蛮書《ばんしょ》』十二―三百七には、「長江と漢水の周辺には貙人がおり、これは廩君の苗裔である」としている[*49]。隋・蕭吉《しょうきつ》撰『五行記《ごぎょうき》』逸文「蕭泰《しょうたい》」（虎一）は、そのヴァリアントとみてよい。そもそもが得体の知れない存在を捉えた変身譚で、虎トーテムの人々の伝承、行動などを仄聞して漢人が創り出した、オリエンタリズム的表象だろう。『広異記』逸文「虎婦」（虎六）も同様で、トラに掠われてその妻となった女性の体験談だが、巴蜀《はしょく》・江南地域では猿猴を相手とする類話が確認（『法苑珠林』巻六 六道篇／畜生部／感応縁所引『捜神記』［二十巻本『捜神記』巻十二―三百八］など）、列島では山人表象（柳田国男『遠野物語』六・七など）、北方狩猟民ではクマに関して物語られる。[*50]『広異記』逸文「稽胡《けいこ》」（虎二）は、虎王たる道士が猟師を喰わずに助けてやるという筋で、殺されることは天命により定まっているものの（虎患に遇う理由の説明である）、身代わりを立てて免れる方法が示される（ほかに前掲「峡口道士」、『広異記』逸文「王太」［虎六］など。中唐・皇甫氏《こうほし》撰『原化記《げんかき》』逸文「柳并」［虎八］は、同話を僧に置き換えたもの）。作中の道士はすべて山林修行者であり、少数民族へのまなざしと同じく、周縁化の結実としての説話化だろう。劉宋・東陽無疑《むぎ》撰『斉諧記《せいかいき》』逸文「師道宣」（虎一）は、病を得て発狂しトラに変身、密かに人を食べていた主人公が、のちに暴露話を聞いた被害者の遺族に報復される。説話としては完成されており、中唐・李復《りふく》言《げん》撰『続玄怪録《ぞくげんかいろく》』逸文「張逢《ちょうほう》」（虎四）、『原化記』逸文「南陽士人」（虎七）も同形式だが、トラとの同一化の過程（身体や精神の段階的変化）が詳細に描かれている点に特徴がある。伝奇小説が可能にした表現だが、山林生活者のＴＳＩを受け継ぐものとみたい。

なお、トーテム信仰的変身では毛皮の着脱がスイッチとして機能（毛皮こそが人間と異なる野獣の象徴であるため）、人は獣に、獣は人になるが、劉宋・劉敬叔《りゅうけいしゅく》撰『異苑《いえん》』逸文「鄭襲《ていしゅう》」（虎一）、『五行記』逸文「黄乾《こうけん》」（虎一）、前掲「峡口道士」、『広異記』逸文「費忠《ひちゅう》」（虎二）、『原化記』逸文「天宝選人《てんぽうせんじん》」（虎二）、中唐・薛漁思《せつぎょし》撰『河東記《かとうき》』逸文「申屠澄《しんとちょう》」（虎四）、晩唐・裴鉶《はいけい》撰『伝奇《でんき》』逸文「王居貞《おうきょてい》」（虎五）、南梁・慧皎《えこう》撰『高僧伝《こうそうでん》』逸文（現行本になし）「僧虎」（虎八）、晩唐・陸勲《りくくん》撰『集異記《しゅういき》』逸文「崔韜《さいとう》」（虎八）などは、この点を明確に意識している。うち「天宝選人」は、現在でも西南少数民族に語り継がれるような異類婚姻譚の典型で、上京途中に僧房へ宿を取った男が、夜中に虎皮を懸けて眠る美女を見出し、これを隠して結婚する。天人女房譚と同じ形式で、虎皮＝羽衣の位置づけである。「崔韜」も類話だが、「天宝選人」が夫婦・親子の別れに終わるのに対し、こちらのトラ＝女房は夫も子供も喰ってしまい、ヒト中心主義に流れていない。『五行記』逸文「袁双《えんそう》」（虎一）は、路上で出会い妻とした美女が、屍肉を喰らうトラだったという怪異譚で、オリエンタリズム／怪異志向の連続性の上に立つ。餌食となった死者の霊がトラに付き従い、これが死ぬまで解放されないという倀鬼のエピソード（『伝奇』逸文「馬拯《ばじょう》」［虎五］、『広異記』逸文「劉老《りゅうろう》」［虎六］・「石井崖《せきせいがい》」［虎七］、南唐～北宋・徐鉉《じょげん》撰『稽神録《けいしんろく》』「陳褒《ちんぽう》」［虎七］、『原化記』逸文「潯陽猟人《じんようりょうじん》」［虎八］など）、高木に登った男を捕らえようと胴の長いトラが登場する、いわゆる〈虎梯子〉の原話（『広異記』逸文「朱都事」［虎七］。中唐・于逖《うてき》撰『聞奇録《ぶんきろく》』逸文「帰生《きせい》」［虎五］も類話）などは、トラの民俗分類が現在の科学的認識と大きく異なる（単なる動物ではない）ことを示していよう。*[51]

変身譚ではないが、トラの報恩譚も民族信仰に基づく。依田千百子氏は、『三国遺事《さんごくいじ》』巻五〈虎願寺伝説〉に発する朝鮮のトラ報恩譚を分析、根底に狩猟民の〈動物の主〉信仰と、それに基づく〈好意を寄せた人間のために死にたいという欲求〉を見出した。*[52] 狩猟採集文化においては、主な捕食対象である動物について、主が人間との契約に基づき〈肉〉として恵与してくれる、自ら進んで殺されに来てくれるとの理解があった。*[53] 贈与交換の心象風景であり、北方狩猟民の伝承から仏教の本生譚（古代インドのドラヴィダ人の伝承）にまで見出せる。*[54]「一日一頭の鹿を供する」という人王との契約を守り、妊娠中の牝鹿のかわりに鹿王自ら犠牲になろうとする鹿王本生譚は、広く中国から日本にまで影響を与え、『仏説九色鹿経《ぶっせつくしきろくぎょう》』『仏説鹿母経《ぶっせつろくもきょう》』などの独立した経典まで生じた。『広異記』逸文「張魚舟《ちょうぎょしゅう》」（虎四）、「李大《りだい》可《か》」（虎六・出典なし）では、身体へ刺さった棘や竹を抜いてもらったトラが、恩人への返礼に猪や鹿の肉を届けに来る。後者では、トラが恩人を誤って殺してしまい、自ら命を断つという結末になる。やはり、肉の返礼と自己投棄が、もともとの主題であろう。孫晋泰採録の朝鮮のトラ報恩譚では、口に刺さった銀簪を抜いてくれた樵夫にトラが毎日木（薪炭材）を届け、嫁となる女性も届けたうえで、最終的には自身を殺させて、王の褒美により裕福にする。*[55] かかる発想は、「三十三間堂棟木の由来」に代表される、列島の樹魂婚姻譚とも通じる。以前に言及したとおり、現状、列島狩猟文化の動物観を象徴するアイヌのイヨマンテと、同じく山林を利用する文化の樹木観を代表する諏訪社の御柱祭とは、送り祭儀としてよく似た構造を持っている。*[56] 猟師は動物を殺して血や肉・骨・毛皮を貰い、本体である精霊を他界へ送って、内臓などの一部を山神に捧げる。樵夫は樹木を伐採して幹や樹皮を貰い、やはり本体である木霊《こだま》を他界へ送って、梢や根株を山神に返却する。山林の文化においては、動物／植物の区別が曖昧である証左だが、それは列島のみならず、ある程度東アジアに通底する現象なのだろう。[*57]

（イ）のうち最もよく知られているのは、中島敦「山月記」の原型、晩唐・張読《ちょうどく》撰『宣室志《せんしつし》』逸文「李徴」だろう（虎二。明・陸楫《りくしゅう》撰『古今説海《ここんせつかい》』などでは、李景亮《りけいりょう》撰「人虎伝」と記す。近藤春雄氏は、『広記』収録のほうを原型に近いとする）。[*58]

皇族の子孫で才能にも恵まれた李徴は、天宝十載（七五一）、進士に及第し江南尉に補任されるも、驕慢な性格で卑職に耐えられず官を辞す。しかしやがて生活に困窮、職を求めて赴いた呉楚地方で歓待されるが、帰途に病を得て発狂、山谷に姿を消してしまう。翌年、徴の旧友だった袁傪《えんさん》が監察御史として嶺南《れいなん》に赴いた際、虎となった徴と再会し、変身に至る経緯を聞く。また、遺稿を口伝てに書き取り、手紙を預かって妻子へと渡し、援助してその飢寒を救った。[*59]

全体として、『高僧伝』類で発展する神仏習合譚のうち、神身離脱形式の構成とよく似ている。[*60] 同形式は、たとえば初見ともいうべき後漢・安世高《あんせいこう》の物語り（完成された形態は、南梁・僧祐《そうゆう》撰『出三蔵記集《しゅつさんぞうきしゅう》』巻十三 伝上／安世高伝一、南梁・慧皎撰『高僧伝』巻一 訳経上／安清伝三などに収載）では、瞋恚《しんに》を抑えられなかった僧侶が死後宮亭湖の蛇神へ生まれ変わり、前生の同学だった安世高に話して自らの珍宝を布施、それによる造寺の功徳で悪身を離れる。形式としては、(a)神の出現→(b)自身の宿業に関する神の語り→(c)神身の苦悩に関する神の語り→(d)仏教的作善に関する神の願い→(e)神のための作善行為→(f)神の入滅、という構造を持つが、神をトラに読み換え、(d)を李徴遺稿の聞き取り（要請）、(e)を李徴遺族への援助（具体的対応）とすると、ほぼ合致する。トラは人間であった時期を「先身」と表現しており、内容に仏教色はないものの、説話の形式はこれを利用しているとみてよかろう。本生経類にトラを含む多様な動植物への転生譚があり、また初唐・義浄《ぎじょう》訳『金光明最勝王経《こんこうみょうさいしょうおうきょう》』巻十 捨身品二十六に載る〈捨身飼虎〉の逸話にも示されるように、三悪道のひとつ畜生に属するトラは、仏教的には憐憫と教化、救済の対象であった。『高僧伝』類には、山神の使者あるいは山神自身としてのトラを斥ける、手懐ける、二虎の争いを仲裁するといった馴虎表現も、高僧の権威を喧伝する護法善神形式としてみえる。[61] 六朝期には、廬山《ろざん》や牛頭山《ごずさん》、赤城山など、江南において神仙の聖地とされた山々へ僧侶が入り、道士や隠士たちとも交流しながら盛んに山林修行を展開、流行だった禅観を通じて神霊と交渉する物語りを生み出していた。[62] 彼らが実際に山中でトラと遭遇したことは間違いなく、トラをめぐる言説世界に仏教的要素が影響を及ぼし、その社会的イメージを変質させてゆくのは必然的であったろう。

なお、(ア)においては人間を超越するためのトラへの変身が、(イ)において罪業に対する神罰と位置づけられてゆくのは、仏教思想の影響である一方、江南地方の本格的開発に伴って現実にトラとの軋轢が増し、虎患が多発したためでもあろう。(ア)で触れた説話とも一部重複するが、宿罪のため母が烏斑《うはん》虎に変じて人を襲う前掲「呉道宗」、天帝から流謫の罪を得た道士がトラになり、一千人を喰い殺す前掲「峡口道士」(南斉・祖冲之《そちゅうし》撰『述異記《じゅついき》』逸文「黄苗《こうびょう》」[『広記』巻二百九十六 神六]も、宮亭廟神の祟りを受け同じ災禍に遭う。話型として流布していたものか)、山谷の霊物(黒魚)を殺して喰らい冥界の譴罰を受ける、晩唐・段成式《だんせいしき》撰『酉陽雑俎《ゆうようざつそ》』続集巻二支諾皐《しだくこう》中「王用」(虎四)などは典型だろうか。病を得てトラに変化してゆく事例も少なからずあり(『五行志』逸文「郴州佐史《ちんしゅうさし》」[虎一]、『異苑』逸文「易抜《えきばつ》」[虎一])、早くからある憑霊的要因に加え、北魏・北周・初唐の廃仏に対抗すべく仏教側から喧伝された、悪報としての業病観が媒介していると考えられる。五代・杜光庭《とこうてい》撰『録異記《ろくいき》』逸文「藺庭雍《りんていよう》」(虎六)では、寺への供物を盗んだ女性が、北宋・景煥《けいかん》撰『野人閒話《やじんかんわ》』逸文「譙本《しょうほん》」(虎五)では、傍若無人なふるまいを繰り返していた男が、それぞれトラになってしまう。トラの絵画を好むあまり自身もトラに変わる唐・柳祥《りゅうしょう》撰『瀟湘録《しょうしょうろく》』逸文「楊真《ようしん》」(虎五)も、執着を問題視する仏教説話かもしれない。前掲「僧虎」(虎八)は、トラになり殺生を犯してしまう僧が仏教倫理との間で葛藤、虎皮の着脱を要素として持ちつつ、悪念が変身をもたらすとの唯心的解釈を提示する。『広異記』逸文「笵《はん》端《たん》」(虎七)は、母と別れてトラの群れへ入る哀しみを描くが、野生への回帰を主題化していて異彩を放つ。『広異記』逸文「費忠」(虎二)には、やはり罪を負って決められた日暦の終わるまで人を喰らう老人が登場するが、その冒頭には、「費州《ひしゅう》の蛮人は族を挙げて費氏を称するが、同地には虎害が多く、人々は高楼に住んでこれを避けていた」とある。費州は現在の貴州《きしゅう》省思南《しなん》県に当たり、ミャオ族やトゥチャ族が暮らし、高楼建築で知られるトン族の自治県も遠くない。トーテム的なトラ信仰が、漢文化や道教、仏教との接触のなかで変質しつつあった具体的なプロセスがうかがえる。唐・薛用弱《せつようじやく》撰『集異記』逸文「丁嵓《ていがん》」（虎四）は、機穽でトラを捕らえる名人が、自分の命を救うかわりに群れの命を保証し、害をなしていたトラを中州から去らせる。類似の話型はすでに前掲の鹿王本生譚にみられ、その枠組みをトラに当てはめた可能性はあろう。[*63]

ところで、『広記』虎にはもうひとつ、言及しておきたい興味深い話型がある。〈虎媒《こばい》〉と呼ばれるもので、何らかの原因で引き裂かれた許嫁どうしの女性のほうが、あるときトラに掠われ、偶然男性のほうに救われることで再会、結ばれるという内容である。近年簡斉儒氏は、中国古代のトラ信仰故事を、①忠義図報型、②戦神脚力型、③虎媒因縁型に区分、③を特徴的なものとみて、事例を網羅し検討している。[*64]『広記』虎には、『広異記』逸文「勤自励《きんじれい》」（虎三）、『集異記』逸文「裴越客《はいえつきやく》」（虎三）、『続玄怪録』巻四「盧造《ろぞう》」（虎三）、『原化記』逸文「中朝子《ちゆうちようし》」（虎六）の四つが収載されており、厳密には二つのグループに分けられる。「勤自励」「盧造」「中朝子」では、トラは仔虎の餌とするため女性を掠い、巣穴である木の洞や隠れ家の廃寺で偶然男性と出くわす。仔虎は殺され、トラは斥けられて、男女が結ばれる。一方の「裴越客」では、トラはやはり女性を掠うものの、遠隔地から婚儀に向かう男性のもとへ、何ら害を及ぼさずに送り届ける。トラの目的は不明で、あたかも期日どおりに婚儀を成就すべく行動したかにみえ、虎媒祠の信仰へと発展してゆく。武育新氏は、「裴越客」には唐代巴人の虎トーテムに基づく婚姻習俗（新郎がトラに扮して新婦を掠う）が反映しており、物語りはそれらと漢文化との融合によって生じたと位置づけている。[*65] 確かに、舞台である辰州《しんしゆう》・黔州《けんしゆう》・峡州《きようしゆう》は、先にも触れたトゥチャ族、ミャオ族などの生活域にほど近く、現代のトゥチャ族にも、新婦が家を出る際、兄や弟に「背負われ」、輿《こし》に据えられるくだりがある。[*66] 武氏も言及しているとおり、南宋・陸游《りくゆう》撰『老学庵筆《ろうがくあんひつ》記《き》』巻四にも、「辰・沅・靖州の蛮は、……嫁を娶《めと》る際には先に密約をなし、娘が路上にいるのを伺い、掠い縛って帰る。また、娘は怒って争い、叫んで助けを求めるが、これは偽りである」などと、トゥチャ族に関する搶婚《そうこん》の習俗が記されている。[*67] 黔州山林の湘鄂川《しょうがくせん》周辺には、現代にも白虎（白虎星の化身）と同族の娘が結婚し、七男七女を生み〈利《り》巴《は》〉一族をなすという異類婚姻譚＝始祖伝承が語り継がれており、戸ごとに白虎神を祀る座堂があるという。[*68] 民族の伝承と志怪・伝奇小説とが口承／書承の間で交渉しあい、現状の言説世界を構築してきたと考えられる。

4 おわりに――〈素材化〉の果て

以上、いささか事例紹介的となったが、中国におけるトラのイメージの多様化を、歴史と環境、口承と書承、漢人と西南少数民族との関わりのなかで捉えてきた。恩恵と災禍、憧憬と畏怖など、トラの表象が内包するさまざまな両義性は、そのまま東アジアにおける山林へのまなざしに重なってくる。人間がトラとの関わりのなかで構築してきた文化は、それ自体が山林生活の所産といっても過言ではなかろう。トラの退行は山林の退行であり、トラの抵抗は山林の抵抗であった。簡斉儒氏は〈虎媒〉説話に触れつつ、その展開は人間がトラを単なる婚姻の道具として〈素材化〉し、山林主体の野生の思考を減退させ、ヒト至上主義のもとに馴致してきた表象である旨を指摘している。[*69] 至言であろうが、しかしそのなかにも、野生と人間との豊かなせめぎあいが存在したこと、必ずしも単一志向ではない可能性が内包されていることは、確認しておかねばならない。『広異記』逸文「虎恤人」（虎七）では、トラに捕まり巣穴に落とされた男が、命乞いをして救われ、穴から出されてもとの居処へ送り届けてもらう。怯えきった主人公は、武器や呪術に頼ることなく、五感をフルに活用して〈他者〉であるトラの意向を探り、結果としてヒト中心主義の向こう側へ着地する。伝陶潜《とうせん》撰『捜神後記《そうじんこうき》』巻九―九十七／熊穴《ゆうけつ》では、ほぼ同じ物語りがクマを主人公に綴られているが、これはのちに列島にも伝わり、本草学や在地の民俗知を加えて鈴木牧之《すずきぼくし》『北越雪譜《ほくえつせっぷ》』上「熊人《くまひと》を助《たすく》」となる。遭遇の不可思議さこそが、山林生活の現実として、強固な感染力を持つのかもしれない。

最後に。中国や朝鮮では前述のとおり、トラはその猛威から、武力や権力の象徴としても重んじられてきた。疫鬼を喰らう儺の画虎から風・水・火の三災を祓う符籍に至るまで、逆に病災を斥ける効能をも期待されたのである。前掲『虎薈』の陳継儒もその「序」において、本書執筆のそもそもの動機を、病床の見舞いに友人から「読んで瘧《おこり》を辟けよ」と与えられた『虎苑』が、百事に満たず不充分であったためと記している。[*70] トラの故事を読むことが、疫鬼を祓うことになると考えられていたのだろう。日本では幕末のコレラ流行の折、この病を「虎列剌」「狐列狸」などと書いたことから、虎退治をした加藤清正の錦絵や、狐を追う三峯《みつみね》神社のヤマイヌの護符などが流行した。[*71] 中東源氏によると、朝鮮で「虎列剌」との表記が生まれたのは、やはり虎患を下敷きに、「虎が皮膚を刺す」ような苦痛を与えるとの意味があったという。[*72] 現在二〇二〇年の春、新型コロナウィルス感染症COVID-19によって、政治から経済に至る世界のさまざまな機能が混乱しているが、少なくとも日本では、「蘇民将来札を表に掲げた」「茅輪《ちのわ》をくぐった」「アマビエを描いた」などの厭勝行為はみられるものの、トラを掲げたという話は聞こえてこない。日本にはもともとトラがいなかった、神としてすがるより災異のイメージが強かったなど、理由はさまざまにあると考えられるが、列島社会において山林の持つ意味が遠退いていることも、やはり一因といえるかもしれない。

トラは、山林は、人間によって〈素材化〉され、消費されたのだろうか。あるいはわれわれは、そのドメスティケーションに失敗し、報復を受けているただなかにいるのだろうか。[*73]

注

1 張栄祖『中国動物地理』（科学出版社、二〇一一年）参照。日本語で読める概要については、季増民『中国地理概論』（ナカニシヤ出版、二〇〇八年）、三一〜三四頁など。

2 張貴民「巨大な人口を養う食料生産」、上野和彦編、世界地誌シリーズ二『中国』朝倉書店、二〇一一年、六五頁。

3 張注1書、三二二頁。

4 李経緯・李振吉主編・張志斌ら校注『《本草綱目》校注』下（遼海出版社、二〇〇一年）、鈴木真海訳・白井光太郎校注・木村康一ら新註校定『新註校定 国訳本草綱目』十二（春陽堂書店、一九七七年）を参照し、日本語訳・要約した。

5 今泉忠明、図説中国文化百華五『しじまに生きる野生動物たち—東アジアの自然の中で—』農文協、二〇〇三年、九四〜一〇〇頁。

6 アモイトラについては、上田信『トラが語る中国史―エコロジカル・ヒストリーの可能性―』(山川出版社、二〇〇二年)、チョウセントラについては、遠藤公男『韓国の虎はなぜ消えたか』(講談社、一九八六年)参照。

7 バイコフ/今村龍夫訳『偉大なる王』(中公文庫/中央公論社、一九三九年、原著一九三六年)、同/今村龍夫訳『樹海に生きる』(中公文庫/中央公論社、一九九〇年、原著一九四二年)、同/中田甫編訳『北満州の密林物語 バイコフの森』(集英社、一九九五年、原著一九三四年)など。バイコフの現代的意義については、深尾葉子「バイコフに捧ぐ」(安富歩・深尾編『「満州」の成立―森林の消尽と近代空間の形成―』名古屋大学出版会、二〇〇九年)参照。

8 上田注6書。

9 汪『中国虎文化』中華書局、二〇〇七年。

10 たとえば、文榕生編の大著『中国古代野生動物地理分布』(山東科学技術出版社、二〇一三年)は、張氏の分類を基準に清代までの地方誌の動物記述を総覧している。また、ジョセフ・ニーダム(Noel Joseph Terence Montgomery Needham、李約瑟)の貢献を忘れるわけにはゆかない。李/郭郛訳『中国古代動物学史』(科学出版社、一九九九年)は、『説文解字』『山海経』などの古代典籍に載る動物語彙と、現代の生物学的知見を連結する。

11 陳繡綿『台北市虎爺信仰之研究』(稲郷出版社、二〇一〇年)は、現状の水準を示す基本文献。高佩英『台湾的虎爺信仰』(遠足文化、二〇〇六年)は、オールカラーで多くの画像を紹介、古代中国以来の虎信仰に関する概説書となっている。陳益源主編『台湾虎爺信仰研究及其他』(里仁書局、二〇一七年)は、同年の「虎爺暨動物神祇信仰国際学術検討会」の報告書で、台湾の虎爺信仰はもちろん、中国の北方・西南少数民族や日本の虎信仰に関する論考も含み、最新の動向を伝える。

12 木村大治『見知らぬものと出会う―ファースト・コンタクトの相互行為論―』(東京大学出版会、二〇一八年)、同編『動物と出会う』一/出会いの相互行為・二/心と社会の生成(ナカニシヤ出版、二〇一五年)参照。

13 新釈漢文大系『荘子』下(市川安司・遠藤哲夫訳注、明治書院、一九六七年)を参照し、日本語語訳・要約した。

14 このあたりの問題については、浅野裕一『古代中国の文明観―儒家・墨家・道家の論争―』(岩波新書、二〇〇五年)に詳述されている。また環境の具体的な変化については、原宗子『古代中国の開発と環境―『管子』地員篇研究―』(研文出版、一九九四年)・『「農本」主義と「黄土」の発生―古代中国の開発と環境二―』(研文出版、二〇〇五年)・『環境から解く古代中国』(あじあブックス/大修館書店、二〇〇九年)を参照。

15 池田温「中国古代の猛獣対策法規」、瀧川博士米寿記念会編『律令制の諸問題―瀧川政次郎博士米寿記念論集―』汲古書院、一九八四年。

16『定本 與猶堂全書:校勘・標点』二十九/牧民心書Ⅲ、財団法人茶山学術文化財団、二〇一二年、一一四頁。

17 バイコフ「虎を生け捕る猟師」（注7書〔『樹海』〕所収）。
18 新釈漢文大系『礼記』上（竹内照夫訳注、明治書院、一九七一年）を参照し、日本語訳・要約した。
19 二十五史については、中華書局標点本を参照し日本語訳・要約した（以下同じ）。
20 新釈漢文大系『論衡』中（山田勝美訳注、明治書院、一九七九年）を参照し、日本語訳・要約した。
21 山内「李朝時代の虎患について」、『上智史学』40、一九九五年。
22 財団法人茶山学術文化財団注16書、八八・一一四頁。また、虎狩りに駆り出される民衆の心情を詠った「猟虎行」（同一／詩集、四八五頁）も参照。
23 王明撰『抱朴子内篇校釈（増訂本）』（中華書局、一九八〇年）、本田済訳注『抱朴子内篇』（東洋文庫／平凡社、一九九〇年）を参照し、日本語訳・要約した。
24 『睡虎地秦墓竹簡』「日書」甲種／詰篇については、工藤元男「睡虎地秦簡『日書』における病因論と鬼神の関係について」（『東方学』88、一九九四年）・『占いと中国古代の社会』（東方選書／東方書店、二〇一一年）、神呪系経典については、菊地章太『神呪経研究』（研文出版、二〇〇九年）など参照。
25 『国宝半井家本 医心方』（オリエント出版社、一九九一年）を参照し、日本語訳・要約した。
26 『抱朴子』などの呪術と医術・山林との関わりについては、北條勝貴「野生の論理／治病の論理―〈瘧〉治療の一呪符から―」（『日本文学』62-5、二〇一三年）で、瘧治療の呪符・呪言を事例に詳述した。
27 バイコフ注17随筆・「野獣の追跡」（注7書〔『樹海』〕所収）。
28 范寧校証『博物志校証』（中華書局、一九八〇年）を参照し、日本語訳・要約した。
29 この認識に基づく医術／呪術については、拙稿注26論文参照。
30 中華書局影印本を参照し、日本語訳・要約した。
31 甘粛省文物考古研究所編『天水放馬灘秦簡』中華書局、二〇〇九年、一四八頁。
32 甘粛省文物考古研究所・天水市北道区文化館「甘粛天水放馬灘戦国秦漢墓群的発掘」、雍際春・孛鵬旭編『天水放馬灘木板地図研究論集』中国社会科学出版社、二〇一九年、初出一九八九年、三九頁。
33 雍・孛編注32書所収の諸論考を参照。
34 甘粛省文物考古研究所編注31書、六・一五二頁。
35 原宗子「古代中国における樹木への認識の変遷―簡帛資料等を中心に―」、『東洋文化研究所紀要』63、二〇一三年、一九頁。
36 姜「天水放馬灘秦墓（M一四）出土的繋虎及博局板画考述」、『新史学』24-2、二〇一三年。

37　博局図については、上田岳彦・鈴木直美「尹湾簡牘『博局占』の方陣構造―博局紋の系譜解明の一助として―」(『駿台史学』112、二〇〇一年)、鈴木「中国古代のボードゲーム」(中国出土資料学会編『地下からの贈り物―新出土資料が語るいにしえの中国―』東方書店、二〇一四年)参照。

38　王利器校注『風俗通義校注』(中華書局、二〇一〇年)を参照し、日本語訳・要約した。なお、儺における喰う／喰われるの表現については、拙稿注26論文、四五～四八頁参照。

39　張国風会校『太平広記会校』(北京燕山出版社、二〇一一年)を参照し、日本語語訳・要約した。

40　〈大木の秘密〉を含む伐採抵抗伝承については、北條勝貴「伐採抵抗・伐採儀礼・神殺し―開発の正当化／相対化―」(増尾伸一郎・工藤健一・北條編『環境と心性の文化史』下／環境と心性の葛藤、勉誠出版、二〇〇三年)参照。

41　その具体相については、何星亮『図騰与中国文化』(江蘇人民出版社、二〇〇八年)を参照。

42　何注41書、一九三頁。

43　富永「人虎伝の系譜―六朝化虎譚から唐伝奇小説へ―」、同『中国古小説の展開』研文出版、二〇一三年、初出一九七八年。

44　王『中国と日本の変身譚の歴史的変遷に関する考察―狐・蛇・虎・犬・亀を中心に―』(大阪大学大学院言語文化研究科言語文化専攻学位論文、二〇一五年)、第五章。

45　何寧撰『淮南子集釈』(中華書局、一九九八年)を参照し、日本語訳・要約した。

46　パースペクティヴィズムについては、北條勝貴「宇宙を渡る作法―パースペクティヴィズム・真偽判断・歴史実践―」(『古代文学』57、二〇一八年)、TSIについては、北條勝貴「せめぎあう環境／文化―伊豆稲取、八百比丘尼の深層へ―」(上智大学文学部史学科編『歴史家の調弦』上智大学出版、二〇一九年)、一四頁参照。

47　依田「朝鮮の虎の文化史的意味―山神と権力のシンボル―」、同『朝鮮神話伝承の研究』瑠璃書房、一九九一年、初出も同年。

48　大林『東アジアの王権神話』弘文堂、一九八四年、三六九～三七〇頁。

49　向達校注『蛮書校注』(中華書局、一九六二年)を参照し、日本語訳・要約した。

50　北條勝貴「ホモ・モビリタスの問う〈歴史〉」、東京歴史科学研究会編『歴史を学ぶ人々のために―現在をどう生きるか―』岩波書店、二〇一七年、二四六～二四九頁。

51　〈虎梯子〉は、トラのいない列島では〈狼梯子〉に姿を変える。中村禎里『日本動物民俗誌』(海鳴社、一九八七年)、六五頁。また、菱川晶子「虎から狼へ―『鍛冶屋の婆』の変遷―」(同『狼の民俗学―人獣交渉史の研究―』東京大学出版会、二〇〇九年、初出一九九九・二〇〇六年)も参照。

52　依田注47論文。

53 北條勝貴「〈負債〉の表現」（『アジア遊学』143／環境という視座―日本文学とエコクリティシズム―、勉誠出版、二〇一一年）、同「樹霊はどこへゆくのか―御柱になること、神になること―」（『アジア民族文化研究』10、二〇一一年）、ポール・ナダスディ／近藤祉秋訳「動物にひそむ贈与―人と動物の社会性と狩猟の存在論―」（奥野克巳・山口未花子・近藤祉秋編『人と動物の人類学』春風社、二〇一二年、原著二〇〇七年）など参照。

54 拙稿注46論文（「宇宙」）。本生譚における動物の問題については、北條勝貴「異類の語る仏教伝来―『豊後国風土記』頸峯地名起源譚の背景を読む―」（『現代思想』46-16／総特集「仏教を考える」、二〇一八年）参照。

55 孫晋泰編『朝鮮民譚集』勉誠出版、二〇〇九年、原著一九三〇年、一八四～一八五頁。

56 拙稿注53論文（「樹霊」）参照。

57 北條勝貴「人外の〈喪〉―動植物の〈送り〉儀礼から列島的生命観を考える―」（『上智大学キリスト教文化研究所紀要』32、二〇一四年）参照。

58 近藤「人虎伝」、同『唐代小説の研究』笠間書院、一九七八年、初出一九六四年、四〇二～四〇七頁。

59 『太平広記会校』のほか、新釈漢文大系『唐代伝奇』（内田泉之助・乾一夫訳注、明治書院、一九七一年）を参照し、日本語語訳・要約した。

60 神身離脱については、北條勝貴「東晋期中国江南における〈神仏習合〉言説の成立」（根本誠二・宮城洋一郎編『奈良仏教の地方的展開』岩田書院、二〇〇二年、初刊二〇〇一年）、同「〈神身離脱〉の内的世界―救済論としての神仏習合―」（『上代文学』104、二〇一〇年）、同「初期神仏習合と自然環境―〈神身離脱〉形式の中・日比較から―」（水島司編『環境に挑む歴史学』勉誠出版、二〇一六年）参照。

61 馴虎表現については、注60の各拙稿のほか、北條勝貴「神を〈汝〉と呼ぶこと―神霊交渉論のための覚書―」（倉田実編『王朝人の婚姻と信仰』森話社、二〇一〇年）、陳懐宇「中古仏教馴虎記」（同『動物与中古政治宗教秩序』上海古籍出版社、二〇一二年）などを参照。

62 北條勝貴「先達の物語を生きる―行の実践における僧伝の意味―」（藤巻和宏編『聖地と聖人の東西―起源はいかに語られるか―』勉誠出版、二〇一一年）参照。

63 拙稿注54論文参照。

64 簡斉儒「情媒与因縁―古小説老虎信仰伝説深論―」（陳益源主編注11書所収）。

65 武育新「虎為媒、婚命実―解析唐伝奇《集異記・裴越客》―」、『現代語文（文学研究）』二〇一〇年三期、一七頁。

66 龔卿民「中国湖北省における土家族の婚姻習俗―唐崖寺村の事例を中心に―」、『地域政策科学研究』14、二〇一七年、七九頁。

67 唐宋史料筆記叢刊（李剣雄・劉徳権点校、中華書局、一九七九年）を参照し、日本語語訳・要約した。

68 劉孝瑜「土家族宗教」（宋恩常編『中国少数民族宗教』初編、雲南人民出版社、一九八五年）、四〇一頁、楊昌鑫編『土家族風俗志』（中央民族学院出版社、一九八九年）、一九四～一九五頁、何注41書、三九八～三九九頁。

69 簡注64論文、四一五頁。

70 叢書集成初編（據宝顔堂秘笈本、商務印書館、一九三六年）を参照し、日本語訳・要約した。

71 高橋敏『幕末狂乱―コレラがやって来た！―』（朝日選書／朝日新聞社、二〇〇五年）参照。

72 申／任正爀訳『コレラ、朝鮮を襲う―身体と医学の朝鮮史―』法政大学出版局、二〇一五年、原著二〇〇四年、一四・二〇～二三頁。

73 エイズ、エボラ、MERS、SARSなど近年の感染症の大流行が、過度な開発に伴う野生動物／人間の適切な距離の破壊に起因することは、今回のパンデミックに際しても再三指摘されてきた。例えば、『The Guardian』二〇二〇年三月十八日付記事（John Vidal, 'Tip of the iceberg': is our destruction of nature responsible for COVID-19?）における環境学者ケイト・ジョーンズ氏の発言（https://www.theguardian.com/environment/2020/mar/18/tip-of-the-iceberg-is-our-destruction-of-nature-responsible-for-covid-19-aoe、二〇二〇年七月一日最終アクセス）、「AFP通信」二〇二〇年四月十一日付記事（Stéphane ORJOLLET, Jane Goodall says 'disrespect for animals' caused pandemic）における霊長類学者ジェーン・グドール氏の発言（https://news.yahoo.com/jane-goodall-says-disrespect-animals-caused-pandemic-091036641.html、二〇二〇年七月一日最終アクセス）など参照。

03 風水と文化
風水術の持つ宗教性

宮﨑順子

1　はじめに

風水とは、適切な場所や方位を選択することによって幸福がもたらされるとする考え方である。その取り扱う範囲は住居と墓以外に、都市・集落・寺社・社屋・部屋など、人の住まいする大小さまざまな場所が含まれる。

また、土地選択の方式の違いによって、陰陽五行術に基づいて方位を測定して吉凶を判定する理気と、大地の気脈を観察して気の集まる場所に墓や家などを設置する形法とに分類される。日本の書店で目にするインテリア風水などは前者に属する方式である。

本章では風水の領域をより広く捉え、風水書にみられる謝土《しやど》・斬草《ざんそう》（埋葬時、住宅建造時などに行われる土地神への解除《かいじょ》「ゆるし」）の儀式も風水の術の一部とみなして、2理気《りき》風水、3形法風水、4謝土・斬草の三つの側面から風水の持つ宗教性について考察してみたいと思う。

2　理気派風水における神格の存在

理気風水の術の一つに、方位の神々によって吉凶を判断するという術がある。この方位の神々は具体的な神として

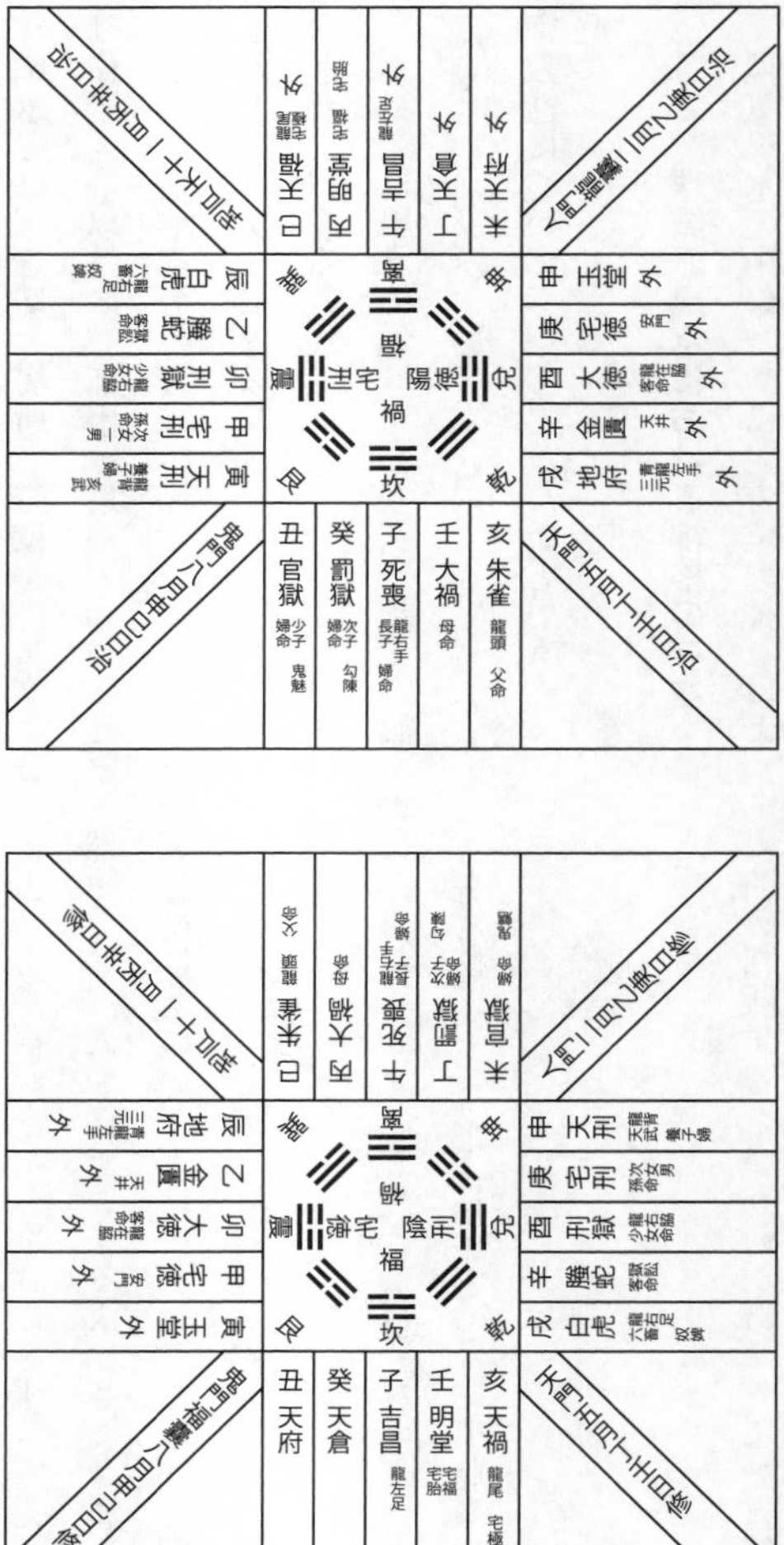

図1　道蔵所収『黄帝宅経』の図。上：陽宅図、下：陰宅図

の様相を付与されていない特殊な神々である。つまり姿形があり性格があり具体的な物語があるというような神々ではなくて、名前のみが存在する記号的神格である。[*1]

さて、方位の神の技法は二種類に大別できる。二種類とは、（A）複数の神が天空に固定的に配置されて移動する式盤の方法と、（B）神々がそれぞれ独自に固有の規則にのっとって天空を巡行する方式である。

（A）の神々とは、式盤の十二月将（徴明・何魁・従魁・伝送・小吉・縢先・太一・天剛・太衝・功曹・大吉・神后）、十二神将（朱雀・明堂・宅刑・金櫃・大徳・玉堂・玄武・白虎・天牢・勾陳・司命・青龍）[*2]とそこから派生した神々を指す【図1】。敦煌文書《とんこうもんじょ》の「五姓陰陽宅図経」（ペリオ二六一五）ではこれらの神々を二十四方位に配置して吉凶を占う。[*3]また宋代『地理新書』では三十八将にまで増加し、住宅内に配置されて吉凶を判定する。この式盤由来の宅経の方式は、この『地理新書』を頂点として以後徐々に廃れたようである。

（B）は游年神を使用した八宅法《はつたく》や、太一神を利用した九宮《きゅうきゅう》の方式である。これらは個々人の生年によって吉凶を判定するため、より個人的で精密な占いが可能であることから、後世の理気派の主要な方式となる。

游年神とはもともと八卦の八方位を毎年順番に移動する神で、その位置によって年の方位の吉凶が定まるとされ、隋『五行大義《ごぎょうたいぎ》』にも記述がある。[*4] 敦煌文書にはこの游年神の方位を使用して住宅の方位の吉凶を判定する「八宅経」が見られる。[*5] その後明代に八宅法の主要経典『八宅明鏡』が著述され、現在の理法風水の最も一般的な方式である。

太一神の技法は明朝以降に創始されたと思われる風水術で、一般に三元紫白派と呼ばれる。これは古くからある九宮法という技法、つまり太一神が九方位を巡行することに基づいて方位の吉凶を占う方法を利用しているが、この九宮法も同じく『五行大義』に記述がある。[*6] 実は日本のインテリア風水は游年神に依拠しているものが多い。

なお三元紫白派の三元とは、一元（六十年）ごとに気が変化し、三元（百八十年）で一巡するという考え方である。この九宮を使用した派には、紫白派のほかに玄空派が存在する。[*7] 玄空派は、三元九運（一元の六十年をさらに三等分し、二十年ごとの気の変化を見る）を使う流派であるという。つまり、八宅派が住宅の主人の生年によって固定的に吉方を判定するのとは違って、紫白派・玄空派は六十年ごと、あるいは二十年ごとに吉方が変化すると考えるのである。これらの派も現在、多様なバリエーションを生み出し続けて普及しているようである。

3　形法風水術における祖先・死後の世界へのまなざし

次に形法の墓風水について考察したい。形法墓風水の気の基本テーゼは、Ⅰ「良い気が充満する場所に死者を埋葬すれば子孫が繁栄する」。Ⅱ「風水の良地とは気脈が来たって留まる地形である」。Ⅲ「大地の気脈は人間の脈に批定できる（医学モデルの大地）。Ⅳ「祖山から山脈を辿って来た気が集まる場所が墓の良地である（宗族モデルの山脈）」。Ⅴ「中国の気脈は崑崙山から発し三条に分かれて全土を貫流する（龍脈モデルの山脈）」の五種に要約しうると思われる。

しかし、これらすべてを統合的に説明することは可能であろうか。例えば医学モデルの大地の場合、人体の気と同じく大地の気脈も循環することになるが、宗族モデルや龍脈モデルでも気は循環すると考えて良いのだろうか。実は五者は同時に発生したものでなく、時代時代の要請で順に付け加えられたのであり、互いに矛盾する要素を加味していったが故に、形法風水の気のメカニズムは統合的に説明しづらいものになったと思われる。

本論では最終的に龍脈の思想に行きつく風水の気脈の発展の道筋を辿ってみたい。[*8]

まず形法の墓風水の基礎を作ったものとして、（a）祖先の埋葬が十分でないと子孫に祟ると言う意識、（b）『史《し》記《き》』蒙恬伝に見られる大地には気脈が存在するという考え方、[*9]（c）帝王の気のある場所に墓を作れば王の子孫が繁栄するとする望気術の思想[*10]が存在すると思われる。

これらの基礎の上に立って、（A）土地が龍の形状として捉えられ、（B）風水に気脈の考え方が導入され、（C）気脈の源の山を祖山と設定する宗族モデルの山脈論が展開され、（D）気脈の源は崑崙山であって、気はそこから発出して中国全土を貫くのだという龍脈の思想が加わる、というように展開したと考えられる。

（a）について少し詳しく述べると、まず楚の「卜筮祭祷簡《ぼくぜいさいとうかん》」（紀元前四世紀～前三世紀）には、天神や厲鬼《れいき》と並んで土地神・祖先神の祟りとその解除について記述がある。[*11] その後、鎮墓瓶（後漢後期）・買地券（主に漢から六朝）にも祟る祖先を解除することが記される。[*12] また『太平経《たいへいきょう》』の葬宅訣第七十六では、墓が善地ならば祖先の魂神が帰ってきて子孫を養い、悪地では子孫に害を与えるとする。さらに『真誥《しんこう》』（六朝）では気の思考が導入され、先祖の墓から生者へ注がれる悪気（墓注という）とその祓い方について記述する。[*13] では龍脈に至る道筋を次に辿ってみよう。

（A）地を龍の形状として捉えるようになる。『晋書《しんじょ》』郭璞《かくはく》伝の、「龍角」や「龍耳」に埋葬することの是非の議論から始まり、前掲の『黄帝宅経』の図中、後の北宋『地理新書』（巻三「岡原吉凶上」所引「官書」）や南宋『葬書』（外篇）にも龍の各部位の吉凶が記される。

（a）にあげた『真誥』は東晋（三一七～四二〇年）の楊羲などの通霊の記録をまとめたもので、編纂者の陶弘景《とうこうけい》は宋・斉・梁（五世紀）の人であるが、そこでは祖先から子孫への祟りは悪気を注入することによると考えられていた。先祖が悪気を注ぐために子孫が不幸になるのであれば、逆に良気を注いでくれれば子孫の幸福は保証されると考えるのは自然な思考のなりゆきではないであろうか。では先祖が良気を保有するためにはどうすればよいのであろうか。その解答として次の（B）のように地脈を観察して良気が充満する場所を選んで埋葬するという方式が生まれたのではないであろうか。

（B）唐代に書かれた敦煌文書『司馬頭陀地脈訣《しばずだちみゃくけつ》』には陰陽の気論が見られ、土地の形勢を身体になぞらえて良地をもとめることがなされる。人の身体では口で食物を食べ鼻で呼吸するように、土地の衰旺は土地の口や鼻が左右すると記す。またこの文書には地脈の概念が見られる。[14]

さて、宗族モデルが初期の刑法風水術にどのように登場したのかを見てゆこう。

（C）山を「祖」になぞらえる思考も崑崙山も、北宋初の『葬書《そうしょ》』まで見えず、それ以降に書かれた書籍群に初めて現れる。当時儒者の間では万物が一気からなるとする気論が盛んに論じられた。その中で「大地の気」はいかなる機構を持つか、また葬喪儀礼との関係はどうであるかという事が意識されたのではないであろうか。この解答として、医学の気理論が大地の気脈の説明に使用され、また山脈の流れを祖先から子孫への血脈の流れになぞらえる宗族モデルの山脈論も導入された。ここでは形法風水の基本書とされる書物を用いて宗族モデルの山脈の記述を順に見よう。[15]

まず、祖山の記述のみあって、崑崙山も中国全土を貫く龍脈の言及もない三篇をあげよう。

①『玉髄真経《ぎょくずいしんけい》』[16]「龍は是れ祖宗、本根の地」とある。この書には崑崙山を始原とする龍脈の思想は記述されておらず、ここでいう龍とは山脈のことを指す。

②『博山篇《はくざんへん》』[17]「龍を尋ねる方法は、祖宗を尋ね父母を尋ねる」とある。

③『疑龍経《ぎりゅうけい》』[18]（上巻）「君に請う、水の交纏《こうてん》の処を看んことを、水外に山の来りて会聚する有りて、身を翻《ひるがえ》し母を顧み祖宗を顧る、此れ是れ回龍転身の処なり」とある。水が交差して集まっている場所で、水の外に山脈が集まって来て、最後に母山や祖山を振り返るような山脈の姿をしている場所が気のわだかまる場所で、風水の良地である。[19]

次に崑崙山の記述が見られる文献として、『狐首経』があげられる。

④『狐首経《こしゅけい》』[*20]。北宋『葬書』を改編した書。崑崙山について記述があり（「崑崙の山は名づけて地心と呼び、扶桑から日が出で弇山《えんざん》に日が入る」天元篇第一）、かつ曖昧な形ではあるものの宗族モデルも示されている。ただ、崑崙山から発出して中国全土を貫く龍脈の記述は見られない。

さらに中国全土を貫く龍脈が表現される文献として『撼龍経《かんりゅうけい》』がある。

⑤『撼龍経』（統論篇）には中国全土を貫く一条の龍脈が記述されるが、崑崙山の名称はみられない[*21]。須弥山《しゅみせん》が大地の骨であって、ここから西北と南と東の世界が発出するという。「西北に崆峒《くうどう》ありて数万程あり、東は三韓《さんかん》に入り杳冥《ようめい》の世界に隔たる。南龍のみ中国に入り、宗を分かち祖をはらみ奇特となる。黄河の九曲を腸となし、川江の屈曲を膀胱となし、枝や脈に分かれて縦横に去り、気血が勾連して水に逢えば止まる」という。崆峒とは北極星の下にあるとされる山名である。「宗を分かち祖をはらみ」とあり、宗祖山の思想が表れている。

（D）中国全土の気脈の祖は崑崙山であり、龍脈が全土を貫くという考え方が風水に導入され、中国全土が一つの有機的なまとまりとして認識される。それは儒教に基づいて科挙の試験が整備され、皇帝を中心とした独裁の形が固まり、中国の国家が一家であることが強調されることと無関係ではないであろう。

⑥南宋の蔡元定《さいげんてい》（一一三五～一一九八年）撰とされる『地理発微論《ちりはつびろん》』[*22]。「凡そ山は皆な崑崙を祖とし、分枝分脈、愈《いよ》よ繁く愈よ細く、此れ一本にして万殊也」（「剛柔篇」）とあり、山はすべて崑崙山を祖とすることが述べられる。一方で宗族モデルについては曖昧な記述しかなされておらず、むしろ医学の脈概念を用いて大地の脈を説明するなど人型モデルの気論が強調される。

崑崙山が龍脈の源とされ、宗族モデル山脈もみられる。

⑦明『地理人子須知《ちりじんししゅち》』[*23]。風水形派の基本書の一つで、朝鮮時代科挙の教科書にもなった書である。ここには崑崙山から発する三本の龍脈が図示される。また宗族モデルも見られ、形派風水の基本形が定まった。

以上のように南宋中期以降、まず宗族モデルの山脈が導入され、その後で全土を貫く気脈や、その源としての崑崙山が想定されるようになったと思われる。

中国人の知人によると、彼の一族の墓は山腹に設けられ、始祖を頂点として左右左右と順に子孫の墓が並んでいるそうである。自分自身の墓がどの位置に作られるのかも明らかで、それを見るたびに心から安らぎを感じるという。風水に基づいた墓作りが血族の結束を体現し、また自らの死後に行くべき世界についての知識も与えてくれるのである。

4　謝土・斬草——土地神の解除——祟る土地神

以上述べてきた土地を選択する術以外に、風水師の職能として長らく伝えられてきたものに、土地神の解除がある。このような技法はもともと民間の術師が創始したものであろうが、道教でも仏教でも、また儒経の儀式にも組み入れられて伝承されてきた。宋代の風水書『地理新書』[*24]の中にも土地神の解除の術である謝土・斬草の儀式が記録されている。斬草とは墓を開く前に土地の草を刈って土地神に謝する儀式であり、謝土は埋葬が終わってから謝する儀式である。謝土は現代でも風水師の職掌とされているようである。[*25]

『地理新書』を考察する前に、土地神の解除に関する歴史上の記述を概観してみたい。

（1）先ほど述べた楚の「卜筮祭禱簡」（紀元前四世紀～前三世紀）。祖先、土地神（社・后土・地主・五祀）の祟りとその解除が記されている。

（2）日書。日書は戦国中後期から漢代にかけて流行した日取りの吉凶を叙述した文献である。[*26]「睡虎地秦簡《すいこちしんかん》」の甲種詰咎《けつちよう》篇四十一章には土地神として、特定の墓に所属する「墓左・墓右・中央墓主・塚丞・塚令・魂門亭長等」、それから地下官僚「丘丞・墓伯・地下二千石・東塚侯・蒿里伍長等」「塚中先人」が見える。解除の方法としては桃の木の弓矢で射る。

（3）前述した漢代の買地券や朱書鎮墓瓶。[*27]

(4)後漢の王充《おうじゅう》二七九七『論衡《ろんこう》』解徐篇では、住宅建築後に土地神に許しをもとめることを「解土」と呼ぶ。

(5)六朝期に成立したとされる初期天師道文献『赤松子章暦』は、天界への上奏の儀式について書かれた文献である。土地神とその解除については、住宅建造に際して行う「謝土章」、墓中の注を解除する「謝五墓章」があり、買地券と近似した地下の神々の世界が描かれている。[*28]

(6)六朝唐ごろ成立したといわれる道教経典『正一醮墓儀《しょういつしょうぼぎ》』(『道蔵』洞神部威儀類)には古墓を補修する際に土地神に謝する文が掲載されている。

(7)『仏説八宅神呪経《ぶっせつはったくしんじゅきょう》』(敦煌文書スタイン二一一〇、ペリオ三九一五ほか)。住宅を新造して以来災異が頻発することを憂えた信者のために、釈迦が安宅斎を行うという内容である。「伏龍・螣蛇《とうだ》・青龍・白虎・朱雀・玄武・六甲の禁忌・十二時の神・門・陌(小道)・井戸・竈の精霊・堂上・戸中・厠の神」に抵触した恐れがあるので、「宅前宅後左宅右宅中の守神・神子・神母・伏龍・螣蛇・六甲禁忌・十二時神・飛屍《ひし》・邪忏《じゃかん》・魍魎《もうりょう》・鬼神」に勅して住宅を侵害しないように命令するという描写が見える。

(8)五代時代(後唐)に書かれた埋葬に際して墓の神へ請願する祭文《さいぶん》(「後唐清泰四年[九三五]八月十九日曹元深等祭神文」、『上海博物館蔵敦煌吐魯番文献』四十八冊)がある。

(9)埋葬に関連して土地神である后土を祭る儀式は、『大唐開元礼』以降、『司馬氏書儀』や『朱子家礼《しゅしかれい》』にも見られる。『大唐開元礼』(六品以下の葬送儀礼)[*29]では墓を占って墓地を決定する「筮宅兆」で后土《こうど》を祭り、埋葬の後にも「祭后土」で再び后土を祭る。[*30]

以上のように、土地神の解除の風習は宗教を問わず広く行われてきた。最後に北宋の風水書『地理新書』に見られる解除の儀式をやや詳細に紹介しよう。[*31]

『地理新書』巻十四に見られる、「明堂祭壇法《めいどうさいだんほう》」(青烏子云)[*32]では、斬草の儀式を行う壇の設えについて述べる。茅を縛って基壇を作り、上に五方上帝位を設け、外に十二辰の位を設け、土金帝従官の位、火帝従官の位、水帝従官の位、木帝従官の位をそれぞれ設ける。次いで外に墓内神十九の位を設ける。埏道《せんどう》（墓内部への通路）の入口に幽堂神位を、壇外の西南隅に阡陌《せんぱく》将軍の位を設ける。太歳月建は、各人の歳月日辰に従って位置を定める。この墓内十九神とは二十四方位を移動する神煞《しんさつ》（方位の神）で、青龍・朱雀・白虎・玄武・宝蔵・中塚・金匱・金印・玉信・丈人・丘丞・墓伯・童子・元曹・墓録・墓典・墓耗・殃禍・墓鬼を指す。[*33]

次いで式次第が記述される。まず祝生が「五方五帝・山川百霊・后土陰官・丘丞墓伯・阡陌諸神」に向かって祝（のりと）を唱える。次いで祭官が買地券を読み、「丘丞墓伯は境界を定め、道路将軍は阡陌を整え、千秋万歳永遠に殃咎《おうちょう》無からんことを。もし輒《すなわ》ち訶禁を干犯するものあらば、将軍亭長は河伯に収付せしめよ」と唱え、この祝の禁忌を犯すものがいれば河伯に収監されるという。また「斬草とは凶悪なものを断って、（死者の）魂気を（土地に）収めることである」とその意義が説明されている。

さらに儀式は続くのであるが式次第をまとめると、入場→祝生の祝→祭官が買地券を読む→祭官の祝→祝生が剣を取って祝→喪主に剣を渡して、祝生が祝す。主人が断ち切る動作を行う→祭官の祝→買地券を埋める→喪主が墓穴に鍬をいれ、供物をまく、となる。

次いで巻十五「葬後謝土法」の項目を見てみよう。壇の設営は基本的には斬草に準じるとされており、ここでは二十四路神祇《にじゅうしろしんぎ》など地下の神々に対して請願がおこなわれる。二十四路神祇[*34]とは、式盤の天上の十二神の地下での姿で、地下の二十四方位に式盤の十二神を配当し、埋葬の際の方位の吉凶を判定する。地下の二十四方位には「天剛、太一、勝光、小吉、伝送、従魁、河魁、神后、大吉、功曹、太衝、登明、天徳、殺」と十干《じっかん》（甲乙丙丁戊已庚申壬癸）が配当され、そのうち功曹と伝送が吉方であるとされる。謝土の儀式を要約すると、壇の設置→祭官の祝→再拝→謝→再拝→奠→再拝→祝→奠酒→再拝→祝、となる。

『地理新書』に至るまでの謝土・斬草の儀式の歴史的な成り立ちは、次のようにまとめられる。最初に墓の建造に際し土地神に謝する習俗があり、道教がそれを取り入れた。唐代に儒教が葬法を整備する際に埋葬の前後にこの習慣を組み入れたが、その際に儀式を簡素化し神名を「后土」のみとした。宋代に成立した『地理新書』は儒教の葬礼の枠組みに民間の儀式における設営や祭られる多数の神々を再度取り込んで拡充した。また土地神の中に、太歳や墓内十九神などの方位の神々や、式盤の神々なども多く含まれている。*35

5　おわりに

2節で見た方位の神々は実のところ、風水に限らずさまざまな術数で使用されてきた。たとえば節分の吉方位は、方位神である「歳神」の方位から割り出されるし、四柱推命《しちゅうすいめい》に見られる「天乙貴人」「月徳貴人」のような神格もまた方位をめぐる神である。アジアで長らく信じられてきた、そして現在でも多くの人が人生のよりどころとする陰陽五行術を使った術の基盤には、方位の神々という宗教的な存在が厳然としてあった、と考えてよいであろう。

3節では形法風水の根源には祟る祖先への恐れが隠れており、悪気でなく良気の充満する良地に埋葬することで災難を与える祖先から福徳を与える祖先像に変換せんとしたのではと推測した。また祖山から流れ来る気脈が子孫の繁栄をもたらすという宗族モデルの山脈論が導入され、のちに崑崙山や龍脈の思想が表れた。山脈を宗族制に擬したがゆえに儒教の祖先観に合致し、死後の世界がいかなるものであるかという観念を醸造する母体となったと考えられる。

4節では宋代に書かれた風水書を使って、埋葬時に土地神を解除する儀礼について概観し、その儀式が古い淵源を持つことを述べた。

宗教とは一般的に神格に対する帰依を中心として、教義があり、信者がおり、教団や信仰施設が存在するものを意味するであろう。しかし、一般の人々が暮らす中でよりどころとしているものは、そういった明確な神格だけではなく、もっとぼんやりとして曖昧な信仰の形が根底的な部分で人々の日々の暮らしを支えているのではないであろうか。そういった曖昧な形で存在する宗教性の一端を風水の中にも見いだしうると思われる。風水の持つまじないの力が生活上の安心感をもたらし、さらには死後の安住の地までその中に見いだすことができるのである。

注

1 宮崎順子「方位は幸せを運ぶ―風水の神々」(『術の思想』風響社、二〇一三年)参照のこと。

2 十二神将・十二月将の呼称は文献によってバリエーションがある。ここでは敦煌文書ペリオ二六一五に記載された神名を記した。

3 宮崎順子「敦煌文書『宅経初探』」(『東方宗教』85、一九九五年)参照のこと。

4 『五行大義』第五巻第二十三「論諸人二者論游年立」。『隋書』経籍志に「梁『周易斗卦中八推游年図』一巻亡」とあり、敦煌ペリオ二八三〇にも「推人游年八卦図」がある。

5 ペリオ二六一五に「八宅経」がある。注2前掲拙論を参照のこと。

6 『五行大義』巻一「第五者、論九宮数」。

7 『沈氏玄空学』『地理弁正補』『玄空紫白訣』などの書籍がある。

8 龍脈の思想については、拙論「龍脈―風水思想の大地観」(『中国思想における美・気・忌・死』、「〈醜〉と〈排除〉の感性論―否定美の力学に関する基盤研究」研究成果報告書附篇、二〇〇八年)を参照されたい。

9 万里の長城を建造して地脈を絶ったことを述べる。

10 南澤良彦「南朝陵墓と王権」(『六朝道教儀礼の研究』春秋社、一九九八年)参照のこと。

11 池澤優「祭られる神と祭られぬ神:戦国時代の楚の『卜筮祭祷記録』竹簡に見る霊的存在の構造に関する覚書」、『中国出土資料研究』創刊号、一九九七年。『「孝」思想の宗教学的研究』東京大学出版会、二〇〇二年、一三〇頁〜一四四頁。「祀りと占いの世界」、『地下からの贈り物―新出土資料が語るいにしえの中国』東方書店、二〇一四年、の研究成果に依拠した。卜筮祭祷簡は、湖北省江陵天星観、望山、秦家咀、荊門包山、河南省新蔡葛陵などから出土している。占い師たちが亀甲と筮竹を用いて占った記録である。また工藤元男「簡帛資料から見た楚文化圏の鬼神信仰」、『日中文化研究』10、一九九六年も参考にした。

12 小南一郎「漢代の祖霊観念」東方学報京都六十六、一九九四年。鎮墓瓶の表面には天帝が冥界の神々に死者の安寧と遺族の幸福を命じるといった内容が朱書されている。買地券とは、死者の土地所有権を冥界に対して告知するもの。

13 三浦國雄「『真誥』と風水地理説」(『六朝道教の研究』春秋社、一九九八年)参照のこと。

14 宮崎順子「敦煌文書『司馬頭陀地脈訣』の形派風水」、『羽衣国文』9、一九九六年。

15 以下の書物は形法風水書のバイブルとされる書籍群である。成立年代は明確ではないものの、南宋末から元にかけて書かれたものと推測している。

16 明・嘉靖二十九年刊本(内閣文庫所蔵本)。

17 『堪輿十一種』本。明・天啓二年序刊（内閣文庫所蔵本）。

18 『四庫全書』所収本。

19 龍脈の思想については、宮﨑順子「龍脈―風水思想の大地観」（『中国思想における美・気・忌・死』、「〈醜〉と〈排除〉の感性論―否定美の力学に関する基盤研究」研究成果報告書附篇、二〇〇八年）を参照されたい。

20 『胡先生陰陽備用』所載（台湾国家図書館所蔵、元刊本）。

21 『四庫全書』所収本。「破軍星第七」には「崑崙山脚出闐顔《てんがん》、隻隻脚是破軍山」とある。闐顔とは西域の国名。「崑崙山は西域の闐顔から脚を出しており、その一つ一つの脚が破軍山である」とある。

22 『蔡氏九儒書』所収本（京都大学人文学研究所所蔵）。

23 『地理人子須知』万暦十二年刊本（内閣文庫所蔵）。三浦國雄『風水講義』（文春新書、二〇〇六年）に全編の詳しい解説がある。

24 北宋初めに成立したとされる勅撰書。金明昌壬子張謙刊本（台湾国家図書館所蔵）。

25 植野弘子「台湾漢民族の死霊と土地：謝土儀礼と地基主とめぐって」（『国立歴史民俗博物館研究報告』41、一九九二年）に詳しい。

26 劉楽賢『睡虎地秦簡日書研究』（文津出版社、一九九四年）に詳しい。大野裕司『戦国秦漢出土術数文献の基礎的研究』（北海道大学出版会、二〇一四年）を参考にした。

27 買地券の宗教的背景に関しては張勲燎・白彬『中国道教考古』（線装書局、二〇〇六年）。

28 丸山宏『道教儀礼文書の歴史的研究』（汲古書院、二〇〇四年）参照のこと。

29 『大唐開元礼』凶礼の官僚層の葬喪儀礼は一～三品、四・五品、六～九品の三つに区分されている。筆者が取り上げる部分に関しては三区分とも内容はほぼ同じである。

30 石見清裕「唐代凶礼の構造―『大唐開元礼』官僚喪葬儀礼を中心に」（『福井文雅博士古稀記念論集』二〇〇五年）を参考にした。

31 斬草について、『南斉書』巻十、『南史』巻五十三に記事がある。また択日を記述する敦煌文書（スタイン二二六三）に「斬草之日」とある。『地理新書』文中では、「斬草とは凶悪なものを断って、（死者の）魂気を（土地に）収めることである」とある。

32 伝説的な風水書『青烏子』を指すと思われる。現存しない。出土買地券の中に「黄神青烏子」という名称が記されており、これは天帝に比肩する神格のようである。

33 『地理新書』巻十五「推五姓墓内神祇方位傍通」による。台湾国家図書館。

34 『地理新書』巻十二の「地下明鑑二十四路法」による。

35 『地理新書』以降、斬草儀式の記述がある文献としては、『大漢原陵秘葬経』「択斬草法篇」（『永楽大典』所引）、『儒門崇理折衷堪輿完孝録』、また陰陽書系統の風水書である『塋原総録』（元）、柳洪泉『三元総録』（明）でも触れられている。

04 隠遁思想と文芸
山から都会へ

陸 晩霞

1 はじめに

隠遁とは隠棲と遁世が並列で縮約してできた言葉で、広義的には、隠逸・隠棲・遁世などとほぼ同意に捉えられる。もっとも、中世日本の「遁世」[*1]は仏教的に意味づけられているが、本章では「隠遁」の下位概念として扱う。用語の面で個々の論点をめぐって隠逸や遁世など使い分けることがある。

　東アジアの古代史を彩る特徴的事象として、隠遁はそう珍しいものではなかろう。中国の正史には『後漢書《ごかんじょ》』以降、隠逸伝が一標目として設けられているし、陶淵明《とうえんめい》をはじめ、いつの時代にも有名な隠者が現れてくる。韓国では、有能な文人が不遇な人生をかこち、その末、山奥に隠棲してしまうという話もある。新羅から唐におもむいた崔致遠《さいちえん》が晩年海印寺《かいいんじ》に隠棲したのはその一例である。[*2]日本に至ると、「隠者文学」という専門用語が作り出されたぐらいである。

　しかし、隠者文学という語には中世の遁世を特化する趣がある。これを研究用語として最初に使い出したのは折口信夫「女房文学から隠者文学へ」などの論文[*3]であるが、以後、長い間文学史の叙述に踏襲されてきた。ただ、用語概念の有効性について後の研究者から疑問を呈されたことがある。つまり、隠者が文学作品を残して世間に知られるようになった以上、隠者も隠者でなくなるので、隠者文学という言葉は成り立たないというのである。[*4]この類いの疑問提起はとくに『方丈記《ほうじょうき》』の作者鴨長明《かものちょうめい》の隠遁思想に見る矛盾性に対して為されたことが多い。だが、それは仏道修行と文芸的営為との不調和性に対する批判と相表裏して、遁世が盛んに現れる中世ならではの問題のようにも見える。実際、中世以外の時代にとくに問われたことはなかったし、中国や韓国では隠遁者による文芸活動はあまり問題視された形跡がない。文芸活動はむしろ隠遁生活の一部と化し、隠者の精神的自由を養うための重要な方途となっているのである。だから、「隠者文学」の有効性を質疑することは裏を返すと、中世以外の時代の隠遁を見落としていることになるのではないかと思う。

日本にも長い隠遁の歴史がある。江戸時代に刊行された『本朝遯史《ほんちょうとんし》』（一六六四年）、『扶桑隠逸伝《ふそういんいつでん》』（一六六四年）などを紐解くと明らかになる。中世の遁世ばかりが隠者文学を生み出す土壌ではないのである。ほかの時代にもさまざまな隠遁が現れていた。それぞれの時代にどのような隠遁思想があって、どのような隠遁の文芸が生まれたのか、歴史の推移とともにその跡をたどってみたい。

2　山林隠逸の伝統から山水清き処への遁世へ

日本の文芸作品で隠者の姿を描き、隠遁思想を現わした早い例には『懐風藻《かいふうそう》』がある。同書百八番は隠士民黒人《たみのくろひと》作の五言詩で、「泉石行行異、風烟処処同。欲知山人楽、松下有清風」（泉石行々異《こうこうこと》にして、風烟処々《しょしょ》同じ。山人の楽を知らまく欲《ほ》りせば、松下に清風有るといふことを）とある。これについて江村北海《えむらほっかい》『日本詩史《にほんしし》』（一七六七年）は「清迥冲遠《せいけいちゅうえん》、大に是れ隠者の本色なり」と称賛する。ここで注意したいのは、『懐風藻』詩人の中で隠者は民黒人一人だけでないこと、そして一般の貴族文人の間でも隠逸への憧憬が幅広く共有されていたことである。こうした隠逸への憧れがしばしば自然風景の描写あるいは山水遊行の記述によって表現されるのである。たとえば、九十九番の丹墀広成《たぢひのひろなり》「遊吉野山」に「山水随臨賞、巌谿逐望新。……放曠多幽趣、超然少俗塵」（山水臨《のぞみ》に随ひて賞で、巌谿望《のぞみ》を逐ひて新し。……放曠幽趣多く、超然俗塵少なし）とあって、山水岩渓の幽趣を詠む。また、百十九番の葛井広成《ふじいのひろなり》「奉和藤太政吉野之作」は「物外囂塵遠、山中幽隠親」（物外囂塵《ごうじん》に遠く、山中幽隠に親《むつ》ぶ）と詠んで、吉野山の景色から幽隠へ思いを馳せている。中西進は『懐風藻』における自然を「物色」（六十五番序に見える語）と捉え、人事と対立する幽なるものであると指摘[*5]しているが、本章では一歩進んでその自然描写に、詩人たちの理解した隠逸の風景が重ねられていると読み取りたい。そのような隠逸の風景は、当時の貴族文人が『文選《もんぜん》』『芸文類聚《げいもんるいじゅう》』『世説新語《せせつしんご》』など漢籍を通して得られたことは言を俟たない。

中国で隠者が書物に登場する最初は『論語』微子《びし》篇で、『史記《しき》』「伯夷叔斉列伝」などのように人物伝記の歴史書への記載にも見られる。正史に隠者の列伝部門を設けるのは『後漢書』「逸民伝」を嚆矢としている。ほかに、皇甫謐《こうほひつ》『高士伝』などの専著も現れ、『芸文類聚』巻三十六に「隠逸上下」の部門が立てられるに至っては、中国の隠者の世界を一望することが可能になった。隠遁の動機や隠者生活の内容、隠者を支える思想系統などを細かく追及すると十人十色だが、自由自適をもとめて山水林野に親しむ生き方が一様に記されている。

『後漢書』「逸民伝論」（『文選』巻五十）が隠者逸民の様子を「畎畝《けんぼ》の中に甘心し、江海の上に憔悴す」「魚鳥に親しみ林草を楽しむ」と伝えるように、山水草木魚鳥などの自然は隠者生活の象徴と見なされている。隠遁者が山林に逃げ込んで自然風物と遊びながら自らの天性を養うという、隠遁と自然の関係を完璧に解説したのは晋の戴逵《たいき》の「閑遊賛」である。一節を次に引いてみる。

> 然れども山林の客の如きは、徒《いたずら》に人患を逃れ争闘を避くるに非ずして、諒《まこと》に順を翼《たす》け和を資《たす》け、機心を滌除《てきじょ》し、淳淑を容養して、自適する所以《ゆえん》の者なるのみ。凡《およ》そ物は適するを以て得と為し、足るを以て至と為さざること莫《な》し。彼の閑遊の者、奚《いずく》に往きてか適《てき》ならざらん。奚《なに》を待ちてか足らざらん。ゆえに巌流の際に蔭映《いんえい》し、琴書の側に偃息し、心を松竹に寄せ、楽を魚鳥に取らば、則ち澹泊《たんぱく》の願は、是に於いて畢《つ》くせり。
>
> （『芸文類聚』巻三十六、訓読は引用者）

山林に逃げ込む人は、ただ煩わしい人間関係を避けたいからだけではなく、山谷渓流や松竹魚鳥などの自然に囲まれて自適し、純真な本性を守り助けるためだという。道心を養う上で大自然がするプラスの働きは次第に仏道修行者にも認識されることとなり、出家者がこぞって山水林野の景勝地へ赴いて隠遁することを『梁高僧伝』《りょうこうそうでん》などが伝えている。巻第四の竺潜深伝《じくせんしんでん》に「乃ち啓して剡《せん》の仰山に還り、其の先志を遂げ、是に於いて林阜《りんぷ》逍遥し、以て余《よ》年を畢《おわ》る。支遁《しとん》、使を遣はして仰山の側なる沃洲《よくしゅう》の小嶺を求買して、幽棲の処と為さんと欲す。潜答へ云く、来たらんと欲せば輒《すなわ》ち給せん。豈《あ》に巣由の山を買ひて隠遁するを聞かん、と」とあり、伝主の竺潜深も、隠棲の山を買おうとして揶揄された支遁も、巣父許由《きょゆ》のごとき山林隠遁の伝統を慕っていることが明らかである。

もし、『懐風藻』時代には大多数の貴族文人が山水遊覧を通して隠逸の境地を想像し、詩文を吟詠し隠士的な気分に一時的に浸ったことから、山林隠逸の模擬体験をする面があるというのなら、中世に輩出した遁世者たちはまさに山林隠遁の実践者と言わなければならない。実際、中世の仏教説話などでは、「山水清き」[*6]ところに草庵を結ぶことが理想的な遁世者像の一要素として定着している。鴨長明『発心集』《ほっしんしゅう》巻四第二話「浄蔵貴所《じょうぞうきそ》、鉢を飛ばす事」に次のような描写がある。

今は二、三百町も来ぬらんと思ふほどに、ある谷はざまの、松風ひびきわたりていさぎよく好もしき所に、一間ばかりなる草の庵あり。砌《みぎり》に苔青く、軒近く清水流れたり。内を見れば、年高き僧のやせおとろへたる、只ひとり居て、脇息によりかかりつつ経を読む。

（新潮日本古典集成『方丈記・発心集』）

ここに見る「年高き僧」は山奥に独居する遁世者で、その草庵の周辺は「松風ひびきわたり」「苔青く」「清水流れる」とあり、まさに山紫水明の自然環境である。この記述は『方丈記』における日野山の閑居を彷彿とさせる。また、『徒《つれ》然草《づれぐさ》』第二十一段に「人遠く、水草清き所にさまよひありきたるばかり、心慰む事はあらじ」とある箇所も、遁世者の自然観を示してくれる。清らかな自然山水は遁世者の仏道修行を助長し、その往生の目的達成に有利であると見られるのである。

3 「大隠」意識と心の隠遁

ところで『文選』巻二十二の王康琚「反招隠詩」は山林隠遁の思想に一石を投じたことになる。同詩は「小隠隠陵藪、大隠隠朝市」（小隠は陵藪に隠れ、大隠は朝市に隠る）と詠んで、明らかに「隠陵藪」よりは「隠朝市」に高い価値を置いている。「隠朝市」とは朝廷に仕えながら隠者の精神を保つということで、「朝隠」という語と意味が一致する。後者は同じ『文選』巻四十七の夏侯湛「東方朔画賛」に見えて、「染迹朝隠、和而不同。棲遅下位、聊以従容」（迹を朝隠に染め、和して同ぜず。下位に棲遅し、聊か以て従容す）とある。朝隠の先駆には、柱下吏をつとめた老子（『文選』李《り》善《ぜん》注などによる）を、後継には「中隠」の語を作り出した唐代の白楽天《はくらくてん》を挙げることができる。大隠・朝隠・中隠にさらに「吏隠」*7 というのも加わり、四つの語ともほぼ同じ意味である。要は、山林に入るとは限らず、身の置かれた境遇より心の持ち方を一層重要視する隠遁のあり方である。このような考えは本章で便宜上、「大隠」意識と称する。

「大隠」意識は『懐風藻』の詩においてもすでに影響を及ぼしている。九十番の藤原宇合《ふじわらのうまかい》「秋日於左僕射長王宅宴」に「遨遊已得攀龍鳳、大隠何用覓仙場」（遨遊已に龍鳳に攀づることを得たり、大隠何ぞ用ゐむ仙場を覓むることを）や、九十二番同じ藤原宇合の「遊吉野川」に「野客初披薜、朝隠蹔投簪」（野客初めて薜を披り、朝隠蹔く簪を投ぐ）とあることから、少なくとも字句の模倣が認められる。平安初期の勅撰三集『凌雲集《りょううんしゅう》』『文華秀麗集《ぶんかしゅうれいしゅう》』『経国集《けいこくしゅう》』に至っては一層盛んに詠まれるようになる。『凌雲集』九十番の桑原腹赤《くわはらのはらか》「秋日於丈人山荘興飲」に「登臨不外俗、吏隠両相兼」（登臨俗を外にせず、吏隠両つながら相兼ぬ）とある。『経国集』には「寄言陵藪客、大隠隠朝市」（言を寄す陵藪の客に、大隠朝市に隠ると）（巻十、小野岑守「帰休独臥」五十八番）、「野人披薜衲、朝隠忘衣冠」（野人薜衲を披る、朝隠衣冠を忘る）（巻十、淡海三船「贈南山智上人」七十一番）などを拾うことができる。ただ、これらの詩文はまだ字句レベルの引用模倣に止まっている。心身の乖離に苦悩し、その打開策として「大隠」意識に由来する心の隠遁を見いだしたのは平安中期以降の兼《かね》明《あきら》親王と慶滋保胤《よししげのやすたね》であろう。そして両人により深く影響したのは白楽天の中隠思想といえる。『白氏文集《はくしもんじゅう》』巻五十二に「中隠」と題する一首がある。冒頭の四句を次に掲げておく。

大隠は朝市に住み、小隠は丘樊《きゅうはん》に入る。
丘樊は太《はなは》だ冷落、朝市は太だ囂喧《ごうけん》。
如かず中隠と作り、隠れて留司の官に在るには。
出づるに似て復た処るに似たり、忙しきに非ず亦閑なるに非ず。
（訓読は佐久節訳注『白楽天全詩集』による）

この詩は王康琚《おうこうきょ》の「小隠隠陵藪、大隠隠朝市」を踏まえたもので、山林にも逃げ込まず朝市にも交わらず、卑位の官職に隠れて悠々自適する「中隠」の生活態度を良しとする。白楽天が自分自身の官位停滞の実状を半ば自嘲し、半ば諦観して吟じた詩作である。仕官しながら隠者のように生きることを中隠と名付け、その生活の実態を五言十句の詩にまとめているが、心の隠遁による精神的自由への自慢もにじみ出ている。

年齢二十数年離れた兼明親王と慶滋保胤には同題の漢文作品「池亭記」（『本朝文粋《ほんちょうもんずい》』巻十二）がある。その作文に当って白楽天の「池上篇併序」「草堂記」などに倣ったところが多いと指摘されてきたように、[8]両「池亭記」に中隠思想も流れている。親王「池亭記」では人生に変化が多いことを歎《なげ》く段に、「吾古人の徳なし。位《くらい》三品にして、齢《よわい》半百なり。朝に趨《はし》りて官あり、家に帰りて亭あり」（新日本古典文学大系）とある。一方の保胤「池亭記」では「家主、職は柱下に在りといえども、心は山中に住むが如し」「朝に在りては身暫《しばら》く王事に随ひ、家に在りては心永く仏那に帰す」「身は朝に在りて志は隠に在るを以てなり」（同前）などと数箇所にわたって、身体と分離した心の隠遁が強調される。

遁世時すでに出家していた鴨長明の場合、心の隠遁に重きを置くような中隠生活はなかったろうが、「心、身の苦しみを知れれば、苦しむ時は休めつ、まめなれば使ふ。使ふとても、度々過ぐさず。もの憂しとても、心を動かす事なし」（講談社学術文庫『方丈記』）と述べるように、身と心を区別して扱い、心を相対化する点では保胤らの身心二元論とあまり変わりない。さらに、長明にも「大隠」意識があったことを『発心集』から読み取れる。『発心集』巻一第十話「天王寺聖、隠徳の事付乞食聖の事」の結末部は次のようである。

此れらは、勝れたる後世者の一の有様なり。「大隠、朝市にあり」と云へる、則ち是なり。かく云ふ心は、賢き人の世を背く習ひ、我が身は市の中にあれども、その徳をよく隠して、人にもらせぬなり。山林に交はり、跡をくらうするは、人の中に有って徳をえ隠さぬ人のふるまひなるべし。（同前『方丈記・発心集』）

市中にいて自らの高徳を覆い隠し道心を磨く遁世者を、最上の後世者と称して賛辞を送る長明の評論である。これを日野山の奥に隠遁した長明の自己批判と読むこともできる。[*9] すなわち、彼は自らを「賢き人」ならぬ愚劣者と自覚し、大隠などは自らの力で及ばぬ彼方の存在であり、わが分際ではないと諦観したのである。長明によると、山林に入らず市井にいる大隠的遁世者は名利心に囚われないように、己の徳を隠すことができなければならない。機根の劣っている一般の人にはできないわざである。実際、中世の仏教説話には隠徳佯狂《ようきょう》の遁世者が多く登場している。玄賓上人や増賀上人など、『発心集』では第一級の「後世者」と称えられる人たちである。これらの遁世者の人物像はたいていその隠徳佯狂の行状を最たる特徴として作られる（陸晩霞「中世仏教説話における遁世者像の形成」参照）のだが、あえて衆生の近傍、市中の雑踏を遁世の場所とする環境設定には「大隠」意識が働いたことを見逃せない。なお、遁世者が隠徳佯狂を実践する根本的な目的は、自ら精神的孤独境を作ることにあるとすれば、それは白楽天や保胤らの吹聴する心の隠遁と原理的に一致しているといえよう。すなわち、隠徳佯狂の遁世者は人里を離れず生活しているにもかかわらず、その心が常に孤独を保つ隠遁同然の状態にあるのである。

4　都会の中に作られる山林

山の奥に入らずに市井にいても可能なのは右に挙げた心の隠遁のほかに、都会に手ずから山林を作って隠棲するという方法である。この方法は白楽天や兼明親王、保胤らの草堂・池亭生活でも試みられたようだが、官職を帯びた身分のゆえ、三人はあくまで次善《じぜん》をもとめて心の隠遁に満足する中隠の実践者でしかなかった。都会に我が意のまま山林を作り、心身ともに隠遁を遂げられるのは江戸の世を待たなければなるまい。

近世に入って、経済の安定的発展と漢学の流行を背景に、人々の中国文人的隠逸への憧憬がまたもや時代的高揚を見せた。木下長嘯子《きのしたちょうしょうし》や石川丈山《いしかわじょうざん》など有名な隠者が現れ、隠遁にかかわる多くの書物も続々と出版された。元政《げんせい》上人の『扶桑隠逸伝』もその時流に乗って生まれた。上人自身は日蓮宗の僧侶で洛南の深草《ふかくさ》に隠棲したことにより、深草元政とも称される。その編著となる『扶桑隠逸伝』（以下、『隠逸伝』）は上代奈良期より中世室町末期までの隠逸者七十五人の事績を載せている。同書の編纂方針や文体には元政上人の、もしくは近世的隠遁観を看取することができる。たとえば、山奥でない人里や都会に、隠遁に適する環境を自分の手で作り出すという発想がそこにある。『隠逸伝』下巻の「紀俊長《きのとしなが》伝」には次の記述が見える。

応永十二年の春、卒《つい》に俗塵を出で、南紀に退遯《たいとん》す。名を宗傑に易《か》ふ。而して其の居る所、梅数百株、竹数千挺有り。俊長、其間に吟哦《ぎんが》して、自ら梅隠と称し、竹隠と曰ふ。又梅竹を以て其の軒に掲ぐ。書万巻を積み、読みて且つ楽しむ。（原漢文。書肆梅村三郎兵衛板『扶桑隠逸伝』）

紀伊日前国懸《ひのくまくにかかす》神宮の神官だった紀俊長の出家隠遁を記録したものであるが、その隠遁先についての描写が興味深い。住居のまわりに梅や竹がたくさん植えられて、俊長は梅隠、竹隠と自称するという。伝の末尾に付いた賛で、元政は「林家の梅、王家の竹。清隠の楽事、只だ斯くなるのみにして足れり」と述べ、梅と竹はそれぞれ宋代の隠者林和靖《りんなせい》の故事「梅妻鶴子」[*10]と六朝の名士王子猷《おうしゆう》の逸話「何可一日無此君」[*11]によっていることを明かす。つまり、梅竹を好んだ伝主紀俊長に林和靖ら古代の隠逸を投影させたのである。林読耕斎《はやしどっこうさい》の『本朝遯史』にも「紀俊長伝」が採録され、同じ梅竹について「効山陰之種竹」「擬孤山之詠梅」と述べて出典には触れているが、『隠逸伝』では「紀俊長伝」以外も数度林和靖の話を引用しているのとは温度差が感じられる。林和靖の隠逸は元政にとって一つのモデルとなっていることは「元政上人の草山隠棲は、林和靖の存在を無視して語ることはできない」[*12]と指摘されている通りである。

ここでとくに注意したいのは、『隠逸伝』が表現する隠逸と従来のそれとの異同である。とりわけ中世の遁世と比べる場合、その違いがやや目立つ。遁世譚に見る閑居は、おおむね隠遁者が山林僻地に走り、そこで一つの草庵を結び、独り静かに暮らし、読経念仏三昧の修行生活に打ち込む構図である。ところが、『隠逸伝』になると、人里から離れず自らの居住環境を憧れの隠者のイメージに倣って整え、隠遁生活を楽しむ者が現れるのである。そして独居修行も必ずしも最重要主題としては強調されなくなった。その代わりに、家族や師弟同士の親睦、同行者との交際などが描写されるようになる。中巻「藺笥翁伝《りんしおう》」のように、大勢の家族に囲まれた在俗の隠逸者はもとより、大原三寂《おおはらのさんじゃく》や解脱《げだつ》上人、妙旨など僧籍に入った人々の伝に見る遁世生活も、必ずしも孤独なものではないのである。要するに、『隠逸伝』では人工で作られた山林が象徴的であるように、そこで表現される隠逸はやや都会的な性格を示し始めたのである。

5　おわりに

漢籍伝来の当初から、その中の隠遁思想も日本の知識人たちの関心を呼んで受容され始めたように思われる。六朝文学に盛んだった山林隠逸の思潮、「大隠隠朝市」から発生し、白楽天の中隠思想まで生み出した隠遁のランク付けおよび「大隠」意識、林和靖ら宋人隠者の山に入らぬ生き方など、それぞれの段階で日本の隠遁に影響し、奈良平安の王朝期から中世、近世へかけて隠遁者が山からだんだん都会へ移動する軌跡を描かせた。

かつては書籍から得た隠遁のイメージに嵌《はま》るように、貴族文人や出家遁世者が自然山水の豊かな地をもとめて隠逸を想像し、人里を離れた山林に草庵を結んで閑居するのが一般的であった。近世に入って都市文化が発達するにつれて、隠遁者が深い山の奥へ分け入っていく代わりに、隠れ住む場所を市中において自らの手で造営するようになった。そのように作られた隠遁の地は山水草木の景観を揃えていても、「小隠隠陵薮」で言う「陵薮」と違って、すでに野生の自然ではなく人工物である二次的自然であることは言うまでもない。ただ一つ変わらないのは、都市部で理想的な隠遁の環境を整える過程においても、山林勝地をもとめて隠遁する古代と同様に、書物から得た隠遁思想が大きな指導的役割を果たしているということである。言い換えれば、文芸の媒介を通して、隠遁に関するさまざまな知識が受け継がれ、模倣再生されるのであろう。

では、隠遁者自身はどのような文芸観を有しているのか。隠遁の身で文芸活動に携わることの意義をどう捉えていたのか。これらも隠遁思想を考える際、問わねばならない問題であるが、すでに紙幅が尽きたので、稿を改めて論じることとしたい。

注

1 陸晩霞「中世仏教説話における遁世者像の形成」(原克明編『宗教文芸の言説と環境』日本文学の展望を拓く 第三巻、笠間書院二〇一七年)を参照されたい。

2 小峯和明『遣唐使と外交神話『吉備大臣入唐絵巻』を読む』集英社、二〇一八年、一七二頁。

3 折口信夫「女房文学から隠者文学へ」(『折口信夫全集』第一巻、一九二七年初出)、同「日本文学発想法の一面—俳諧文学と隠者文学」(『岩波講座日本文学』一九三二年初出)などに見えて、折口文学論に多く用いられている。

4 仁戸田六三郎『日本の隠者』(新潮社、一九五九年)、唐木順三「隠者について云々することのむづかしさ」(『国文学解釈と教材の研究』特集「隠者たち—脱出と漂泊」一九七四年十二月)、シンポジウム日本文学⑥『中世の隠者文学』(学生社、一九七六年)などに言及ある。

5 中西進「懐風藻の自然」、山岸徳平編『日本漢文学史論考』岩波書店、一九七四年。

6 遁世者玄賓が大僧都の任命を辞退した時、「とつ国は山水清しこと繁き君が御代には住まぬまされり」と詠んだという(『閑居友』上・三)。これにより「山水清し」は遁世の地と判断される基準となったといえる。

7 唐代宋之問「藍田山荘」詩に「宦遊非吏隠、心事好幽偏(宦遊吏隠に非ざるも、心事幽偏を好む)」とある。

8 大曽根章介「「池亭記」論」(前掲山岸徳平編『日本漢文学史論考』)、柳井滋「保胤と『池亭記』」(『国語と国文学』58-12、一九八一年十二月)などがある。

9 三木紀人校注、新潮日本古典集成『方丈記・発心集』七九頁。

10 『宋詩鈔』巻十三「林逋和靖詩鈔」に、「林逋、字君復、杭之銭塘人。少孤、力学、刻志不仕、結廬西湖孤山。(中略)時人高其志識。賜謚和靖先生。逋不娶、無子、所居多植梅蓄鶴。泛舟湖中、客至、則放鶴致之。因謂梅妻鶴子云」と見える。

11 『世説新語』「任誕第二十三」に「王子猷嘗暫寄人空宅住、便令種竹。或問、暫住何煩爾。王嘯詠良久、直指竹曰、何可一日無此君」とある。『蒙求』「子猷尋戴」の注などにより広く知られた。

12 有賀要延「元政上人と林和靖」、『印度学仏教学研究』33-1、一九八四年十二月。

参考文献

・深草元政『扶桑隠逸伝』書肆梅村三郎兵衛板、寛文四年（一六六四）。
・梁・慧皎『梁高僧伝』大正新脩大蔵経第五十巻、一九六〇年再刊。
・梁・蕭統『文選附考異』台北芸文印書館、一九六七年。
・唐・欧陽詢『芸文類聚』上海古籍出版社、一九八二年。
・佐久節訳注『白楽天全詩集』続国訳漢文大成、日本図書センター、一九七八年。
・島原泰雄『深草元政集四』古典文庫、一九七八年。
・小島憲之『懐風藻 文華秀麗集 本朝文粋』日本古典文学大系、岩波書店、一九六四年。
・大曽根章介・金原理・後藤昭雄『本朝文粋』新日本古典文学大系、岩波書店、一九九二年。
・陸晩霞『遁世文学論』武蔵野書院、二〇二〇年。

05

歌枕と名所

湯殿山から象潟へ

錦 仁

1 歌枕と名所

名所を詠むことは、宮廷文芸として成立した平安時代の和歌が当初から抱えていた宿命のようなものであった。寛平三年（八九一）頃、宇多天皇の宮廷で催された『寛平御時菊合《かんぴょうのおおんとききくあわせ》』は、今日残されている歌合のなかで『民部卿家《みんぶきょうけ》歌合《うたあわせ》』（八八五年頃）に次いで古い。左方の人々は大型の州浜を用意し、その上に十カ所の名所を作り、それぞれに菊花を植えた。歌人たちの数も名前もよくわからないが、一ヶ所に一首ずつ計十首の歌を詠んだ。菊の花に永遠の世の栄えを込めて詠んだことはいうまでもない。

「水無瀬《みなせ》」「大沢の池」「紫野《むらさきの》」「戸奈瀬《となせ》」（以上、山城国）、「田蓑《たみの》の島」（摂津国）、「佐保川《さほがわ》」（大和国）、「吹飯《ふけひ》の浦」（和泉国）、「吹上《ふきあげ》の浜」（紀伊国）、「網代《あじろ》の浜」（伊勢国）、「逢坂の関」（山城国）。いずれも畿内五カ国と伊勢国の名所である。畿内とは「昔中国で、王都を中心として四方五〇〇里の天子直属の地のこと」（『日本国語大辞典』）だから、これらの名所は、宇多天皇が直接に支配する領土をシンボライズするものといえるだろう。「網代の浜」のある伊勢国には皇室の先祖神を祀る伊勢神宮がある。「逢坂の関」は山城国の名所であるが、東国諸国へ出入りする位置にある。その向こうに、天皇の領すべき広大な国土があるという象徴的な場所である。

左方の州浜は、天皇が直接支配する畿内五カ国をあらわし、さらに東国へ広がる国土を想像させ、神世からの長い歴史が続いていることを示す。州浜は日本という国のミニチュアといえるだろう。『古今集』仮名序によれば、和歌はそもそも神々の言葉であり人間に伝えられて広まったものだ。それ自体、古い歴史を内に秘めている。そういうわけで、州浜・名所・和歌は互いに結び合って神世からの歴史のある日本をシンボライズする。そういう州浜を用いて歌合をし、天皇の御代を言祝《ことほ》ぎ、永遠の栄えを祈念した。それが『寛平御時菊合』であった。[*1]

このような歌合が『古今集』の成立する十五年ほど前に催されていたのである。名所を詠むことの奥に込められた意味を新鮮な角度から考察すべきだろう。

歌枕と名所は通常、混同されることがある。「百科事典マイペディア」は次のように説明する。

歌枕――和歌の中に古来多く詠みこまれた名所のこと。原義は歌詞、枕詞、名所など、和歌に詠みこまれるべき歌語や題材、あるいはそれらを列挙解説した書物の意であるが、時代が下るにつれて名所の意に限定されるようになった。作品に詠みこまれるなかで、各名所は一定の表現、情趣をもつことになり、歌枕を詠む際、その場所が実際にどうなっているかは、そうした文学史上の情趣化に比して二義的とされた。《能因《のういん》歌枕》をはじめ歌枕解説書はきわめて多い。

(http://kotobank.jp/word/ 歌枕 -440204［最終閲覧二〇二〇年六月十二日］)

歌枕は名所を詠むための手引書であった。やがて名所をさすようになった。[*2] わかりやすく言えば、歌枕は都の歌人の知識であり脳裏に浮かぶ想像の風景であり、一方の名所は地方に実在する本物の風景をさすといえるだろう。歌枕と名所は、観念と実在、中央と地方といった齟齬《そご》・対立の構造をはらんでいる。

都人は、みちのくにあるという「末《すえ》の松山」「阿武隈川《あぶくまがわ》」「象潟《きさかた》」のような歌枕をよく知っていた。しかし、見たことのある人はほとんどいない。だから机上の手引書をひもとき、『古今集』などにどう詠まれているかを調べ、足りないときは和歌の達人に教えを請い、実際に見てきた人の話を載せる歌学書を読み、あるいは現地のようすを聞き、それらをもとに歌を作ったのだった。和歌は先例をふまえて詠む伝統文芸だから、自分の好みの詞で自由にうたうわけにはいかない。
遠く離れた国々の名所が、都で催される歌合や歌会では歌題によく出された。実際の名所を見て詠んだ歌はやがて都の人々にもたらされ、その中の優れた歌は勅撰集や私撰集に採られ、後世に伝えられた。そのとき〈中央／地方〉の距離・対立は、いささか解消される。地方の名所が都の人々に知られ、都の人々が訪れて歌を詠んで帰るから、中央と地方がおのずとつながる。交流・融和が進む。和歌は、地方を中央に回収する詩的装置であった。そういう役割を和歌が担っていた。この事実に注目すべきだろう。

もしも〈歌枕／名所〉の和歌システムがなかったならば、地方は中央の文化から遮断され、いつまでも辺境の地にとどまったのではなかろうか。この装置があるために、辺境であったみちのくも、都から発せられてくる文化空間の内部に収まり得たといえるだろう。政治・交易も含めて、中央と地方の違いは際立つが、和歌という詩的表現の場において中央と地方は均質的で同一的な文化空間の内部にありえた。和歌は、実に巧妙な政治的役割を果したといえるだろう。

地方のどこにも歌に詠むべき風景・名勝がある。ゆえに日本全体が均質化し、人々に美の共有感・一体感を与え、まとまりのある国という意識を育む。和歌に包まれた国として成熟していったのである。

『古今集』の仮名序にいうように、和歌は神世の昔から今に存続しているもので日本の歴史を体現している。だから、和歌に詠む名所があることは、その地が紛れもなく日本の内部であることを証明してくれる。こうした考え方は大正期になっても変わることがなかった。*3

2　名所をめぐる旅

歌枕・名所の研究といえば、都に住む歌人が遠く離れた国々の名所をどのように詠んだか、どんなふうに詠み方が変化したかを考える表現史が一般的だった。むしろ、それがほとんどであった。平安時代の和歌をもっぱら対象とすることが、その傾向を強めた。しかし都人の視線に足場を置いた和歌研究は、〈中央〉からのみ〈地方〉を見てしまう恐れがある。その結果、知らぬ間に見下ろす視線がにじみ出てしまう。和歌は都で形成された文化だからとがめられることではない。だが注意すべきは、中世に入ると前時代の実方《さねかた》・能因《のういん》・西行《さいぎょう》のような、みちのくを旅した古人を慕って数多くの歌人・連歌師・俳人たちが地方を訪れるようになったことだ。それに伴い『歌枕名寄《なよせ》』『夫木《ふぼく》和歌抄』のような全国の名所を整理・掲出した歌書がいくつも編まれるようなったし、数多くの紀行文が生まれた。そして近世に入ると旅人はますます増えて、これらの歌書から行く先々の名所とそれを詠んだ古歌を書き写し、実際に旅に出て名所の風景をながめて古人の歌と見くらべ、みずからも歌を詠んだ。

芭蕉以後、太平洋側の「松島」を見て、それと対照的な趣という日本海側の「象潟」へ行く旅が盛んになった。蝶《ちょう》夢《む》『松島道の記』（一七六三年刊）、橘南渓《たちばななんけい》『東遊記《とうゆうき》』（一七九五年刊）などはその例といえよう。歌枕・名所をめぐる旅は中世から近世になると大きな意味をもつようになったのである。そのあたりの研究が手薄であるように思われる。

地方の名所に関心を抱いた人々は、江戸や京都に住む歌人たちだけではない。藩主は率先して領内の名所を保護し、新たに名所を作り、それらをみずから見て歩いて歌を詠み、優雅な和文で紀行文を綴った。そうして生まれた藩主の領内巡覧記は藩士の子弟や領民の読み物に供された。そればかりではない。臣下の文人藩士や歌人・俳人たちも地域の名所に強い関心を示した。故郷にこそ、歌を詠み、発句・連句を詠み、漢詩を詠む名勝・名所が必要であった。藩主はそういう国を創ることに勤しんだのである。[*4]

3　湯殿山から象潟へ――西行の歩いた道

具体論に移ろう。山形県鶴岡市の出羽三山（羽黒山《はぐろさん》・月山《がっさん》・湯殿山《ゆどのさん》）から秋田県にかほ市の象潟へ行くコースはいくつかあった。たとえば蝦夷《えぞ》・奥州派遣の幕府巡見使は、出羽三山を参拝したあと山道を七〇キロほど下り、鶴岡を通って日本海沿岸の鼠ヶ関《ねずがせき》（不寝が関）に出て沿岸の道を八〇キロほど北行して象潟に着いた。芭蕉は出羽三山から鶴岡へ下って酒田にきて四〇キロほど北行して象潟に着いた。江戸後期の紀行家・菅江真澄《すがえますみ》は三河国を出発して信濃国でしばらく過ごし、それから越後国を通って鼠ヶ関を見、あとで触れる小波渡《こばと》を通って鶴岡へ出た。そして羽黒山に登って「大僧正行尊の塚」を探し、「二ツ石」「西行戻」に行き、「恋の山」である湯殿山を遠望し、宿の主人から芭蕉が書いた短冊はもうないと聞き、酒田に下って象潟へ向かった。三者とも出羽三山に詣でて酒田から象潟までは同じ道であった。この街道には歌に詠まれた名所が連続してあらわれる。まさに名所街道であった。

芭蕉は象潟を見たあと酒田に引き返し越後国へ向かった。象潟に日本海側の北の終着地を意識したといえよう。

象潟に関する代表的な古歌は次の四首である。いずれもこの地を訪ねた人々の紀行文などによく記される。真澄の旅日記『秋田のかりね』（天明四年［一七八四］）から引用しよう。

能因＝世の中はかくても経けり象潟の蜑《あま》の苫屋《とまや》をわが宿にして（後拾遺集・羇旅）
顕仲＝流離《さすら》ふる我が身にしあれば象潟や蜑の苫屋にあまた旅寝ぬ（新古今集・羇旅）
西行＝象潟の桜は波に埋もれて花のうへ漕ぐ蜑の釣り舟（名所方角抄・出羽国分）
〃　＝松島や雄島の磯も何ならずただ象潟の秋の夜の月（西行法師家集・雑）

象潟を詠んだ最も古い歌は、実は源 重之《みなもとのしげゆき》の「象潟や渚に立ちて見わたせばつらしと思ふ心やはゆく」（重之集）であるが、都における題詠なので象潟の紀行文には引用されない。能因の歌は、詞書に「出羽の国にまかりて、きさかたといふところにてよめる」とあり、実際にきたことがわかるので尊重された。顕仲の歌は都における題詠であるが、地元の資料の中には、象潟に左遷されて「さすらひ」の身を詠んだと記すものがある。地元の人々は、顕仲がこの地にきて詠んだと思いたいのである。そうでなければ満足できない。

問題は西行作という二首だ。「象潟の桜は」の歌は、伝宗祇編『名所方角抄』の「象潟　あまの苫屋」（出羽国分）に、初句「きさかたや」、二句「桜か波に」（一本「桜は波に」）の形であげられている。[*5] 象潟は出羽国の名所で「蜑の苫屋」を添えて詠むという。ただし作者名はない。同書は、慶長十三年（一六〇八）の巻子本が最古の写本と思われ、寛文六年（一六六六）と延宝六年（一六七八）の版本が普及した（『和歌文学大事典』）。しかし『山家集《さんかしゅう》』『山家心中抄』などに入っていないので西行作とは考えにくい。天明八年（一七八八）に象潟を訪れた古川古松軒《ふるかわこしょうけん》の『東遊雑記《とうゆうざつき》』は、「此哥、大（い）に巧みありて西行の風にあらず。不審」と否定的だ。西行の歌の大らかさ・自然さがないという。真作と考えるのはやはり無理だろう。

一方、「松島や雄島の」の歌は、『西行法師家集』雑に「遠く修行し侍りけるに、きさかたと申す所にて」の詞書で入っている。西行は松島で「月」を眺め、次に象潟にきて「秋の夕暮」を眺め、象潟のほうが趣が深いと詠んだ。「何ならず」は、比較にならない、劣っている、という意味だから、歌の内容も詞書からも松島のほうが劣っていると解するのが正しい。

だが、西行を尊敬して奥州を旅をした衲叟馴窓《じゅんそう》は、反対に考えている。西行は象潟を見てから松島にきて、その風景に感動してこの歌を詠んだという。『雲玉集』（永正十一年［一五一四］成立か）に、馴窓は名取川を見たあと松島にきて「五大堂の壁に西行の書きける歌」を見つけたと左注に記す。象潟で詠んだとする説があるが、象潟は「葬所とて人をすておく所」だ。無常を感じさせる象潟の「秋の夕暮」よりも、松島で見る明月のほうが趣があると実感をもって詠んだのだと述べている。馴窓は五大堂の壁に書かれた歌を、だれかの落書かもしれないのに、西行が松島にきて詠んで書きつけたと信じ込んだのではなかろうか。

述べたように「象潟の桜は」の歌は西行の作と見なす根拠が見当たらない。「松島や雄島の」の歌も真偽のほどは不確かである。『西行法師家集』の詞書は後人が書き入れたという疑いすら禁じ得ない。無理な推定かもしれないが、都にいた頃の題詠である可能性があるだろう。

だが、地元の人々は、西行が象潟にやってきて詠んだと思いたい。これはその証拠の歌だと思いたい。こうして旅人の行き交う街道に西行の足跡が形成され、伝説が生まれる。宗教心にも似た愛着・郷土愛が感じられる。

ところで、象潟にくる途中の「波渡《はと》」という漁村に西行の歌が伝わっている。これを記す最も古い資料は、管見では天和二年（一六八二）に江戸からきた国目付巡見使に随従した浅田宅左衛門《あさだたくざえもん》の『羽州荘内巡見記《うしゆうしようないじゆんけんき》』（酒田市立光丘文庫蔵）である。「大波渡・小波渡（と）いふ有（り）。されば、西行法師之哥に、山畑の嶋《(ママ)》のたつき（立つ木）にいるはとの友呼（ぶ）こゑもすごき夕暮。何とやらん、すそ《(ママ)》すごきたつきもしらぬ嶌伝ひ、左を見れバ岩のはざまに掛リたる青苔。堅のり沢、藤戸の岩のはざまよりそびへて見ゆる所有（り）。岩をうがち切通有（り）」云々と続く。やや意味不明瞭だが、岸壁のそそり立つ畑地で鳩が物寂しく啼いている、というのだろうか。地名の「波渡」に「鳩」をかけた稚拙な伝説とはいえ、半世紀あまり過ぎた真澄の『秋田のかりね』（一七四四年）にも次のように記されている。

鳩といふ村に出たり。此月（＝九月）のはじめに、みな家やけたる黒きはしらのみ、かなたこなたに立たり。いにしへ円位（＝西行）法師こゝに一夜明し給ひて、なにがしにたまはりしとて、「山はだの岨のたつ木に居る鳩のともよぶ声のすごきゆふぐれ」。此色紙形、里の長に給ひて、遠つおやより持つたへたるを、六十とせあまりさきなるとし、かゝる火のためにやかれうせたりとかたる。此歌、紀の国ふる畑と聞えしはいかゞ。又此鳩（＝波渡）にてやありけん、おぼつかなし。

西行が里長に歌の色紙を与えて立ち去ったという。色紙は六十年ほど前まであったが火事で失われた。真澄は紀の国で詠んだ歌ではないかと疑っている。信じられない話だが、先にあげた象潟の二首と響き合って、西行がこの街道を歩いたという発想のもとに伝説が作られているように思われる。里長に歌を与えたのは、西行を名乗る旅人がいたのか、それとも西行の末裔と名乗る旅人がいたのだろうか。

西行がきて詠んだという歌はさらに見いだせる。『出羽庄内 名所旧跡伝来記 全』（江戸中期写本。光丘文庫蔵）に、湯殿山の近くに「鼓が瀧」という名所がある。伝え聞くに、西行法師がきて「音に聞（く）つゞみが瀧をきて見れバたゞ山川のなるせ也けり」と詠んだ。すると山賤《やましづ》が現れて「私の心に響かない。音に聞（く）つゞみが瀧をうちみれバたゞ山川のなる瀬なりけり。このように詠みなさい」と教えた。西行が感心すると「私はこの瀧に鎮座する不動明王だ。衆生済度のために現れた」といって滝壺に消えた。西行は感涙を流し、歌を詠んだ徳だと思い、さらに修行に励んで諸国行脚の僧となって旅をした。瀧壺の傍らに堂宇を建てて不動明王を勧請し、それから象潟へ下って「きさ潟の桜は波にうづもれて花のうへこぐあまのつり船」の歌を詠んだという。

「きて見れバ」を「うち見れバ」に換えたところで歌の内容は何も変わらない。種を明かせば謡曲『鼓瀧』を借用しただけである。[*6] 先の「波渡」に「鳰」をかけた西行伝説と同様に稚拙であるが、西行は不動明王の霊力を証明する人物にされている。修行僧としての旅がここから始まったとは、それまで西行は名所を訪ね歩くただの歌人だったというのだろう。湯殿山から波渡を経て象潟へ行く道は、霊力を感じて変身した西行の旅した道となったのである。

こうした歌や話は、遠い昔から地元の民衆の間に語り伝えられている話とはとても思えない。そう言われれば、そうかと思ってしまうレベルの「モノガタリ」にすぎない。[*7]「みちのくに修行してまかりけるに、白川のせき」(山家集)で能因を偲び、道の奥へ分け入った西行が、ここにもきて歌を詠んだ、逸話を残した、ということにて神社の由来譚にしたのだろう。作り手は、湯殿山関係の僧侶か、和歌や句をたしなむ地元の文人であろう。

4　地方における名所の意義

名所は、歌を詠むためにのみあるのではなかった。『花紅葉《はなもみじ》』(光丘文庫蔵)に収録された庄内藩の中心地である鶴岡から他領への経路を描いた絵図を見ると、村上や塩越(象潟)、秋田や江戸への里数を記したあとに、『歌枕名寄』『八《や》雲御抄《くもみしょう》』『類字《るいじ》名所和歌集』『夫木集』『松葉集』から出羽国の名所と古歌が抄出されている。このような古文書は珍しくない。名所は旅の経過点を示す指標でもあったのである。

このコースの名所をあげてみる。湯殿山では「恋の山」、羽黒山では「二ツ石」「西行戻」を見て、やがて「最上川」の流れる酒田に着く。少し上流に「白糸の瀧」がある。河口に広がる砂地が「袖の浦」。「阿保登《あほと》の関」「澄田川」を越え、「有耶無耶《うやむや》の関」はどこかと思い、「宿世山《すくせやま》」ともいわれる鳥海山を眺めて「象潟」に入る。ちなみに鶴岡から酒田へやや内陸部を通る旅人ならば、途中に「あこやの松」「はづかしの森」「板敷山」を見る。

こうした名所の度に旅人は一休みする。風景を眺め、古歌を思い浮かべ、古人の心に分け入り、歌を詠む。名所は旅の道しるべであり休息地を兼ねていた。『荘内江戸通中記』（嘉永七年［一八五五］。鶴岡市立図書館）は名所の風景を色をつけて描いて古歌を記している。こうした道中記が数多く作られた。

しかし、決定的な証拠がない名所が多い。宝永六年（一七〇九）の『所々名所旧跡并仏神御利生記』（光丘文庫蔵）の「出羽国庄内名所旧跡伝来記」は、「恋の山入りてくるしき道ぞとはふみそめてこそ思ひ知りぬれ」（新千載集《しんせんざいしゅう》・有忠）をあげて、「湯殿山、一名戀（の）山と唱ふ。則（ち）和歌名所記（に）載せたり。一度歩（み）をはこぶ者、年月を重（ね）ても此（の）御山を恋（ひ）したい詣でする故かく名付（け）侍るとかや」という。『和歌名所記』は不明であるが、同じ文が江戸中期の写本『出羽庄内 名所旧跡伝来記 全』（光丘文庫蔵）にも見え、大正期の『大泉叢志』二拾（同右）にも転写されている。

湯殿山を「恋の山」というのは、『新千載集』の古歌を借用して見立てたのである。一度参詣した人はこの山を恋しくなってまた参詣するからだという。この話は江戸中期には広まっていた。一説に、「戀」は「言という文字を両側から糸で縛って」いるから湯殿山の禁制の「他言無用」に通じるというが（戸川安章）、そう記す古文書は見当たらない。[*8]

「恋の山」「最上川」「袖の浦」は庄内を代表する名所であった。「最上川」は『古今集』東歌に詠まれて昔から全国に知られ、「袖の浦」は河口の砂地が袖の形に似ているので名付けられた。南北朝時代の『歌枕名寄』に出羽国とあるから、この地域の名所としたくなる。先の「出羽国庄内名所旧跡伝来記」は次のように述べて古歌を列挙する。

抑、最上川・袖の浦・恋の山と申（す）名所ハ往古より傳へ侍り。忝（く）も代々の御門の御製、其（の）外、公卿・大臣の詠歌、又ハ蜑・山賤に至るまで此（の）浦の業を口ずさみぬ。

同じく地元の古文書である「袖の浦考」（『大泉叢志』二拾）は、古歌をよく調べて筑前国の名所というのが正しいとする。仙台藩主・伊達吉村《だてよしむら》は『仙台領地名所和歌』（一七一二年）と『詠名所和歌』（一七一七年）に我が藩の名所として詠むのは、太平洋に注ぐ北上川の河口を「袖の渡（浦）」と見なしたからである。

各藩がそれぞれ我が国の名所だと唱えた。しかし藩どうしが対立して、どうにもならなくなったわけではない。注意すべきは、右の「名所旧跡伝来記」に、都の天皇・公卿・大臣だけでなく地方の蜑・山賤《やまがつ》の庶民にいたるまで「袖の浦」を「口ずさみぬ」とあることだ。庶民は和歌を詠まなかったが今も民謡に「袖の浦」をうたっている。身分の高い人も低い人も、だれもが歌をうたう。「袖の浦」は古くからそういう場所だという。『古今集』仮名序から続く和歌の思想が地方の古文書にも読み取れるのである。*9

5　杉山廉の名所観

最後に、庄内藩の女性歌人・杉山廉《すぎやまれん》（一七三九～一八〇八年）の名所論を紹介しよう。*10 彼女には庄内藩士をはじめ門人が多かった。その一人、池田玄齋《いけだげんさい》（一七七五～一八五二年）は彼女から聞いた歌話を『築山抄』（享和二年［一八〇二］。光丘文庫蔵）に書き留めた。その一つを引用する。

羽黒山中（の）二ツ石といふ事、農夫もいひ伝へたり。

相おもふ心を問（は）ば二ツ石の枴《あふこ》もたへ《え》ん中の契りは　読人《ママ》しらず

二十一代集の中に、羽黒の山にある二ツ石をよめる、

陸奥の出羽《いでは》の里の二ツ石荷《にな》はゞ負《お》ふに中やたへ《え》なん

など〻よミたる歌もあり。総而、出羽の名処に解せる所あり。是ハ遠境ゆへ《ゑ》に歌人も皆遠く情《こころ》を遣りて自ら其（の）地を踏（ま）ざる人の歌を後世にとるゆへなり。禮繻《れいじゆ》（玄齋の号）、此事前に論あり。西行、実方、能因なんどは出羽にも来られしと見へ《え》し也。庄内（の）名所、疑（は）しき物を爰に記する也。

地元の人は「あれもこれも出羽国の名所だ」という。しかし出羽国にきもせずに都にいて想像で詠んだ古人の歌を信じているにすぎない。先にあげた「恋の山」も『歌枕名寄』に出羽国とあるが、「可保湊《かほのみなと》」は「秋田のみなと也ともいへり」、「鶴島《つるしま》」は「いづくともしれず」、「別嶋《わかれのしま》」は「庄内の飛嶋の事といへり」、「阿保登関《あほとのせき》」の「澄田川《すみだかは》」は「清川

の事といへり。疑（は）しけれども是又古歌あり。六帖に」と証拠の歌をあげる。「宿世山」は「いや《（ママ）》むやの関にちかき由、鳥海山をいふと云（ふ）説あり」と異説をあげて冷静に考えている。[*11]「二ツ石」は菅江真澄も羽黒山で実物を見たと書いているが、廉のあげた二十一代集にあるという歌はどの勅撰集にも見いだせない。

廉との関係で、もう一つ忘れてならない名所がある。西行が歩いたという温海《あつみ》温泉から鶴岡へ越える峠にある「笠取山」である。天和元年（一六八一）の国目付の巡見日記に、「嵐はげ敷《しく》して笠をかぶる事ならざる故」とある。平安時代から歌に詠まれ、山城国の名所になっているが、庄内にも海を隔てた佐渡島にもある。流人となって佐渡島にきた世阿弥が最初に見た山が「笠取山」だった（小謡集『金島書』）。

こうした和歌に詠まれた地名を見つけると、歌や句をたしなむ人は詩心が動かされる。歌や句を詠み、地域の八景に加えたりする。そういうことが重なると、いつしか地域の名所となって定着する。廉も、天明五年（一七八五）三月の旅という『おそざくらの記』に、「かさとり山といふをのぼる。……海にのぞめば、かぜのはげしく吹（き）あて、笠を吹（き）上（げ）らるゝとてかくいふと、げにも風はげし」と書いている。[*12]

文化十三年（一八一六）五月、地元の俳人・白清が仲間を誘って催した吟行の旅の記『瀧見笠』（光丘文庫蔵）は、日本海沿岸の街道周辺に名所が集中していることに影響されたのだろう。明和三年（一七六六）の湛水《たんすい》編の発句集『袖の浦』（同）は「象潟紀行」の吟行を含む。以哉坊《いさいぼう》編『紀行 にわか笠』（同）は、刊記はないが、芭蕉の旅のコースを山形在住の俳人三人がめぐった吟行である。

西行が歩いたという名所街道、その道を芭蕉が歩いたことがこれらの作品の成立を強く促した。そればかりでなく、この地域を旅する人々の創作意欲を促した。名所はどこなのか本当は疑わしいことが多いのだが、[*13]そういう名所も含めて、地方の人々の創作と文化を刺激するエネルギー源として効力を発揮し、かつ保存されてきたのである。

6　おわりに

歌枕、名所とは何か。都の歌人が遠国の名所を想像して詠んだ歌があり、実際に現地にきてその名所を詠んだ歌がある。前者は『能因歌枕』のような詠歌の手引書、名所歌合や名所歌の撰集などに導かれて詠んでいる。後者は前者の知識をもとに現地の風景をみて詠んでいる。そういう歌には中近世の地方在住者の詠んだ歌も多い。しかし両者の歌には、観念と実在ほどの差があるというべきだろう。都人のイメージした歌枕の風景が地方においては実在の風景すなわち名所として各地に具現化された。比喩をいえば、観念（歌枕）が実在によって充填され大きな肉体（名所）になった。それによって日本は、都と地方という距離と対立の構造をもちつつも、一つの大きな美の空間となって共に収まる国として成立した。

この歴史的現象をまた比喩を用いれば、都の美しい花の苗を地方に植え、苗は根付いて大きな花を咲かせた、といえようか。地方は都を中心とする美の文化圏に収まり、その一員として全体と融和する。和歌は少なからずそういう役割を果たしたと思われる。

ともすれば地方は、中央から見下ろす差別の視線にさらされてきた。〈中央—周辺〉の思考的習性は遠く離れた地域に常に向けられてきた。悪意のない、無意識のようなものかもしれないが、よく考えてみれば、それは日本とアジアの関係にも見られ、皮肉なことに戦後のアメリカと日本の関係すら思わせる。この関係性がいつまで続くのか。いつになったら変わるのか。

古歌に詠まれた風景を訪ねて、みちのくを旅する。歌を詠み、句を詠み、漢詩を作って旅をするとは、豊かな人生の証しではないか。そういう旅人びとがいかに多かったことか。芭蕉もその一人であった。旅は書物では得られない学びの場であった。[*14] 歌枕と名所、和歌を研究するためには、地方への新しいまなざしが必要とされている。

注

1　錦仁「名所を詠む庭園は存在したか―河原院と前栽歌合を中心に」（白幡洋三郎編『『作庭記』と日本の庭園』思文閣出版、二〇一四年）、錦仁「和歌の思想」（小峯和明編『日本文学史―古代・中世編』ミネルヴァ書房、二〇一三年）など。

2　寺島恒世「中古・中世の和歌に見る日本海」、『解釈と鑑賞』69―11〈特集・古典文学に見る日本海〉、一九九九年十一月。

3　錦仁『なぜ和歌を詠むのか―菅江真澄の旅と地誌』笠間書院、二〇一一年三月。大正六年の天皇巡幸に際し、青森の有志が県内に百カ所の名所を見いだし、百人の歌人に一カ所ずつ割り当てて歌を詠み冊子を作成して献上した。青森の地は辺境であるが、名所を歌に詠んで御覧に入れることによって全国に知られ、この地が歴史に名を留めるというのである。その根源に、弘前藩主・津軽信寿が藩儒・喜多村校尉に命じて編纂させた地誌『津軽一統志』（享保十二年［一七二七］序）の名所観がある。

4　錦仁「藩主の巡覧記―仙台藩主と秋田藩主」、白幡洋三郎・錦仁・原田信男編『都市文化博覧―都市文化のなりたち・しくみ・たのしみ』笠間書院、二〇一一年十二月。

5　野中春水「対校「名所方角抄」上」、『武庫川国文』29、一九八七年三月。

6　石井倫子「〈滝壺〉と中世有馬」、『国文目白』49、二〇一〇年二月。

7　宝暦十二年（一七六二）の巡見使に随行した宮川直之の旅日記『奥羽松前日記』（東北大学附属図書館・狩野文庫蔵）は、現地の案内人が語ってくれた、史実とは決して思えないその種の伝説を「物語」と呼んでいる。錦仁「近世における西行享受の断面」（『国語と国文学』95-11、二〇一八年十一月）参照。また、菅江真澄も土地の老人などの語る伝説の類を「モノガタリ」と呼び、「説話」「話説」「話」などに「モノガタリ」と仮名を振っている。そして、国の歴史を書いた『続日本紀』、地方の歴史を書いた『奥羽永慶軍記』のような歴史資料を「御書《ミフミ》」「書《フミ》」と呼んで、区別している。錦仁『なぜ和歌を詠むのか―菅江真澄の旅と地誌』（笠間書院、二〇一一年三月）参照。

8　渡會文右エ門幹正編『庄内要覧』巻之二（鶴岡市立図書館蔵）に、次のような説がある。「こひの山」は「湯殿山ヲ云トモ又會津境ニアリ。奥山ナリトモ云（フ）ヲ所不詳。一説、湯殿山、大己貴命・彦火々出見尊ヲ崇（メ）祭ル故、「己火」ノ山ト云フ。後来、文字雅ナラザルヲ以テ「恋ノ山」ト書改タリト云（フ）。又諸人コノ山ニ金銀ヲ不惜心ヲ運ブガ故ニ「恋ノ山」ト称スルトモ云（フ）。誹諧師・芭蕉翁ノ『奥ノ細道』ト云（フ）書ニ、湯殿山詣ノ句ニ、「かたられぬ湯殿にぬらす袂かな」トアリ。是、全（テ）湯殿山ヲ「恋ノ山」トミテ、顕仲ノ哥ヲフメル吟トミエリ。新勅撰、恋の山しげきをざゝの露わけて入（り）そむるよりぬるゝ袖かな顕仲」とある。やはり「他言無用」を説いてはいない。神名の「彦火」から「己火（こひ）の山」となり「恋の山」に変化した。また、湯殿山から採れた金銀を「心惜しまず運ぶ」ゆえに「恋の山」といった。芭蕉の句は湯殿山を「恋の山」と見ているが源顕仲の歌をふまえて詠んだと思われるという。また、「恋の山」の所在地を酒田と記す江戸期の地元資料がある。

9　日本に生まれた人、日本に住む人は、身分の上下・男女差・地方差によらず、だれもが歌をうたう。そういう考え方が『古今集』

仮名序に始まり、院政期の『俊頼髄脳』、藤原俊成の『千載集』仮名序に引き継がれ、江戸時代は下河辺長流の『林葉累塵集』仮名序、平田篤胤の『歌道大意』などに継承されている。錦仁「和歌の思想」（小峯和明編『日本文学史―古代・中世編』ミネルヴァ書房、二〇一三年）など。

10　杉山廉は庄内藩士の娘で、藩主の酒井忠徳も認めた歌人。側にきて和歌の話をしてほしいと頼んでいる。廉の歌論は、門弟である池田玄齋が『筑山抄』に詳しく書き留めた。なお、池田玄齋の『玄々堂叢書』廿三（鶴岡市立図書館蔵）の「一五〇宮部儀八郎」（＝宮部義正）に、藩主の酒井忠徳も杉山廉も初めは義正に和歌を習ったとある。義正は冷泉家の門人で冷泉風の書体で字を書いた。妻の万《まん》も子息も歌をよくしたことを記す。義正は後に日野資枝の門人となったが、秘伝書を冷泉家の関係者に披見したため破門された。錦仁「庄内藩七代藩主・酒井忠徳の和歌修養―日野資枝たちの書状を解読する」（『庄内藩主・酒井忠徳に宛てた堂上派歌人たちの書状その他』私家版、二〇一六年）参照。玄齋の経歴は『新編庄内人名辞典』などで知られる。また、割愛するが、地元の研究者による廉に関する論考・資料翻刻・注釈の類が数多く蓄積されている。

11　菅江真澄は象潟の湖水を眺め、「遠かたに見えたる尾上のしまこそ、別しまにあらめ」と、根拠を示さずに『秋田のかりね』（一七八四年）と書き、「別島」は象潟に実在するかのごとく記す。真澄は時折、地元に対しリップサービスをする。廉はそれと異なる。

12　前田淑『近世地方女流文芸拾遺』（弦書房、二〇〇五年）に翻刻・解説がある。同『江戸時代女流文芸史【旅日記編】―地方を中心に』（笠間書院、一九八八年）に、杉山廉をはじめ庄内の女流文人についての詳細な研究がある。

13　名所は一ヶ所と限らない。たとえば「末の松山」は東北地方に五ヶ所を数える。さらに資料を博捜すれば、ほかにも見つかるかもしれない。名所はここだと一ヶ所に決められないことが多い。錦仁「歌枕は実在するか―「末の松山」ほか」（『日本文学』66-5、二〇一七年五月）。注意すべきは、本居宣長の『玉勝間』である。巻六の「古き名どころを尋ぬる事」に、「名高き名所を「おのが国おのが里のにせまほしがるならひ」を批判・非難する。証拠になりそうもないことを「かたくとらへて」伝説・名所を作る傾向は今日も変わらない。山形市の山中には大学の教員の主導により江戸時代の伝承文書を証拠に西行がきたことを記す石碑が建てられた。厳密にいえば、批判されることではなかろうか。

14　吉田松陰は『西遊日記』の序文に、「道を学び己れを成すには、古今の跡、天下の事、陋室黄巻にて固より足れり。豈に求むることあらんや。顧ふに、人の病は思はざるのみ。則ち四方に周遊すとも何の取る所ぞと。曰く、「心はもと活きたり、活きたるものには必ず機あり、機なるものは触に従ひて発し、感に遇ひて動く。発動の機は周遊の益なり」と。周遊の日記を作る」（『吉田松陰全集』第十巻）と記す。書斎にいて本を読み知識を得ることができるが、実際に旅に出ておのれの目で見、おのれの心で体験することのほうがはるかに得るものがある、という。

06 災害と文学

佐伯真一

1 はじめに

本章では、東アジアにおける災害と文学のかかわりについて、日本文学を中心としつつ、その背景となる日本人の災害観、さらにそれに大きな影響を与えた中国の「天」に関する思想を視野に入れつつ考えたい。筆者の視野の狭さと紙幅の制限から、論及できる範囲はごく限られたものであることを許されたい。

2 中国の天人相関思想と日本

中国には、古くから「天」の観念があった。「天」（天帝）は、道徳的規範によって人間を律する人格神と考えられたが、時には無機質な自然の法則のように表現されることもあった。[*1] いずれにせよ、「天」が我々の世界の上に存在し、根本的なところで人間世界を支配しているという観念は、動かし難いものであったといえよう。人間は、あるいはその世界の頂点に立つ君主は、そうした天と契約し、その契約に従って正しい政治を行わねばならないとされた。

そうした観念を、儒教的徳治主義に陰陽五行説を取り入れつつ体系的に理論化したのが前漢の董仲舒《とうちゅうじょ》（前一七六？～四？年）であったことはよく知られている。その所説は、『漢書《かんじょ》』巻五十六・董仲舒伝には次のように記される。

国家将有二失道之敗一、而天乃先出二災害一以譴二告之一、不レ知二自省一、又出二怪異一以警二懼之一、尚不レ知レ変、而傷敗乃至。以レ此見二天心之仁愛一、人君而欲レ止二其乱一也。

天との契約に沿った政治が正しく行われていれば、天は祥瑞《しょうずい》を見せてそれをことほいでくれるが、もしそれに背くならば、天は災害や怪異をもたらして警告し、それでも異変を悟らなければ破滅させるのだという。天と人間、とくに君主の政治を関連させる「天人相関説《てんじんそうかんせつ》」であり、祥瑞や災異に関する部分は「祥瑞災異思想」「災異説」などと呼ばれる。*2「災異」の「災」とは洪水・旱魃《かんばつ》・飢饉《ききん》・蝗害《こうがい》などの災害、「異」とは日食・地震・寒暑の変調や動植物などの怪異現象のことであるとされる。*3 こうした災害観においては、災害は現代人が考えるような「自然現象」ではなく、「天」が人間に対する警告や処罰として起こすものであり、人間（とりわけ君主）が正しく考え、行動すれば避けられるものであった。つまり、災害は人間とのかかわりにおいてとらえられていたわけである。

それは、徳のない君主に対する人格神の怒りのようでもあるが、董仲舒の述べるところでは、自然のメカニズムのようでもある。董仲舒伝には、次のようにも記される。

刑罰不レ中、則生二邪気一、邪気積二於下一、怨悪畜二於上一。上下不レ和、則陰陽繆盭《びゅうれいして》而妖孽《ようげつ》生矣。此災異所二縁而起一也。

「政治が徳を失って刑罰に走り、刑罰が公正でないと邪気を生じ、邪気が下に積もると怨恨憎悪が上に集まる。すると上下が和合しなくなり、陰陽が調和せず、怪しい災いが現れる。これが、災異のよってきたるところだ」という因果関係があるとされるのである。

ただし、古代中国においても、「天」と災害の関係について、異なる考え方も存在した。とりわけ注目されるのは、後漢の王充《おうじゅう》（二七？～九七？年）『論衡《ろんこう》』である。『論衡』明雩《めいう》篇には、

堯遭二洪水一、湯遭二大旱一。如謂二政治所一レ致、堯湯悪君也。如非二政治一、是運気也。運気有レ時、安可二請求一。

とある。「堯《ぎょう》や湯王《とうおう》のような聖帝の時代にも洪水や旱魃が起きている。それが政治のせいだというのなら、堯や湯王は

悪い君主だということになる。政治のせいでないのなら、それは時の運というものであって、どうすることもできない」というのである。もっとも、これは董仲舒のような議論の正面からの否定では必ずしもなく、「政治之災」（政治の結果としての災害）の存在をも認める文章に続いており、王充は董仲舒を高く評価していたともいわれる。*4 だが、一方では、「天譴《てんけん》」を誰もが心底から信じていたわけではなく、災異思想は権力闘争に利用されたが、漢の崩壊と共にその政治的生命を失ったという見方もある。*5

3　日本の災害観

このような天人相関説は、朝鮮半島にも伝わっており、新羅や高麗でも天文の変異や国土に生起する災異は上帝の王に対する天譴と認識されていた。*6 そして、おそらく朝鮮半島を経由して日本にも伝来した。天智《てんじ》天皇にこうした思想を伝えたのは、大量に渡来した百済《くだら》の貴族であったかとされる。*7 天人相関説は後代まで影響力を保っており、中世では徳政令などの形で政治に影響したことが指摘されている。*8

しかし、天人相関説が、日本において大きく変容したことも確かである。日本人が天人相関説を受容するには、大きく言って二つの問題があったといえよう。一つは日本の皇孫思想であり、一つは日本人の汎神論《はんしんろん》的な神観念である。前者は、本章のテーマからはそれる問題なので簡単に述べるが、天人相関説は、天意に叶わない君主を更迭する易姓革命説を含んでおり、それは、日本ではいささか受け入れ難い面があった。日本では、徳の有無や政治の善し悪しにかかわらず、天皇家の血統に属する者が皇位を継ぐという観念が強かったため、政治責任によって王朝を代えるという思想は受容しにくいものだったのである。

後者の「神」に対する観念の問題は、災異説の受容に大きくかかわる。日本では、国土の至る所に大小さまざまな神がいるとされ、そうした神々によって現実世界が左右されるという観念が有力であった。神々は人間に近い存在で、理不尽な怒りをぶつけることがある一方、丁重に祭祀を行えば福をもたらしてくれると考えられていた。そうした風土においては、中国の絶対的・超越的な「天」の観念はなじみにくいものだったのである。さらに仏教も、より強力で崇高な「神」ともいうべき「仏」を、そこに加えることになった。仏教は基本的に絶対神を否定する宗教であり、仏も、個別的な存在であるという点では、神と同様であった。従って、「天」の意志に叶う政治という観念は、日本人には、有徳の天子の正しい政治というよりも、さまざまな神仏の冥慮《みょうりょ》に叶う政治として、変質を伴いつつ受容されたわけである。水口幹記は、古代における祥瑞思想の受容の様態を検討して、日本では「天」が任意に設定されているとし、「天命思想は受容当初から本来の意味を喪失していた」と見る。[*9]

近年では山下克明[*10]や大江篤[*11]が論じているように、古代日本人にとって、神の意志によってもたらされる祟りの一種が災害であった。従って、災害への対処は、卜占によって災害をもたらしているのがいかなる神であるか、そしてその神が何を意図しているのかを知り、しかるべき者が祭祀を行うという形で果たされた。それは天人相関説に基づいて天の意志を知り、対処するあり方と似た面もあるが、質的には大きく異なったものである。松本卓哉[*12]が、

　日本の場合は災異消伏の方法に徳政的対応以上に奉幣や読経によって直接神仏に祈願する方法がむしろ主流であり、災異思想に基づく災異対応策に先行するものであった。

と指摘しているように、天人相関説が伝来する以前からとられていた対処方法、卜占《ぼくせん》や呪術、祈禱などの上に、類似の方法としての災異思想による天への対応、あるいは陰陽五行説による易占などの方法が導入され、さらには仏教とも習合し、いくつもの考え方が混淆した対処法が形成されてゆく。仏教の除災招福の思想が有力になってゆくのは、奈良時代の神亀年間（七二四～七二九年）以降であるとされる。[*13]

さらに、その神仏には、怨霊などの悪霊も加わり、怨霊はまた神に変じて祭祀の対象となってゆく。たとえば菅《すが》原道真《わらのみちざね》（八四五～九〇三年）の怨霊が祀られたのが、雷を中心とした災害から姿を見出された北野天神だが、『扶桑略《ふそうりやく》記《き》』天慶四年（九四一）三月条所引『道賢上人冥途記《どうけんしょうにんめいどき》』では、天神は「一切疾病災難事」をつかさどり、その眷属《けんぞく》たる十六万八千の毒龍《どくりゅう》・悪鬼《あっき》・水火《すいか》・雷電《らいでん》・風伯《ふうはく》・雨師《うし》・毒害《どくがい》・邪神《じゃしん》等が、国土に遍満し、大災害を起こしていると述

べている。治承・寿永の内乱を経た後に書かれた建久《けんきゅう》本『北野天神縁起《きたのてんじんえんぎ》』では、戦乱をもそのしわざに含めているのは興味深いが、ともあれ、悪霊が災害を起こし、災害に苦しむ人々はその悪霊を神と祀って災害を逃れるという形が成立しているわけである。

こうして、災害が起きると一方では天人相関説に基づいて天意を探り、徳政などの対処を行いながらも、同時に一方では託宣などによって神仏の意志を知り、神仏に祈ってその怒りを鎮め、あるいは悪霊を鎮圧するといった日本的な災害観と対処法が形成されていった。それは、中国的災異思想を取り入れつつも、独自性の強いものであったといえよう。

具体例として、平安末期の藤原兼実《ふじわらかねざね》の『玉葉《ぎょくよう》』の例を見てみよう。末法思想が浸透した上に、多くの災害や戦乱の続いた時期である。若林晴子[14]が指摘しているように、『玉葉』治承五年（一一八一）七月十三日条では、兼実は後白河《ごしらかわ》院からうち続く災異への対策を諮問され、まず徳政、次に神仏への祈禱（大神宮以下の神々への祈りと密教の修法）、そして赦令を実施すべきだと答えている。天災への対処として、中国風の災異説による徳政と日本風の祈禱が共に行われている様相が見て取れるといえよう。

また、鎌倉時代の後半、蒙古《もうこ》襲来という一種の災害にも似た事態に対して、朝廷・幕府を初めとした多くの人々は神仏への祈禱によって対処しようとした。弘安の役（一二八一年）においては激しい風雨によって強大な敵を撃退することができたわけだが、これが祈禱の結果の「神風」と理解されたことは著名である。この場合は、激しい風雨が災害ではなく神助と理解されたわけだが、風雨は神仏の力によって起こるものと考えられていたことがこうした理解につながったわけで、これもまた、右に見てきたような災害観の一つの変奏であったということができるだろう。

4　日本の災害観と鎌倉時代の文学

以上、中国と日本古代・中世の災害観について、先学の指摘によりつつ急ぎ足で概説してきた。ここからは、そうした災害観と日本文学とのかかわりを具体的に考えよう。題材としては、まず『平家物語』を取り上げてみたい。

『平家物語』は、戦乱以外にも多くの災害を記述している。たとえば安元三年（一一七七）四月二十八日に京都の市街を焼いた大火は、覚一《かくいち》本では巻一「内裏炎上」の段で詳述され、その原因は、次のように説明される。

　是たゞ事に非ず、山王の御とがめとて、比叡山より大なる猿どもが二、三千おりくだり、手々に松火をともいて京中をやくとぞ、人の夢にはみえたりける。

この直前には白山《はくさん》事件が叙述されている。後白河院の側近であった西光の子息・師経が目代として赴任した加賀国で白山と紛争を起こし、白山の本寺であると自任していた比叡山延暦寺との対立抗争に発展していた。そのため、日吉の神の怒りが、この大火をもたらしたというのである。

また、平家滅亡後の元暦二年（一一八五）七月九日の大地震は、覚一本では巻十二「大地震」の段で詳述されるが、その原因については、

　昔より今に至るまで、怨霊はおそろしき事なれば、世もいかゞあらむずらむとて、心ある人の歎《なげき》かなしまぬはなかりけり。

とするのみで、何の怨霊であるかを明記しない。だが、延慶《えんぎよう》本が「平家ノ怨霊ニテ世中ノ可失㆒之由申アヘリ」とするように、平家の怨霊と明記する異本が多い。同年三月に壇浦《だんのうら》で平家が滅亡したばかりであることを考えれば、ここは当然平家一門の怨霊を考えていると読むべきだろう（『愚管抄《ぐかんしよう》』巻五は「事モナノメナラズ龍王動トゾ申シ。平相国龍ニナリテフリタルト世ニハ申キ」とする）。

このように、『平家物語』は、神仏の怒りや怨霊によって災害が起きるという災害観を典型的に見せているわけだが、二点、注意しておきたいことがある。一つは一部の異本に天人相関説が見えることであり、もう一つはその具体的記述の多くを『方丈記』によっていることである。まず前者から述べよう。

延慶本『平家物語』第六本（巻十二）には、「安徳《あんとく》天皇事」という章段がある。安徳天皇が壇浦に沈んだ後、その短

い生涯を振り返り、安徳天皇の治世下では旱魃・洪水・大風・蝗損《こうそん》などの災害が多かったと述べる。そして、「中国では王の子でない者が天子の位に就くことがあるが、日本ではそうしたことはなく、安徳天皇もまさしく天皇家の血統を受けているにもかかわらず、なぜこのようなことになるのか」という疑問によって結ばれる。異同はあるが、源平《げんぺい》盛衰記《じょうすいき》・長門《ながと》本・四部合戦状《しぶかっせんじょう》本・松雲《しょううん》本といった読み本系諸本には基本的に共通する記事である。[15]「正しい血統を受けた天皇であるのに、何故多くの災害が起きたのか」という発問は、血統を皇位継承の絶対条件とした日本人らしい内容で、本来の天人相関説からはあり得ないものだが、正しい資格を持っていない天皇が原因で災害が起きるという発想自体は、まぎれもなく天人相関説を受け継ぎ、変容させたものといえよう。[16]このように、『平家物語』は災害を神の怒りや怨霊のしわざと説くだけではなく、変容したものとはいえ天人相関説による記述もあるわけである。こうした記事がいかなる人物によって記され得るのかについては、今後の考究が必要であろう。

さて、右の記述では省略したが、安元の大火や文治の大地震といった災害の記述に当たって、『平家物語』は鴨長《かものなが》明《あきら》（一一五五？～一二一六年）の『方丈記』の文章を多く引用している。というよりも、『方丈記』に寄りかかることで、はじめて災害の描写を果たし得ているというべきだろう。それは『平家物語』諸本に共通することであり、おそらく、諸本は何段階にもわたって『方丈記』を参照したものと見られる。[17]そのような引用がなされたのは『方丈記』のいわゆる五大災厄の記事が非常に具体的で精細であるためであり、これほどに詳しく災害の様子を描写した書物は、ほかに存在しないといってもよいだろう。おそらく、『平家物語』が災害の様相を具体的に描こうとした時、依拠するに足る資料は『方丈記』しか無かったのである。

『方丈記』の災害描写はただ詳しいだけではない。たとえば、安元の大火について、『方丈記』は火が飛び移るさまを次のように描く。

風ニ堪エズ吹キ切ラレタル焔、飛ガ如クシテ一、二町ヲコエツ、移リユク。其中ノ人、ウツシ心アラムヤ。

三木紀人[18]は、『火災便覧』によって、強風下の火災ではこうしたことが実際に起きると考証し、「むしろ、作者の記憶の確かさを示すものと思われる」と指摘している。『方丈記』の災害描写は、ただ想像力や筆の力によって詳しいのではなく、正確な観察と記憶に基づいた精細さを有しているのである。

では、『方丈記』はなぜ、そのような記述ができたのか。それを確実に論証することは難しいが、津ノ井舞[*19]が、それを「冥罰の思想の欠如」と関連づけているのは興味深い。『方丈記』の五大災厄では、辻風のみが「サルベキ物《モノ》ノ論《サトシ》カナドゾ、ウタガヒハベリシ」と、「サトシ」すなわち何らかの警告・予兆としての意味を与えられているが、ほかの四つの災厄はそうした意味を与えられておらず、神の怒りとも怨霊のしわざとも位置づけられない。意味があるとすれば「無常」を表す例証としてだろうが、災難を引き起こす悪政や悪霊の恨みを買う原因などに関心が向けられることはなく、ただ、各々が一つの現象として、その具体的な様相が見つめられているのである。このような視線によってこそ、この類を見ない克明な災害描写が成され得たということは、文学の問題として記憶に留めておくべきことではないだろうか。

5 おわりに

以上、中国と日本の災害観と文学について、簡単に見てきた。現代の私たちとは異なり、災害は人事と関連づけてとらえられるのが一般であったが、その具体的様相は中国と日本とでは異なる。また、文学の中には災害に対する種々の視線を見ることができ、今後の検討課題となるだろう。

注

1 穴澤辰雄『中国古代思想論考』汲古書院、一九八二年。

2 日原利国「災異と讖緯―漢代思想へのアプローチ」（『東方学』43、一九七二年一月）、影山輝国「漢代における災異と政治―宰相の災異責任を中心に」（『史学雑誌』90-8、一九八一年八月）、山下克明「暦・天文をめぐる諸相」（『アジアのなかの日本史 Ⅵ文化と技術』東京大学出版会、一九九三年。『平安時代の宗教文化と陰陽道』岩田書院、一九九六年再録）、池田知久「中国古代の天人相関論―董仲舒の場合」(『アジアから考える〔7〕世界像の形成』東京大学出版会、一九九四年)など参照。

3 山下克明前掲注2論文。

4 山田勝美『新釈漢文大系 論衡・中』九九二頁「題意」、明治書院、一九七九年。

5 影山輝国前掲注2論文。

6 山下克明前掲注2論文。

7 水谷千秋「古代天皇と天命思想―七世紀を中心として」、『日本史研究』523、二〇〇六年三月。

8 下村周太郎「中世前期京都朝廷と天人相関説―日本中世〈国家〉試論」、『史学雑誌』121-6、二〇一二年六月。

9 水口幹記『日本古代漢籍受容の史的研究』Ⅰ部五章、汲古書院、二〇〇五年。

10 山下克明「災害・怪異と天皇」、『岩波講座天皇と王権を考える8 コスモロジーと身体』岩波書店、二〇〇二年。

11 大江篤『日本古代の神と霊』臨川書店、二〇〇七年。

12 松本卓哉「律令国家・王朝国家における災異思想」、黛弘道編『古代王権と祭儀』吉川弘文館、一九九〇年。

13 東野治之「飛鳥奈良朝の祥瑞災異思想」、『日本歴史』259、一九六九年十二月。

14 若林晴子「天変地異の解釈学―『玉葉』に見る中世の災害認識」、『環境と心性の文化史 環境の認識・上』勉誠出版、二〇〇八年。

15 諸本の異同や読解、研究史などについては、延慶本注釈の会『延慶本平家物語全注釈 第六本(巻十二)』(汲古書院、二〇一八年)参照。

16 徐萍「延慶本『平家物語』の「天人相関思想」」、『国語と国文学』88-8、二〇一一年八月。

17 佐伯真一「『平家物語』の『方丈記』依拠」、『帝塚山学院大学研究論集』21、一九八六年十二月、『平家物語遡源』若草書房、一九九六年再録。

18 三木紀人『日本古典集成 方丈記・発心集』一七頁頭注(新潮社、一九七六年)および「転形期の文学精神―火の記憶と形象、そのさまざま」(『解釈と鑑賞別冊 講座日本文学 平家物語・下』至文堂、一九七八年三月)参照。

19 津ノ井舞「『方丈記』論」、『緑岡詞林』39、二〇一五年三月。

07

女と妖怪
うぶめを中心に

安井眞奈美

1　出産と妖怪

うぶめは、雪女や山姥など女の妖怪の中でも「女性」性の強い妖怪である。うぶめは妊娠もしくは出産に際して亡くなった女が妖怪と化したものであり、姑獲鳥もしくは産女と記す。妊娠中、また出産時に女が亡くなることの多かった時代、うぶめの出現する機会はいくらでもあった。

代表的なうぶめの絵に、鳥山石燕《とりやませきえん》の『画図百鬼夜行《がずひゃっきやぎょう》』（一七七六年）に描かれた「姑獲鳥《うぶめ》」が挙げられる【図1】。近世になって木版印刷の技術が進歩し、一度に大量の絵が出回るようになると、妖怪画は人々の手元に簡単に届くようになった。その中で人気を博したのが『画図百鬼夜行』である。『画図百鬼夜行』は、妖怪の百科事典のような体裁をとり、個別の妖怪が名前とともに描かれている。ちなみに幽霊は、姑獲鳥や河童、天狗などとともに『画図百鬼夜行』では妖怪の一種とされている。

図1　鳥山石燕「姑獲鳥」（鳥山石燕『画図百鬼夜行全画集』角川ソフィア文庫、2005年より）

石燕の描いたうぶめには、ほかのうぶめの絵にも共通する点、つまり「ウブメ・コード（記号）」が見出せる。[*1] たとえば片方の手で赤子を抱き、もう片方の手を額に寄せている、川辺など水際に立っている、背景に雨が描かれている、血で汚れた腰巻をまとっている、黒くて長い髪をしているなど。これらはうぶめをうぶめたらしめている特徴と言える。

うぶめは、なぜ川辺や雨降りの中という、水にかかわる場所に立っているのだろうか。かつて出産のために作られた特別な産小屋が、川辺や海辺に建っていたことと関連しているのだろうか。いや、そうではないだろう。近年の民俗学の研究によると、産小屋は必ずしも集落のはずれに設けられたわけではなく、人家の近くにも建てられていたことがわかっている。
　むしろこの絵は、亡くなった妊産婦を供養する場面として描かれたのではないだろうか。石燕の絵【図1】の左側に四本の棒が立ててあるのは流灌頂《ながれかんじょう》である。民間信仰においては、妊娠から出産にかけて女が亡くなると、血の池地獄に堕ちて成仏できないとされており、それを救うための供養が流灌頂であった。おもに近代の出産・育児習俗を集めた『日本産育習俗資料集成』にも、「妊娠中に死亡した者を埋葬すればウブメ（産女）となってあの世へ行かれないという」と記されている。[*2]
　流灌頂は、四本の竹や板塔婆《いたとうば》に経文や念仏を書いた赤い布などを張り、そこを通る人々に柄杓《ひしゃく》で水をかけてもらって供養するものである。文字や布の色が消えれば成仏したとみなした。石燕のうぶめの絵は、出産を背景にしているだけではなく、死の供養をも意識して描かれたと言えるだろう。

2　東アジアにおける産死者の妖怪

妊娠・出産は、新しいいのちの誕生の機会であると同時に、出産する女にとっては、いのちをかけた一大事でもあった。現代のように出産に医療がかかわっていなかった時代、何か異常が生じてもなすべき手はなかった。たとえば江戸という時代は、女が出産でいのちを失う確率も高く、また子どものいのちも脆い、いのちをつなぐことが難しい時代であった。[*3]
　このことは、何も日本の近世社会に限ったことではない。世界中、いずれの社会においても同様のことが当てはまる。だとすれば、妊産婦が亡くなり妖怪になって出現する機会は、いずれの文化においても見られることになる。想像を逞しくすれば、産死者の妖怪が出現する文化圏を想定できるかもしれない。
　中国の産死者の妖怪は、江戸時代中期の百科事典、寺《てら》島良安《じまりょうあん》の『和漢三才図会《わかんさんさいずえ》』に、「姑獲鳥」として紹介され、鳥の姿をして描かれている。[*4]中国の姑獲鳥を日本に紹介する際、儒者の林羅山《はやしらざん》が日本のうぶめ（産女）に引き寄せて、「姑獲鳥」に「うぶめどり」と和訓を施したことに端を発しているという。[*5]そのような経緯はあるにせよ、注意したいのは中国では産死者の妖怪は、女の姿ではなく鳥の姿でイメージされていたことである。

では、お隣の韓国ではどうか。興味深いことに、韓国にはうぶめに相当するような産死者の妖怪はいない。もとより妖怪そのものが多種多様に存在しているわけではない。韓国のトケビも、個別の妖怪ではなく、妖怪的属性の強い存在全体を指す概念としてある。[*6]

次に東南アジアに目を向けてみよう。文化人類学者の大林太良によると、インドネシアにはポンティアナクと呼ばれる産死者の幽霊がおり、インドネシア文化圏のほとんど全域に出没するという。[*7] ポンティアナクは鳥の姿をしていることもあれば、女の姿をしていることもあるともいう。また、マレーシアの伝承や神話の中にもポンティアナクは広く登場し、最も恐れられた超自然的存在の一つであった。現代のマレーシアでは、ポンティアナクを素材にしたホラー映画も作られているという。[*8] このように、調べていけば東南アジアの各地に、産死者の妖怪が存在する可能性がある。

日本や中国、インドネシアでは、亡くなった妊産婦は妖怪になって化けて出ると考えられてきた。その姿は女や鳥の姿でイメージされている。筆者はこの研究の途上にあるため、産死者の妖怪の伝承に、どれくらいの広がりがあるのか、まだ全貌をつきとめてはいない。韓国のように、たとえ妊産婦が亡くなったとしても、それをわざわざ妖怪として表現しない文化もある。

妊産婦の死という現象を、どのように捉えるかは文化によってさまざまである。この点に注目すれば、妖怪の比較研究が可能となる。マンガやアニメの人気により、日本の妖怪文化に世界から熱い視線が注がれているが、妖怪は日本だけに存在するわけではない。東アジアから東南アジアを中心に、世界の各地で産死者の妖怪をめぐる比較研究を進めていけば、妊産婦や赤子の死に対する人々の意識や伝承、供養の多様なあり方などを浮かび上がらせることができるだろう。

3　恐怖の存在としての女?

うぶめは、妊娠・出産をきっかけにした、「女性」性の最も強い妖怪であると冒頭に記した。うぶめの絵は近世より数多く描かれてきたが、不気味な形相のうぶめ、色っぽいうぶめなど、さまざまである。[*9] うぶめは、赤子を産みたかったのに産めなかったという強い怨念を残してこの世を去った、恐ろしい妖怪なのだろうか。

うぶめの伝承をみると、必ずしもそうではなかったことがわかる。うぶめ伝承の初出は、『今昔物語集』巻二十七第四十三「頼光郎等《よりみつのろうとう》平季武《たいらのすえたけ》、値産女語《うぶめにあうこと》」とされている。夜な夜な通行人にむかって女性が泣く子を抱いてほしいと寄ってくる。そのうわさを確かめに行った平季武は、現れた女性から子を預り、そのまま持ち帰ると、木の葉だったという話である。ほかにも、赤子を抱いたお礼に金銭をもらった、出世したなどの伝承もある。お礼をしてくれる妖怪は、むしろ出てきてほしい存在と言える。うぶめは、必ずしも恐怖の存在として想像されていたわけではなかった。出産に際して、妊産婦も赤子もともに亡くなることもあった厳しい時代、妊産婦の死を何らかの形で表現しなければ、残された人々が納得できなかったのかもしれない。ちなみに生まれた赤子を、亡くなった母親が幽霊になって飴屋の飴で育てる話は、うぶめの話とは異なり、子育て幽霊譚として伝承されてきた[*10]。

　うぶめは、女と妖怪、また生と死の境界を、文化を越えた広がりの中で考える上で、重要なヒントを与えてくれるかっこうの素材なのである。

注

1　木場貴俊『怪異をつくる―日本近世怪異文化史』文学通信、二〇二〇年。

2　恩賜財団母子愛育会編『日本産育習俗資料集成』第一法規、一九七五年。

3　沢山美果子『江戸の乳と子ども―いのちをつなぐ』吉川弘文館、二〇一六年。

4　寺島良安（島田勇雄・竹島敦夫・樋口元巳訳注）『和漢三才図会』六、平凡社、一九八七年。

5　注1に同じ。

6　金宗大（南根祐訳）『トケビ―韓国妖怪考』（歴博ブックレット24）、歴史民俗博物館振興会、二〇〇三年。

7　大林太良『神話の系譜―日本神話の源流をさぐる』講談社学術文庫、一九九一年。

8　Lee, Y. B., "The Villainous Pontianak? Examining Gender, Culture and Power in Malaysian Horror Films" in *Pertanika Journal of Social Sciences & Humanities*, Dec 2016, Vol. 24 Issue 4, p1431-1444.

9　安井眞奈美「怪異のイメージを追って―うぶめと天狗を中心に」、天理大学考古学・民俗学研究室編『モノと図像から探る妖怪・怪異の世界』勉誠出版、二〇一五年。

10　安井眞奈美『怪異と身体の民俗学―異界から出産と子育てを問い直す』せりか書房、二〇一四年。

08

脱人間中心主義の文学

石牟礼道子の《魂の秘境》

野田研一

蓬《よもぎ》を見、石蕗《つわぶき》を見、葦竹を見、灰の奥に咲く椿を見る。

（『煤《すす》の中のマリア　島原・椎葉《しいば》・不知火《しらぬい》紀行』）

草々や、樹々や、石ころにまじって私も呼吸をあわせていた。

（『苦海浄土　わが水俣病』）

1　石牟礼道子にとって自然物とはなにか？

石牟礼道子《いしむれみちこ》（一九二七〜二〇一八年）の自然物についての原理は、〈形見〉という概念に収斂させることができるだろう。〈形見〉とはそれ自身が現存するモノでありながらも、同時にその元の所有者に関する記憶を新たな継承者が引き継ぐためのよすがとなるモノである。すなわち、それはモノでありながら象徴でもあるという機能を負う。〈形見〉とは、「過去にして現在」という二重化された存在（者）として在ることを意味する。とすれば、石牟礼にとって、自然物を見ることとは、「現存しつつ過去を内包する存在」という二重性を見つめ続けることにほかならない。「草の道—島原の乱紀行」からこうした認識に対応する二つの文章を引用しておきたい。

墓地の続く一隅に灰をかぶって、金平糖《こんぺいとう》に似たミゾソバの可憐な花が群生していた。昔、この野草も人の血を吸ったかもしれない。胸がずきんとする。形見の花、そう思ってわたしはかがみこんだ。

（『煤の中のマリア』一一〇頁）

あのとき首をはねられた百姓たちの血汐を吸った草。その草木の生まれ替りがこの半島をやわらかく抱きとって、今日に至っている。蓬を見、石蕗を見、葦竹を見、灰の奥に咲く椿を見る。（同、九六〜九七頁）

文中に「形見の花」という表現があるように、石牟礼は「ミゾソバの可憐な花」を「形見の花」と言い換えている。この野草が「昔、人の血を吸ったかもしれない」という歴史を象徴する（あるいは内包する）存在として石牟礼には見えているからだ。野辺の何げない一茎の野草に、石牟礼は「現在にして過去、過去にして現在」の二重性を読み取る。ゆえに「形見の花」という認識が成立しているのである。天草・島原の乱という日本史上の大事件を背景として知るがゆえに、現存する草木が、その時代の草木の「生まれ替り」として、まさしく〈形見〉として認識されている。いわば自然物を「歴史化」するまなざしであろう。

しかし、この〈形見〉性の認識は、自然物にたいする見方を逆転させる結果をもたらす。つまり「蓬を見、石蕗を見、葦竹を見、灰の奥に咲く椿を見る」行為が、歴史を想起する行為へと反転させられるのである。ちなみに、天草・島原の乱では三万七千人ともいわれるキリシタンが島原の原城に立て籠もり全滅したといわれる。石牟礼によれば、この反乱事件によって天草・島原地域の人口は半減し、一帯は「亡所《ぼうしょ》」となった。このことは、この地域に住む人々の係累はその時点でいったん断たれ、入れ替わってしまったことを物語る。人は生命的連続性を断たれたのであり、その連続性を維持しているのは植物を初めとする自然物以外にないのだという事実が、とりわけ「形見の花」として認識される理由なのである。「蓬を見、石蕗を見、葦竹を見、灰の奥に咲く椿を見る」という言表の重要性がここにある。石牟礼にとって、自然はいつでもどこでもまさに〈形見〉として、「現在にして過去、過去にして現在」の二重性を帯びて存在しているのである。

2 「形影相伴う」世界

存在の二重性という問題意識を敷衍すれば、『形見の声』(一九九六年)における次のような、「形影相伴《けいえいあいともな》う」形象に基づく関係の認識に接続する。

昔このあたりにいた魂が、生きている者たちに、形影相伴うようなかたちでふっと出てくる。そういう時に、あたりの景色も意味を持ってくる。そんなコスモスが生活の場でありました。まだ生まれない世界も死んでゆく先も、そこにつながっていて、別の云い方をすればそういう世界からの形見が、自分というものではないか。そういうふうな人間がここに生きていたという存在証明を水俣の被害民らは欲しているのだと思います。

(『形見の声』一九七頁)

「形影相伴う」という場合、人間を含むすべての存在が、「形」と「影」という不即不離の二重性を帯びた存在として把握される。「現在にして過去、過去にして現在」という二重性は個々の存在における「形」と「影」の二重性に転移するのである。こうした一連の観念的な布置を、諸存在をめぐる「形見の思想」と名づけることができるが、この場合、形影のうち「影」こそが〈魂〉という概念に相当するものであると解釈することが可能であろう。

この「形影相伴う」という関係の構図は、石牟礼道子における最も根源的な対他関係の構図だと思われる。なぜならこの関係は、『椿の海の記』において、祖母おもかさまとの関係の表象として描き出され、それを石牟礼は晩年に至るまで一貫して維持し続けているからである。『椿の海の記』(一九七六年)では次のように描かれている。

(その) 祖母のおもかさまは、いつも、「しんけいどーん」と子どもたちから、町や村の辻々で囃し立てられ、石のつぶてが、彼女をめがけて飛んできたりした。彼女は自分の影のような小さな孫娘のわたしをうしろに伴っていたり、あるときは、小さなわたしの曳いている影が、そのような祖母の姿でもあった。(『椿の海の記』二二頁、傍線引用者)

ここで目を惹くのは、おもかさまと孫娘みっちんが相互に「影」として語られていることである。これは一見すると奇異な表現ではないだろうか。祖母と孫娘の関係が、通常のおとなと子どもの関係、「保護する者と保護される者」との関係として描き出されていない。この二人はあたかも相互に庇護し合う関係のように語られている。さらに、これまで述べてきた文脈からいえば、それぞれの個が「影」を内在させるべきであるにもかかわらず、この一節では互いが互いの影であるという相互性において成り立っている。おもかさまの影をみっちんが、みっちんの影をおもかさまが担うのである。

しかし、じつはこのとき、両者は交わる。文字通り交叉するのである。相互に相手側の影の役割をそれぞれが負っているからである。(これを石牟礼文学における〈変身〉のモチーフと重ね合わせることも可能である。)すでに述べたように、「影」が〈魂〉に相当するとするならば、両者は互いに相手の〈魂〉を負い、負われる関係にある。石牟礼道子の対他関係の原型と呼んでも間違いではないであろう。

3　『春の城』（一九九九年）
――アニマと横溢する自然物

石牟礼道子の語る〈魂〉という概念が、自然物と諸存在それぞれが内包する〈形見〉つまり歴史性と結びつく概念であることを確認した上で、この問題を小説『春の城』の問題に重ね合わせてみたい。承知のように、天草・島原の乱を題材とする歴史小説である『春の城』は、単行本初出時に『アニマの鳥』というタイトルであった。この場合の「アニマ」はキリシタン的用語としてのそれであるが、作品中では以下のような使われ方をしている。

アニマの草木の萌ゆるとぞ（二四六）、次郎吉の家のアニマ（霊魂）（二四六）、次郎やんの魂ぞ、アニマぞ。（二六六）、アニマの花（二六七）、一家のアニマ（二六七）、六人の者たちのアニマ（二六八）、人びとの離脱したアニマ（二六九）、われらが花を奉りし六人のアニマ（二七〇）、アニマの国（二七〇）

『春の城』における「アニマ」が、それ以前に石牟礼が頻用してきた〈魂〉におおむね相当することは明らかであろう。天草・島原の乱を題材とするこの物語のなかでは、〈魂〉はいわば物語の必然的な要請によって「アニマ」に置換されている。「アニマの草木」あるいは「アニマ（霊魂）」、さらには「アニマの花」といった表現から了解可能であろう。自然物あるいは「諸存在」のすべてが「アニマ」と呼ばれる〈魂〉＝影を内胎する存在としてこの物語において位置づけられる。

ここまでに述べてきた、諸存在が内包する〈形見〉＝〈魂〉＝アニマを通貫する問題構制が、『春の城』最大の特徴である、おおよそ百種の動植物に関する言及と深く関連する。およそ百種の動植物への言及が、一編の小説に登場する自然物として多いのか少ないのかは即断しかねる。しかし、読者としてはかなり圧倒的な印象、自然物の横溢という印象を抱くことは避けがたいであろう。この自然物の横溢は何を物語るのか。それこそ先述した〈形見〉＝〈魂〉＝アニマの存在、つまり自然物および諸存在の〈形見〉性を量的かつ質的に印象づけることになるのである。そして、さらに重要なことは、この小説に登場するのは人間だけではないという印象を与えることになる。それは石牟礼の作家としてのたんなる意図を超えた、むしろ内因的な表象世界であるといえよう。

石牟礼道子はその閲歴の初期の『椿の海の記』において、「大自然の歳時記」というアイデアを提示していたが、この『春の城』はそれを見事なフィクション作品として結実させたものであることを指摘しておきたい。

> 海に降りる山道のついでに、つわ蕗《ぶき》もわらびも山椒も採れた。山道伝いに、一日海に下れば、ゆうに一週間分は、多彩に食べわけられるしゅんの海山のものを、背負いながら帰っていた。春の海山のものがそうであったように、秋のものはなおさらにまた種類がことなり、歳時記とは暦の上のことではなくて、家々の暮らしの中身が、大自然の摂理とともにあることをいうのだった。
>
> （『椿の海の記』一一九頁、傍点原文）

「歳時記とは暦の上のことではなくて、家々の暮らしの中身が、大自然の摂理とともにあること」と石牟礼は書く。石牟礼文学における自然観の根幹にはただの暦の展開ではなく、暮らしと季節の具体的な変化に隙間なく対応する大自然の「歳時記」というべきものが存在する。それは「大自然の摂理」という言葉が物語るように、規範化され制度化された「歳時記」ではなく、それを逸脱する「野生の歳時記」というべきものを指している。このような「歳時記」を最も明確なかたちで具現した作品こそが歴史小説『春の城』なのである。

最後に、「大自然の歳時記」「野生の歳時記」ともいうべき作品、「自然物および諸存在の〈形見〉性を量的かつ質的に印象づけること」を試みた『春の城』の独自性と卓越性を考えるとき、宮崎駿監督『となりのトトロ』（一九八八年）がこの問題について私に大きな手がかりを与えてくれたことに言及しておきたい。宮崎アニメの研究者叶《かのう》精二は、作品の随所に映像化されている植物群が、「里山の情景と実在する植物群の生態系が克明に」描き分けられた、日本のアニメ史上画期的な作品であることを指摘している。そして、美術スタッフは「道端の雑草も観察して描くこと」を強くもとめられたのだという。石牟礼の「大自然の歳時記」における自然物の横溢という特異性は、これと同種の試みだったのではないだろうか。脱人間中心主義の文学がまぎれもなくそこにある。

参考文献

・石牟礼道子『椿の海の記』朝日新聞社、一九七六年。

・石牟礼道子『苦海浄土―わが水俣病』講談社、一九九四年。
・石牟礼道子『形見の声―母層としての風土』筑摩書房、一九九六年。
・石牟礼道子『アニマの鳥』筑摩書房、一九九九年。
・石牟礼道子『魂の言葉を紡ぐ―石牟礼道子対談集』河出書房新社、二〇〇〇年。
・石牟礼道子『煤の中のマリア―島原・椎葉・不知火紀行』平凡社、二〇〇一年。
・石牟礼道子『石牟礼道子全集・不知火　第一巻　初期作品集』藤原書店、二〇〇四年。
・石牟礼道子『完本　春の城』藤原書店、二〇一七年。
・叶精二「『となりのトトロ』の自然観」(http://www.yk.rim.or.jp/~rst/rabo/miyazaki/totoro_i.html より取得)。
・野田研一「大自然の歳時記―石牟礼道子の他者論的転回」、『現代思想』5月臨時増刊号（総特集　石牟礼道子）、青土社、二〇一八年。
・野田研一「『草の道』から『歴史の時間』へ―石牟礼道子の『亡所』探索」、野田研一・山本洋平・森田系太郎編『環境人文学I文化のなかの自然』勉誠出版、二〇一七年。

［付記］本コラムは二〇一八年度 ASLE-Japan/ 文学・環境学会全国大会（和歌山大学南紀熊野サテライト）における「石牟礼道子氏追悼シンポジウム」（九月一日）における口頭発表に基づいている。

第2部　四季の文化と詩歌——二次的自然の世界

01
詩歌と物語の四季
〈冬の夜〉を中心に

李 愛淑

1 はじめに

一九八七年リリースされた「北空港」という歌謡曲がある。浜桂介が作曲し、韓国出身の桂銀淑《けいうんすく》と歌ったデュエットである。そのなかで、〈凍てつく心〉という歌言葉が、冬の自然を媒介に、凍結した心を風景化していることに気づかれる。歌の導入部を引用してみよう。

夜の札幌　あなたに逢えて
凍てつく心に
灯りがともる[*1]

「夜の札幌」を背景に、「あなたに逢え」る前の心を、「凍てつく心」と、比喩的に表現している。具体的に、「凍てつく心」とは、「あなたに逢え」る前の、女性独りの心を意味し、題名の北と、「夜の札幌」と呼応し、〈冬の夜〉の凍結した風景を想起させる。

さて、辞書によると、[*2]〈凍てつく〉は〈凍りつく〉の同義語で、「凝固して付着する、固くしっかり凝固する」ことを意味し、「やや文学的な表現の中で使われることが多」いという。また、「凝固とは物理、化学で液体が固体になるプロセスのこと。凝固が起こる温度を凝固点と呼ぶ。水の場合は氷結と言う言い方のほうが一般的である。純粋に温度変化によって固体に変化することを凍結[*3]」と言う。すると、〈凍てつく心〉、まさに凍結した心の風景としての、冬の自然はどのように文学のなかで、構築されているのかが問題になる。

そこで、歌言葉であることから、詩歌の中で、構築されてきた冬、冬の夜の風景に目を向けてみる。和歌の規範としての『古今集』の冬の部の歌からして、『源氏物語』の四季、冬の自然の発見を検討していく。とくに、『源氏物語』の〈冬の夜〉を軸に、和歌と物語の共鳴による、凍結した心、恨む心、結ぼれる心、さらに、執着の心の風景を探ってみる。その延長線で、朝鮮王朝のハングル詩歌、歌辞《がさ》の豊富な物語性に注目する。とくに、「閨怨歌」での閨怨の心を風景化していく、〈冬の夜〉の自然に注目する。平安王朝と朝鮮王朝を代表する文学作品における、四季の自然を、〈冬の夜〉を軸に掘り下げていく。

2 『古今集』の冬

俳句の季語が雄弁するように、『古今集』が構築した四季は、詠歌の規範として作動している。そして、「四季を詠む歌はこのように季節の変化、季節のなかでも、桜が咲く散るというような変化を詠む歌がほとんどである。ところが、変化を詠む歌は春と秋に圧倒的に多く、夏と冬にはそれほど多くない。ということは、一年という時間の単位では春と秋が境界で有ることを示している」ことからしても、[*4]四季の部立ての歌数からしても、『古今集』の四季が春と秋中心で構成されていることがわかる。そのうえで、春の歌百三十四首、夏の歌三十四首、秋の歌百四十五首、冬の歌二十九首という、四季の部の歌の数から、冬の歌が夏の歌よりも少数であることに注意される。なぜなら、春と秋中心の『古今集』の四季の部は、冬の自然を相対的に排除しているとも言えるからである。その理由として、新全集は頭注で、「冬が古人にとっては戸外で自然に親しむことが最も少ない季節だったからである」[*5]とするが、一方「『古今集』では、夏の部の歌より冬の部の歌のほうが少ないが、『新古今集』では、夏の部の歌より冬の部の歌のほうがはるかに多く、秋の歌の多いのとともに、一つの特色をなしている」[*6]とも言われている。そこで、『古今集』の四季の部立を中心に、相対的に排除されている冬の自然に目を向けてみる。

まず、周知のように、『古今集』の四季の部は、次のように、立春の歌からはじまる。

ふる年に春立ちける日よめる
年のうちに春は来にけりひととせを去年とやいはむ今年とやいはむ（一、元方《もとかた》）

旧年の立春ではあるが、「春は来にけり」と、二十四節季の立春の到来の感動を詠んでいる。立春から四季の部が始まり、春の上・下と、時間の推移にそって、歌を配列していく。このような時間を軸にした歌の配列は、冬の部にも堅持される。

龍田河錦織りかく神無月時雨の雨をたてぬきにして（三一四、読人しらず）

行く年の惜しくもあるかな真澄鏡見る影さへにくれぬと思へば（三四二、紀貫之《きのつらゆき》）

秋の紅葉と「時雨」を組み合わせて、秋から冬へと、冬の始まる「神無月」の歌から始め、「行く年の」と、歳暮の歌で、冬の部、さらに春から始めた四季の部を閉じる。立春から年末まで、四季の部はまさに、時間の推移を軸に配列されている。ただ、時間の軸が異なることには注意される。なぜなら、二十四節気と暦という二つの異なる時間軸が混用されているからである。しかも、節気を軸にすると、一年は立春から始まって、大寒で終わることになる。大寒とは寒い冬の自然を象徴する時季にほかない。すると、『古今集』の四季の部は、大寒が象徴する寒い冬の自然を詠む歌を排除したことになる。

実際、冬の部の歌を見てみると、寒い自然を詠んだのは、次の二首にとどまる。

大空の月の光し清ければ影見し水ぞまづこほりける（三一六、読人しらず）
夕されば衣手寒しみよしのの吉野の山にみ雪降るらし（三一七、読人知らず）

「水ぞまづこほりける」と、凍結の寒い冬の風景を詠むことで、本格的な冬の歌が期待される。そこで、「夕されば衣手寒し」と、冬の夜の寒さを詠む歌が続くかのようであるが、そうでもない。寒夜の寒さは、「吉野の山」と、雪の名所を導き出すものとして機能しているからである。寒い冬の自然でなく、景物としての「雪」を詠んでいる。しかも、『古今集』の冬の部は、二十九首中の二十三首が「雪」を詠む歌で、雪を花に見立てるなど、美的対象にしている。たとえば、中心編者である紀貫之の歌の中の、次の三首を見てみよう。

①雪降れば冬ごもりせる草も木も春に知られぬ花ぞ咲きける（三二三）

②冬こもり思ひかけぬを木の間より花と見るまで雪ぞ降りける（三三一）

③梅の香の降りおける雪にまがひせば誰かことごとわきて折らまし（三三六）

①と②は、「冬ごもりせる」、「冬こもり」と、冬ゆえの孤立の風景を、歌の遠景に止め、雪の花を前景化させる。③はより具体的に雪と梅の花を重ねては、冬よりも春を強調する。まさに、「雪と花を重ねるというのは、一年の終末と始発を二重映しにしながら、時の最盛を思うという点である。この表現の底にはおそらく、来るべき豊穣への予祝がこめられているのであろう[*7]」し、当面の冬の自然よりも、「来るべき豊穣」の季節としての春を詠歌の対象にしている。

この三首の詞書（説明）を見てみよう。

①冬の歌とてよめる

②雪の木に降りかかれりけるをよめる

③雪のうちの梅の花をよめる

冬の自然でなく、景物の雪に焦点が合わされている。漠然とした冬から、花のように「雪の木に降りかかる」風景へ、さらに春を象徴する「梅の花」へと、詠歌の背景が具体化される。雪の花を媒介に、現在の冬よりも、未来の春の自然が想起される。まさに、春と秋を中心にした『古今集』の四季は、寒い冬の自然を排除しているといえよう。

そういえば、〈凍てつく心〉の風景としての、〈冬の夜〉という歌言葉は、『古今集』の四季の部では見つからない。歌集を通してただ一例、貫之が古歌として記録した長歌の中で、「……神無月　時雨しぐれて　冬の夜の　庭もはだれ

に　降る雪の　なほ消えかへり……」（一〇〇二）と、使われているのみである。そこで、春と秋中心の『古今集』の四季を継承している『源氏物語』での〈冬の夜〉の自然が気になる。

3　『源氏物語』の冬の夜

『源氏物語』の四季の用例を見てみると、*[8] 春二百三十七例、夏三十五例、秋百五十八例、冬十八例で、『古今集』の四季の部のように、春と秋に集中している。さらに、四方四季の町、六条院は南側に春と秋の町を、北側に夏と冬の町を造成し、紫の上、秋好中宮《あきこのむちゆうぐう》、花散里《はなちるさと》、明石《あかし》の君を住ませる。それぞれの四季の町の女主人の位相や、また春秋優劣論争からしても、春秋中心の『古今集』の四季を継承していることがわかる。ただ、『古今集』の四季を継承しながらも、『源氏物語』が冬の自然を発見していくことに注意される。『古今集』の四季が排除した冬の自然を、『源氏物語』がどのように構築しているのかを、〈冬の夜〉を軸に掘り下げていく。

（1）雪の風景

『源氏物語』での〈冬の夜〉の用例は、次の和歌二首を含め、全四例確かめられる。

とけて寝ぬねざめさびしき冬の夜に結ぼほれつる夢のみじかさ（朝顔巻、光源氏）

うらみわび胸あきがたき冬の夜にまた鎖しまさる関の岩門（夕霧巻、夕霧）

とくに、朝顔巻の有名な雪の場面での光源氏の〈冬の夜〉の歌は、地の文での〈冬の夜〉と共鳴しながら、藤壺、光源氏、紫の上の三人三色の心を形象化していく。朝顔巻は雪の場面を中心に藤壺鎮魂の巻とも言われ、「雪はここでも、きびしい終末的な悲しみとともに、死者幻影というもう一つの世界をとりこめている」*[9]、「雪の呪力」*[10]、そして、「雪を単に美しいものと観じ賞美する古今的伝統美とはおよそ裏腹の、病める魂の彷徨する内的な精神世界を、雪の夜を背景に構築する」*[11]など、藤壺鎮魂の物語における雪の意味が集中的に論じられてきた。しかし、鎮魂を牽引する雪の場面では、物語と和歌が共鳴しながら、〈冬の夜〉の寒い自然を媒介に、登場人物それぞれの心を風景化していくことは見逃せない。

朝顔巻では次のように、光源氏の朝顔への執拗な求愛により、ますます紫の上の心が隔てられる中で、雪の風景が広がる。

雪のいたう降り積もりたる上に、今も散りつつ、松と竹とのけぢめをかしう見ゆる夕暮れに、人の御容貌も光りまさりて見ゆ。「時々につけても、人の心をうつすめる花紅葉の盛りよりも、冬の夜の澄める月に雪の光りあひたる空こそ、あやしう色なきものの身にしみて、この世の外のことまで思ひ流され、おもしろさもあはれさも残らぬをりなれ。すさまじき例に言ひおきけむ人の心浅さよ」とて、御簾捲き上げさせたまふ。月は隈なくさし出でて、ひとつ色に見え渡されたるに、しをれたる前栽のかげ心苦しう、遣水もいといたうむせびて、池の氷もえもいはずすごきに、童べおろして、雪まろばしせさせたまふ。（朝顔、四九〇～四九一頁）

雪の風景を眺め、光源氏は、「人の心をうつすめる」、世間の人々が賞美する、「花紅葉」より、「冬の夜の澄める月に雪の光りあひたる空こそ」、冬の夜の澄み切った月光と雪明かりに心が引かれるとする。要するに、「花紅葉の盛り」の華麗な色彩とは違う、「色なきもの」、無彩色の風景により、「この世の外のことまで」、死後の世界のことまで思い至るという。そして、「色なきもの」、「ひとつ色」は、白一色の雪の風景を背景にした「雪まろばし」から、「ひと年、中宮の御前に雪の山つくられたりし」（朝顔、四九一頁）と、亡き藤壺を喚起させていくことになる。まさに、「花紅葉」と、「色なきもの」の視覚的な色彩の対照により、月光に照らされた幻想的な〈雪〉の風景は亡き藤壺を呼び寄せてくる。

その一方で、「すさまじき例に言ひおきけむ人の心浅さよ」と、興ざめなものだと、否定的に評価する人への非難の言葉に注意される。光源氏の賞美が異例であることを強調することが気になる。なぜなら、白一色の雪の風景への賞美を、異例とは言えないからである。『古今集』の四季の部は、冬の自然を相対的に排除しながらも、雪の美的な風景を構築したのではないだろうか。
そこで、光源氏の言葉の論理を精緻に読み直してみよう。光源氏は「花紅葉」より、「冬の夜の澄める月に雪の光りあひたる空」を賞美し、最終的には「をりなれ」、時節であると総括することで、月、雪よりも、時季の「冬の夜」を浮き彫りにさせる。物語表層での賞美の異例さを媒介に、物語の深層では〈冬の夜〉の自然が喚起される。表層と深層における二重的な論理は、〈冬の夜〉を軸にして、以後、若菜下巻でも、次のように反復される。

冬の夜の月は、人に違ひてめでたまふ御心なれば、おもしろき夜の雪の光に、をりにあひたる手ども弾きたまひつつ、（若菜下、一八三頁）

ここでは、「人に違ひてめでたまふ御心なれば」、世間一般とは違う光源氏の賞美の対象を、「冬の夜の月」とする。そこで殺風景な「冬の夜の月」が指摘されるわけであるが、「冬の夜」は、「おもしろき夜」と呼応しては、「月」と「雪の光」よりも、「をりにあひたる」、時節にふさわしい曲を牽引していく。要するに、「をり」としての〈冬の夜〉の時季を媒介に、六条院最後の儀礼である女楽が展開されていくことになる。
それでは、雪の場面に戻り、物語深層での〈冬の夜〉の風景を探ってみる。

(2)〈冬の夜〉の風景

亡き藤壺を想起することから、光源氏は藤壺以下、四人の女君を話題に乗せては、紫の上の心を和ませようとする。女性話が終わり、二人の贈答がなされる。

昔今の御物語に夜更けてゆく。月いよいよ澄みて、静かにおもしろし。女君、
こほりとぢ石間の水はゆきなやみそらすむ月のかげぞながるる
外を見出だして、すこしかたぶきたまへるほど、（中略）鴛鴦のうち鳴きたるに、
かきつめてむかし恋しき雪もよにあはれを添ふる鴛鴦のうきねか（朝顔、四九四頁）

光源氏の「昔今の」話とは、自分と関係のあった女性について話すことで、とうとう夜が更けていく。夜の月を背景に、二人の贈答がなされるわけであるが、「女君」と、まず紫の上の歌から始まる。紫の上は、自分の心を「岩間の水」にたとえて、「こほりとぢ」と、氷って流れないといい、光源氏への心の隔たりを鮮明にさせる。言葉の上でも、直前の雪の場の「池の氷」とも呼応し、心の凝を冬の凍結にたとえる。その紫の上に、光源氏は、「雪もよに」と、雪の降り続く風景を背景に、「かきつめてむかし（昔）恋し」いと、過去に拘束されながら、「夫婦愛の象徴「鴛鴦」を点景に藤壺への思慕[*12]」をほのめかす。歌を贈答することで、疎通するのでなく、二人の心のズレは拡大される。紫の上の凍結した心と、光源氏の藤壺への思慕が鮮明になり、二人の疎遠が強調される。その上で、光源氏の夢枕に藤壺の物の怪が出現する。

入りたまひても、宮の御ことを思ひつつ大殿籠れるに、夢ともなくほのかに見たてまつるを、いみじく恨みたまへる御気色にて、「漏らさじとのたまひしかど、うき名の隠れなかりければ、恥づかしう。苦しき目を見るにつけても、つらくなむ」とのたまふ。御答へ聞こゆと思すに、おそはるる心地して、女君の「こは。などかくは」とのたまふに、おどろきて、いみじく口惜しく、胸のおきどころなく騒げば、おさへて、涙も流れ出でにけり。今もいみじく濡らし添へたまふ。女君、いかなる事にかと思すに、うちもみじろかで臥したまへり。

とけて寝ぬねざめさびしき冬の夜に結ぼほれつる夢のみじかさ

なかなか飽かず悲しと思すに、とく起きたまひて、さとはなくて、所どころに御誦経などせさせたまふ。

（朝顔、四九四〜四九五頁）

夢のなかで、藤壺は光源氏が自分のことを話題にしたことを恨む。「恨みたまへる」は、「つらく」と呼応し、光源氏への藤壺の恨む心を呼び寄せる。その恨む心とは、成仏を妨げる現世への執着にほかない。だからこそ、光源氏は藤壺のために、「所どころに御誦経など」をさせるのであろう。一方、紫の上、「女君」は物の怪に襲われたような光源氏の様子に、「こは、などかくは」と声をかけるものの、それ以上もう構うことはできない。ただ、「いかなる事にかと思」うのみで、光源氏との心の隔たりは凍結した状態のまま堅持される。当の光源氏は、驚きながらも、「いみじく口惜しく」、夢での束の間の遭遇を残念がるなど、複雑な思いのまま、「うちもみじろかで」、身動きもしないで臥している。紫の上とも共有できない、藤壺のことだからで、光源氏は独泳歌をもって、密かに独り心を吐露するしかない。まず、「とけて寝ぬ」、一人寝の淋しさに、「ねざめさびしき」、夢の中での藤壺との束の間の出会いの無念を掛けては、「冬の夜」の自然を構築する。その上で、「結ぼほれつる」、結ぼれるは、〈夢を結ぶ〉意味に、〈心が結ぼれる〉意味をかけて、光源氏の心の鬱屈を形象化する。それは紫の上とも共有できない、藤壺への思慕から起因するものであり、最後まで、「なき人をしたふ心にまかせてもかげ見ぬ三つの瀬にやまどはむ」（朝顔　四九六頁）」と歌いかける、藤壺への光源氏の執着にほかない。〈冬の夜〉の自然を媒介に、光源氏の結ぼれる心は、藤壺への執着の心として風景化されていく。

このように、〈冬の夜〉を軸に、物語と和歌が共鳴しながら、紫の上の「こほりとぢ」た心、藤壺の恨む心、光源氏の結ぼれる心が風景化された。言い換えれば、〈冬の夜〉は、紫の上の凍結した心を媒介に、恨む心と結ぼれる心が象徴する藤壺と光源氏の執着を照射する風景として構築されたことになる。それは、春と秋中心の『古今集』の四季を継承しながらも、『源氏物語』が発見した四季、冬の自然である。しかも、愛ゆえの執着という物語の論理において、柏木の女三宮への執着とも共鳴していることだけは指摘しておく。

4　朝鮮王朝の詩歌から

『源氏物語』で、物語と和歌が共鳴しながら構築した〈冬の夜〉の自然風景は、朝鮮王朝のハングル詩歌でも確認される。朝鮮王朝時代のハングル詩歌、歌辞、とくに女性歌辞は詩歌でありながらも豊富な物語性を持しては、恨の心の風景としての四季、冬の自然を構築している。『源氏物語』での〈冬の夜〉を媒介した、凍結した心、恨む心、結ぼれる心、愛執の心と共鳴する、王朝女性の〈恨〉の心を風景化している。

（1）女性歌辞

まず、ハングル詩歌を代表する時調《シゾ》と歌辞は朝鮮王朝社会の主流である士大夫《サデブ》の文芸であったが、ハングル普及と共に徐々に、民間へ、女性へと拡大されていった。趙東一は、ハングル詩歌としての時調と歌辞を次のように区分する。

> 中世後期の民族語教述詩の具体的な有様は国々によって違う。韓国の場合、中世後期新しく成立した教述詩が景幾体歌《キョンギテェガ》と歌辞で、抒情詩が時調である。二つの教述詩は競争して、先に成立した景幾体歌が衰退し、歌辞が主導権を握って、長く次の世代にまで大きな役割を果たした。時調は現代にまで生き続いている。[*13]

時調を抒情詩、歌辞を教述詩と区分するが、教述（Didactic）の概念により、歌辞は詩歌でなく、随筆と見なされるなど、ジャンルをめぐる議論がなされている。しかし、「歌辞は時調のように、歌唱されたことから、歌辞を詩歌として見るべき」[*14]であるし、歌辞のジャンル横断的な特徴により注目すべきである。

そこで、本章は、四句三行の定型の時調とは違って、句の長さに拘束されない歌辞の物語性に着目する。とくに、女性歌辞は、「一六世紀頃、男性歌辞の様式を模倣し内面化する段階から始まり、叙情的、教述的傾向を見せ、十八世紀以後女性の自覚と現実批判認識を表出し、全盛期を向かえた」[*15]のである。まさに、朝鮮王朝の支配理念である儒教に拘束され、文学から排除された女性たちが内面を吐露することで成立させた自己語りの女性文学である。しかも、朝鮮王朝の女性文学での自己表現としての恨《ハン》の能動性は、『源氏物語』の柏木の〈執〉着とも共鳴していた。[*16]

以下、女性歌辞を代表する「閨怨歌」での〈冬の夜〉の風景を鮮明にしていく。

（2）「閨怨歌」の〈冬の夜〉

「閨怨歌《ギュウォンガ》」は朝鮮中期の歌辞で、許楚姫《ホチョヒ》（一五六三～一五八九年）の作と見なされる。当時としては異例にも、遺作の漢詩文集の『蘭雪軒集《ナンソルホンジップ》』で名の知られた女性詩人である。ただ、『蘭雪軒集』の刊行は朝鮮ではなく、中国で刊行され、朝鮮に伝わった漢文集である。二十七歳の若さで亡くなった姉の才能を惜しんだ弟の許筠《ホギュン》が編集し、当時来朝した明の使者に渡し、中国で刊行されることになった。中国で高く評価されることで、朝鮮にも伝わったのである。その複雑な刊行の経緯こそ、王朝時代の女性の文才に対する儒教社会の束縛を如実に物語るであろう。

男性中心の王朝社会で受動的な存在として生きた彼女の心は、漢詩の「閨怨」でも確かめられるが、歌辞の「閨怨歌」ではより大胆に、能動的に表現されている。物語性に支えられた、百句に至る長い歌は、最初から、次のように、「閨怨歌」の〈閨怨〉が象徴する、閨房で夫を待ち続ける彼女の不幸な人生を回想し、嘆く。

昨日までは　若かったのに　　もはやこうも　老いてしまい、
少年行楽を　思い出すにも　　今更言うても　甲斐なきこと。
老いたいま　悲痛なことを　　語るにしても　噎び泣くのだ。[*17]

まず、年取った現在の視点で、「悲痛なこと」、自分の人生を回想し、述べていくとする。ただ、「少年行楽」、楽しかった少女時代を思い出しては、「今更言うても／甲斐なきこと」とし、「老いたいま／悲痛なこと」と対句をなす。少女時代の人生と対比させては、結婚以後の人生が、「悲痛なこと」、不幸であったことを明確にし、「噎び泣くのだ」と、嘆息する。

そして、最後では、不幸の原因を直接夫にもとめる。

思わくは　君のために　生きづらいことよ。

結婚生活を回想し、「君のために」、夫が原因で、「生きづらい」、不幸な人生だったと歌い終える。夫への非難は、朝鮮王朝の儒教理念に制御される女性の言説としてはあまりにも異例で、かえって、恨の人生への明哲な認識が見とれる。

このように、歌の最初と最後が呼応しながら、不幸な人生を嘆息するのである。その不幸な人生を回想しながら、〈冬の夜〉の自然を媒介に、閨怨の心を風景化していくことに注意される。

君に逢えぬ　ことなら　恋しい心も　消えてほしい。
十二時刻も　長いのに　三十の日は　待ち遠しく、
閨房の前に　植えた梅は　いくたび　咲いては散ったのだろう。
冬の夜の　寒くも寒い時　足跡作る雪は　降り積もり、
夏の日の　長くも長い時　降り続く雨は　何のことだろう。
三春花柳の　好い時節の　景色を観ても　無心である。
秋の月の　部屋に入り　きりぎりす　床の上で鳴く時、
長い嘆息　流れ出る涙　やるせなく　物思いにふける。
まったく　奇遇な運命は　死ぬことも　ままならぬ。

まず、「君に逢えぬ」、訪れない夫への、「恋しい心」、偲ぶ心が、「なくてほしい」と、待つ女のつらさを反語用法で強調する。そして、一日にあたる「十二時刻」、一月にあたる「三十の日」、「いくたび」と、毎日、毎月、毎年という時間を羅列し、人生の時間を形象化する。人生を強調する時間表現を重ねた上で、四季へと進んでいく。従って、四季の時間推移としての春夏秋冬の自然が期待されるわけであるが、〈冬の夜〉を媒介に、夏、春、秋へと、閨怨の心の風景としての四季の自然が構成されていく。

歌言葉の論理を追っていく。「冬の夜の／寒くも寒い時」、〈冬の夜〉の寒さを媒介に、「足跡作る雪は／降り積もり」と、雪の風景、冬の風景が詠まれる。しかし、雪は賞美の対象としての自然景物でない。名詞の「足跡作る雪」とは、具体的に夫の「足跡（を）作る雪」のことを意味し、夫の訪問を待ち続ける女の心を物語る。従って、〈冬の夜〉の寒い自然は閨怨、恨の心を形象化する風景である。人生の時間よりも、不幸な人生を凝視する閨怨の心の風景として四季、冬の自然が構築されることになる。

寒い〈冬の夜〉の自然が前景化させる閨怨の心の風景を媒介することで、夏、春、秋の自然へと進んでいく。歌言葉の上でも、「冬の夜」に「夏の日」、夏の昼を、「寒くも寒い時」に「長くも長い時」を呼応させては、四季の時間推移に拘束されず、冬から夏へと移行していく。しかも、「降り続く雨は」、夏の季節の長雨を意味し、気象の不便とともに、人生の不遇性を象徴する。だからこそ、〈冬の夜〉の自然が風景化した閨怨の心は、夏の自然を媒介に、「何のことだろう」と、恨の人生の嘆息へとつながっていく。さらに、「三春花柳の」、三カ月の春の間の、花が咲き、柳は芽生える「好い時節」の「景色を観ても／無心である」心を風景化させる。春の花に対応し、「秋の月」光がさし、「きりぎりす（が）／床の上で鳴く時」の、「長い嘆息／流れ出る涙／やるせなく／物思いにふける」恨の心を吐露する。恨の心の風景を重ね、最終的には、「まったく／奇遇な運命は／死ぬことも／ままならぬ」、恨の人生を嘆息することになる。

このように、「閨怨歌」では、重畳する時間表現の上で、四季の時間よりも、閨怨の心の風景としての四季を構成していく。しかも、〈冬の夜〉の寒い自然が風景化する閨怨の心を媒介に、夏、春、秋の風景が牽引されては、最終的に、恨の人生を形象化したのである。『源氏物語』での物語と和歌の共鳴と同じく、詩歌としての歌辞の持する物語性に支えられることで構築された、〈冬の夜〉の自然であった。

5　おわりに

以上のように、〈冬の夜〉を軸に、物語と詩歌が共鳴しながら構築した四季、冬の自然風景を鮮明にした。まず、『源氏物語』では、〈冬の夜〉を媒介に、雪の場面で三人三色の心が風景化された。〈冬の夜〉の自然は、凍結した心、恨む心、結ぼれる心、愛ゆえの執着の心を照射する風景として構成された。詩歌の規範としての春秋中心の『古今集』の四季を継承しながら、『源氏物語』は〈冬の夜〉を媒介に、冬の自然を発見したのである。そして、朝鮮王朝のハングル詩歌、「閨怨歌」でも、〈冬の夜〉は『源氏物語』での凍結した心、恨む心、結ぼれる心、執着の心と共鳴する、閨怨の心を風景化することを確認した。詩歌としての歌辞の持する物語性に支えられることで、四季の時間よりも、恨の心の風景としての四季の自然が構築されたのである。〈冬の夜〉の自然が風景化した閨怨の心を媒介に、最終的に王朝時代の女性の恨の人生が形象化されることになった。日本と韓国の王朝時代の女性文学に見える執着の心と恨の心の風景として、〈冬の夜〉の自然が構築されたことの意味は大きい。

注

1 http://j-lyric.net/artist（二〇一八年八月二十日閲覧）。
2 https://dictionary.goo.ne.jp（二〇一八年八月二十日閲覧）。
3 https://ja.wikipedia.org/（二〇一八年八月二十日閲覧）。
4 古橋信孝「日本古代の時間」、『時間・ことば・認識』ひつじ書房、一九九九年、一〇七頁。
5 小沢正夫・松田成穂校注『古今和歌集』、『新編日本古典文学全集』小学館、一九九四年、一三八頁。以下和歌引用は新全集による。
6 峯村文人校注『新古今和歌集』一六七頁頭注、『新編日本古典文学全集』小学館、一九九五年。
7 鈴木日出男『古代和歌史論』東京大学出版会、一九九〇年、六二五頁。
8 http://www.genji.co.jp（二〇一八年八月二十日閲覧）（用例引用は以下同じ）。
9 鈴木日出男『源氏物語歳時記』ちくまライブラリー、一九八九年、二八二頁。
10 小嶋菜温子『源氏物語批評』有精堂、一九九五年、一五一頁。
11 林田孝和外編集『源氏物語事典』大和書房、二〇〇二年、四一三頁。
12 『源氏物語』朝顔巻注四、『新編日本古典文学全集』小学館、一九九五年、四九四頁。
13 趙東一『韓国文学通史』二巻、知識産業社、二〇〇五年、一七八頁。
14 鄭炳煜『韓国古典詩歌論』新丘文化社、二〇〇〇年、二六九頁。
15 徐ヨンスク『韓国女性歌辞研究』国学資料院、一九九六年、三八一頁。
16 李愛淑「恨《ハン》と執の女の物語—比較文学研究の視点から」、『アナホリッシュ国文学』4、響文社、二〇一三年、一三九頁。
17 『我が時代の韓国文学　古典詩歌2』啓蒙社、一九九九年、七八～七九頁。
※『源氏物語』本文は『新編日本古典文学全集』（小学館、一九九五年）から引用した。

02

詩歌と絵画・画賛の文化

日本中世禅林を中心に

堀川貴司

1 詩と書と画

北宋の文人蘇軾《そしょく》（一〇三六〜一一〇一年）が、唐の詩人・画家の王維《おうい》を評して「詩中に画有り」「画中に詩有り」と評したことはよく知られている。さらに蘇軾以降、宋代の詩人たちは、絵画を「無声詩」、詩を「有声画」と対にして呼ぶことが通例となった。*1

平面上の造形と言語による描写とを、お互いに交換可能なもの、同等同質なものと見なす考え方の根本には、両者ともに作者の心中にあるイメージ（意境あるいは意象）が形となって表れたもの、とみなす芸術観があり、書（技術的には画に近いが、詩を具象化する手段でもある）をここに加え、詩書画を一体のものとして創作および鑑賞を行うのが文人の嗜みである、とする風潮が南宋から元・明へと続く。*2

日本において五山《ござん》と呼ばれる禅宗寺院の制度が整い、同時代の中国文化を禅宗の教義や制度とともに受容したのは、十三世紀後半から十四世紀前半、南宋末から元を経て明代初頭にかけての、まさに文人文化の確立と普及の時期であった。*3

2 画賛研究の意義

従って日本では、詩書画一体の作品は中世禅林において初めて行われることとなるが、これまで美術史学においてはそれらを研究する際、対象を「画」に絞り、「詩」「書」は等閑視されるきらいがあった。その状況を打ち破る試みが、島田修二郎・入矢義高監修『禅林画賛』(毎日新聞社、一九八七年)の刊行であった。*4

ここでは、来日僧も含めた中世禅林における画賛を持つ絵画を、道釈人物、山水、花卉《かき》・蔬菜《そさい》・禽獣《きんじゅう》の三つに分けて解説している。道釈人物には、釈家として、釈迦・菩薩・天・祖師(達磨以下の中国禅僧を対象とし、日本禅僧は外している)・散聖(寒山拾得《かんざんじっとく》など)・居士《こじ》(維摩《ゆいま》など)など、道家・鬼神として鍾馗《しょうき》・天神など、中国文人として杜甫《とほ》・李白・蘇軾などが収められている。山水は、送別・訪友図、書斎図、山水図、富士山図の四つに大別するが、富士山図を除き、いわゆる詩画軸(多くは特定の人物に贈呈することを目的にして、複数の僧が一つの絵画に賛を連ねたもの)が多数含まれる。花卉《かき》・蔬菜《そさい》・禽獣《きんじゅう》は、梅・蘭・蒲萄《ぶどう》・雁・牛などである。

実際に作品を見てみると、詩書画すべてを同一人物が制作している例はほとんどなく、画については俗人の職業画家か、禅僧であっても画僧と呼ばれる専門家が担当していることが多いので、そこに美術的な研究が集中したのもやむを得ないことではあった。しかし、同時代の人々による作品鑑賞を追体験しようと思えば、詩および書をもあわせて対象とすべきことは言うまでもない。逆に、画を伴わないでも、詩は文字テクストとして、詩集に収められるなど、さまざまな形で流布していくことによって、その絵画イメージを普及させることに大いに貢献する。

そういった観点から、画賛の果たした役割を見ていきたい。対象としては、瀟湘八景《しょうしょうはっけい》と富士山を取り上げる。

3 瀟湘八景

現在の湖南省、洞庭湖《どうていこ》および湘江《しょうこう》・瀟水《しょうすい》の織りなす風景を八つにまとめたもので、文献によって字句の異同はあるが、定着しているのは平沙落雁・遠浦帰帆・山市晴嵐・江天暮雪・洞庭秋月・瀟湘夜雨・煙寺晩鐘・漁村夕照である。

これらは、瀟湘の地域から特定の場所の風景を八つ選び出したのではなく、湖川とその周辺に住む人々の営み、季節や時間によって変化する天文気象、これらさまざまな要素を抽出して組み合わせたもので、似たような気候風土の土地であれば瀟湘の地に特定されない普遍性を持っている。このことが以後東アジアにおける風景画の典型として受容され、また各地における独自の八景制定へと応用されていったのであろう。[*5]

瀟湘八景は十二世紀半ば頃、北宋の画家宋迪《そうてき》によって制定されるが、あまり時を置かず禅僧の覚範慧洪《かくはんえこう》（一〇七一～一一二八年）が詩題として取り上げている。その詩の前書きには、宋迪の作品が評判で、「無声の句」と呼ばれていたため、友人が冗談で「（あれに対抗して）有声の画を作れるか」と尋ねたので、作ったのだ、と記している。[*6] すなわち覚範の詩は、絵画への賛としてではなく、それ自体独立した作品として作られた、詩のみで瀟湘の風景を想像させる「有声画」である。

また、十二世紀後半、南宋初に作られた「瀟湘臥遊《がゆう》図巻」は、その土地を訪れたことのない僧侶にその信者が贈った作品で、「臥遊」すなわち絵画による風景鑑賞の疑似体験を目的とする。[*7] 八景のモチーフを巧みに配置した画面を通じて、理想化された風景をイメージさせる役割を果たした。

そもそも瀟湘の地は、伝説上の皇帝舜《しゅん》のその妃、『楚辞《そじ》』の屈原《くつげん》、唐宋の詩人に詠まれた岳陽楼《がくようろう》からの洞庭湖の眺望など、文学作品による形象が積み重なっている土地である。描かれた風景にも、詠まれた詩にも、過去の文学作品のイメージが重なっていく。詩画ともにある場合はもちろん、どちらか単独の場合も、ほかの二者のイメージが連想されることで、鑑賞の厚みが増すという構造が作られているのである。

4　日本への移入と普及

日本においては、来日僧の一山一寧《いっさんいちねい》の画賛が現存しており、十三世紀末には詩画ともに移入されたことがわかる。[*8]
南北朝時代に入ると、足利尊氏《あしかがたかうじ》・直義《ただよし》兄弟の依頼によって、八景および牛などの動物を描いた絵画十二枚（六曲一双の屏風）が制作され、将軍家周辺の禅僧たち十二人による画賛を伴っていたことが知られる。瀟湘八景は、すでに禅林の外へと普及を始めたのである。

その後は、障壁・屏風・巻子本・掛軸・扇面など多様な媒体に描かれるとともに、禅僧たちの詩、八景を題にした和歌も制作されるようになる。

一方、「瀟湘」の代わりにそれぞれの地名を冠した「〇〇八景」も作られるようになる。すでに鎌倉末に「博多八景」があり、南北朝には「大慈《だいじ》八景詩歌」（日向国志布志《しぶし》の大慈寺）が京都五山の僧侶百人以上と公家・武家などの歌人二十人程度を動員して制作された。博多八景では上二字は博多湾沿いの地名、下二字も六つは独自の改変を行っている。大慈八景においても同様であるが、博多に比べオリジナルを尊重する傾向が強い。

江戸時代に入ると、瀟湘八景は絵画・詩歌ともに版本になってさらに普及するとともに、ご当地八景の制定も一層盛んに行われるようになる。各地の大名が領地の歴史や文化を顕彰し、また広大な庭園にミニチュアの風景を幻視するため、禅僧や儒者に依頼して作らせたものが多い。[*9]

その中では、近江八景・金沢八景が、とくに江戸後期、浮世絵による絵画化によって庶民にまでそのイメージを普及させた。

5　瀟湘八景詩の例

五山僧による八景詩を取り上げる。十六世紀半ばに編纂された初心者向け注釈書『中華若木詩抄《ちゅうかじゃくぼくししょう》』に収められたものである。[*10]

江天暮雪　東沼周曮《とうしょうしゅうがん》（一三九一～一四七二年）
漁舟雪暗暮江涯（岸辺に釣りする舟がある、雪空の暗い夕暮れ）
景到明朝晴後奇（翌朝に風景は一変、蘇軾の表現を借りれば「晴れて後も奇なり」だ）

七十二峰波底影（周囲の山々が水面にその影を落とすことだろう）
群仙騎鶴下瑶池（今は多くの仙人たちが真っ白な鶴に乗って仙境の池に降りている）

実際に描かれているのは第一句の風景であるのだが、そこから第二・三句は、翌朝の晴れやかな様子を想像し、第四句では、そのような美しい湖は、西王母の住む瑤池《ようち》であって、この雪たちは仙人の乗る鶴なのだろう、と比喩表現を飛躍させることによって、描かれていないものをイメージさせる、詩独自の役割を果たしている。

もともとこの作品は、足利義政の生母の邸宅の障子絵の賛である。第四句の表現は、作品の置かれた場所、すなわち邸宅を仙境に見立てる役割も果たし、主への賛美ともなっている。

6 富士山

古代以来、『竹取物語』や『古今和歌集』、あるいは都良香《みやこのよしか》「富士山記」（『本朝文粋《ほんちょうもんずい》』所収）や『聖徳太子伝暦《でんりゃく》』において、信仰の対象として、また神仙の住む神秘の山として描かれてきた富士山は、十三世紀後半、鎌倉に禅宗寺院が多数建立され、五山文学がここで始まったことで、身近に存在する高峰として、語録のなかに登場するようになる。[*11]虎関師錬《こかんしれん》（一二七八～一三四六年）は応長元年（一三一一）六月、先達に導かれて集団登山を行い、その様子を詩に詠んでいて、これが登山者自身が記録した最も早い文献と言われる。

南北朝以降、五山文学の中心地が京都に移ると、富士山を詠む詩は、実物を描いたり登山の体験を詠んだりするのではなく、絵に描かれたものを詠む題画詩になる。

すでに虎関師錬の詩にも言えることだが、山岳表現には中国における伝統があるため、日本の山を詠む場合でも李白や杜甫が中国の山を詠んだ詩を利用した表現が多く見られる。また、日本の最高峰として、また裾野まで広がる優美で雄大な姿を持つ山として、日本の象徴のように扱われる、という認識もまだない。たとえば、絶海中津《ぜっかいちゅうしん》（一三三四～一四〇五年）が留学中に明の初代皇帝洪武帝《こうぶてい》と詩の唱和を行ったときに題材となったのは熊野三山であった。これが大きく変化するのは、明の文人宋濂《そうれん》（一三一〇～八一年）の作品が知られるようになってからである。

明代初期を代表する文人で、日本の五山ともかかわりがあった宋濂には「賦日東曲《ふにっとうきょく》」という九首の連作詩があり、その第三首で富士山を詠んでいる。[*12]

7　宋濂作品における表現

絶入層霄富士岩（頂上は大空高く聳える岩）
蟠根直圧三州間（ふもとは三つの国を押さえつける）
六月雪花翻素毳（真夏の六月でも白く柔らかい毛のような雪を花のように降らせる）
何処深林覓白鷴（中国南方の高山にしかいない優雅な白鷴もここの深林にはいそうだ）

（自注）富士、国中最高山、六月山上有雪。三州、謂豆駿相也。

これとは別に、『義楚六帖《ぎそろくじょう》』（釈氏六帖とも。五代後周の僧義楚の編纂した類書）の日本の記述のなかに、秦代に徐福《じょふく》が移住したのが富士山で、ここを蓬莱《ほうらい》と呼んだ、という記事がある（先述した絶海の詩では熊野が徐福の土地として描かれている）。『禅林画賛』における画題を一覧しても、日本独自のものは、山水における富士山と人物における天神（菅原道真）くらいしかない。天神は「渡唐天神《ととうてんじん》」（天神が宋代の禅僧無準師範《ぶじゅんしばん》に入門したという伝説に基づき、中国人の服装で、梅の枝を持った姿で描かれるもの）という、五山発祥の画題であるから、五山僧たちが詠むのは当然であるが、富士山は和歌や大和絵の題材ではあっても、五山文学においては定番ではなかった。それが、室町時代、公家や武家の文化と五山とが交流を深め、次第に日本的な題材も五山に取り込まれるようになったことを背景とし、[*13]宋濂詩と徐福伝説という外部（中国）からの視点を大きなてことして、富士山は日本の題材としては例外的に多く扱われることとなったのである。

8　富士山の画賛詩

二首取り上げる。一首目は横川景三《おうせんけいさん》（一四二九〜九三年）の「扇面富士」である（『補庵京華前集《ほあんけいかぜんしゅう》』）。

根蟠伊駿相（ふもとは伊豆・駿河・相模の三国に根を生やすように広がり）
名満宋元明（名声は中国の歴代王朝、宋・元・明にも満ちあふれている）
凛々士峰面（「富士」という名だけあって勇ましい武士のようなその姿）
炎天白雪清（炎暑の空の下でも清らかな白雪を戴いている）

第一句は宋濂詩の表現を利用、第二句は『義楚六帖』と宋濂詩を踏まえる。
二首目は雪嶺永瑾《せつれいえいきん》（?〜一五三七年）の「富士峰図」（『梅渓稿《ばいけいこう》』）。

富士山高日本東（日本の関東に高く聳える富士山）
雪巓突兀勢撐空（雪の頂きは高く伸び、空を支えているかのような勢いだ）
天台四万八千丈（かの中国の名山、天台山は四万八千丈の高さと言うが）
若在吾邦立下風（我が国にあれば富士山に見下されることだろう）（「吾」は原文「五」となっているのを訂正した）

単に日本での最高峰というだけでなく、中国の名山高山をも凌ぐ山だ、という表現が、十六世紀になると頻出するようになる。

絵画と文学作品によるイメージの増幅が、一つの山としてのそれを超えて、日本という国そのものの象徴にまで進んでしまった例である。

9　おわりに

中国に由来する瀟湘八景、日本の風景である富士山、ともに五山文学において画賛詩として詠まれることにより独自の展開を示し、そのイメージはそれぞれに近世へと継承されていき、日本人の風景観に大きな影響を与えた。そこには絵画のみならず中世禅林の僧侶たちの画賛が大きな役割を果たしている。

注

1 『東坡題跋』所収「書摩詰藍田煙雨図」に「味摩詰之詩、詩中有画、観摩詰之画、画中有詩」とあり、施元之等注『注東坡先生詩』所収「和文与可洋川園池三十首」のうち「渓光亭」の「渓光自古無人画、憑仗新詩与写成」の注に「古詩話、詩人以画為無声詩、詩為有声画」とあり、日本中世禅僧による蘇軾詩の注釈書『四河入海』の注にも引かれている。ここで蘇軾は、渓谷の光を絵に描いた人はいない（それだけ難事である）ので、詩によって写し出すのだ、と言っているから、詩と画は交換可能というより、補完し合う関係だと述べている。

2 島田修二郎「詩書画三絶」（島田修二郎著作集二『中国絵画史研究』中央公論美術出版、一九九三年）参照。

3 島尾新「室町時代の画賛について─「禅林画賛」と「文人画賛」の関係から」（『文学』12-5、二〇一一年九月）、同編『東アジアのなかの五山文化』（東アジア海域に漕ぎだす4、東京大学出版会、二〇一四年）参照。

4 語句の解釈に関してはその後批判もある。芳澤勝弘「画賛解釈についての疑問─五山の詩文はどう読まれているか」（http://iriz.hanazono.ac.jp/frame/yoshi_f01.html、二〇一八年八月十七日閲覧）参照。

5 近年の研究成果としては、衣若芬《雲影天光瀟湘山水之畫意與詩情》（台北・里仁書局、二〇一三年）がある。なお、以下の記述は堀川貴司『瀟湘八景　詩歌と絵画に見る日本化の様相』（臨川書店、二〇〇二年）に基づく。

6 覚範慧洪『石門文字禅』巻八所収。なお、巻十五にもう一組の瀟湘八景詩を収める。

7 小川裕充『臥遊　中国山水画─その世界』（中央公論美術出版、二〇〇八年）に詳しい。

8 島田・入矢『禅林画賛』に収める。

9 近年の研究成果としては、『土浦八景─よみがえる情景へのまなざし』（土浦市立博物館、二〇一七年）があり、堀川貴司「瀟湘八景の受容と変容」も収める。

10 大塚光信ほか校注『中華若木詩抄湯山連句鈔』（新日本古典文学大系五三、岩波書店、一九九五年）の本文・注釈を参照した。

11 日本文学における富士山の描かれ方については、久保田淳『富士山の文学』（文春新書、文藝春秋、二〇〇四年。改訂版、角川ソフィア文庫、二〇一三年、KADOKAWA）に詳しい。なお、以下の記述は堀川貴司「五山文学における富士山の表象」（《第九届中日学者中国古代史論壇文集》鄭州・河南大学出版社、二〇一八年）に基づく。

12 陳小法「宋景濂と中日文化交流」（『東アジア文化環流』三、二〇〇九年一月）に詳しい。また、「日東曲」を収める宋濂『蘿山集』（国立公文書館内閣文庫蔵写本）については渡瀬淳子『室町の知的基盤と言説形成』（勉誠出版、二〇一六年）二二八頁参照。

13 森晴彦「十五世紀における名所風俗図の動向と洛中洛外図─五山詩文の記述にみるその姿」（『京を描く─洛中洛外図の時代』京都文化博物館、二〇一五年）に包括的な記述がある。

03

庭園の意匠

古代インド・東アジアの方形池をめぐって

多田伊織

1　はじめに

四角い池、すなわち中国・朝鮮半島・日本の八世紀までの庭園の意匠に関して、「方形池」が仏教的な庭園意匠なのか、そうではないのかについては議論がある。一つには、中国では方形池を仏教東漸《とうぜん》以降に現実の庭園に取り入れた例が見えないことが、「方形池は浄土経典の影響を受けた」とする日本庭園史の主張と食い違う。果たして、朝鮮半島や日本古代の庭園における「方形池」を「浄土経典」によるものと考えていいのかどうか。また、神仙思想に基づいてデザインされていた中国の庭園意匠は、仏教の東漸に、まったく影響を受けることはなかったのか。

庭園の意匠を発掘調査と文献によって、もう一度検討してみたい。*1

2　古代中国の庭園と王権

古代中国の庭園は、王権と分かちがたく結びついている。五経を繙けば、ニワを意味する文字には「囿、苑、園」などがあるが、これらの文字が示す天子のニワは、鑑賞に耐える遊楽の場であるだけでなく、植物を植え動物を飼い、宴を開き、時にはそこで飼養する動物を獲物に狩猟を行う大規模なものだ。農場や牧場や養魚池と狩場に動物園や植物園を併設し、さらに豪奢な建物や手の込んだ意匠の庭園が付属する巨大施設である。宴にあずかるのは君臣だけではない。外国からの使節をもてなす場合もある。天子のニワは、王権を誇示し、王の徳を荘厳する装置であった。[*2]

王権を誇示する装置であるニワには、神仙との交流を図る場も設けられた。こうしたニワのデザインでは、海を模した池を掘り、中に神仙の住まう東海三山をイメージした島を置く。漢武帝《ぶてい》が上林苑《じょうりんえん》に船戦の演習池として穿《うが》たせた昆明池《こんめいち》には、織女・牽牛の石像が置かれ、建章宮《けんしょうきゅう》の北には大海を模して太液池《たいえきち》を掘り、東海の三仙山を模してそびえる漸台が置かれていた。ニワは神仙世界を地上に表現しており、昇仙・神人交流の装置であった。こうしたニワの意匠は後代にも受け継がれるが、海を模す池は円に近いか、丸みを帯びた不定形であり、方形池ではない。[*3] 仏教が隆盛を誇った北魏においても、禁苑には、神仙と交流する伝統的な意匠を採用している。

3　古代中国の方形池

これまで知られている古代中国苑池の遺構で、方形池の比較的古い例は、殷代の遺跡である河南《かなん》省鄭州商城と偃師商城の方形池である。いずれも四面に石積みの護岸を持つ。前者は東西一〇〇メートル、南北二〇メートル、深さ二・五メートルで、貯水池であったと考えられている。後者は東西一三〇メートル、南北二〇メートルで深さは一・五メートルと比較的浅い。王宮の苑池であっただけでなく、水利施設であり、養魚や製氷が行われた可能性があると推定されている。[*4] その後の遺構では、広州の南越王宮方形池がある。推定規模は南北六五メートル、東西四八メートル、深さ一・五メートル前後。護岸は緩やかな勾配の斜面に板石を張り詰めている。[*5]

中国の方形池は発掘例に乏しいのが現状である。ただし、いずれも、王宮に附随しており、禁苑《きんえん》の池であった可能性が高い。現存する方形地としては、南京の「玄武湖《げんぶこ》」がある。漢の昆明池同様、三国・呉以降は水上戦の演習に用いられ、劉宋の元嘉年間に黒竜が現れたことから、「玄武湖」と改称された。現形は台形に近い方形だが、現存規模は元の三分の二に過ぎないとされる。現況では、一部が蓮池になっているが、いつ頃からのものかは不明である。玄武湖は三国・呉、西晋、劉宋、南斉、梁、陳の都建康の北に位置する方形地であるが、浄土庭園としての機能は確認されていない。[*6]

4　古代朝鮮半島の方形池

朝鮮半島でも五〜七世紀にかけての方形池は発掘されているが、必ずしも苑池ではない。[*7]新羅の孤山池は、五世紀と推定されているが、生産用水の貯水池と考えられている。百済《くだら》の夫余にある六世紀半ば頃の定林寺跡には、二基の方形池があり、東池は東西一五・三メートル、南北一一メートルであり、西池は東西一一・二メートル、南北一一メートル、深さはいずれも〇・五メートルと極浅い。石積護岸は西辺と北辺のみにある。同じく夫余の王宮跡推定地にも方形池がある。東半分が見つかっており、東西五・三〜六・三メートル、南方六・二五メートル、深さ一・一五メートルで、護岸は三辺とも石積である。夫余の南南西三三キロにある統一新羅時代創建の益山《えきざん》弥勒《みろく》寺《じ》跡にも東西二基の方形池がある。東池は東西五一メートル、南北四八メートルで深さ一・二メートル、西池は東西五四・五メートル、南北四一メートル、深さ一・六メートルと大規模である。東池西岸の一部に石積護岸が残る。古代新羅の王都慶州《けいしゅう》の東南東約二五キロの月城郡陽北面にある感恩寺跡は七世紀末に造営された。伽藍の建つ台地下に同時期の方形池がある。規模は不明だが、元は海水が出入りしていたと推定されている。池の北岸は垂直に立ち上がる石積護岸である。

朝鮮半島の方形池の特色は、寺院の南参道の両側にあるものが多いこと、池中から蓮の植物遺体が出土しており、蓮池だった時期があることだ。朝鮮半島の方形池も発掘例はそれほど多くないが、寺院のそばの蓮池は、浄土の表象として作られた可能性を否定できない。

5　日本の方形池

日本の方形池は飛鳥時代（七世紀代）のものであり、郡山遺跡を除くと、すべて奈良県の飛鳥地域にある。[*8] 蘇我氏や島宮との関係を論じられている島庄遺跡の方形池は一辺四二メートルで、国内の方形池遺構では最大規模である。周囲に堤を巡らし、堤は河原石を積み上げている。方形池の底には河原石を貼る。築造年代は、伴出した土器から六世紀から七世紀初頭と考えられている。[*9]

島庄遺跡より下流の飛鳥川右岸、水落遺跡と飛鳥寺の北に接する石神遺跡には二基の方形池がある。発掘時期が異なるので方形池一と方形池二として概要を示す。方形池一は、四面を建物で囲まれた中庭に作られた石組みの方形池である。一辺約六メートルの正方形で、深さは〇・八メートル、底には小石を敷き詰めている。池の築造年代は七世紀中頃の斉明朝と考えられている。[*10] 方形池二は、石神遺跡の南端にあり、水落遺跡と近接している。ただ、水落遺跡は斉明朝のものだが、方形池二は七世紀後半の天武朝に築造されており、年代が合わない。東西三メートル、南北三・二メートル、深さ〇・六メートルと浅い。護岸には河原石、底には礫を敷いている。[*11]

日本最古の仏教寺院である飛鳥寺の東南の谷に、飛鳥池遺跡がある。飛鳥時代の官営工房跡で、石組方形池はその北に位置する。東西七・九メートル、南北八・六メートル、深さ一・六メートルで、護岸には河原石を積み、底には石を敷く。鑑賞用ではなく、工業廃水処理用と考えられている。[*12] 仙台市の南に位置する陸奥国庁であった郡山遺跡の中枢部に、石組方形池がある。東西三・七メートル、南北三・五メートル、深さ〇・八メートルで護岸には河原石を積み、底には礫を敷く。七世紀末から八世紀初頭のものと考えられる。[*13] 石舞台古墳の北約四〇〇メートル、飛鳥稲淵《いなぶち》宮殿遺跡の東約二〇〇メートルに位置する坂田寺跡から、方形池の南・東岸を検出している。全容は不明だが、東西六メートル以上、南北一〇メートル以上あり、深さは約一メートル、護岸に河原石を積み、七世紀前半の池と考えられる。[*14] 欽《きん》明《めい》天皇陵の南一五〇メートルにある平田キタガワ遺跡からは、方形池の一部を検出している。全容は不明だが、石積護岸が東西一〇〇メートル以上続くと推定され、飛鳥時代の遺構と考えられる。[*15] 雷丘《いかづちのおか》東方遺跡からは、方形池の一部とも考えられる石積護岸の遺構が検出されている。ただし、上述の方形池の護岸が垂直に立ち上がるのとは異なり、勾配を持つため、方形池かどうか断定できない。[*16]
日本の方形池からは、蓮などの植物遺体は出土せず、蓮池の可能性は低い。[*17] この考古学的事実から、高瀬要一氏は、飛鳥時代の日本の方形地を浄土庭園とすることに、異議を唱えている。

6 仏教の池

王権を荘厳し、神仙との交流を図る中国の禁苑における池と仏典中の池の位置づけの決定的な違いは、「苦熱からの解放」にある。仏典では、池は鑑賞の対象であるだけではなく、清冽で冷たい水に実際に身を沈める場「浴池」として想定されている。インドと中国の気候の差が、池の機能の違いに現れている。

仏教世界で代表的な池は、まず「阿耨《あのく》達池《だつち》」「阿那《あな》達池」と音訳される Anavatapta（パーリ Anuttara）に指を屈する。「無熱悩池《むねつのうち》」と漢訳されるように、インドの厳しい炎熱から解放される場所として認識されている。Anavatapta は、遥か北方の Uttara-kuru（漢訳 鬱単越、北倶盧州）にある池とされる。Uttara-kuru とは「北方の地、部族」という意味で、古くはヴェーダ文献に見えている。ヒマラヤ（雪山）の向こうにある、神々の国を指す。[*18]

仏典の中でも成立が古い一群の経典が部派仏教の保持する阿含《あごん》経典である。阿含経典には多くのヴァリアントがある。一つには、分裂を繰り返した部派のそれぞれが阿含経典を持っており、また、時代を追うに従い仏典が増広されるため、同一部派の経典であっても、漢訳された年代によって、テクストが変化しているからである。

漢訳『長《じょう》阿《あ》含経《ごんきょう》』に属する『世紀経』は仏教世界を描写するが、異訳経の一つに『大楼炭経』がある。西晋の沙門法立と法炬の共訳で、楽園中の池の描写が大乗経典《だいじょうきょうてん》である浄土三部経（阿弥陀経《あみだきょう》・無量寿経《むりょうじゅきょう》・観《かん》無量寿経）のものに近接する。本経には相当するパーリ本を闕くことから、成立は世紀後の新しい層と思われる。[*19]

『大楼炭経』では、anavatapta を次のように描く。

次有山名冬王、甚高過億。山上高四千里。上有水名阿那達、広長二千里、其底沙皆金、其水涼冷、軟美且清。以七宝金銀琉璃水精赤真珠車磲馬瑙、作塹塁、其四面起墻。亦布底有七重欄楯、七重行樹、周匝囲繞。七宝交露、彩画姝好。阿耨達竜王水、水四面有陛。金陛銀桄、銀陛金桄、琉璃陛水精桄、水精陛琉璃桄、赤真珠陛馬瑙桄、馬瑙陛赤真珠桄、車磲陛七宝桄。陛上有曲箱蓋、皆有欄楯、有交露楼観。其水中有青蓮華、紅蓮華、白蓮華、黄蓮華。華亦有火色者、金色者、青色者、紅色者、赤色者、白色者。周匝大如車輪、其茎大如車轂。若刺其汁出如乳色、其味如蜜。

阿耨達竜王宮在其水中、宮名般闍兜。阿耨達竜王在中止。*20

（次に冬王という名の山があり、非常に高く一億ヨージュナ以上ある。山上の高さは四千里。上には阿那達という名の池があり、広さと長さは二千里、その底の砂は皆金であり、水は涼しく冷たく、軟美でしかも清い。七宝である金・銀・琉璃・水精・赤真珠・車磲・馬瑙で、池の護岸が作られており、池の周りには高い壁がたっている。やはり、底には［金の砂が敷き詰められている。］*21七重の欄楯、七重の並木が、まわりをぐるりと廻っている。七宝のバルコニーには、色彩画が美しく描かれている。阿耨達竜王の池には、池の四面に階段がある。金の階段には銀の手すり、銀の階段には金の手すり、琉璃の階段には水精の手すり、水精の階段には琉璃の手すり、赤真珠の階段には馬瑙の手すり、馬瑙の階段には赤真珠の手すり、車磲の階段には七宝の手すりが取り付けられている。階段の上には曲箱の蓋があり、それぞれに皆欄楯があり、バルコニーや楼観がある。

その水中には青蓮華、紅蓮華、白蓮華、黄蓮華がある。花にはまた火色や金や青や紅や赤や白の光を放つものがある。花の周囲は大きさは車輪ほどもあり、茎は車轂ほどもある。もし茎を刺して汁を出せば乳のような色で、味は蜜のようだ。

阿耨達竜王宮はその池の中にあり、宮名を般闍兜という。阿耨達竜王はその中にいる。）

Anavatapta は、正方形の池で、宝石に飾られ、中に下りる階段があり、冷涼で清冽な水を湛え、色とりどりの光を放つ蓮華に覆われている。つまり、蓮池であり浴池である。Anavatapta に「浴池」の訳語は用いられていないが、続く部分では、「有浴池名摩那摩（浴池があり、摩那摩という）*22」と、浴池である摩那摩を Anavatapta と同様の語句で描写する。

Uttara-kuru の中央には、「北方天下中央有浴池、名欝難陀、広長四千里。（北方の世界の中央には浴池があって、欝難陀といい、一辺が四千里である）」[23]、欝難陀という浴池があり、これについても、Anavatapta と同様の描写がなされている。[24]

インドの楽園表象において、蓮の花咲く石積方形の浴池は闕《か》くことのできない設備であり、仏教はそれを継承している。大乗仏教が浄土思想を準備する以前から、仏教では楽園には蓮の花咲く石積方形池が必須の装置として考えられていた。仏典の池は「池」と漢訳されていても、実態は「浴池」であることに注意しなくてはならない。

インドに残る「四辺階道」（156 頁）の例。11 世紀半ば、チャウルキア王朝のビーマデーバ1世を追善して王妃が建設した「Rani ki Vav」（王妃の階段井戸）。水源を管理し、立ち昇る水蒸気で涼しさを得る。ユネスコの世界遺産。（撮影：Bernard Gagnon、https://ja.wikipedia.org/wiki/%E3%83%95%E3%82%A1%E3%82%A4%E3%83%AB:Rani_ki_vav_04.jpg#metadata）

7　浴池の語の例

では、こうした仏教世界の「池」と中国の禁苑の「池」の決定的な機能の違いを漢訳者は意識していたのだろうか。「浴池」という語の見える最も古い漢訳仏典は何だろうか。

漢訳仏典では、翻訳者が明らかなものと不明のもの（失訳）がある。翻訳者が明らかであれば、漢訳時期の特定は難しくないが、そうでない場合は、文献学的操作が必要になる。浴池の語が見える仏典の内、いわゆる「失訳経」では、『大方便仏報恩経』が古いものである。浴池は以下の個所などに見える。

時舎利弗……現大神力、身昇虚空、化作千頭宝象。……一一象皆有七牙、一一牙上有七浴池。一一浴池有七蓮花、於花台上有七化仏。[25]

（その時、シャーリープトラは、偉大な神通力を発揮して、空中に上り、千頭の宝象を作り出した。……それぞれの象は七本の牙があり、それぞれの牙の上には、七つの浴池があり、それぞれの浴池には七本の蓮華が生え、その花の台の上には七柱の化仏がおられる。）

隋・費長房《ひちょうぼう》『歴代三宝記』第四「訳経後漢[*26]」は、東晋・釈道祖の「呉世録目」に従い、『大方便仏報恩経』を「大方便報恩経一巻（見呉録）」と後漢失訳経に入部している。これが正しければ、漢訳仏典の最古層の段階から「浴池」という訳語があったことになる。

ところで、『歴代三宝記』に先行する梁・僧祐《そうゆう》『出三蔵記集《しゅつさんぞうきしゅう》』の巻四「新集続撰失訳雑経録第一[*27]」は、東晋・釈道安《しゃくどうあん》の経目に見えない失訳経として、「大方便報恩経七巻」を入部しており、釈道祖の「呉世録目」を参照していない立場を取る。このため、『歴代三宝記』の「呉録」等に基づく入部には、疑義を挟む意見もあるが、僧祐の弟子にあたる梁・慧皎《えこう》の『高僧伝《こうそうでん》』巻六の釈道祖伝[*28]は、「道流撰諸経目未就。祖為成之、今行於世。（道流が撰述していた諸経目は未完成だった。道祖がこれを完成して、今　世に行われている）」とする。早世した道流の未完の目録を道祖が完成したものの一部が、費長房が見たという「呉録」であり、『高僧伝』の記述を信ずるならば、梁代にも道祖の「呉世録目」は存在していた。現行『出三蔵記集』が『大方便報恩経』に関し道祖の経目を参照してない理由は不明である。

次に古いものとしては、呉・支謙《しけん》が訳したとされる『阿弥陀三耶三仏薩楼仏檀過度人道経（大阿弥陀経）』に用例がある。これは浄土三部経の一つ『無量寿経』の最も古い異訳である。

阿弥陀仏講堂精舎、及諸菩薩阿羅漢所居舎宅中、内外処処、皆復有自然流泉浴池。皆与自然七宝倶生。金銀水精琉璃虎珀車渠、転共相成。……浴池中水皆清香潔。池中皆有香華。悉自然生百種華、種種異色、色異香華。……其池中水流行、転相潅注。其水流行、亦不遅不駛。

（阿弥陀仏の講堂精舎、及び諸菩薩阿羅漢が住む家の中、その内外あちこちに、皆　やはり自然に流泉や浴池がある。皆　自然に七宝が水の中に生じる。金・銀・水晶・瑠璃・琥珀・車渠が、転じて共に生成される。……浴池の水はみな清らかで香りが素晴らしい。池の中にはどこも香り高い花が咲いている。すべて自然にあらゆる種類の花が生え、さまざまな色で、色が違えば香りも異なる。……池の中では水が流れていき、互いに注ぎあっている。水の流れは、遅くもなく早くもない。[*29]）

ここでは、極楽浄土の浴池が七宝に彩られ、清冽で香り高い水を湛え、色とりどりの香りの良い花が咲き乱れ、水が流れている様が描写されている。先に引用した『大楼炭経』の欝単越の楽園描写の要素が浄土の描写に引き継がれている。支謙は、呉の孫亮《そんりょう》が帝位にある間に亡くなっており、[*30]『大阿弥陀経』訳出の下限は孫亮が廃された太平三年（二五八）となる。「後卒於山中、春秋六十。呉主孫亮、与衆僧書曰、「支恭明不救所疾。其業履沖素、始終可高。為之惻愴、不能已已。」其為時所惜如此」。いずれにしても、三世紀末までには「浴池」という訳語は漢訳仏典に存在し、『大阿弥陀経』が支謙訳であれば、浄土思想が入ってきた当初から、極楽浄土の池は四面が石積護岸の方形の「浴池」であると認識されていたことになる。

8　梵本と漢訳　二つのSukhāvatī-vyūha

極楽浄土を説く経典である梵本《ぼんぽん》〝Sukhāvatī-vyūha〟（安楽世界のすぐれた特性を美しく備えたさま）は二種類存在する。一つは「大本」と呼ばれる長いバージョンで、漢訳は『仏説《ぶっせつ》無量寿経』で代表される。もう一つは短い「小本」でこちらは『仏説阿弥陀経』として知られる。先に支謙訳の『大阿弥陀経』を引用したが、こちらは「大本」の漢訳である。阿弥陀仏の極楽浄土の思想を展開するこの二つの〝Sukhāvatī-vyūha〟には、「大本」に五訳、「小本」に二訳が現存する。梵本は時代を追う毎に増広される傾向があり、現「大本」は、五訳の内、第三訳の唐・菩提流支《ぼだいるし》訳『大宝積経無量寿如来会』二巻と最も近似する。「小本」は姚秦・鳩摩羅什《くまらじゅう》訳『仏説阿弥陀経』とそれほど相違がない。

「大本」では極楽の水辺は「浴池」ではなく、〝nadī〟（川）で表されている。梵本からの和訳を示す。

「また、これらの大河は、天界のタマーラ樹葉、アガル、カーラーヌサーリン、タガラ、ウラガサーラ、チャンダナ（などの香の）優れた香りでかおっている水を満々とたたえて流れ、（その水面は）天界の青蓮華・赤蓮華・黄蓮華・白蓮華・睡蓮などの花でおおわれ、……（岸には）水浴のためにちょうどよい階段があり、（川底には）泥がなくて黄金の砂がまかれている。[*31]」

川にはなっているが、水浴に下りるための階段が設けられており、底には金の砂がまかれ、水は香り高く、蓮華を始めとする花々で覆われているのは、これまで見てきた楽園表象と変わらない。

「小本」はどうか。まず、鳩摩羅什訳を示す。

極楽国土有七宝池、八功徳水充満其中、池底純以金沙布地。四辺階道、金・銀・琉璃・頗梨合成。上有楼閣、亦以金・銀・琉璃・頗梨・車磲・赤珠・馬瑙而厳飾之。池中蓮花、大如車輪。青色青光、黄色黄光、赤色赤光、白色白光、微妙香潔。[*32]

（極楽国土には七宝の池があり、八功徳水がその中に充満していて、池の底は金の砂だけを敷き詰めている。池の四辺には階段となった通路があり、金・銀・瑠璃・玻璃の四種の宝でできている。池の上には楼閣があり、これもやはり金・銀・瑠璃・玻璃・車磲・赤真珠・瑪瑙の七宝で美しく飾られている。池の中には蓮の花が生えており、大きさは車輪ほどもある。青い蓮華は青く光り、黄色い蓮華は黄に光り、赤い蓮華は赤く光り、白い蓮華は白く光り、えもいわれぬ清らかな香に満ちている。）

梵本ではこうなる。

「そして、これらの蓮池の周囲は、四方に四つの階段があり、四種の宝、すなわち金・銀・瑠璃・水晶からなり、きらびやかで、目に美しい。また、それらの蓮池の周囲には宝樹が生じていて、七種の宝、すなわち金・銀・瑠璃・水晶・赤真珠・瑪瑙と第七の宝である琥珀とからなり、きらびやかで、目に美しい。また、それらの蓮池には蓮の花が生じていて、青い蓮には青い色があり、青い輝きがあり、青く見える。黄色い蓮には黄色い色があり、赤い蓮には赤い色があり、赤い輝きがあり、赤く見える。白い蓮には白い色があり、白い輝きがあり、白く見える。種々の蓮には種々の輝きがあり、種々に見える。花の周囲は車の輪ほどもある。[*33]」

「小本」では"puṣkariṇī"（蓮池）という語で池を表し、描写は、『大楼炭経』と似ている。上記の部分と相応する部分を引用する。

以七宝金銀琉璃水精赤真珠車磲馬瑙、作塹塁、其四面起墻。亦〔以沙金〕布底。……其水中有青蓮華、紅蓮華、白蓮華、黄蓮華。華亦有火色者、金色者、青色者、紅色者、赤色者、白色者。周匝大如車輪。*34

ここから分かるのは、「小本」と「大楼炭経」の表現がきわめて似通っていることだ。「小本」は大乗仏典であり、鳩摩羅什が『仏説阿弥陀経』を翻訳したのは、『歴代三宝記』巻八によれば、弘始四年（四〇二）二月八日である。*35

一方、『大楼炭経』は、西晋末の恵帝《けいてい》・懐帝《かいてい》（二九〇〜三一一年）の頃の僧侶法炬が法立と共に訳出したものである。*36『大楼炭経』と「小本」の間には約百年の隔たりがあり、また『大楼炭経』は『長阿含経』に属する『世紀経』の異訳であるから、一般には部派仏教の経典と見る。

「小本」梵本と漢訳『大楼炭経』『仏説阿弥陀経』を比較すると、傍線で示した部分は、原典では、パラレルなフレーズであった可能性が高い。『大楼炭経』の翻訳は鳩摩羅什の流麗な訳文と比較すると生硬で、意を尽くしているとは言い難いが、復元できる梵本は、現「小本」にかなり近い。現「小本」は平安時代に日本に伝来したとみられる古写本に基づいて校訂されたものであり、『大楼炭経』の基づいた原典からは、数百年遅いテクストである。遅いテクストは増広されることが多いのだが、現「小本」は、古い部派仏教の『大楼炭経』と共通する部分を保っており、このフレーズは、楽園表象の定型句として、部派仏教の時代から、仏典の中で繰り返し用いられていたと考えられる。仏典は本来、師弟間の口承で伝えるものであり、部派仏教と大乗仏教の間で、共有されたフレーズがあっても、理論的にはおかしくはない。部派仏教と大乗仏教の間では単なるフレーズだけでなく、「楽園には浴池である方形池があり、かぐわしい水を湛え、光を放つ蓮などの花が咲いている」イメージをも共有していたことになる。古くはヴェーダに淵源する Uttara-kuru の Anavatapta が、名前を変えて、極楽浄土の表象に用いられているのである。

9　弥勒浄土「兜率天」の池の描写

極楽浄土と並び、中国で盛行した浄土には、弥勒菩薩の浄土である「兜率天《とそつてん》」が挙げられる。

弥勒の浄土を描く古い漢訳経典としては、姚秦の鳩摩羅什訳の『仏説弥勒下生成仏経』と『仏説弥勒大成仏経』[37]がある。弥勒下生を説くこれら二つの経典には、弥勒の浄土の池が次のように描かれている。

其諸園林池泉之中、自然而有八功徳水。青紅赤白雑色蓮花、遍覆其上。其池四辺、四宝階道。

(そのあちこちの園林にある池や泉の中には、自然に八功徳水が湧いている。青・紅・赤・白・さまざまな色の蓮花が、池の上を覆い尽くしている。池の四周には、四種の宝石で作られた階段がある。[38])

時彼国界城邑聚落、園林浴池泉河流沼、自然而有八功徳水。……金色無垢浄光明華、無憂浄慧日光明華、鮮白七日香華、瞻蔔六色香華、百千万種水陸生華、青色青光、黄色黄光、赤色赤光、白色白光、香浄無比、昼夜常生、終無萎時。

(ところでその仏国土内の城邑や村落には、園林に浴池・泉・河に流れる沼があり、自然と八功徳水が湧いている。……金色無垢浄光明華・無憂浄慧日光明華・鮮白七日香華・瞻蔔六色香華などの、百千万種の水陸の花が生えており、青い花は青く光り、黄色い花は黄に光り、赤い花は赤く光り、白い花は白く光り、香りはすばらしく浄らかで、昼夜をわかたず常に咲いており、決して萎む時がない。[39])

両経とも五世紀初の訳出となる。「宝石で作られた石積護岸を持つ方池に、蓮を始めとする色とりどりの花が咲き乱れ、八功徳水が湧いてる」という弥勒浄土の池の特色は、極楽浄土の池と一致する。

岩本裕氏は、「兜率天の描写は極楽の描写よりも後の成立で、ただ鬱単越の記事を参照した叙述を加えたにすぎないと推察される[40]」と述べておられるが、経典発展史の観点からは、正鵠を得ていると思う。極楽浄土、弥勒浄土の盛行と発展は、更なる浄土思想を育み、『妙法蓮華経《みょうほうれんげきょう》』の「霊山浄土」を生むに至った。薬師如来《やくしにょらい》の浄瑠璃世界も「薬師浄土」と呼ばれ、劉宋以降に流行を見た。こうしたさまざまな浄土は、日本にも仏教伝来初期にもたらされ、壁画や仏像として現存している。[41]

10　南朝の寺院と喜捨

ヴェーダに源を発し、仏教に取り入れられ、部派仏教の阿含経典『大楼炭経』などに理想郷として描かれるUttara-kuru（欝単越）、『阿弥陀経』『無量寿経』など浄土経典に描かれる極楽浄土、『弥勒下生経』など弥勒経典に描かれる弥勒浄土（兜率天）は、いずれも方池を持つ楽園であった。それらの方池は、宝石で装厳され、四面に階段のある浴池であり、八功徳水が湛えられ、色とりどりの光を放つ蓮の花で覆われていた。こうした仏教の楽園表象は、陸続と漢訳された経典を通して、仏教が隆盛を誇る南朝の時代には、知られていたことと思われる。

江左《こうさ》に逃れた東晋の元帝は、建業から改称した建康で即位、次いで、劉宋・南斉・梁・陳と江南の地に都はあった。東晋の時代、建康には次々と寺院が建立されるが、喜捨によるものも少なくない。【表1】は、東晋期を中心に、喜捨によって建立された寺院を一部抜き出したものである。皇帝を始めとする建康の貴顕が、男女を問わず私財を投じ、あるいは捨宅して寺院を建立する様子が伺える。とりわけ、尼僧に私淑して、そのために寺院を建立しているのが目立つ。

外村中《あたる》氏は、仏教思想が、全く中国のニワの思想と相容れなかったために、南朝では浄土庭園が造られなかった、と主張する。しかし、表に見るような喜捨による寺院建立という側面を考えるならば、個人の邸宅の捨宅や、王侯の喜捨によって建立された寺院の庭園は、以前の構築を受け継ぐため、新たにニワを造営することは少なかったのではないかと思われる。

もう一つ見落とされているのが、律の規定である。出家者である僧尼が守るべき生活規律である律では、「壊生種戒」として出家者が植物の生命を害することを禁じている。「壊生種戒」を破らぬために、園林の管理を「浄人、守園人"kappiyakāraka, ārāmika"」に任せるように規定されている。*[42] こうした背景から、南朝の寺院では、浄土をそのまま写す造園は行われにくかったと考える。

表１　建康の寺院

寺名	時代	西暦	事項	僧尼名	場所		出典
長干寺	晋寧康中	373-375	簡文帝が三重の塔を作る	釈慧通			高僧伝 13
長干寺	晋太元 16 年	391	晋孝武帝、三層の塔に改築	釈慧通			高僧伝 13
安楽寺	東晋		王坦之、捨宅して安楽寺とする	釈慧受			高僧伝 13
安楽寺	東晋		東の丹陽尹王雅宅、西の東燕太守劉闘宅、南の豫章太守范寧宅も捨宅して、寺に施入	釈慧受			高僧伝 13
南林寺	劉宋初		晋陵公主、法業のために南林寺を建てる	法業			高僧伝 7
白塔寺	東晋升平中	357-361	鳳凰がこの地に集まり、鳳凰台が作られる		秣陵三井里		法苑珠林 39
白塔寺	劉宋昇明２年	478	南斉高帝が寺を建て始める		秣陵三井里		法苑珠林 39
新林寺＊	東晋簡文帝	372-373	東晋簡文帝、道容尼のために新林に新林寺を建てる	道容尼	新林		比丘尼伝 1
新林寺＊	東晋孝武帝太元中	376-396	東晋孝武帝に厚く崇敬されるも、太元中に忽然と失踪。孝武帝、衣鉢で塚を営む。新林寺の近辺にあり	道容尼	新林	太元中 (376-396)	比丘尼伝 1
建福寺＊	東晋永和４年	348	何充、明感尼らのために別宅を捨宅、建福寺と名付ける。東晋建業初の尼寺	明感尼		何充は永和２(346) 卒 (『晋書』巻 77　何休伝)	比丘尼伝 1
北永安寺(何后寺)＊	東晋永和10年	354	東晋穆帝の何后、曇備尼のために定陰里に永安寺を建てる。現在の何后寺	曇備尼	建康定陰里		比丘尼伝 1
延興寺＊	東晋建元２年	344	東晋康帝の褚后、僧基尼のために都亭里通恭巷内に延興寺を建てる	僧基尼	建康都亭里通恭巷内		比丘尼伝 1
簡静寺＊	東晋太元10年	385	東晋会稽王道子、妙音尼のために簡静寺を建てる	妙音尼			比丘尼伝 1

11　おわりに

インドでは、水浴によって苦熱を凌ぐ設備として、方形の浴池が設けられていた。仏典には、苦からの解放を象徴するものとして、楽園表象の中に宝玉で飾られた浴池が繰り返し現れる。

ところで、四季を持ち、インドほど暑熱に悩まされない東アジアでは、浴池の功能はそれほど認識されず、浴池が苦からの解放を示すという共通認識は得られなかった。浄土にある方形池は、楽園表象の図像としては受け入れられたが、苦を逃れる装置であり楽園に必須のものであるという共通認識は欠いていた。そのため、インドとは気候と身体感覚の大きく異なる古代東アジアでは、方形池が必ずしも浄土とは結びつかないのである。

注

1　本章は、二〇〇七年度道教学会での口頭発表に基づく。発表時に多くの先生方から、ご意見やご教示を賜った。改めて、感謝したい。
2　多田伊織「ニワと王権」、金子裕之編『古代庭園の思想』角川選書、二〇〇二年、一九三～二三八頁。
3　王権の装置としてのニワに設置された歴代王朝の禁苑における池の形については、上掲拙論及び外村中「インド仏教の庭園デザインと古代中国の庭園」（『国際シンポジウム　伝統中国の庭園と生活空間』口頭発表資料、二〇〇七年）のち「漢訳仏典に見られるインド仏教の庭園デザインと古代中国の庭園との関係について」（『日本庭園学会誌』28、一～一〇頁、二〇一四年）参照。なお、昆明池については、ボーリング調査によって、概形が得られた。中国社会科学院考古研究所漢長安城工作隊「西安市漢唐昆明池遺跡的鑽探与試掘簡報」『考古』二〇〇六年第十期。
4　中国社会科学院考古研究所河南第二工作隊「河南偃師商城宮城池苑遺跡」『考古』二〇〇六年第六期、一三～三二頁、杜金鵬「試論商代早期王宮池苑考古発現」『考古』二〇〇六年第一一期、五五～六五頁。
5　高瀬要一「東アジア（中国・韓国・日本）の方形池」『奥運与城市環境建設　第五届中日韓風景園林学術研討会論文集』二〇〇二年、北京　中国風景園林学会・日本造園学会・韓国造景学会編。
6　科学研究費　基盤研究（c）「東アジア古代都城の苑地に関する総合的研究」（代表　金子裕之奈良女子大教授）における二〇〇五年三、十月中国現地調査による。
7　以下、韓国の方形池分析は前出の高瀬要一論文に拠る。

8　高瀬要一、前掲論文。
9　『奈良県遺跡調査概報』一九七三、七九、八八、九六、奈良県立橿原考古学研究所。
10　『石神遺跡第六次調査　飛鳥・藤原宮発掘調査概報一七』奈良国立文化財研究所、一九八七年。
11　『石神遺跡第三次調査　飛鳥・藤原宮発掘調査概報一四』奈良国立文化財研究所、一九八四年。
12　『飛鳥池遺跡の調査第八四次　奈良国立文化財研究所年報　一九九八―二』一九九八　奈良国立文化財研究所
13　『郡山遺跡ｘ』仙台市教育委員会、一九九〇年。
14　『坂田寺跡第一次調査　奈良国立文化財研究所年報一九七三』奈良国立文化財研究所、一九七四年。
15　『平田キタガワ遺跡第一次調査概要　飛鳥京跡一三』奈良県立橿原考古学研究所、一九八八年。
16　『雷丘東方遺跡第三次調査概報』明日香村教育委員会、一九八八年。
17　高瀬要一、前掲論文。
18　Macdonell, A. A, and A. B. Keith : *Vedic index of Names and Subjects*, 2 Vols, London, Murray, 1912, Vol.1, p.84
19　漢訳阿含経類には、パーリの阿含経典と対応するもの、しないものがあり、対応しないものは、パーリ阿含の所属部派と漢訳阿含の原典の阿含の所属部派が枝末分裂した後に、所属部派で新たに制作された経典と考えられる。漢訳阿含は法蔵部所属と考えられており、パーリの分別上座部と同じく、上座部系である。
20　『大楼炭経』鬱単曰品第二、大正一、№二三、二七七～二七八頁。
21　原文「亦布底」句に闕文があると思われるので補った。
22　同前、二七九頁。
23　同前、二七九～二八一頁。
24　摩那摩と欝難陀については、現パーリ三蔵に相応する語が見あたらない。
25　大正三、№一五六、一四九頁上。
26　大正四九、№二〇三四、五三頁上。
27　大正五五、№二一四五、二一頁。
28　大正五〇、№二〇五九、三六三頁上。
29　大正一二、№三六二、三〇四頁上。
30　『出三蔵記集』巻一三　支謙伝　大正五五　九七頁下。
31　「無量寿経」山口益・桜部建・森三樹三郎訳『大乗仏典　六　浄土三部経』新訂版、中央公論社、一九八一年、五三頁。

tāś ca mahānadyo divyatamālapattrāgarukālānusāritagaroragasāracandanavaragandhavāsitavāriparipūrṇāḥ pravahanti ; divyotpalapadmakumudapuṇḍarīkasaugandhikādipuṣpasaṃcchannā, ……sūpatīrthā, vikardamāḥ, suvarṇavālikāsaṃstīrṇāḥ.　足利惇氏校訂本三五頁

32　大正一二、No.三六六、三四六〜三四七頁。

33　梵本は、Oxford本の藤田宏達校訂による。Oxford本では九四〜九五頁。
tāsu ca puṣkariṇīṣu samaṃtāc caturdiśaṃ catvāri sopānāni citrāṇi darśanīyāni caturṇāṃ ratnānāṃ / tadyathā suvarṇasya rūpyasya vaiḍūryasya sphaṭikasya / tāsāṃ ca puṣkariṇīnāṃ samaṃtād ratnavṛkṣā jātāś citrā darśanīyā saptānāṃ ratnānāṃ / tadyathā suvarṇasya rūpyasya vaiḍūryasya sphaṭikasya lohitamuktasyāśmagarbhasya musāragalvasya saptamasya ratnasya / tāsu ca puṣkariṇīṣu saṃti padmāni jātāni nīlāni nīlavarṇāni nīlanirbhāsāni nīlanidarśanāni / pītāni pītavarṇāni pītanirbhāsāni pītanidarśanāni / lohitāni lohitavarṇāni lohitanirbhāsāni lohitanidarśanāni / avadātāny avadātavarṇāny avadātanirbhāsāny avadātanidarśanāni / citrāṇi citravarṇāni citranirbhāsāni citranidarśanāni śakaṭacakrapramāṇapariṇāhāni /
和訳は山口益・桜部建訳『阿弥陀経』(『大乗仏典　六　浄土三部経』新訂版、中央公論社、一九八一年、二七三頁)。

34　[以沙金]は上述のように闕文と見て補った。

35　大正四九、七八頁上〜七九上。

36　漢訳『長阿含経』の所属部派は法蔵部と考えられているが、それぞれの部派が阿含経類を所持していた。最近、パキスタンのギルギットで発見された梵文写本には、説一切有部の『長阿含経』が含まれている。『大楼炭経』がどの部派のものであったかは不明。

37　鳩摩羅什の訳経比定について。現存最古の経録にして僧伝を備える梁・僧祐『出三蔵記集』巻二、一四が両経とも鳩摩羅什訳とする。以後、梁・慧皎『高僧伝』巻二、隋・費長房『歴代三宝記』巻八、隋・法経等『衆経目録』巻一、隋・彦琮『衆経目録』巻二、隋・静泰『衆経目録』巻二も同様であるので、鳩摩羅什訳と判断する。

38　大正一四、No.四五四『仏説弥勒下生成仏経』四二四頁上。

39　大正一四、No.四五六『仏説弥勒大成仏経』四二九頁下。

40　岩本裕「極楽」「浄土」『仏教説話の伝承と信仰』開明書院、一九七八年、五七〜九九頁。

41　本章では紙幅の関係で、浄土図像の展開について、論ずることができなかった。他日を期したい。

42　Pāli Vinayapiṭaka, vol.iv,『五分律』巻七、大正二二、五二頁下、『摩訶僧祇律』巻一六、同、三五四頁下、『四分律』巻一四、同、六六一頁上、『十誦律』巻一三、大正二三、九二頁上、『根本説一切有部毘奈耶』巻三六、同、八二二頁中。また、平川彰『律蔵の研究』山喜房仏書林、一九六〇年、七〇一〜七〇二頁。

04 屏風絵と貴族社会

井戸美里

1 はじめに

屏風は調度である。このことは、屏風絵の存在意義、つまり屏風絵は絵であると同時に、それらが置かれた空間や環境が重要であることを意味している。調度として屏風絵の役割を考えることは、明治期以降に移入された「美術」や「絵画」という西欧由来の概念に収まりきらない、東アジアに共通する重要な課題であると考える。

中国に起源を持つ屏風は、日本や朝鮮半島にも早くから渡っており、記録上もっとも古いのは『日本書紀』に記された新羅から献上された屏風とされる。[*1] 屏風に描かれた主題やモチーフは、東アジア文化圏において広く共有されつつ、それぞれ展開を遂げていったが、なかでも自然の風景を主題とする山水画《さんすいが》や花鳥画《かちょうが》は東アジアでは時代を超えて普遍的に描き続けられてきた。[*2] 室町時代のやまと絵屏風である「日月《じつげつ》山水図屏風」(金剛寺蔵)や「日月四季花鳥図屏風」(出光美術館蔵)などは、四季のめぐりのなかに山水や花鳥を描く屏風絵であり、東アジアに共通する主題やモチーフにより構成されている。[*3] 時代は下るが、山水や花鳥、吉祥モチーフである長生物を描く「日月五峯図屏風」「十長《じっちょう》生《せい》図屏風」などが朝鮮王朝において好んで描かれていることは、このような屏風絵が、東アジア文化圏において、宮廷の生活や行事の場で重要な役割を果たしていたことの証左になろう。

本章では、屏風絵（障子絵にも触れる）のなかでもとくに普遍的な画題として東アジアにおいて流通していた中国伝来の花鳥画について、それらが用いられた環境について考えてみたい。

屏風は、建築と一体となる襖とは異なり、常設されることを想定して制作されることはあまりなかったと考えてよい。とくに寝殿造の空間においては、住まいの間仕切りとして日常生活を彩るとともに、行事に際してはふさわしい室礼（装束）がなされていた。屏風絵は一時的な空間を成立させるために重要な調度であった。[*4] とはいえ、平安時代に寝殿造の空間で使用されていたことがわかる屏風はまったくといってよいほど残されていない。しかも、屏風にどのような主題の絵が描かれ、それらがどこで使用されていたのかということについては、屏風が本来の空間から切り離されて所蔵されている現状においては追究していくことがきわめて困難である。ここでは、文献や画中画《がちゅうが》（絵巻のなかの絵）などを参照し、かつて寝殿造の空間を飾っていた屏風絵や障子絵の様相を復元的に考察していきたい。

2　屏風絵の空間——寝殿造の空間を彩る調度

「春日権現験記《かすがごんげんげんき》絵巻」に描かれる貴人の邸宅には、豊かな自然の風景を描いた障子絵がみえる。これらの障子絵は、画中画という制限に加え、さまざまな霊験《れいげん》が起こる場として設定されていることもあり、通常の貴族の邸宅にこのような主題の絵が描かれていたということを必ずしも示しているわけではないだろう。しかしながら、数多く残されている屏風歌（屏風に描かれた絵を詠んだ和歌）の情景からも、かつては四季の自然の景物を詠み込んだやまと絵屏風が寝殿造の空間を飾っていた様子をうかがい知ることができる。

さらに、寝殿造の庭園は室内に置かれた屏風絵や障子絵の風景と共鳴し合っていた。『栄花《えいが》物語』巻二十「御賀」には、土御門《つちみかど》邸の庭園の風景が見事に描き出されている。脚色もあるだろうが、庭園に植えられた前栽《せんざい》の美しさもさることながら、興味深いのは、「前栽などは、今すこし生ひ行く末頼もしげにも見えたり。このごろはなつかしう今めかしうをかしきこと、四尺の屏風めきたり」とあり、庭園の前栽の風景が「四尺の屏風」のようであると喩えられていることである。庭園に凝縮された自然の風景は観賞されるのみならず、和歌に詠まれたり、屛風に描かれたりもしていた。[*5]

以上のことからも、寝殿造の空間を飾っていた屛風絵は単なる間仕切りではなく、描かれた主題の多くは和歌の世界と緊密な関係を有しており、そのことは屛風歌の存在からも明らかである。屛風に描かれた絵に着想を得て和歌を詠んだり、また和歌に詠まれた風景を絵画化したりすることは頻繁に行われていた。当時の貴族たちは自然を凝縮した庭園を眺めては四季折々の花鳥や前栽、名所などに見立てて和歌を詠み、屛風絵に描いていたと考えられる。さらに、このような屛風絵に描かれた主題やモティーフが和歌を喚起することもあったのだ。

貴族の住まいである寝殿造の空間にはさまざまな行事に応じて、月次絵《つきなみえ》や四季絵などを描いた屛風による室礼が行われていたことが知られている。[*6]絵巻や文献のなかに残された寝殿造の空間での屛風絵の様相を探ってみたが、これらのやまと絵屛風は、庭園から広がる自然風景とも調和するような、自然を室内に取り込むスクリーンのような役割も担っていたと考えられよう。

さて、これまで自然風景を表現した和歌や屛風絵が貴族の邸宅において愛でられていた可能性について考えてきた。次に考察したいのは、東アジアで普遍的に描かれてきた「花鳥画」という画題についてである。花鳥画は必ずしも〈花〉や〈鳥〉に限らず、草木や虫などを単独または組み合わせて描いており、中国においては宮中の庭園にいる鳥を描く画家が古くから存在していた。[*7]唐代末頃より流行したとされるこうした中国の花鳥画は、日本や朝鮮半島に伝来し、それぞれの地域で独自の発展を遂げていった。日本の花鳥画は、早くから和歌の世界と結び付くことで発展していったと考えられる。たとえば、藤原定家は十二カ月の花鳥を描いた屛風絵の和歌を詠んだことも知られているし、[*8]花鳥画ほど好まれて屛風絵や障子絵として室内を飾っていた画題はないだろう。以下、現存する作例を中心に花鳥画がいかなる場において使用されていたのか考察していきたい。

3　花鳥画の吉祥性と装飾性

これまで見てきたような平安時代に寝殿造で使用されたと思われる屏風絵は、残念なことに、東寺伝来の「山水屏風」を除いて一点も残されていない。しかしながら絵巻物の画中画には多くの〈花鳥〉や〈草花〉が描かれており、[*9] かつては花鳥画が宮中を彩っていたと考えられる。ここまでは寝殿造の空間で使用されていた屏風絵の片鱗を探ってきたが、以下、現存作例が残る室町時代の花鳥画を中心に屏風絵や障子絵の使用された場について見ていくことにする。

（1）会所や対面の空間と花鳥画

現存する屏風絵の遺品はほとんどが室町時代以降に制作されたものである。これらがどのような場で使用されていたのか、ということについては文献史料によりある程度明らかとなる。[*10] たとえば、十五世紀初頭、後花園《ごはなぞの》天皇の父・伏見宮貞成《ふしみのみやさだふさ》親王（一三七二～一四五六年）による『看聞日記《かんもんにっき》』には、花園天皇（一二九七～一三四八年）が描いた花鳥画に関する記事がみえる（応永二十五年六月二十七日条）。花鳥画は色紙に描かれ、別の色紙に書かれた漢詩とともに、貞成邸の常御所の障子絵に貼られていた。[*11] 屏風ではなく障子ではあるが、この花鳥画と漢詩の色紙はもとは京都の萩原殿の御所にあったもので、高岸輝氏は『花園天皇宸記』にみえるような花園天皇の庭園に放たれた禽鳥が写し取られた可能性を指摘しており、このように自然を写し取った花鳥画が室町時代に入ってからも貴族の邸宅を飾っていたことは興味深い。古くは『作庭記《さくていき》』に「池に水鳥あれバ、家主安楽也」とあるように、池庭に水鳥の遊ぶ風景は家の繁栄の徴であった。[*12] 貞成にとっては、京都から花園天皇に由来する花鳥画を伏見の自邸に取り寄せることで、かつての天皇家の生活へ思いを馳せていたのかもしれない。[*13]

また『看聞日記』には儀礼や行事の場で使用されたさまざまな屏風絵が登場する。画題が判明する限りではあるが、「松図」や「浜松図」「松鶴図」などの広義の花鳥画が見出され、十五世紀には金屏風も多く制作されるようになることから、桃山時代に全盛期を迎える城郭などの対面の場を彩る金碧障壁画《きんぺきしょうへきが》の花鳥画の前段階と見ることもできよう。[*14]

ここに登場する屏風絵の主題は東京国立博物館所蔵の伝土佐光信《とさみつのぶ》筆「松図屏風」や「浜松図屏風」など現存作品にも通ずるものである。花鳥画のもつ吉祥性や装飾性が会所や対面の場などにふさわしい主題として認識され、安土城の〈松〉により囲われた会所の空間、さらに、西本願寺や二条城などの対面所の空間に設えられた花鳥の障壁画へと受け継がれていったことが推測されるのである。*15

（2）和漢を越境する花鳥画

金地に花鳥という展開を遂げた日本の花鳥画は、もともと中国で伝統的に描かれてきた唐絵《からえ》に出発し、庭園や和歌で愛でられてきた日本の自然風景を取り込むなかでやまと絵系の花鳥画として平安時代から発展していった。その後の成り行きについては不明な点が多いものの、基本的には中国的な要素を保有しつつ、室町時代に至っては雪舟《せっしゅう》（一四二〇〜一五六〇年）や狩野元信《かのうもとのぶ》（一四七六〜一五五九年）などによって大画面の屏風や障子へと適用され、日本に根付いていったと考えられる。*16 先の『看聞日記』にみえる花園天皇の庭園に水禽が遊ぶ様子を描いたと考えられる花鳥画は、漢詩を伴っていたことからも新興の宋元時代の花鳥画に学んで描かれたと推測できるし、*17 かつて屏風歌がそうであったように、この時代においても詞と絵は密接なかかわりを持っていたことがわかる。

また、中国絵画の模倣だけでなく、貿易などの交流を通して新たにもたらされた珍しい外来の鳥や植物などを描くこともあった。たとえば、すでに先行研究によっても指摘されているように、伝土佐広周《ひろちか》筆「四季花鳥図屏風」（サントリー美術館蔵）は、和歌に詠われるような四季の植物ではなく、中国から新たにもたらされた植物が絵画化されている。*18 ここに描かれる花や鳥は禅僧による画賛にも登場するものであったことから、受容層の移り変わりという点においても興味深いが、こうした屏風絵がどのような空間に飾られたのか、天皇や公家のみならず、武家や禅僧の邸宅を飾っていた可能性もあるが定かではない。また少し時代の下る作品としては伝土佐光信筆「花鳥草虫図押絵貼屏風」（ヴァージニア美術館蔵）のように、禅僧の賛が添えられた屏風絵や伝狩野元信筆「書画押絵貼屏風」（メトロポリタン美術館蔵）のように、中国の宋元画に倣った花鳥図に賛を書き入れた屏風絵もある。

花鳥画は、中国から移入され、東アジア文化圏における交流を通して、変容しながら日本の貴顕の邸宅を飾っていたのであり、それらは足利将軍家に伝来した東山御物に代表されるような中国の宋元画のみならず、実物の珍しい鳥たちを写すこともあった。細川持賢《ほそかわもちかた》（一四〇三〜六八年）は足利義政《あしかがよしまさ》より拝領した錦鶏を描かせて自らの邸宅の襖に貼ったとされ、これは、狩野元信の代表作である大徳寺《だいとくじ》大仙院《だいせんいん》の「四季花鳥図」に描かれる錦鶏を想起させ、室町時代においては禅僧の詩文と結びつくような実物の花鳥が絵画として写し取られていたことを示している。[*19]

このような花鳥画は、将軍邸や禅宗寺院などの障壁画を飾り、やがてその装飾性や吉祥性から書院の大広間などの公的な空間を彩る常設の障壁画へと展開していったのである。

4　東アジアを往還する花鳥画

さて、これまで中国に由来する主題やモチーフを描く花鳥画がいかに日本において貴顕の邸宅を飾ってきたのかということを見てきた。最後に注目したいのは、吉祥性ゆえに好んで描かれてきた花鳥画は、古くから贈答品として中国・朝鮮半島・琉球・日本などを往還しており、まさに先ほど確認したような狩野元信の描く屏風絵もまた、中国や朝鮮へ贈られていたことである。一方で、朝鮮からの贈答品として中国、琉球、日本にも花鳥画が贈られていた点も見逃してはならない。[*20]

ここで留意したいのは、中国に由来する花鳥画は、日本ではその吉祥性を継承しながら金屏風というメディアとともに展開を遂げていったことである。金屏風に描かれた花鳥画は、日本の特産品として中国や朝鮮の宮廷にも大いに受け入れられたことが記録より明らかである。中国の花鳥画が日本や朝鮮に伝来し、今度は日本や朝鮮からそれぞれの展開を遂げた「独自」の花鳥画が贈答品として贈られる。そのような花鳥画の交流史について、日本から朝鮮の王朝に贈られ受容された金屏風について最後に見ていきたい。

（１）贈答品としての花鳥画

日本の屏風は、遣明船の派遣を開始した足利義満《よしみつ》が進貢品として贈った応永八年（一四〇一）より継続して贈られたことが知られる。[*21] 朝鮮に贈られた屏風については、赤澤英二氏、武田恒夫氏、榊原悟氏によって詳しく論じられているが、世宗二十五年（一四四三）の「塗金彩花屏風」の金屏風を嚆矢とし、画題としては花鳥画が好まれていたこと、その多くを御用絵師であった狩野派が担当したことが知られる。成宗十八年（一四八七）には大内政弘《おおうちまさひろ》の贈った金屏風の画題が「鶴松図」であったことも知られ、それ以降も、天文十年（一五四一）に明の皇帝への進貢品として、大内義《よし》隆《たか》が狩野元信に依頼した金屏風の画題はすべて花鳥画であった。[*22] 室町時代には元信筆「四季花鳥図屏風」（白鶴美術館蔵）や狩野松栄《しょうえい》筆「四季花鳥図屏風」（白鶴美術館蔵）などの画面全体に金箔を押した地に四季折々の花鳥を描くような作例が残されていることから、このような類の金地の花鳥画が贈られていたことが推測されている。

朝鮮に渡ったこうした花鳥の金屏風の現存作例は、寛延元年の狩野友甫宴信《ゆうほやすのぶ》筆「刈田雁秋草図屏風」（一七四八年、韓国国立古宮博物館蔵）が最も古く、[*23] 屏風には一七五一年の英祖による書き入れがあることから、日本より贈られた屏風が朝鮮の宮中で使用されていたことを確認できる。[*24] また、狩野梅笑師信筆「牡丹図《ぼたんず》屏風」（一七六二年、韓国国立古宮博物館）[*25] は、明和元年に朝鮮からの使節に遣わした「牡丹・菊に流水図」のうちの一隻であると考えられているが、牡丹は朝鮮半島では百花の王とされ、国家の太平を祈願し宮中儀式や婚礼の場などで使用されていた当時の朝鮮の宮中での受容の場を与して贈られた可能性もあろう。[*26]

（２）朝鮮の宮廷における金屏風の受容と花鳥画――伝金弘道筆「金鶏図屏風」について

伝金弘道《キムホンド》筆「金鶏図《きんけいず》屏風」【図１】（八曲一隻、サムソン美術館 Leeum 蔵）は、いかにも日本の狩野派の花鳥画らしく仕上げられた屏風絵である。[*27] 文臣の李裕元（一八一四〜一八八八年）による記録（『林下筆記』巻三十）には「倭人善画」と

図１「金鶏図屏風」（八曲一隻、サムソン美術館蔵、『朝鮮王朝の絵画と日本』展図録より）

あることから、日本人が得意とする画題であったこと、華城（水原城）に置くために正祖が金弘道に描かせたことが記される。[28]

鶏のモチーフは、中国絵画においては西漢の『韓詩外伝』に記されるように「五徳《ごとく》」（文・武・勇・仁・信）を示す象徴であり、[29]鶏が石の上に立つ図様を想起させる「室上大吉」は「室」と「石」が「吉」と「鶏」の音が同じことから吉祥的図案として東アジア文化圏において流布した画題であった。[30]南宋末の禅僧である蘿窓筆「竹鶏図」（十三世紀、東京国立博物館蔵）は、自賛から五徳を備える鶏を描いたことがわかる。日本においてそのような象徴性がどの程度継承されていたのかは定かではないものの、狩野松栄筆とされる「花鳥図屏風」【図2】（十六世紀、ボストン美術館蔵）のように、中国絵画を基本としながら、狩野派を中心に展開していった様子がうかがわれる。狩野松栄は元信の息であり、元信画を継承していったとされるが、東アジアの伝統に根差した狩野派によるこうした花鳥画が朝鮮に渡り、朝鮮の宮廷を飾る上述のような「金鶏図屏風」の制作へとつながっていったことは想像に難くない。大木の下で水辺に向ってたたずむ鶏、見つめ合うように描かれる雌雄（もしくは親と雛）の描写、水景表現やその周辺の小禽、草花のモチーフなどは元信や松栄が得意とした表現にほかならない。一方で、土坡《どは》に施された緑青《ろくしょう》や遠山を描かない表現技法には、より後世のやまと絵の影響を受けた江戸時代中期以降の狩野派の表現とも通底するものがある。いずれにしても日本から朝鮮に贈られた花鳥の金屏風は東アジアに共有される吉祥性から、朝鮮の宮廷においてもさほど違和感なく受容されていたと考えられる。

本屏風【図1】とほぼ同じ構図とモチーフを持つ作者未詳「金鶏図屏風」【図3】に筆者は二〇一五年にギメ美術館で遭遇したのだが、注目すべきは、その後も類似した作品がい

図2 「花鳥図屏風」（六曲一隻、ボストン美術館蔵、Photograph © [2021.3.12] Museum of Fine Arts, Boston）

図3 「金鶏図屏風」（八曲一隻、ギメ美術館蔵）

くつか報告され、朝鮮王朝における日本の花鳥図屏風を模倣した作品の流行をうかがい知ることができることである。

しかしながら、「錦鶏」であれば前述の大仙院の花鳥画のように狩野派の画家の得意とするモチーフであったが、「金鶏」というのは日本ではあまり馴染みがない。これは、先の李裕元の記録において『楽府《がふ》』の「黄鶏曲」に着想を得て描いた図であることが言及されていることから、おそらく『青丘永言』（一七二八年）に収録、高宗の時代に『三竹琴譜』（一八四二年）に楽譜として編纂された「黄鶏曲」に相当すると考えられる。[*31]当時の朝鮮の宮廷において、屏風絵が歌謡と結びつきながら座敷の空間で享受されていた様子を彷彿とさせるものである。日本の花鳥の金屏風をベースとしつつも、主題である「鶏」を朝鮮の宮廷に固有の歌謡を想起させる「黄鶏」として描くことで、しっかりと朝鮮の王室の文化に根付いていた。この一見ハイブリッドな表象に現代の美術史家たちは戸惑い、一時は「国籍」不明と言われたこともあった。しかし、このような複合性こそが当時の姿であったとみるべきであろう。

東アジアに特有の屏風や障子は、和歌や漢詩、歌謡などのテクストを内包する視覚メディアとして座敷空間を作り出してきた。さまざまな儀礼や行事が行われた座敷を飾ったこれらの絵画は、共有の視覚体験をもたらし、人々も自らの教養をもとに絵画に内包されるテクストを自由に読みといていったことだろう。吉祥的な意味合いを併せもつ花鳥画は時代や国境を自由に横断しながら東アジアの各地で根付いていった。日本の金屏風は朝鮮においては、朝鮮の宮廷文化のなかに融合し、植民地期に至るまで変容を遂げつつ享受されていったのである。この点についてはとくに近代の「東洋画」としての政治的な側面からすでに指摘したので要点のみ記すが、[*32] 朝鮮の宮廷で使用されていたと思しき日本風の花鳥画の金屏風が二点ほど見つかり（ホノルル美術館およびデイトン美術館）、朝鮮半島ではほとんど見られない金箔押しの屏風が朝鮮の宮廷において制作され重宝されていたことがわかった。また二十世紀初頭には、日本画家の天草神来が朝鮮に直接渡り、徳寿宮《トクスグン》の徳弘殿に「松鶴図」を描いたことも知られている。[*33] この建物は海外からの賓客などをもてなす対面の場であったと考えられ、花鳥画はこの時期に至っても公的空間を飾るのにふさわしい画題として認識されていたことを示していよう。そして、火災により再建された昌徳宮《チャンドックン》には近代の西洋画に見られるような写実的な表現を採用した「松鶴図」が朝鮮の画家たちによって描かれていく。日本では花鳥画は近代国家のアイデンティティーを支える画題として成長し、皇室や万博のために描き続けられていった。[*34] 東アジアを往還した花鳥の屏風絵は、互いに影響を与えながら吉祥性を軸に時代を超えて享受され、宮廷文化の基底にあったと考えられるだろう。

注

1　榊原悟『屏風と日本人』（敬文社、二〇一八年、二一〜二八頁）、川本重雄「古代の屏風とその用法」（『家具道具室内史』2、二〇一〇年五月）。

2　宮崎法子『花鳥・山水画を読み解く―中国絵画の意味』角川書店、二〇〇三年。

3　島尾新「花鳥図屏風の図像学―出光美術館蔵『日月四季花鳥図屏風』について」、『国華』1201、一九九五年。ミッシェル・バンブリング氏は、本屏風について広く東アジア的な視点から論じている（「金剛寺蔵日月山水図屏風―東アジアにおける日月山

水図屏風の伝統の探索」、『鹿島美術財団』15別冊、一九九七年）。
4　屏風の持つ一時性や仮構性については以前論じた。井戸美里「金による荘厳と「囲い」の空間―金屏風から黄金の茶室まで」、『UTCP 研究論集』十巻、二〇〇七年。
5　武田早苗「前栽の風情―平安時代の和歌文学から」、『平安文学と隣接諸学Ⅰ　王朝文学と建築・庭園』竹林舎、二〇〇七年、四二二頁。
6　川本重雄「住まいの系譜と飾りの系譜」、『講座日本美術史』第五巻、二〇〇五年。
7　辻惟雄「花鳥画の歴史と花鳥図屏風―古代中国から桃山まで」、『日本屏風絵集成』六、一九七八年。
8　井上研一郎「中世の四季景物―和歌史料による試論」、『日本屏風絵集成』九、講談社、一九七七年。
9　画中画という小画面の制約上、正確性に欠ける、あるいは、脚色がある可能性については留意しながら参照していきたい。
10　赤澤英二「十五世紀の花鳥図屏風―失われた作品を求めて」、『日本屏風絵集成』六、講談社、一九七八年、一二八～一二九頁。
11　高岸輝『天皇の美術史』吉川弘文館、二〇一七年→高岸輝・黒田智『天皇の美術史』第三巻、吉川弘文館、二〇一七年。
12　錦仁「名所を詠む庭園は存在したか―河原院と前栽歌合を中心に」、白幡洋三郎編『『作庭記』と日本思想』思文閣、二〇一四年、二〇六頁。
13　この点については以前に論じたので詳細についてはそちらを参照いただきたい（井戸美里編『東アジアの庭園表象と建築・美術』昭和堂、二〇一九年）。
14　赤澤氏前掲註10論文、安達啓子「室町時代のやまと絵屏風考」（『東京都庭園美術館資料　第10集　室町美術と戦国画壇』一九八六年）、井戸美里「『看聞日記』における座敷の室礼」（松岡心平編『看聞日記と中世文化』森話社、二〇〇九年）。
15　西本願寺を中心とした花鳥画の場については、太田昌子「花鳥画の居場所―西本願寺障壁画のイメージ・システムを中心に」（『講座日本美術史』第四巻、二〇〇五年）に詳しい。
16　辻氏前掲注7論文。河合正朝「室町時代の絵画における花鳥画の変容―中国画の受容とやまと絵花鳥図」、前田富士男編『伝統と象徴―美術史のマトリックス』沖積舎、二〇〇三年。
17　前掲註11高岸氏論文。
18　宮島新一「土佐光起の紙中極めがある四季花鳥図屏風」（『MUSEUM』402、一九八四年）、岡本明子「室町期の障屏風における〝和漢混淆〟―伝土佐廣周筆『四季花鳥図屏風』をめぐって」（『鹿島美術財団年報』二〇〇七年）、石田佳也「伝土佐広周筆『四季花鳥図屏風』について」（『四季花鳥図屏風光学調査報告書』国立文化財機構東京文化財研究所、二〇一六年）。
19　希世霊彦の漢詩集『村庵藁　上』所収の「題画錦雞」（並木誠士『絵画の変―日本美術の絢爛たる開花』中央公論新社、二〇〇九年）

および「描かれた花鳥と庭—大徳寺大仙院花鳥図再考」（『東アジアの庭園表象と建築・美術』昭和堂、二〇一九年）。

20 『조선시대 궁중회화 2 조선 궁궐의 그림』（朝鮮時代宮中絵画2 朝鮮宮（闕）廷の絵画）、돌베개、二〇一二年、八二頁。

21 日本から中国や朝鮮に贈られた屏風については下記の論文を参照。赤澤英二「十五世紀における金屏風について」（『国華』849、国華社、一九六三年五月）および前掲註10論文、武田恒夫「中世障屏画とその画中画」（『中世障屏画』一九六九年）、武田恒夫「金碧障壁画について」（『仏教芸術』59、一九六五年十二月）、榊原悟『美の架け橋—異国に遣わされた屏風たち』（ぺりかん社、二〇〇二年）、サントリー美術館『BIOMBO』展図録（二〇〇七年）、榊原悟『屏風と日本人』第十章（敬文社、二〇一八年）。

22 前掲注21榊原氏著書（二〇〇二年、七九～八六頁）。

23 本作品については『朝鮮王朝の絵画と日本』展図録（二〇〇八年）内山淳一氏の解説を参照。また近年、鄭美娟氏により、第八回（一七一一年）と第十一回（一七六四年）に贈呈された金屏風三点が報告された（第七十一回美術史学会全国大会、二〇一八年）。

24 右隻の右上方「御製筆　殿中二障子　及自昔年来如今展于此　豈曰偶然哉　辛未春」、左隻の右上方「御製筆　此障何時得即予受昔年元孫殿裏展　今覧興懐先　辛未春」。

25 『朝鮮王朝の絵画と日本』展図録（二〇〇八年）内山淳一氏の解説を参照。

26 吉田宏志「朝鮮王朝の花鳥画—その吉祥性に焦点を当てて」、『アジア遊学』120、二〇〇九年三月、四八頁。

27 前掲注21榊原氏著書（二〇〇二年、一二二頁）には、日朝交流史のなかで狩野派の「四季花鳥図」を踏襲した李朝の無名画人の例として紹介されている（そこで掲載されているのは後述のギメ美術館所蔵本であると推測される）。また近年、朴晟希氏により「朝鮮王朝後期における日本の金屏風に対する認識の変化について：伝金弘道筆「金鶏図屏風」（韓国・三星美術館Leeum蔵）と類似の作品を一例に」（『鹿島美術財団年報』36（別冊）、二〇一九年）で報告された。

28 前掲注26吉田氏論文、四六頁および『朝鮮王朝の絵画と日本』展図録の洪善杓氏の解説を参照。「金鶏画屏」には「倭人善画。画丹楓樹下黄菊爛開。蘭與竹間之。石上金鶏報暁。海色曚朧。此果名画也。正廟朝命金弘道描写一本。在華城行宮。画意。想是得於楽府黄鶏曲也」とある。ただし、この時の金弘道による原本は失われていると考える方が自然であろう（前掲注27朴氏報告書）。

29 鄭淑方「酉年画雛」、『故宮文物』407、国立故宮博物院、二〇一七年二月。

30 野崎誠近『吉祥図案解題—支那風俗の一研究』ゆまに書房、二〇〇九年（初版は一九二八年）。

31 『청구영언〔青丘永言〕』（一七二八年）および『삼죽금보〔三竹琴譜〕』（一八四二年）に収録。また高麗大学所蔵の『楽府』

にも本詩は掲載されている。

32 井戸美里「「東洋画」としての花鳥図―十九―二十世紀初頭の朝鮮の宮廷における日本人画家の活動を通して」、『東洋文化研究所紀要』173、二〇一八年三月。

33 現在、国立古宮博物館にある作者未詳「松鶴図」がこれにあたると考えられる。

34 Rosina Buckland, *Painting Nature for the Nation: Taki Katei and the Challenges to Sinophile Culture in Meiji Japan*, Brill, 2012.

［付記］本研究は科研費補助金（基盤研究（c）「室町障屏画試論―和歌と絵画の位相」）の助成を受けたものです。

05

季節の哲学

麻衣、着れば懐かし

天野雅郎

1　季節の感触

麻衣《あさごろも》、着《き》れば懐《なつ》かし……その後を、さらに続けて「紀伊《き》の国《くに》の妹背《いもせ》の山《やま》に麻蒔《あさま》く我妹《わぎも》」と諳んじることができるのは、さしずめ『万葉集』の愛読者に限られるであろうが、その上に、この歌の懐（なつ）かしさを夏（なつ）の香（か）として嗅（か）ぐことが叶うのは、やはり、それ相応の時間を、この「紀伊の国」に暮らし、そこで営まれる日の明け暮れを経験している側の特権ではなかったであろうか。ちなみに、白川静《しらかわしずか》の『字訓』で「くる」（暮・晩）を引くと、そこには「暮《ぼ》は莫《ぼ》声。（中略）莫は草間に日の沈む形」とあり、もともと「暮らし」は「暗（くら＝闇）し」と同根の語であり、それは「日が没して（中略）日が暮れるまでの時間を過ごす意」であるが、あたかも、それを「自分の意志」で「そうしたように、他動詞的にいう」際の物言いであった。さながら、この歌と相前後して置かれている、あの「妹《いも》が為玉《ためたま》を拾《ひり》ふと紀伊の国の由良《ゆら》の岬《みさき》に此《こ》の日《ひ》暮らしつ」のように。

この二つの歌は、どちらも『万葉集』（巻第七）の雑歌の中の「羈旅作《きりよさく》」に収められていて、作者（藤原卿《ふぢはらのまへつきみ》）も同一である。ご参考までに、伊藤博《いとうはく》の『萬葉集釋注』を繙くと、この二つの歌は揃って、どうやら大宝元年（七〇一）の冬、陰暦十月に詠まれたものと思しく、その作者は藤原不比等《ふじわらのふひと》と推定されている。とすれば、この時、彼は大宝律令の完成の翌月、秋九月に藤原京を出発し、持統と文武の両帝に随い、まる一月の紀伊国行幸を楽しんだことになる。そして、その折、旅先で都を偲んで詠んだ、望郷歌の後者（一二二〇）に対し、やがて帰京後、旅の土産話に花が咲く中、そこに「麻裳吉《あさもよし》」の国の名産品《スペシャリティー》である「麻衣」を置き、披露したであろう前者（一一九五）を添え、無邪気にも、この二つの歌の間に越え難い、矛盾に満ちた、支配と被支配の人間関係を浮かび上がらせていたことにもなる。一見、冬から秋へと、さらに夏へと、季節がさかのぼりうるかのようにして。

とは言っても、このような歌い振りの背後に、いまだ当時は辺境の新興国家に過ぎなかった「日本国」（『旧唐書』）の、これまた矛盾に満ちた、優越感や劣等感や、その錯綜態《コンプレックス》を透かし見るのも容易であろう。その点、このようにして「玉」（＝真珠）を身にまとい、これを装飾品《アクセサリー》や贅沢品《ラグジュアリー》として誇示することに、さしたる躊躇も、ましてや恥辱も感じなかったであろう、都の「妹」と、その傍ら、そのような都人のために「麻衣」を縫うべく、その種を撒き、育て、これを「苅《か》り干《ほ》し」糸にして、織り、曝し、衣服に仕立て上げるまでの工程を、てずから引き受けていた、もう一方の「紀伊の国」の「我妹」との間には大きな隔たりがある。その隔たりを、かつて「麻衣」が悠久の昔、海原を越えて私たちの国へと伝えられた、その郷愁《ノスタルジー》をも忘れ、一体、当時の日本人は、どのようなまなざしで眺めていたのであろう。「庭《には》に立《た》つ麻手《あさで》苅り干し布暴《ぬのさら》す東女《あづまをみな》を忘《わす》れ賜《たま》ふな」（巻第四、五二一）

その意味において、この『万葉集』の「紀伊の国」を詠んだ二つの歌が、原文では万葉仮名で「紀伊の国」を「木《き》国《くに》」と表示し、なおかつ、そこで裁たれ、縫い上げられた「麻衣」の感触《テクスチャー》を、はしなくも都人が「懐かし」と呼び、それを『万葉集』が「夏樫《なつかし》」と表記したことには、おそらく『万葉集』自体にも見通しえぬ、はるかな視界が開けていたのではあるまいか。なぜなら、この折の「懐かし」とは、ごく普通に私たちが心に懐（いだ＝抱）く、何らかの懐旧心である以前に、それ以上に、私たちの衣服に対する思いや、それが私たちの体（からだ）を殻（から）のようにして包（つつ）み、包（くる）み、そのことを介し、私たちと衣服との間に芽生える「身体的記憶」の、ある種の「ざわめき」（佐々木健二）が、ここには露呈されていたからである。また、その上に積み重ねられる「麻衣」の、なお「一千年間の便利なる経験」（柳田國男『木綿以前の事』）が。

2　季節の誕生

ところで、目下、この稿の筆を執り始めたのは陰暦四月朔日、いわゆる旧暦のカレンダーを見ると、そこには「竹笋生ず」とある。むろん、竹笋は音読すれば「ちくじゅん」となり、訓読すれば「たけのこ」となるが、もともと中国渡来の二十四節気と、これを細分した七十二候では、この場に「王瓜《おうか》」を宛がうのが本来であり、それにも拘らず、これを日本人は日本語で、やがて「竹の子」へと翻訳《トランスレーション》をし、そこに筍（＝竹＋旬）の字を添え、あまつさえ、これを生活（＝衣＋食＋住）の隅々に、端々に行き渡らせ、今に至る。とは言っても、そのような文化交流（cultural exchange）の渦の中に、あの「竹取《たけとり》の翁《おきな》」（『竹取物語』）が姿を見せ、彼が山野に分け入り、竹を伐ることで、そこに「弱竹《なよたけ》の、かぐや姫《ひめ》」が産声を上げ、その、なよやかな肌を白い、麻の産衣に包むに至るには、はなはだ熾烈な、階級（聖／穢）と文化（雅／俗）の闘争が潜められていたのではあるが。

ともあれ、このようにして文化（culture）とは、それが衣文化であれ、食文化であれ、住文化であれ、あまねく生活という名の土を掘り、田返（たがへ→たがや）し、それを耕作地（cultura）とするのが原義であり、このような耕作業（cultivation）の別名が教養（cultura animi ＝人格陶冶）であることも、言を俟たない。が、そうであればこそ、そもそも文化《カルチャー》はいったん、耕作地に姿を変えてしまえば、たちまち日常生活の中の風景と化し、それを意識し、自覚することさえ不必要なほどに、習慣化（habituation）をするのが常態である。従って、そのような習慣（habit）を私たちは、あたかも衣服（habit）が「皮膚の拡張」（マーシャル・マクルーハン）であったかのごとく、そこに住み、暮らしているわけであり、その際、迂闊にも私たちが自らの居住地（habitat）を忘れ、居住者（habitant）であることすら想い起こすことが叶わなかったとしても不思議ではない。

ただし、そのような私たちの生活が、あくまで人間の生活であり、人間以外の動物や、あるいは植物の生活と異なっているのは、そこに逆に、その生活を意識し、自覚するための仕組が備わっているからでもあろう。ちなみに、そのような仕組の最たるものが、先刻来、二十四節気や七十二候という語で述べている、その名の通りの気候（＝気＋候）でもあれば、そのような気候によって構成される季節（＝季＋節）でもあった。と言い出すと、いかにも陳腐な物言いとなり、恐縮ではあるが、実は季節が、そこに四季として存在しているだけでも、それは「東アジア文化」としか表現することのできない特殊性と、同時に普遍性をも内包していたのである。なにしろ、それは私たちが「正歳四節」（『魏志倭人伝』）を知らず、ただ「春耕秋収」に没入していた頃から、はるかに数百年を隔て、ようやく誕生するに至った、その名の通りの文化《カルチャー》であり、まさしく教養《カルチャー》なのであるから。

　その点、このような「東アジア文化」に属しながら、それを独自に、固有のプロセスを経て、改良し、発展させたものとして、私たちは服飾文化を捉えることができるし、それが文化一般を代表する位置を獲得しうるのも、その総合性において顕著であろう。なぜなら、あくまで建築や絵画や彫刻や、いわゆる空間芸術《ラウム・クンスト》が形態に依存し、拘束され、その運動性を欠くのに比べて、あるいは音楽や舞踊や文学が、いわゆる時間芸術《ツァイト・クンスト》である限り、その色彩を直接には表示しえず、これを排斥して成り立つのに対して、こよなく形態と色彩の融和性と、その躍動感において機能するのは、ほかならぬ衣服であったからであり、衣服こそは私たちが、このような芸術文化の総和において、それを産み出し、支え、成り立たせる際の、はなはだ重要な契機であると共に、その通奏低音《バッソ・コンティヌオ》としての機能と役割を、絶えず見逃し、見落としてしまう、何とも慎ましやかな存在でもありえたからである。

3　季節の更新

　言い換えれば、もともと衣服とは人（ヒト）が、まさしく「裸のサル」（デズモンド・モリス）と化して以降、人を人へと仕立て上げる最たるものであり、これを『吾輩ハ猫デアル』（夏目漱石）の「吾輩《わがはい》」のごとく、そのまま「人間の条件」として捉え、そこから「人間の歴史」を「衣服の歴史」として跡づけるのも無謀ではない。事実、衣服は人が、生まれてから死ぬまで、その名の通りの襁褓（むつき）から棺柩（ひとき→ひつき）まで、すべての人を等しく、その為人（ひととなり＝性）において提示する、明瞭な証拠でもありえたからである。が、それと同時に衣服は、むしろ一人（ひとり）の人を、自分以外の他人（ひと）から区別し、切り離し、独立させもすれば、孤立させもする、その限りにおいて、人を「ひとり」（孤・独）の個人（individual ＝非分割態）へと繕い、その内に囲い込み、閉じ籠らせるための「ひとや」（牢・獄）ともなりえたのであるから、始末が悪い。

ところで、前節の冒頭にも記しておいた、陰暦四月朔日は別名、綿抜（わたぬき）と呼び習わされてきたごとく、かつて日本人が綿入（わたいれ）の綿を抜き、小袖《こそで》であれ布子《ぬのこ》であれ、この時以降、袷（あはせ→あわせ）に着替える日を指し示していた。このような習慣は、どうやら中世（室町時代）に始まり、近世（江戸時代）に定まったもののようであるが、その起源はさかのぼると、古代（平安時代）の王朝風俗にまでたどりつき、こちらは単（ひとへ→ひとえ）が宛がわれている。とは言っても、このような行為を「更衣」と表記する点からも明らかなように、この語自体は中国の『漢書』に由来し、それが日本に後宮女官制度を介して持ち込まれるのは、つとに平安朝の最初期であったらしい。そして、そのような「東アジア文化」が私たちの国で、あでやかな大輪の花を咲かせるのは、もちろん、あの『源氏物語』の中の「桐壺《きりつぼ》の更衣《かうい》」を始めとする、あまたの女たちの姿においてである。

もっとも、そのような彼女たちが物語においても、現実においても、自ら染め物をし、てずから縫い物に勤しんでいたことは、忘れられてはならない。なぜなら、それを忘れてしまうと、私たちは近代以降、衣服が単に商品と、その消費へと堕してからの、もっぱら流行現象《ファッション》としてしか、この語を理解することができず、そこに土の耕しと人の養いとを縫い込んだ、その名の通りの「形見《かたみ》の衣《ころも》」や「面影《おもかげ》の衣《ころも》」を到底、衣服に感受し、これを享受することは叶わないであろうから。おまけに、この当時の「更衣」は狭義の衣服の更新の機会を含意していたばかりか、そこには衣文化をも食文化をも住文化をも抱え込んだ、生活全体の「更衣」が企図され、実際、施行されてもいたのであり、そうであればこそ、この「更衣」は生者のみならず、死者の「更衣」にも、ひいては更衣祭や御衣祭や、また御影供や御身拭という形で、神や仏の「更衣」にも、波及していくのである。

おそらく、このような生活全体の「更衣」を理解する上で、まず押さえておく必要があるのは、かつて池田亀鑑《いけだきかん》が『平安朝の生活と文学』や『平安時代の文学と生活』の中で、くりかえし述べていたように、そもそも「更衣」が人間と自然との間に生じる、衣服を介した「順応」や「調和」であり、かつ「親愛の情」や「親和の情」を表現するものである点であろうし、そのような表現の典型として、たとえば『枕草子』の「祭《まつり》」（＝賀茂祭）の折の「葵《あふひ》」や「卯《う》の花《はな》」が引き合いに出されているのも、そのまま「更衣」が「季節美」の象徴（symbol＝割符）であったからにほかならない。その点、このようにして人間と自然とが相互に、衣服を仲立ちとして結ばれ合う様を、より直截に、植物の精《スピリット》との照応《コレスポンデンス》と言い換えても構わないであろう。むろん、そこには植物のみならず、あまねく「生きとし生けるもの」（『古今和歌集』）との親和性や、それどころか交感性も、併存しているが。

4　季節の循環

なお、このような表現の祖型《アーキタイプ》として、これまた池田亀鑑が『万葉集』の、あの持統帝の御製歌（巻第一、二八）を例に挙げているのも興味深い。が、この歌が後世、いわゆる『百人一首』に収められ、それが『新古今和歌集』の「夏歌」の冒頭歌（巻第三、一七五）の形（春過《はるす》ぎて夏来《なつき》にけらし白妙《しろたへ》の衣《ころも》干《ほ》すてふ天《あま》の香具山《かぐやま》）を採ることで、そこに王朝好みの調べを奏で続けるに至ったのは、いささか惜しまれる点ではあろう。なぜなら、この歌を『万葉集』本来の、万葉仮名（春過《はるすぎ》而《て》夏来《なつきたる》良《ら》之《し》白妙《しろたへ》能《の》衣乾有《ころもほしたり》天《あめ》之《の》香来山《かぐやま》）に戻してみれば、そこに姿を見せるのは、この時、天皇位に就いた作者の「儀礼歌」（＝国見歌）であるよりも、むしろ彼女が若き日、自らの「成女戒」に臨み、袖を通した、その「更衣」の感触の呼び覚ましでもありえたからである。再度、伊藤博が『萬葉集釋注』で、この「季節歌」の誕生を「早咲きの狂い咲きの感」と評しているほどの。

ちなみに、この碩学の言を俟つまでもなく、もともと『万葉集』には夏の歌の数が乏しく、その上に、さらに日本人が夏の到来自体を喜ぶ性向を備えていたわけではないことを踏まえれば、その分、余計に「持統御製の個性は照りまさる」と評しても構うまい。なお、この歌の中の「白妙の衣」も、これを「聖なる天の香久山を祭る巫女《みこ》たちの斎衣《さいい》」と解そうが、また、その「香具山での春の神事（中略）に奉仕した人々の身に着ける白い衣」と解そうが、それが一種の「更衣」である点に変わりはない。はたまた、かつて山本健吉《やまもとけんきち》（『萬葉百歌』）や井口樹生《いぐちたつお》（『古典の中の植物誌』）が、より素朴に、この当時の「古代生活」（＝農耕生活）を想起しつつ、この「白妙の衣」を田植の直前、文字通りの「早乙女《さをとめ》」や「花妻《はなづま》」に身を転じるべく、農村の娘たちが「物忌《ものいみ》の生活」において着た、禊（みそぎ＝身滌）の「斎衣《をみごろも》」（＝小忌衣）として位置づけているのも参考になろう。

もちろん、このような想起《アナムネーシス》の源には、夏（なつ）を「撫物《なでもの》」の「撫《な》づ」から説き起こす、折口信夫《おりくちしのぶ》（『續萬葉集講義』）の声が谺（こだま＝木霊）しているが、今、そのような「折口学」の系譜を「風（かぜ）」という語で引き継げば、そもそも伝統的な日本人の季節感において、まず春は「風」と共に到来し、その「風」の凪ぐ時、そこに「更衣《かうい》」という姿で夏は顕現し、やがて、その夏（なつ）の暑（あつ）さを人が「扇《あふぎ》」で払い、言ってみれば、そこに人為の「風」と自然の「風」とが絡み合い、夏は秋へと切り替わる。そして、その秋の「風」が今度は、冬の「凩《こがらし》」（＝木枯）に身を変える時、そのための支度に精を出し、女たちは夜の帳に「擣衣《たうい》」の音を響かせる。と、このように秩序立った、規則正しい季節の循環（cycle＝円）を会得し、ようやく日本人が「東アジア文化」の粋に連なりえたのは、実に『万葉集』の持統帝の御製歌から数えて三百年後のことである。

と言ったのは、この場で本章は藤原公任《ふじわらのきんとう》の編纂した、あの『和漢朗詠集』の部立を、春から夏へと、秋から冬へと、そのまま跡づけ、なぞっているに過ぎないからであり、このような跡づけ自体が「東アジア文化」と称しうる普遍性と、同時に特殊性を兼ね備えていたことも疑いがない。なにしろ、この詞華集《アンソロジー》には「更衣」の部立で夏が始まり、これを「扇」の部立で秋へと引き渡す、きわめて日本的な季節感や美意識が鏤められており、前者には源重之《みなもとのしげゆき》の和歌が、後者には中務《なかつかさ》の和歌が、さながら清少《せいしよう》納言《なごん》の父、清原元輔《きよはらのもとすけ》の和歌を挟み込む形で並べられているからである。

ただし、その一方で、これらの和歌を産み出し、育み続ける母胎《マトリックス》として、前者には白居易《はくきょい》と菅原道真《すがわらのみちざね》の漢詩が対置され、後者にも、これまた白居易と菅原道真の孫、菅三品《かんさんぼん》こと菅原文時《すがわらのふみとき》の漢詩が相対し、あたかも、それは日本文化（和物）と中国文化（唐物）との、きらびやかな蒐集《コレクション》の様相を呈していた次第。

5　季節の黄昏

ところで、このようにして「更衣」が夏の呼び水となり、そこに夏がほとばしり、あふれだすという発想自体は、すでに勅撰和歌集においては天暦五年（九五一）勅命の『後撰和歌集』に先取りされている。従って、そこから下って六十年ばかりを隔てて成り立った、藤原公任の『和漢朗詠集』の編集方針が、このような繊細《デリケート》な季節感や美意識や、それらによって織り成される、明瞭な歳時の自覚を伴っていたのは驚くには当たるまい。むしろ、その点で振り返れば、反対に延喜五年（九〇五）勅命の『古今和歌集』が、このようなインスピレーションを得るに至らず、あくまで『万葉集』由来の「藤」や「郭公」（ほととぎす→時鳥）や、あるいは独り、春に遅れて花を開く「桜」に思いを寄せ、せいぜい服飾文化としては「橘」の匂い立つ、あの「袖《そで》の香《か》」の名歌（五月《さつき》待つ花橘《はなたちばな》の香《か》を嗅げば昔《むかし》の人《ひと》の袖の香ぞする）を選び出すに留まっているのは、いたって印象的である。

翻れば、なぜ『古今和歌集』の「夏歌」の巻頭には「更衣」が置かれなかったのか、その理由が問われざるをえないし、そのためには「冬」（＝白）の美の発見」（唐木順三）と共に、この時期の『古今和歌集』と『後撰和歌集』との間に、ひいては『和漢朗詠集』との間に挟まれている、半世紀刻みの時の流れを日本人の季節感や美意識に即して、その推移を検証する作業も必要ではあろう。が、そのような過去へのまなざしと並んで、目下、私たちに課せられているのは、それとは逆の、かえって未来への面差しや志（こころざ＝心差）しでもあり、それを抜きにして、もっぱら私たちが「更衣」を始めとする、この種の季語を拾い集め、これを歳時記の中に歌句として飾り立てるだけでは、そこに歳時記を編む営みは幾度、繰り返されても、これまで数多くの名歌、名句が綺羅星のごとく引き継いできた、私たちの文化《カルチャー》の伝統（tradition＝受け渡し）は確実に途絶せざるをえない。

その意味において、どこかしら私たちは古代の、あるいは中世や近世の、歴史の黄昏《たそがれ》を生きていた、その都度の特権階級の、文化や教養の引き継ぎとも似通った、場合によっては酷似した、ある種の危機《クライシス》を生きているのではあるまいか、と感じざるをえないし、そのことを真正面から受けとめるべき、まさしく正念場に臨んでいるのでもあるまいか。それにも拘らず、おのずから春が来れば、そこに「花」は咲き、やがて「ほととぎす」が夏を告げ、そして、秋には「月」が照り、冬には「雪」が「豊《とよ》の年《とし》」の、その「稔《とし》」の成就を予祝する、そのような、ちょうど今から半世紀前に川端康成《かわばたやすなり》の言い遺した、あの『美しい日本の私』の「日本の真髄」（＝四季）を、おそらく今も、私たちは無邪気に信じ切っているのであるから、話は厄介である。加えて、そのような光景を今や、ほぼ仮想的《ヴァーチャル》な、当世風の屏風絵や屏風歌を介し、私たちは経験しているに過ぎなかったのであるから。

さて、そのような黄昏を、陰暦六月の今日、晦（つごもり＝月籠）に迎えた時点で、本章は一応の、お開きとなる。お仕舞いに再度、白川静の『字訓』を引けば、もともと漢字の「夏《か》は儀容を整えた人の舞う形」とあり、その儀容《イヴニング・ドレス》に身を包み、私たちは夏（なつ）を宥（なだ）め、これを「安んじ、おちつかせる」べく、それぞれが「撫物《なでもの》」である「麻」や「竹」へと自らの「穢《けがれ》」を移し、その「祓《はらへ》」や「禊《みそぎ》」を営む。その折に、その名の通りの「夏越《なごし》」の夜、私たちは一つの夏を越し、また一つの夏に、その歩を進めることになるのであるが、その時、その夜は私たちの目に、はたして日本的な夜と映るのであろうか、それとも中国的な夜と映るのであろうか。と問い質せば、畢竟、それは「東アジア文化」としか称しえない、夏それ自体の懐かしさへと、私たちが深く、包み込まれることを意味していたのである。——「白地《しろぢ》着て、この郷愁の何処《どこ》よりぞ」（加藤楸邨）

参考文献

・井口樹生『古典の中の植物誌』三省堂、一九九〇年。
・池田亀鑑『平安時代の文学と生活』至文堂、一九六八年。

・伊藤博『萬葉集釋注』（ヘリテージシリーズ）集英社、二〇〇五年。
・上田正昭『古代の日本と東アジアの新研究』藤原書店、二〇一五年。
・沖浦和光『竹の民族誌―日本文化の深層を探る』岩波書店、一九九一年。
・折口信夫全集（文庫版・第九巻）『國文學篇3』中央公論新社、一九七六年。
・加藤楸邨・水原秋櫻子・山本健吉監修『日本大歳時記』（常用版）講談社、一九九六年。
・唐木順三『日本人の心の歴史―季節美感の變遷を中心に』（上・下）筑摩書房、一九七〇年。
・川添房江・皆川雅樹編『唐物と東アジア―舶載品をめぐる文化交流史』勉誠出版、二〇一一年。
・川端康成『美しい日本の私―その序説』講談社、一九六九年。
・小池三枝『服飾の表情』勁草書房、一九九一年。
・斎藤正二『植物と日本文化』八坂書房、一九七九年。
・櫻井満監修『万葉集の民俗学』桜楓社、一九九三年。
・佐々木健一『日本的感性―触覚とずらしの構造』中央公論新社、二〇一〇年。
・白川静『字訓』平凡社、一九八七年。
・武田佐知子『古代日本の衣服と交通―装う王権つなぐ道』思文閣出版、二〇一四年。
・塚本瑞代『季節の美学―身体・衣服・季節』新曜社、二〇〇六年。
・中山太郎『萬葉集の民俗学的研究』校倉書房、一九六二年。
・夏目漱石『吾輩ハ猫デアル』（名著復刻全集版）日本近代文学館、一九六八年。
・西嶋定生『古代東アジア世界と日本』岩波書店、二〇〇〇年。
・西村亨『王朝びとの四季』三彩社、一九七二年。
・古橋信孝編『ことばの古代生活誌』河出書房新社、一九八九年。
・ベルク・オギュスタン『風土の日本―自然と文化の通態』筑摩書房、一九八八年。
・マクルーハン・マーシャル『メディア論―人間の拡張の諸相』みすず書房、一九八七年。
・三田村雅子・佐々木和歌子・日向一雅・藤原克己『源氏物語―におう、よそおう、いのる』ウェッジ、二〇〇八年。
・森浩一編『古代日本海域の謎（Ⅱ）海からみた衣と装いの文化』新人物往来社、一九八九年。
・モリス・デズモンド『マンウォッチング』小学館、一九八〇年。
・柳田國男全集（文庫版・第十七巻）『木綿以前の事』筑摩書房、一九九〇年。
・山中裕・鈴木一雄編『平安時代の儀礼と歳時』至文堂、一九九四年。
・山本健吉・池田彌三郎『萬葉百歌』中央公論新社、一九六三年。

06 歳寒三友と四君子

宮崎法子

1 はじめに

日本で、松竹梅は、お正月を飾る門松など、伝統的な祝祭のシンボルとして、また日常的には等級を表す雅語《がご》としても親しまれている。それは、ほかの多くの「日本的」文化と同様、中国に由来し、竹や梅の植物自体も、奈良時代に中国から日本へもたらされた、当時としては新来の植物であったことは、あまり知られていない。

2 歳寒三友

さて、中国で、松、竹、梅は、それぞれに愛好された長い歴史をもつが、それを逆境をともに耐える歳寒の三友と称し、賞翫するようになったのは、南宋（一一二七〜一二七九年）の始め頃であった。[*1] 当時の詩文に、にわかに松竹梅や「歳寒三友《さいかんさんゆう》」が登場し、文人たちの間で愛好されたことが伝わる。

その背景には、宋代における道学《どうがく》（新儒教、宋理学）の隆盛があった。道学者として名高い北宋の周敦頤《しゅうとんい》（一〇一七〜一〇七三年）は、『愛蓮説《あいれんのせつ》』のなかで、陶潜《とうせん》（三六五〜四二七年）の愛した菊を「花の隠逸なる者」、衆人が愛好する牡丹を「花の富貴なる者」とした上で、蓮を「花の君子なる者」と評して、蓮を賞賛し自身の蓮への愛を語っている。これは、歳寒三友の愛好と同工異曲である。

そして、同じ頃、蘇軾《そしょく》の従兄弟である文同《ぶんどう》（一〇一九〜一〇七九年）は墨竹画を描き、文人たちの作画すなわち墨《ぼく》戯《ぎ》も始まった。南宋初期、このような宋学の思潮と文人の墨戯の成立を背景に、画題としての歳寒三友が生まれたのである。南宋、趙孟堅《ちょうもうけん》（一一九九〜一二六四年）「歳寒三友図」（国立故宮博物院）**【図1】**は、その代表的作品で、針のように細く鋭い松葉、筆の腹を使った竹の葉、丸い梅の花びらと伸びやかな枝の対比により、ものの姿を写すと同時に、筆線や筆触そのものの美を見せる文人画ならでは魅力が伝わる。

図1　南宋　趙孟堅「歳寒三友図」（国立故宮博物院・台北）

また、歳寒三友において、儒教的な精神と深く係わるもう一つの重要な要素は、「歳寒」つまり冬の寒さである。厳冬のなか変わらぬ緑を保つ松と竹、寒さのなか枯れ木のような枝からいち早く香り高い花を咲かせる梅は、寒さゆえに輝く存在であった。厳しい寒さを、人格の陶冶《とうや》の場を見て、そこに特別の意味を見いだすことは、すでに『論語』子罕《しかん》篇に「歳寒くして、然るのちに松柏の凋《しぼ》むに後るるを知る」（歳寒、然後知松柏後凋也）とあり、これが歳寒三友の基底をなしている。実際、当時の人々の暮らしにおいて、冬の寒さを耐えることは、一つの大きな試練であったに違いない。かつての日本でも、冬の乾布摩擦《かんぷまさつ》や、薄着の奨励など、寒さに打ち勝つためのさまざまな身体鍛錬が、精神修養の一環として奨励されていた。だが、それも極寒の地では成立しえない。植物としての松竹梅を冬に愛でることが可能な、中国の江南地域と同じ温帯に生きる者にとって、冬の寒さは、何らかの努力や精神力で乗り越えるべき共通の試練であり、人格陶冶の場となり得た。冬に輝く松竹梅の美は、厳寒の歳首を飾るものとしても、一層輝きを増したと思われる。かくして、松竹梅の美は、気候をほぼ同じくし、儒教文化の影響を受けた東アジアの地域に共有されていったのである。

3　松竹梅にまつわる記憶

すでに触れたように、松竹梅は、三友と総称される以前に、中国ですでに各々の文化的記憶を有していた。竹は、六朝東晋の王羲之《おうぎし》の子、王徽之《きし》（三三八～三八六年）が竹を偏愛し、「此君」と呼び、それなしには一日も過ごせないといい、[*2]「此君」という語は墨竹画の賛にもしばしば用いられた。長江の南、今の南京に漢民族王朝が都を置いた六朝時代には、ほかにも竹林の七賢《しちけん》など、長江流域を北限とする竹が文人の身近な存在として登場した。ちなみに、中国の文人たちが墨竹画として好んで描いた竹は、日本でなじみの孟宗竹《もうそうちく》ではなく、もっと細くしなやかな竹が多かった。

梅については、梅を妻とし鶴を友として、西湖《せいこ》の孤山に隠棲した北宋の林逋《りんぽ》（九六七〜一〇二八年）が有名で、とくに「疎影横斜水清浅　暗香浮動月黄昏」（「山園小梅二首」）の詩句が知られ、墨梅図のほとんどは月下の梅を描き、この詩句を踏まえた詩や題が添えられることになる。

竹や梅に比べ、松はより崇高で孤高の存在として、柏（檜の類の常緑樹、日本で一般にこの字を用いてカシワと訓じ、落葉樹の槲を指すのは翻訳の誤りである）とともに松柏として称えられた。『論語』（子罕篇）と同様、『礼記《らいき》』でも四時を貫いて枝葉を改めないことから、気高い精神の喩えとされた。[*3] また、唐の白居易《はくきょい》の詩に「松柏与亀鶴、其寿皆千年」（『白氏長慶集《ちょうけいしゅう》』巻五「效陶潜体詩十六首」）とあり、松柏に鶴、亀という馴染み深い長寿のシンボルが勢揃いしている。常緑の松柏は、気高い人格と同時に、弥栄《いやさか》や長寿の寓意もあわせもった。

絵画における松柏は、単独で画題になることもあったが、水墨山水図が大きく発展した宋代以降、松は山水図中の最も重要なモチーフとなった。北宋の山水画家郭熙《かくき》は、『林泉高致集《りんせんこうちしゅう》』「画題」において、「双松、三松、五松、六松、怪木、古木、老木、垂崖の怪木、垂崖の古木、喬松、青松……」などほかの樹木とは比べものにならないほど多くの松を挙げ、さらに青松以下、春松、長松、一望松については、祝寿《しゅくじゅ》に用いると述べるなど、さまざまな松の描き分けが行われていたことがわかる。

竹は、その旺盛な生命力から、太古、春に竹に火を着け一節ずつ破裂させ大地を鼓舞する祭りが、今日中国の正月の風物である爆竹の起源であるという説があるなど、そこに特別な霊力を見る古層が存在した。

このように植物に古代の人々が感じていた霊力は、長い時間をかけて手なずけられ、古代文化の集大成期といわれる漢代において、吉祥語や吉祥モチーフとしてわかりやすい形で定着したと考えられている。その後、六朝の文人たちの愛好を経て、宋代に至り、儒教的意味が強調され、新たな意味が付加され定着し読書人の友となった。かくして、宋代以降、一つの植物に、文人的寓意と、その古層の吉祥的寓意の両義性が見られるようになった。

4　四君子

三友とともに文人画画題として知られる四君子《しくんし》は、三友のうち竹、梅、そこに蘭と菊を加えるのが一般的である。植物の四君子としては、蓮や水仙などを数える例もあり、明確な定義を示す史料はない。文献や詩文に見える四君子は、蘇軾門下の蘇門四君子など、もっぱら歴史上実在の優れた四人の人物を指しており、植物の四君子へ言及したものは見いだせない。しかし、清の『芥子園《かいしえん》画伝《がでん》』第二集（康熙四十年［一七〇一］初版）は、蘭譜・竹譜・梅譜・菊譜から成り、それぞれの画法を具体的かつ詳細に述べて図示している。清までにこれらが文人の墨戯画題の定番となり、画法マニュアルの需要が高まったことがわかる。

四君子のうち、三友にも入っている梅、新たに加わった菊と蘭は、いずれもその香りの高さで知られる花であり、中国古代において、花の美を、その姿よりも香りにもとめる伝統が引き継がれている。しかし、画題となったとき、その香りは、主に題詩によって伝えられることになった。

菊は、古来長寿を連想させる花として知られ、菊水や重陽《ちょうよう》の日に菊酒を飲めば長寿を得るとされていた。[*4]さらに、陶潜の「飲酒」二十首第五首の「菊をとる東籬の下、悠然として南山を見る」の句から、菊は隠逸を象徴する花となった。

蘭は『楚辞《そじ》』に繰り返し登場し、悲劇の詩人屈原《くつげん》（紀元前三四三～二七七年頃）と古代の楚地方の神話世界を偲ばせる花であった。また、蘭は深山幽谷にひっそりと咲く香り高い花として、理想の人格の表象ともなった。さらに、その細く長い葉は、文人画家の一筆からなる筆線の見せ所でもあった。

四君子は、歳寒三友とは違い、一図に描かれることはなかった。「自然さ」を指向する中国画、とくに宋画において、開花時期がまったく違うこれらの花を一緒に描くことはありえなかった。三友図も、先に挙げた趙孟堅の作品**【図1】**以外、見るべき作品は決して多くはない。趙孟堅画も、一般の花鳥画のように土から生える自然の姿ではなく、折り取られた枝（折枝）をブーケのように束ねて描くことで、三者を一図にまとめている。自然景のなかに、何種もの植物を描くことは大画面の花鳥図ではじめて可能であり、文人の墨戯的な作画では困難であった。南宋時代に、折枝図や、長い画巻に異なる花や果実などを次々に描く花卉《かき》雑画巻が始まったことは、三友や四君子などの文人墨戯の流行が、影響したと考えられる。

しかし、三友や四君子のような、名数的画題としての流布は、真の意味での文人画題としては終焉ともいえる。それは、北宋に成立して南宋に流行し、日本にも伝わった瀟湘八景図が、南宋初期には「士人の画とはいえない」と評され、文人画題としては廃れていった現象と通じるものがある。だが、そこに選ばれた植物は、個々に単独の画題として、文人画の、さらには中国画の定番ジャンルとして、多くの画家たちに長く描き継がれていった。

5　墨竹、墨梅、墨蘭

その代表は墨竹図である。墨竹は、先述したように北宋の文同が創始者とされ、後世の文人たちの古典として追慕された。文同作とされる「墨竹図」（台北故宮博物院）は、いかにも北宋画らしい、鋭く力強い竹を描く重厚な大幅である【図2】。元代には、文同に私淑した元朝の官僚李衎《りかん》（一二四五～一三二〇年）が、墨竹図を描き、また図入りの『竹譜詳録《ちくふしようろく》』（現存は『知不足齋叢書』所収の重刻本のみ）を刊行し、竹博士と称された。元代、墨竹図は盛行し、元初の文人趙孟頫《ちようもうふ》（一二五四～一三二二年）や元四大家の一人呉鎮《ごちん》（一二八〇～一三五四年）など、江南の文人画家たちは、いずれも優れた墨竹画で知られた。その後も中国の文人や画家で墨竹を描かない者はいないと言えるほど、墨竹図は中国画の基礎をなす定番の画題として描き継がれた。

梅も文人の画題として、南宋以降大いに流行した。南宋初期の揚無咎《ようむきゆう》（一〇九七～一一六九年、一説に一一七一年）の「四梅図巻」（北京故宮博物院）【図3】は現存する最も古い墨梅図であるが、花数は少なく、するどい枝が空間を切り裂くようで、宋代独特の張りつめた鋭い感覚が表

図2　北宋　文同「墨竹図」（国立故宮博物院・台北）

図3　南宋　揚無咎「四梅図巻」より（故宮博物院・北京）

れている。また南宋末には、宋伯《そうはく》仁《じん》『梅花喜神譜』（一二六一年再版、上海博物館蔵）が刊行され、当時の市井の読書人たちがいかに梅花を愛好したか、現存の孤本《こほん》が再版本であることからもうかがえる。[*5]

南宋末から元代にかけて、江南都市を中心に、文人的な墨戯が人気を博し、山水、道釈、花卉など幅広く描いた牧谿《もっけい》を筆頭に、墨梅図の呉太素《ごたいそ》、石菖図や枯木図が伝わる柏子庭《はくしてい》、墨葡萄《ぶどう》で知られる温日観《おんにっかん》、蘭の画家雪窓《せっそう》など、多くの画僧や専門画家が活躍した。彼らの作品は、後の中国では失われ、日本に伝来したものが、当時の隆盛を伝えている。

一方、呉敬梓《ごけいし》『儒林外史《じゅりんがいし》』（一七四九年頃成書）のモデルにもなった元の王冕《おうべん》（一二八七〜一三五九年）は、科挙に失敗し墨梅画家として生きた。彼の墨梅図は、宋画より花数を多く描き、華やかさが増している【図4】。それは、元代における墨梅図の受容者層の広がりが反映していると考えられる。四君子のなかでも華やかな表現が可能な墨梅は、とくに人気の高い画題として、明初の王謙《おうけん》（永楽〜正徳年間に活躍）、明末の劉世儒《りゅうせいじゅ》（一五一七〜一五九三？年）などの墨梅画家、あるいは清の揚州八怪《ようしゅうはっかい》と称された金農《きんのう》（一六八七〜一七六三年）や汪士慎《おうししん》（一六八六〜一七五九年）など、各時代に墨梅で知られる画家が活躍した。

蘭は、南宋の遺民鄭思肖《ていししょう》（一二四一〜一三一八年）が、墨蘭で知られるが、土地は蛮族《ばんぞく》に奪われたとして土を描かなかった。また、趙孟頫も墨竹図や墨蘭図を描き、書法の筆使いを応用した描法を説いている。先に挙げた在野の雪窓も墨蘭の画家として知られるなど、墨蘭も元代に流行した。[*6]

蘭はその後、しだいに女性画家、とくに妓女たちが描く画題となった。蘇州秦淮《しんわい》の妓女、馬守真《ばしゅしん》（号：湘蘭）

（一五四八～一六〇四年）はその代表であり、文人たちとの交流のなか多くの作品を残している。妓女と墨蘭図の結びつきの強さから、明の文徴明《ぶんちょうめい》の曾孫文従簡の娘文叔（一五九四～一六三四年）は、名家出身の女性画家として、あえて蘭は描かなかった。

菊は、梅や蘭のようにそれだけを描く専門画家が表れることはなかったが、明代の陳淳《ちんじゅん》や徐渭《じょい》などの文人の花卉図に取り上げられ、また、隠棲を想起させるモチーフとして、人物画や山水画に添えられた。

6　おわりに

このように、宋代以来、とくに墨竹図や墨梅図は、絵心のあるものは誰もが描く画題として受け継がれた。あたかも、書作品が、同じ文字を書きながら、その書きぶりの違いによって、創造的芸術として成立したように、同じ竹や梅を描いても、独自の表現が追求され、各時代に優れた作品が生み出された。

ここに見たように、歳寒三友や四君子には、中国の自然観や文化が凝縮され、その造形や題詩には、多重的な意味の層の一端が見え隠れしている。それらの植物の愛好や絵画は、中国文化の周縁に位置した朝鮮半島や日本にも伝わり、時を超えて、意味や形を少しずつ変えつつ継承され、それぞれの地域の文化のなかに溶け込みながら、賞玩され続けたのである。

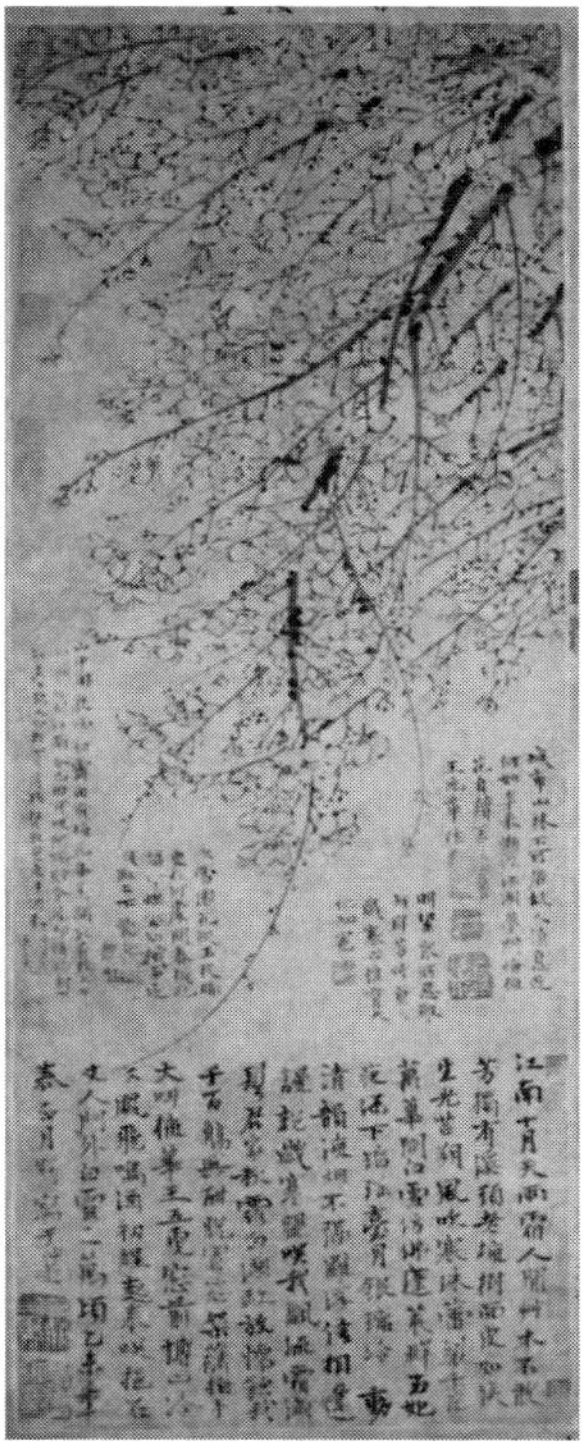
図４　元　王冕「墨梅図」（上海美術館）

注

1　たとえば、南宋初期の葛紹體の「松竹梅画扇に題す」詩（『東山詩選』巻下）に、「（水墨で松竹梅が描かれた）扇は「三友」を招き、それを愛でれば、暑いさなか涼を得られるばかりでなく、「歳寒」の交わりにも耐えられる」と詠う。ほかにも、この時期、「松竹梅」を植え「三友軒」と名付けた友人の書斎に寄せた詩など、「松竹梅」を「三友」として、愛好する風潮を伝える詩文が見られる。それ以前のものは、諸橋轍次・米山寅太郎『大漢和辞典』（大修館、改訂版）に挙げる、唐の李邕が雪を見ながら酒を飲んで松竹梅の絵に題した（李邕〈題画詩〉対雪寒窩酌酒、敲冰暖閣烹茶、酔裏呼童展画、笑題松竹梅花。）という題画詩が唯一といってよい例外であるが、しかし、現存の李邕『李北海集』にその詩は見当たらない。その内容も唐詩一般とはほど遠く、通俗化した文人趣味が感じられ、疑問であった。そんななか、明末の『唐詩画譜』（天啓年間徽州黄鳳池刊）（北京古籍出版社影印本）に、この詩句が、李邕の詩として採られ、その情景を描いた図が添えられているのを見つけた。『唐詩画譜』中の唐詩は後世の偽作を含むことがつとに指摘されている（北京古籍出版社影印本出版説明）。この詩も明代に、李邕に擬託された「唐詩」であったと推測され、『大漢和』の出典もこの『画譜』と考えられる。

2 『晋書』（王徽之伝）「徽之但嘯詠指竹曰、何可一日無此君邪」。

3 『礼記』（礼器）「如松柏之有心也、…貫四時而不改柯易葉」。

4 『芸文類従』（巻八十一）に引く『風俗通』に「南陽酈県に菊の花が一面に咲く山があり、そこから流れる水を常飲する村人は皆二、三百歳の長寿を得る」といい、また、『西京雑記』（巻三、九月九日）にも、重陽の節句に長寿を願い菊花酒を飲む習慣が記載される。

5 現存孤本である上海博物館本には自序のあとに金華双桂堂南宋景定辛酉（一二六一年）重鋟とあり、葉夢得の嘉熙二年（一二三八）の後跋があることから、嘉熙二年の初版の後に再刊されたものとわかる。

6 日本でも、南禅寺の僧、玉畹梵芳《ぼんぼう》（一三四八～一四二〇年以後）が墨蘭で名高く、国宝「蘭蕙同芳図」（東京国立博物館）などが伝わる。中国画と比べて、その表現は柔らかく、線描の強さに違いがある。墨戯を含む中国の文人文化は、禅林通じてもたらされ、日本では禅の文化として認識されている。これらに関しては、宮崎法子「伝統中国からみた日本美術：非対称の視線」（新納泉ほか編『ゆらぎのなかの日本文化』岡山大学出版会、二〇〇九年）参照。

図版出典

図1 国立故宮博物院編輯委員会編『宋代書画冊頁名品特展』国立故宮博物院、一九九五年。

図2 Wen Fong and James Watt "Possessing the Past; Treasures from the National Palace Museum, Taipei", 1996, New York.

図3 『世界美術大全集 東洋編6』小学館、二〇〇〇年。

図4 『中国美術全集 絵画編5 元代絵画』文物出版社、一九八九年。

第3部　風俗と文化

01
化粧・髪型と文化

平松隆円

1　はじめに——なぜ人は化粧をするのか

化粧は、日常的な行動の一つである。それも、男女を問わずにおこなわれている。日本だけではなく、世界中で化粧はおこなわれている。男女を問わずに、と書いた。しかし、「わたしは化粧をしない」という人もいるだろう。はたして、本当にそうだろうか。朝起きて顔を洗う、寝ぐせの髪を整える、歯を磨く、顔にクリームを塗る、ファンデーションを塗るなど、これらすべてが化粧だ。一日の活動がはじまってから終わるまで、顔になにも手を加えないという人は、いない。人はなにかしら、顔に手を加えている。

なぜ、人は化粧をするのか。基本となることは、日々の生活を過ごすうえで自信をもちたい、他者と積極的にかかわりたい、自分を他者に伝えたいという思いである。その気持ちは、いつの時代も、どこの国や地域も変わらない。だが、あるがままの自分を他者に伝えることは非常に難しく、また他者の情報を正確に読み取ることも難しい。場合によっては意図しない情報を伝え、また受容することも少なくない。だからこそ、化粧によって伝えたい情報を強調し、また隠しもする。

化粧の「化ける」と「粧う」という表記から、我々は化粧をした自分は、偽りではないかと考える。だが、我々は化粧によって、自分をほかのだれかへと偽っているのではない。むしろ、化粧をすることで、自分自身を作っている。人間の個人的性格と社会的生活は、表情や魅力に関係する。そして、それらを強調し、意図的に操作をおこなう化粧は、その社会や文化がつくりだす一つの結果であり、投影図でもある。化粧はその社会や文化の所産であり、社会や文化の未来をも見通させる。

2　化粧は誰が行うものなのか

ところで、一般的に化粧は洋の東西を問わず、女性のみがおこなうと考えられている。それが、女性の本能であるかのように。しかし、化粧は有史以来、本当に女性のみを対象としてきたのだろうか。日本経済新聞社に勤めていた経営評論家の大和《やまと》勇三は、女性だけが今日化粧をしている理由は、じつは女性が男性に対して位置が低くおかれているという屈辱の傷痕であると指摘している。つまり、大和勇三によれば、女性だけが化粧をおこなうのは、女性が男性に従属しているからであり、男性が女性に従属している社会では、男性が化粧をおこなう。

　ドイツの社会主義者であるアウグスト・ベーベルは、虚栄心は社会経済的原因に基づくものだと指摘する。すなわち、ポリネシアやマダガスカルなどの島々に住む母系社会の民族では、男性の虚栄心が強いため化粧をする。だが、父権社会では男性は女性に媚《こ》びる必要がないため、その身を女性以上に飾らない。文化人類学者マーガレット・ミードも、ニューギニアの原住民であるチャンブリ族について、多くの文化において男性の役割、女性の役割とされている事柄が反対になっていると報告している。マーガレット・ミードの主張は、性別により社会的に期待される役割、すなわち性役割は社会や文化により、後天的に教育され形成されることを意味している。

　生産労働という財産の支配層と被支配層という関係からみれば、このような文化をもつ社会は母系社会だといえる。女性が主に生産労働を担い、男性は子育てや音楽、祭りといった活動をおこなう。年頃の男性にとっては、化粧や服装が主たる関心事である。

極論をすれば、美しく粧うのは生きるための糧を得るために婚姻を生活手段とし、支配層に選択されるためかもしれない。母系社会では選択権は女性にあり、男性は選ばれる側だ。化粧などの身体装飾をおこなう者が男性か女性かといった問題は、所属する社会が母系社会か父権社会かによるのだろう。

3　化粧の起源としてのイレズミ

ところで、明確にいつ化粧がおこなわれるようになったのかは、わかっていない。それは、化粧が身体に顔料を塗《と》抹《まつ》する行動であるがために、考古学的な資料が残りづらいからだ。たしかな証拠としては、文献によるしかない。たとえば日本の場合、古代の代表的文献には『古事記』や『日本書紀』があり、そこには化粧に関する記述も少なくはない。また、顔に入れ墨のある土偶の破片などもみられる（**【図1】**、弥生時代中期前半、滋賀県守山市で出土した）。だが、日本における化粧に関する記述としては、それらより以前に大陸で書かれた『魏志倭人伝《ぎしわじんでん》』に、すでにみることができる。『魏志倭人伝』には、「男子は大小となく、皆黥面文身す」（以下『魏志倭人伝・後漢書倭伝・宋書倭国伝・隋書倭国伝』〔岩波文庫、一九八五年〕より）と、男性は顔や体にイレズミをほどこしたと記されている。黥とは、中国語では兵役に就いた者が逃亡しないように顔に印した認証であり、また刑罰の一つを意味する。文とは、身体に何かを彫るという動作を意味する。

図1　入れ墨のある土偶（土偶型容器、滋賀県提供）

　古代の大陸では、一般的に顔にイレズミをほどこす習慣がなかったといわれている。顔にほどこす場合、それは犯罪者の表象であるのに対し、顔面以外へのイレズミは社会的地位の表象であったらしい。『日本書紀』にも、「罪、死《しぬる》に当れり。然《しか》るに大きなる恩《めぐみ》を垂れたまひて、死《ころすつみ》を免《ゆる》して墨《ひたひきざむつみ》に科《おほ》すとのたまいて、即日《そのひ》に黥《めさききざ》む」（以下、『日本書紀』二〔岩波文庫、一九九四年〕より）と、刑罰としてイレズミがおこなわれていた記述が存在する。

じつは、『魏志倭人伝』には、「断髪文身、もって蛟龍《こうりゅう》の害を避く」「文身しまた以て大魚・水禽を厭《はら》う」と、蛟龍という龍の害や、大きな魚や水鳥を避けるためと、イレズミをする理由がしるされている。つまり、魔除けでイレズミがおこなわれていた。魔除けだったイレズミが、刑罰として扱われていく。『魏志倭人伝』の作成された当時の大陸では、魔除けとしても装飾としても、顔面へのイレズミの習慣がなかった。つまり、イレズミが犯罪者の表象である大陸の知識人からみた日本人のおこなうイレズミは、野蛮であり、刑罰としておこなわれているとしか認識できなかった。

『日本書紀』には、武内宿禰《たけのうちのすくね》の東国からの帰還報告として、蝦夷《えぞ》の日《ひ》高見国《たかみのくに》の男女がイレズミをしていたことがしるされている。このほかにも、履中《りちゅう》天皇が住吉仲皇子《すみのえのなかつおうじ》の反乱に加担した阿曇野連浜子《あずみのむらじはまこ》に刑罰としてイレズミをさせたことや、宮廷で飼われていた鳥が犬にかみ殺されたので、犬の飼い主にイレズミさせ、名を鳥飼部《とりかいべ》としたことなどがしるされている。『日本書紀』では、イレズミはいずれの場合も敵対する者がおこなうもの、もしくは刑罰としておこなうものと位置づけられている。

『日本書紀』を作成した大和政権を構成する支配部族ではイレズミの習慣がなく、大和政権に従わない被支配部族などでおこなわれていた。そして、いまだ支配下におさまらない東北の蝦夷、九州の熊襲《くまそ》や土蜘蛛《つちぐも》といった部族にイレズミがまだ残っていたため、大和政権の記録である『日本書紀』ではイレズミを刑罰や異習とみている。政権に従わない者、すなわち犯罪者の証がイレズミだった。

先進的な文化や軍事力をもつ大陸と交流をすすめるなかで、イレズミをおこなわない大陸人と接した『日本書紀』をまとめた支配部族は、イレズミをおこなうことを低い文化習慣と意識した。そして、大陸人と同様に、イレズミを刑罰として扱った。このイレズミの扱いは刑罰や犯罪者の表象とする意識として、今日まで人々のあいだで残り続けることとなる。

4　イレズミ以外の古代の化粧

さて、イレズミ以外にも『魏志倭人伝』からは、当時の化粧を知ることができる。日本では、「朱丹をもってその身体に塗る。中国の粉を用うるがごときなり」と、赤色の顔料を身体に塗抹していたことがしるされている。これは、赤色顔料の原料となる紅花《べにばな》花粉が、古墳時代前期とされる奈良県桜井市の纒向《まきむく》遺跡で発見されており、『魏志倭人伝』の内容を証明している。古代中国では「粉」、すなわち白色の顔料が用いられていたのに対し、日本では赤色の顔料が用いられていた。白粉《おしろい》は、奈良時代頃に入ってきた。それ以前の古代日本には、白粉は存在しなかったため、赤色の顔料を使用したとも考えられる。だが、なぜ赤色だったのか。

興味深いことに、旧石器時代末以降、縄文・弥生・古墳時代にいたるまでの遺跡から、酸化鉄が付着し赤色化した人骨が発掘されている。人骨が赤色化した理由は、いくつか考えられている。たとえば、出土した人骨周囲の土壌が赤色を帯びているために、それが骨に影響して赤く染まるという説。埋葬した遺体が白骨化してから再度掘り出し、彩色する風習が存在したという説。埋葬時に顔を赤く彩色したのが移着したという説。大正時代から活発に議論されたが、深層はいまだに闇のなかだ。発掘された人骨だけではない。福島県の古墳から出土した埴輪にも、頬紅のように赤色の顔料が目の周囲から頬にかけて塗抹されている【図2】。

図2「埴輪男子胡坐像」（部分）（『文化財ニュースいわき』77号、2015年より）

もしかしたら、古代の人々は赤色を美と感じていたのかもしれない。また、多くの原始的民族に共通して存在する赤色を血色の象徴とみなす思想のもと、採用されたと考えることもできる。それは、生命エネルギーとしての赤色であり、施朱《せしゅ》によって死者の復活を祈願するという原始宗教の現象でもあったのかもしれない。また、赤は物事を再生させる色でとらえる。『古事記』や

『日本書紀』に登場する天照大神《あまてらすおおみかみ》が、太陽を神格化した神であることなどからも、白よりも太陽や火などの赤を尊ぶ思想が当時の人々にあったことは間違いない。

5 化粧は赤から白へ

ところで白粉だが、『日本書紀』によれば六九二年に、渡来僧の観成《かんじょう》によって、鉛を原材料とする白粉の製法がもたらされた。それ以前にも、鉛ではなく米や粟の粉による白粉があったとされるが、記録から少なくとも四六三年までは、赤色の鉛丹が顔に塗抹されていたと考えることができる。顔に塗抹する赤色の顔料は、『万葉集』にも多く詠われた。それが、白色の白粉にとって代わった。それはいわば、焼畑農耕の赤から、水稲農耕の白への転化の関連ともいえる。

焼畑農耕の善なる力として生産や再生の象徴であった火は、定住し水稲農耕へと転換するにともない、耕作した穀物を一瞬にして焼きつくす恐るべき力となり、人々から遠ざけられた。しかしながら、焼畑農耕から水稲農耕に変わったことにより、火が避けられるようになったことで、赤を忌み嫌ったわけではない。夏目漱石は『文学論』のなかで、ドイツの生理学的心理学者ヴィルヘルム・ヴントの言葉を引用し、「白色は華美を、緑色は静けき楽を想起し、赤色は勢力に通ずるものなり」と、文学的内容の基本成分の一つである色について語っている。

白色の感覚は比較的に単純だが適応性が広く、華美を好ましくみる感覚の生まれるところに採用される。華美の感覚を好ましくみる社会では、ある程度の高い生産力を有していたはずであり、財富と権力をもって白粉の使用がおこなわれた。それは明確な形での支配層と被支配層が区別され存在し、社会階級の優越のうちに顔面に白粉が使用された。白粉は大陸から輸入された先進的な文化の証だった。

そして、大陸の高い文化の採用と関連して、白粉の採用が社会階級の優位性と結びつき、貴族など支配層階層で、積極的に白粉を文化的経済的優位性の象徴として採用した。それを裏付けるかのように、平安時代の文人・紀長谷雄《きのはせお》の奇談を描いた絵巻『長谷雄草紙《はせおぞうし》』では、貴族の顔は白く、それ以外の者は紫みの赤である桜色で描かれている。

日本独自の国風文化として、白粉の使用が生まれたわけではない。また、一般的にいわれるような、住居が平安時代に入って寝殿造りとなり、家屋が大きくなったために屋内が暗くなり、顔を引き立てる工夫が必要になったため、顔が目立つように白粉を使用しはじめたわけでもない。農民の生活には、労働がなによりも重要だ。その労働をともなう生活の結果、がっちりとした、健康的なイメージが魅力となる。そのため、貴族の生活のような、たよやかな色白さは魅力とはならない。しかし、貴族のように肉体労働が生活の中心ではない者にとって、健康的な頬の紅色や艶をもつ肌よりも、蒼白な肌のほうが華奢なイメージとして好まれる。

人が何に魅力を感じ、なぜそれを化粧により操作するのか。化粧が、社会や文化と無関係ではないことを、白粉の使用は示している。社会や文化の発展とともに、政治、経済、社会、文化、宗教と深くかかわり、社会的、文化的な行動として、化粧がおこなわれていく。

6 大陸の化粧方法の影響

日本の支配集団が、その絶対的権力を確かなものにしようとしていた時期、大陸国家は日本をはるかに上回る高い支配体制を確立している。大陸国家のつくりあげた社会や文化秩序は、さまざまな形で日本に流入する。それは大陸の先進的な文化であり、社会や政治制度、文化といった事象だけではなく、それを通じて大陸的な意識もまた流入した。それらは日本のモデルとなり、日本の社会意識と美意識、そして化粧に大きな影響を与えた。それは、イレズミへの認識や白粉の使用にとどまらない。

正倉院《しょうそういん》に納められ、七五六年に光明《こうみょう》皇后が、聖武《しょうむ》天皇の遺品を東大寺大仏に献納した際の目録『国家珍宝帳』に記載されている屏風に『鳥毛立女屏風《とりげりつじょのびょうぶ》』【図3】がある。この屏風は、先達の研究により、東大寺大仏が開眼した七五二年以降に日本国内で製作されたことがわかっている。

図３『鳥毛立女屏風』第４扇（部分）（『正倉院展』奈良国立博物館、1988 年より）

この『鳥毛立女屏風』で注目したいのは、樹下に描かれた鳥毛立女の顔だ。この鳥毛立女の口元に注目すると、口角の横に「靨鈿《ようでん》」とよばれる黒子のような模様が、顔料を用いて描かれている。そしてそれらは、左右対称に描かれている。また、眉間にある模様は「花鈿《かでん》」とよばれ、これも顔料を用いて描かれている。これらの模様は、敦煌の壁画などにもみることができる。すなわち、大陸の化粧方法が、日本にも伝わっていたことを物語っている。

7　化粧の通文化性と固有性

日本の化粧文化は、たしかに日本の社会や文化といった環境によって規定されている。だがそれは、ほかの文化にはない固有のものとはいいがたい。白粉が日本にもたらされ、イレズミに対する意識を変えた。大陸からの化粧品や化粧意識の流入によって、日本の化粧文化が形成されている。今回は触れることができなかったが、お歯黒も日本固有のものではなく、今のベトナムあたりでもおこなわれていた化粧である。

東アジア文化における一端として、日本の化粧が存在している。はたして、東アジア文化から完全に固有の化粧文化は成立するのだろうか。今回は残念ながらそれを語る準備がない。別の機会に譲りたい。

参考文献

・アウグスト・ベーベル、草間平作訳『婦人論』岩波書店、一九七一年。
・坪井洋文『イモと日本人―民俗文化論の課題』未来社、一九七九年。
・夏目漱石『文学論』大倉書店、一九〇七年。
・マーガレット・ミード、田中寿美子・加藤秀俊訳『男性と女性』東京創元社、一九六一年。
・大和勇三『顔』改造社、一九五〇年。

02

染織の模様と文化

小山弓弦葉

1　はじめに

「染織」とは何か。「染」と「織」という言葉が象徴するように、さまざまな技術を用いて意図的に色や模様を施した布帛《ふはく》のことである。布帛を生産するには、それぞれの風土に馴染みのある植物性、あるいは動物性の繊維を用い、機織りの技術を駆使する。あるいは、それらの繊維を「編む」技術によって布帛を生産する場合もある。織り、編みなどの技術は、直接的に模様を織り出したり、編み出したりすることができる。織りや編み以外にも、布帛に模様を表す技法はある。絞りや型、防染剤などを用いて模様を施す方法も多様である。また、布帛に染料や顔料を用いて、直接模様を描くという方法もある。さまざまな色に染めた糸を用いた刺繍もまた、布帛に模様を表わす手段である。布帛を生産するために用いられる繊維や技法は、その土地の風土と密接にかかわるものである。模様もまた、その風土の中で文化を育んできた人々の生活や思考に傾くものである。模様は時に「言語」と同様に意味を表す働きを持つ。

東アジアにおける模様の文化圏として、本章では、現代に至るまで「漢字」という文字文化を共有してきた中国と日本の間を行き来する染織文化を対象としたい。両国間の交流における模様の相違を、歴史を通してたどることによって、東アジアにおける模様の特質を端的に導き出すことができるように思われる。日本と中国を通した東アジアにおける染織の模様ついて、文字や文学と模様との関連性にも触れながら、文献、出土品あるいは伝世品などを参照し、その文化の歴史を概観することとしたい。

2　先史時代における染織文化の交流

日本の染織文化をたどることができる最古の文献は、中国の晋（西暦二六五〜四二〇年）で著作郎《ちょさくろう》の役職にあった陳《ちん》寿《じゅ》が記した『三国志』中の「魏書《ぎしょ》」巻三十「東夷伝倭人条」である。それによると、

種禾稲紵麻　蠶桑　緝績出細紵縑緜

以上によれば、日本では苧麻《ちょま》から糸を績んで麻布を織り、また、養蚕をして絹糸を織り、繭《まゆ》から真綿を生産していた、とある。中国や朝鮮といった東アジア地域に共通する特色であるが、十六世紀末まで、植物繊維は麻を、動物繊維は絹を用いる文化が長く続く。それらの日本での生産が初めて確認できるのが、三世紀末の文献である。[*1]

魏国と交流した倭国の女王卑弥呼《ひみこ》は、景初二年（二三八）六月、魏王に献上品をささげたいともとめた。魏の官吏に導かれて難升米《なんしょうめ》たちを洛陽に遣わせた際には、魏王から倭の女王、卑弥呼に詔書《しょうしょ》が下された。その中で、卑弥呼は以下のような染織を魏王より下賜された。

今以絳地交龍錦五匹　絳地縐粟罽十張　蒨絳五十匹　紺青五十匹　答汝所献貢直
又特賜汝紺地句文錦三匹　細班華罽五張　白絹五十匹　金八両　五尺刀二口　銅鏡
百枚　真珠鉛丹各五十斤　皆装封付難升米牛利（傍線引用者）

下賜品の中には、さまざまな絹織物が記されているが、特に注目したい織物に絳地交龍錦《こうじこうりゅうきん》、つまり、赤地の「交龍」の錦というのがある。魏の文帝、曹丕《そうひ》（一八七〜二二六年）は錦の産地として名高かった蜀錦《しょっきん》よりも魏の錦の方が優れていると述べたが、[*2]三国時代に織られていた高度な錦が、卑弥呼の時代に日本にも渡ったと見なされるこの記述について、実際に三世紀頃の中国で制作されたと考えられる出土品と比較してみよう。

図１「延年益寿長葆子孫」赤平地複様経錦　後漢～晋時代（楼蘭ロプノール遺跡出土、中国シルク博物館蔵）

図２「五星出東方利中國対南羌」紺平地複様経錦護臂
後漢時代（新疆ウイグル自治区社会科学院考古研究所蔵）

新疆《しんきょう》の楼蘭《ろうらん》から出土した【図1】は、後漢から晋（西暦一～三世紀）時代に比定される赤地に雲龍と考えられる模様を織り出した経錦《たてにしき》である。模様の間には「延年益寿長葆子孫」の文字が織り出されている。その意味は長寿と子孫繁栄である。同様の経錦が新疆ウイグル自治区ニヤ遺跡一号墓地八号墓から出土している【図2】。紺地に雲状の模様、鶏冠のある鳥、羽のある一角獣、虎の模様が織り出され、「五星出東方利中國対南羌」[*3]の文字が織り出されている。このように錦の模様に瑞祥と吉事を表わす漢字が織り出される点は、後漢時代、一～三世紀に織られた経錦の模様の特徴である。中国における経錦は紀元前五世紀頃、戦国時代の墳墓より発見されるが、龍、鳳凰、虎といった動物模様は、その当時より吉兆として織り出された模様である。また、同時代の墳墓から出土した、鎖繍で刺繍された衣服の模様には、龍、鳳凰、唐草（蔓によって延びる植物で、永続を表す）といった吉祥模様が定番となっている。

『魏書』には正始元年（二四〇）にも親魏倭王という地位の認証状と印綬とともに帛、錦を下賜したことが記されている。一方、倭国からは、正始四年（二四三）に「倭錦」「絳青縑」「緜衣」「帛布」を献上したことが記されている。「倭錦」がどのようなものを表すのかは不明だが、中国で織られていたような高度な経錦とは異なる錦、という意味であろう。弥生時代の発掘品に中国の漢～三国時代に製作されたものと同様の経錦はなく、日本においては未だ織られていなかったと考えられる。

3　七世紀から八世紀におけるコスモポリタニズム

日本で漢字が用いられるようになったのは古墳時代のことであるが、わずかに銘文に見られるばかりである。中国の史書においても西暦二六六年から四一三年にかけては日本についての記述が見られないため、文献上で染織の様相を捉えるのは難しい。『日本書紀』によれば、応神《おうじん》天皇十四年に「百済王　縫衣工女を貢ぐ。真毛津と曰く。是今来より衣縫の始祖也」とある。また雄略《ゆうりゃく》天皇七年には百済から錦部定安那錦《にしごりじょうあんなこむ》が渡来し、日本に定住したこと、雄略十四年には漢織《あやはとり》、呉織《くれはとり》、衣縫兄媛《きぬぬいのえひめ》、弟媛《おとひめ》が来日し、大和国檜隈野に定住したことが記される。伝承ではあるものの、四〜五世紀に百済から日本に大陸の染織技術が伝えられたことがうかがえる。

染織文化史の上で、中国大陸と日本との交流が注目されるのは、仏教が日本に伝えられた飛鳥時代（五九二〜七一〇年）以降である。仏教を信仰した蘇我氏が政治の実権を握り、日本最初の女帝である推古《すいこ》天皇（五五四〜六二八年）が即位すると、その摂政であった聖徳太子（厩戸皇子《うまやどのおうじ》）（五七四〜六二二年）とともに仏教を軸とした中央政権国家をめざした。六〇〇年から六一五年にかけて、推古天皇は五回に渡り、中国の隋に遣隋使を派遣した。その交流を通して、中国の染織技術が日本に渡来したと考えられる。聖徳太子が建立した奈良の法隆寺には、飛鳥時代、七世紀に製作されたと考えられる染織が保管され、現代にまで残されてきた。[*4] その多くは寺院の堂内を装飾し、あるいは、仏教の儀式に用いられてきたものである。天平時代（七二九〜七四九年）には、仏教を国教とし、奈良に東大寺を建立した聖武天皇の遺品を収める正倉院に、やはり仏教の儀式や寺院の堂内を装飾したと考えられる染織の断片が数多くのこされていた。法隆寺裂《ほうりゅうじぎれ》や正倉院裂は、出土品とは異なり、その色や模様が鮮やかに残る伝世品として、中国大陸における染織文化を知る上でも重要な資料である。それらの染織と唐時代の染織とを比較しながら、この時代における東アジアの模様を概観することにしたい。

中国・戦国時代より織られてきた経錦は隋時代にも織られており、法隆寺裂にも残されている。その代表的な一つが蜀江錦（中国における蜀錦）である【図3】。その特徴は連珠《れんじゅ》円文と呼ばれる真珠をつなげたような連珠を円形に並べた模様である。一般に、連珠円文はサーサーン朝ペルシアを起源とすると言われている[*5]。一方、法隆寺裂に残された

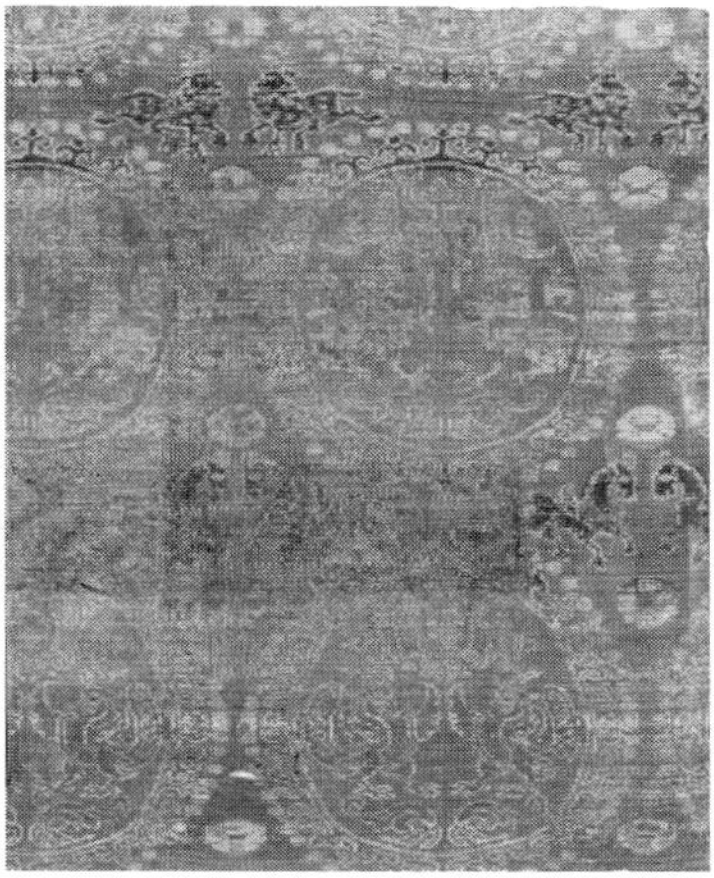
図3　赤地連珠円文天馬獅子鳳凰模様経錦　隋時代あるいは飛鳥時代（奈良法隆寺伝来　東京国立博物館蔵）

図4　四騎獅子狩文錦　唐時代（奈良・法隆寺蔵）

連珠円文の経錦には、天馬《てんま》（翼がついた馬、ペガサス）のように西アジアから伝わった模様と中国の獅子模様とを同じ錦の中に織り表す場合がみられる。従って、隋時代にはすでに西アジアとの交易を通して中国に連珠円文が伝わり、それが中国の経錦に織られるようになり、日本にも伝えられたと考えるべきである。

　この時代の経錦には、戦国時代のように吉祥の意味を持つ漢字が織られることが少なくなる。それは、中国における漢字に対する呪術性や霊性が薄れ、実用性へと傾いたことの表れかもしれない。漢字よりも模様そのものに吉祥の意味を見いだした。法隆寺裂が中国からの舶載品であるか、和製であるかは議論すべきであるが、そこに表された模様は、獅子、龍、鳳凰《ほうおう》、亀[*6]、天馬など主として瑞獣による吉祥模様であって、直接的には中国から伝播したものである。

　模様における国際性は、続く唐時代にはますます顕著となった。それを象徴的に表わす模様が「獅子狩文《ししかりもん》」である。法隆寺の秘仏である救世観音を安置する夢殿の隅に仕舞われていたという四騎《しき》獅子狩《ししかり》文錦【図4】は、馬上で弓を弾きライオンを射止めようと

図5　縹地大唐花文錦　唐時代あるいは天平時代（奈良・正倉院蔵）

図6　深縹地花樹双鳥文夾纈絁　唐時代あるいは天平時代（奈良・正倉院蔵）

図7　象木﨟纈屛風・羊木﨟纈屛風　唐時代あるいは天平時代（奈良・正倉院蔵）

する武人の姿を左右対称に織り出し、その周囲を連珠円文で囲む。武人の濃い顎髭やアーモンド型の大きな目、着用する衣装、翼のある馬、たてがみと細い尾のあるライオンなど、明らかに西アジアから伝わった図様であるが、馬の尻に「山」「吉」二つの漢字が織り出されており、中国で織られたとされている。断片ではあるが、ほぼ同じ模様の錦が唐・高宗《こうそう》の時代、顕慶二年（六五七）の墳墓（新疆ウイグル自治区トルファン・アスターナ北区七十七号墓、新疆ウイグル自治区博物館所蔵）から発掘されていることから、七世紀半ば頃の製作であろう。

奈良の正倉院に伝わる裂の多くは、八世紀前半、盛唐時代の中国や朝鮮半島より渡ってきた技術者（渡来人）による製作、あるいは、彼らが招来したものである。発掘品からもその時代の染織文化をうかがい知ることは可能であるが、正倉院の遺品は伝世品であるため、色彩も鮮やかに残っている点で貴重である。この時代に特徴的な錦は七世紀前半には織られていたと考えられる複様綾組織緯錦【図4・5・8】であるが、そのほかにも三纈[*7]と称される染め模様、綾《あや》織物、浮《うき》織物、彩絵などがある。それらの模様において特にこの時代に特徴的なものは、宝相華・団花・唐花・大窠・瑞花などといった名称で呼ばれる、複雑な想像上の花模様である【図5】。西アジアより伝わった蔓唐草状の模様（唐草文）とパルメット文が、中国で好まれた牡丹や芙蓉《ふよう》のような花弁の大きい華麗な容姿の花と複雑に組み合わせられることにより発展

図8　花樹對鹿文様錦残片　唐時代（新疆トルファン・アスターナ高昌遺跡墓室出土）

した模様と解釈される。樹下に人物や鳥獣が表される模様は、先述した獅子狩文錦【図4】にも見られるが、正倉院裂の模様に特徴的である【図6・図7】。また、新疆トルファン・アスターナ高昌《こうしょう》遺跡の墓室から発掘された「花樹対鹿《かじゅたいろく》」の文字が織り出された錦【図8】にも獅子狩文錦と類似する樹下の構図が表される。絵画の分野でも正倉院所蔵「鳥毛立女図屛風」に見られるように、樹下に立つ女性像が描かれる。西方より伝わった構図が盛唐時代に東アジア一帯に広まった諸例である。

中国の隋～盛唐時代、日本の飛鳥時代～天平時代にあたる七世紀から八世紀における染織の模様は、以上のように、西アジアに由来する植物由来の唐草模様やパルメット模様、ライオンやペガサスといった動物模様、樹下模様や連珠円模様など、コスモポリタニズムを象徴する模様が東アジア一帯に伝播した時代であった。

4　中世における東アジアの染織文化

九年間におよび国の混乱を招いた安史《あんし》の乱（七五五～七六三年）によって唐朝が弱体化すると、唐による日本への影響力も次第に衰え、八九四年の菅原道真の建議により、遣唐使は廃止された。これを機に日本では和様化が進み、国風文化が発展したとされる。

染織の和様化は、技術の退化、むしろ、消滅といっても過言ではない状況によって始まる。唐時代に直接的には中国から日本に渡ったと考えられる複様綾組織緯錦の技術、三纈のうち簡便な纐纈をのぞく臈纈と夾纈の技術などが、平安時代以降、日本の染織文化を伝える文献上からも伝世品からも姿を消した。

日本において、平安時代における染織の伝世品はほとんど残されておらず、その軌跡をたどることは難しい。そこ

図9　国宝　袿　白小葵地鳳凰文二重織　鎌倉時代（神奈川・鶴岡八幡宮蔵）

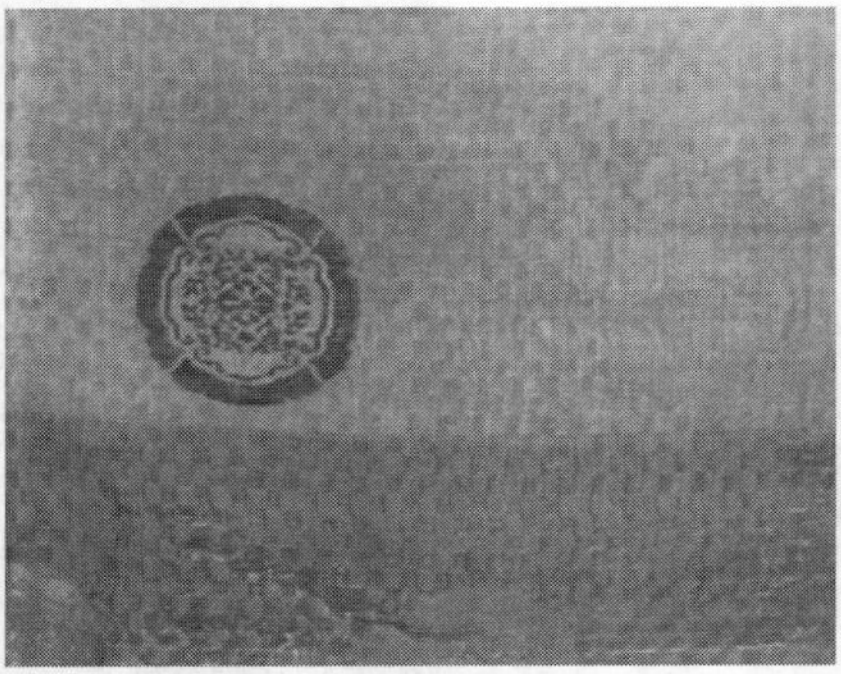

図10　国宝　袿　黄地窠霰文二重織　鎌倉時代（神奈川・鶴岡八幡宮蔵）

で、平安時代の宮廷文化を受け継ぐ一例として、鎌倉・鶴岡八幡宮に奉納された御神服類を参照する。これらは、蒙古《もうこ》襲来に対する祈願として奉納されたという伝承があり、十三世紀後半の鎌倉時代における日本の染織技術や有職の織物を伝える基準的な遺品とみなされている。その織物は基本的に綾織の組織を基本とした浮織物、唐《から》織物や二陪《ふたえ》織物である。また、隣合わせた二本の経糸を捩る紗地に地緯糸を浮かせることで模様を表す縠《こく》と称する薄物の絹織物などで、いずれも唐時代とは比較にならない単純な織組織である。模様には【図9】の地紋に見られる小葵《こあおい》文や窠《か》に霰《あられ》文【図10】幸菱《さいわいびし》文、向蝶文、向鶴文【図14】といった、有職《ゆうそく》模様として定型化する模様が見られる。

平安時代に生まれた日本の模様に、「歌絵《うたえ》」「葦手《あしで》」といった和歌にちなんだ模様がある。[*8]「歌絵」や「葦手」といった模様は、天平時代に始まり、平安時代に宮廷貴族の間で流行した和歌の歌意や情趣を表現する手段として発達したこの時代特有の模様である。染織や絵画の料紙装飾、そのほか蒔絵の箱や太刀装飾といった工芸品に用いられてきた。特に「葦手」は、和歌の情景を描く風景の中に和歌を構成する仮名文字の一部を風物や鳥、植物に似せて散らし入れる。葦が風になびくさまに似ることから「葦手」と称するのである。「葦手」はこの時代に発展した仮名から発生した日本独自の文字模様と言えるであろう。日本の染織の伝世品の古い例としては、鎌倉時代、臨済宗の禅僧、無学祖元《むがくそげん》（一二二六〜一二八六年）が着用したと伝えられる九条袈裟《けさ》に、葦手模様を織り出した綾織物がある【図11】。

図 11　重要文化財　九条袈裟　田相部分の綾に織り出された葦手模様　鎌倉時代（神奈川・円覚寺蔵）

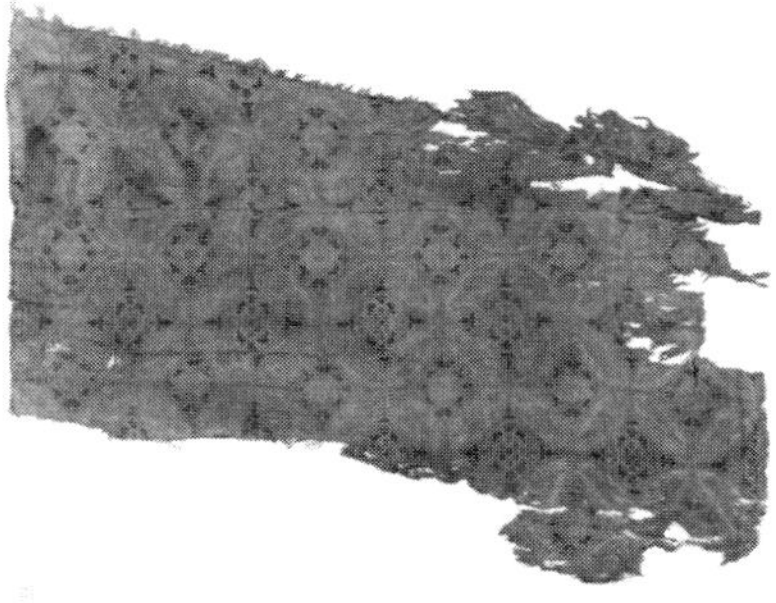

図 13　錦 金茶地花鳥七宝繋文様　遼時代（中国内蒙古墳墓出土　東京国立博物館蔵、Image: TNM Image Archives）

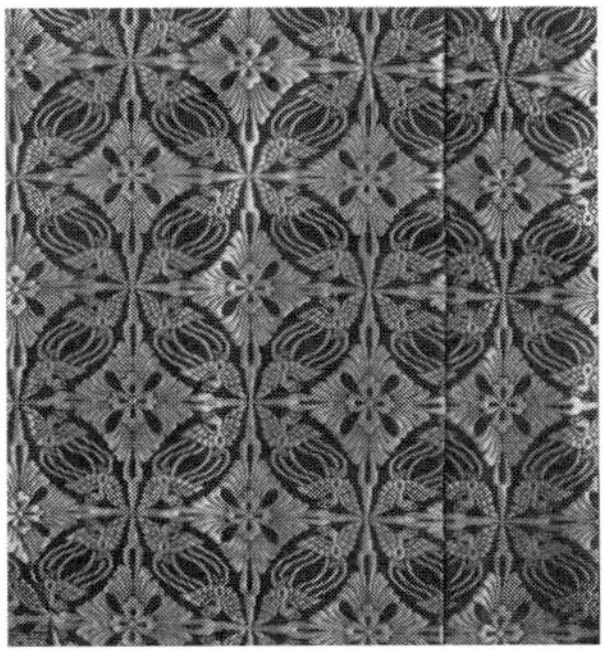

図 12　指貫 緯白鳥襷模様部分　江戸時代（東京国立博物館蔵、Image: TNM Image Archives）

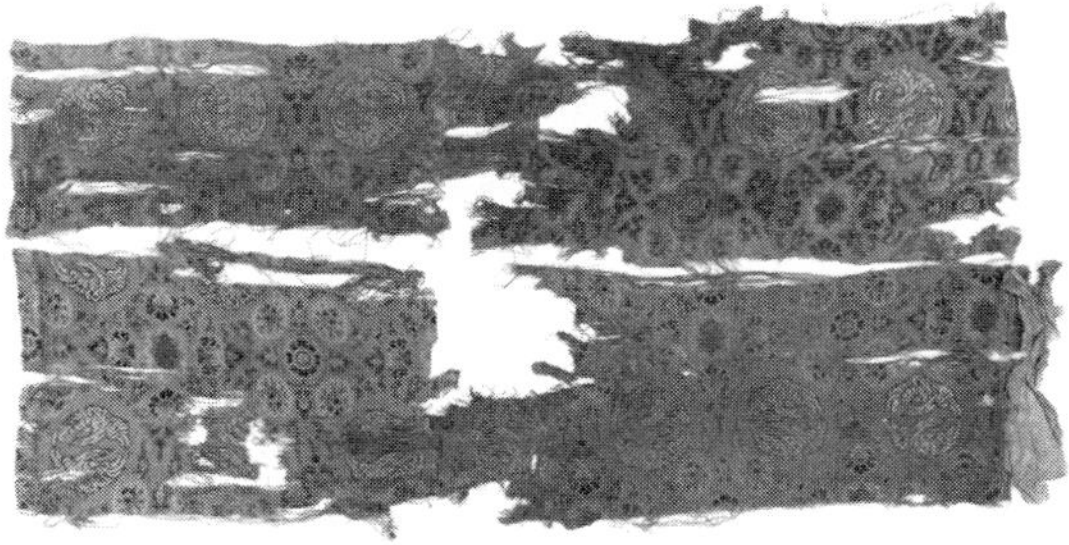

図 15　錦 薄茶地唐花向鳥文様　遼時代（中国内蒙古墳墓出土　東京国立博物館蔵、Image: TNM Image Archives）

図 14　国宝　袿　紫地向鶴三盛丸文唐織　鎌倉時代（神奈川・鶴岡八幡宮蔵）

和様化により日本独特の模様が生まれる一方で、注8で取り上げた『歌合集《うたあわせしゅう》』の一節にも見られるように、「唐の錦」つまり、中国大陸から錦が船載されたこともうかがえる。有職模様は、中国・遼時代の染織模様を反影している。たとえば「輪繋文」「鳥襷文」【図12】は「錦 金茶地花鳥七宝繋文様」【図13】といった遼時代（九一六〜一一二五年）の錦や綾にみられる模様である。「向鶴文」【図14】もまた、遼時代の「錦 淡茶地唐花向鳥文様」【図15】のような錦の模様の影響を受けたのであろう。遺唐使が廃止されて以後も、私的な渡航を通して、遼時代の染織が日本にもたらされたのであろう。実際に遼時代の特徴である準《じゅん》複様綾組織緯錦[*9]が平安時代末期から鎌倉時代初期に日本に渡ってきたと考えられる例が遺されている。日本の伝世品と中国の遼墓から発掘された染織からは、唐文化再興への動きと、道教や仏教などの思想を反映した吉祥模様の多様化が見られる。残念ながら、日本において正倉院裂に見られるような盛唐時代の技術の存続が難しかったのと同様に、中国においても五代十国時代に衰えた唐時代の染織の技術を再興することが困難であったことは、唐時代の複様綾組織緯錦から遼時代の準複様綾組織緯錦への不完全な変化からも端的にうかがえる。遼時代の挫折は、やがて宋元文化として新生するのである。

図16　蓮唐草模様緞子　明時代（1504年埋葬）（南昌宁靖王夫人吴氏墓出土）

5　宋元以後における中国と日本の特性

宋時代は、染織文化にとっても新しい時代の幕開けであった。経糸四本捩りの羅に変わって経糸三本捩りの羅が発達し、地を経糸三本捩りとし、模様を平組織で織る顕紋紗《けんもんしゃ》が生まれた。金時代に生まれた金糸で模様を織る技術は時代が下るとともに洗練されていった。絹糸を撚《よ》る技術の発展によって経糸の密度が高い繻子《しゅす》（中国では緞《だん》）を織る技術が発達し、繻子地にその裏組織で模様を織り出す緞子や綸子《りんず》が織られるようになった。以後、元、明、清の各時代は、基本的には宋時代の色と模様が踏襲されていったと言

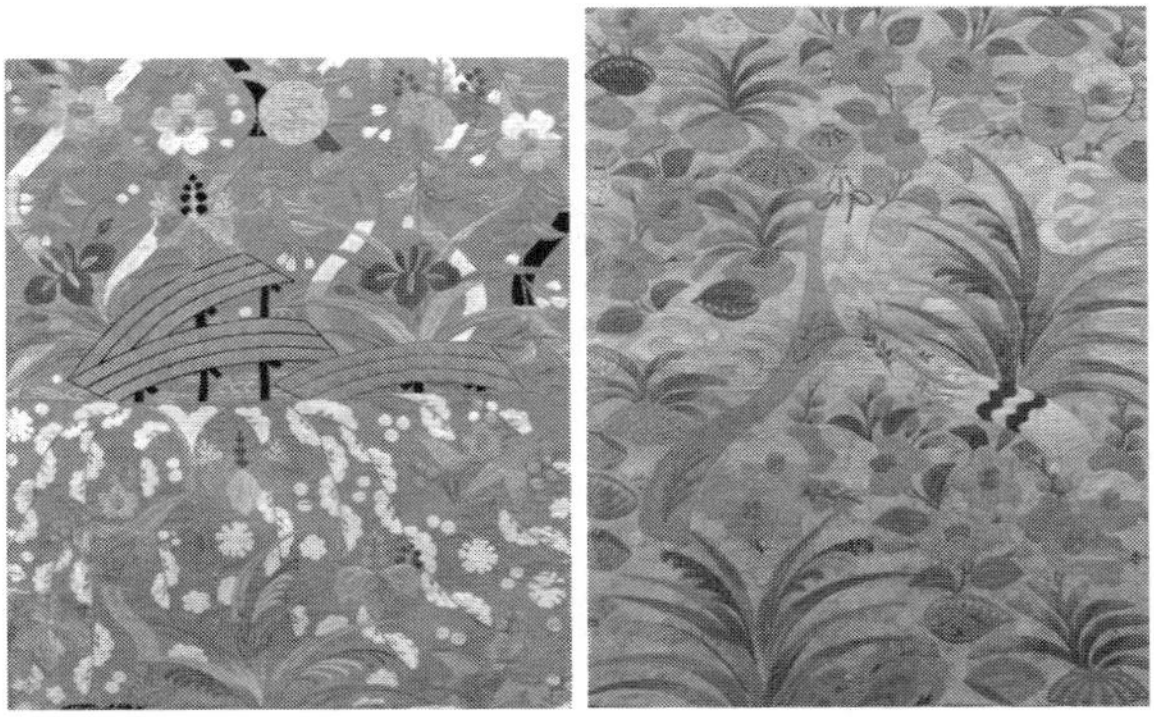

図18　縫箔 紅白段草花八橋短冊模様　桃山時代（東京国立博物館蔵）

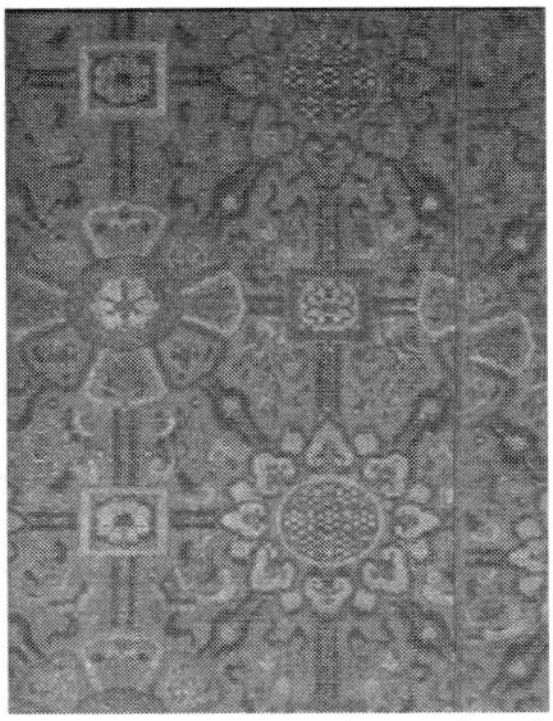

図17　蜀江文錦狩衣部分　室町時代（錦は明時代）（山形・黒川能上座蔵）

ってよい。

それらの織物に見られる主な模様を列挙すると、花唐草【図16】（花には圧倒的に牡丹が多いが、蓮華、菊、宝相華なども見られる）、竹、梅、蘭、菊といった植物、「八宝」「暗八仙」「雑宝」などの宝尽、「龍」「鳳凰」「獅子」「鶴」といった瑞祥、唐子、雲、柘榴《ざくろ》・葡萄《ぶどう》・蓮子《れんし》など多産を意味する吉祥、魚、[*10]文字模様では「富」「貴」「壽」「福」が大半である。これらの示すところは、長寿延命、富貴、出世、子孫繁栄といった吉祥模様である。その内、瑞祥や文字は漢時代から続くが、道教的な吉祥模様の多くは遼時代に芽生え、宋元時代に展開されたものである。明時代の織物は日本でも「唐物」として重宝され江戸時代以降は茶の湯において「名物裂」として珍重されることとなる。「金襴《きんらん》」「印金《いんきん》」「緞子」「錦」などに見られる模様の多くは宋元時代の伝統的な吉祥模様や唐草模様で、それらは日本の吉祥模様にも大きな影響を与えた。また明時代に舶載された錦の中で、中世の日本人が「蜀江錦」と称し特に珍重したのは、八角形と正方形をつなぎ合わせ、その内部を輪繋・亀甲《きつこう》・毘沙門《びしやもん》亀甲といった吉祥の意味を持つ幾何学《きかがく》模様や龍や獅子、鳳凰といった瑞祥模様で埋めたきわめて壮麗な錦であった【図17】。東アジアにおいて伝統的な吉祥の意味に加え、日本においてはその荘厳とした無限の連続性が神に通じる宇宙観の表象ととらえられた。能楽の「式三番」に登場する「翁」の装束に常に蜀江錦が用いられるのは、「翁」に神性を求めるからとされている。

図 19　厚板 紅金片身替地漢詩和歌文字模様　江戸時代（東京国立博物館蔵）

図 20　振袖 白綸地若紫楓竹矢来模様　江戸時代（東京国立博物館蔵）

応仁の乱（一四六七〜一四七七年）によって、室町将軍のお膝元であった京都が壊滅し、染織を担ってきた職人たちが離散した。しかし、その後の伝承を記した『西陣天狗筆記《にしじんてんぐひっき》』によって、室町時代後期に染織の復興が次第になされたことがうかがえる。京都の西陣では、厚板《あついた》、唐織といった日本独自の織物が織られるようになり、染物では型紙で防染糊を置いてから浸染する型染、模様を彫った二枚の型に裂を挟んで染料につける板締め、糸で縛って染めるさまざまな絞り染、模様の形に沿って麻糸で並縫いをし、その糸を強く縛って染料につける縫い締め絞り[*11]などが行われた。日本で発達したそれらの織や染から生まれた模様には、日本人の模様に対する意識を見ることができる。その例を桃山時代に製作されたと考えられる縫箔《ぬいはく》【図18】を例にみると「四季」と「吉祥」という二面性をもっており[*12]、中世以降における日本の模様の特性を表している。また、古典文芸や和歌にちなんだモチーフが模様に情趣を持たせる傾向がある。江戸時代になると、平安時代から中世にかけて宮廷貴族の服飾や調度に流行した「葦手」や「歌絵」といった模様が再解釈される様相がみられる。漢詩や和歌を散らした模様【図19】、歌枕となる名所風景を表した模様[*13]、物語を象徴する文字を物語にちなむ模様の中に表わす例【図20】などである。文字や書体の形に模様としてのデザイン性を見いだし、その一方で、物語や詩歌を通して文字に叙情性を持たせる模様は、日本独特の感性から生まれたものであろう。

6　おわりに

中国と日本における染織模様の歴史を比較しながらたどっていくと気づくことは、中国においては、政権が交代する度に前時代の文化が継承され、多少の民族や文化の混交は見られるものの、西方のペルシア文化や南方のインド文化などの異文化に大きな影響を受けた唐時代をのぞき、常に「吉祥」や「瑞祥」が意識されてきたことである。漢字そのものが持つ吉祥の意味はもちろんのこと、吉祥の意味を持つ漢字と韻が共通であればまったく別の物にも、同じ吉祥性を持たせるという、韻を重んじる中国独特の吉祥模様を生むこととなった。中国の染織模様が吉祥模様に特化したのは、染織が衣服や帳、寝具など人間の身体に近い部分を覆い、守る役割があったことと関係するのであろう。染織に表された模様には、我が身を守り、幸福を呼び込むという意味が隠されている。

長い間、中国の優れた染織技術に倣い、中国の染織を輸入し珍重し続けた日本においては、当然のことながら、中国における吉祥模様の文化を享受してきた。その一方で、中国との文化的交流に時空的な距離が置かれた時代には、日本の中で、日本独自の文字や文学が培われたことが、模様の独自性をも生むこととなった。仮名や和歌が果たした日本個有の文化的役割は、日本の染織模様にも多大な影響を与えている。吉祥と対峙する模様の概念として、四季や文芸を基盤とする情緒的な模様が生まれ、それを衣服に取り入れることは、模様を身につける側に主体的な意味がある吉祥模様とは異なり、模様を観賞する側との交感がある。

本稿では、中国と日本との比較を通して東アジアにおける染織模様の文化的意味について概観した。本来は、中国とは陸続きであった朝鮮半島、また、島国ではありながら中国や朝鮮と交流を持っていた琉球をも視野に入れることで、東アジアの染織文化における模様の特質と役割はより信頼性のある論旨を得るものと確信するが、今後の課題としたい。

注

1　考古学的な見地による日本の繊維品の技術研究については、東村純子『考古学からみた古代日本の紡織』（六一書房、二〇一一年）を参照。

2　李昉『太平御覧』巻八百十五、魏文帝詔「前後毎得蜀錦　殊不相比　適可而鮮卑尚不復受［愛］也。自吾所織如意虎頭連璧錦、亦有金薄。来自洛邑、皆下悪、是為下土［工］之物、皆有虚名」。

3　銘文は「五つの星が東方に出現し、中国は南羌の討伐に有利となる」の意。宣帝が神爵元年（紀元前六十一年）、羌に進軍する下臣の趙充国に宛てた書に由来する。

4　法隆寺に残された飛鳥時代の染織を含む工芸品、金銅仏、伎楽面、絵画といった宝物は、明治十一年に国家に献納され、以後、東京国立博物館に保管されている。

5　連珠円文については、中央アジア、ウズベキスタン周辺を拠点とし、ペルシアと中国とを往来したソグド人が、七～八世紀に製作した錦にしばしば見られるデザインであることから、ソグド人との関連性も指摘されてきた（前田たつひこ「連珠円文を求めて」、和光大学総合文化研究所年報『東西南北』二〇〇七年、一八六～一九八頁）。しかし、連珠円文を織りだしたソグド錦が唐時代に盛行した複様綾組織緯錦であることに対し、日本に伝わった蜀江錦に織られた連珠円文が隋時代（五八一～六一八年）までの主流であった複様経錦にすでに見られることを考慮すると、ソグド錦が直接に連珠円文の東伝にかかわったとは考え難いであろう。

6　亀は不老長寿の象徴として中国や日本で吉祥模様とされてきたが、吉祥模様として認識されるのは、中国で道教思想が広まった五～六世紀のことである。道教において信仰される仙人は大亀の甲羅の上に座す蓬莱山に棲むと考えられていたことから、亀が特に吉祥模様として表されるようになったと考えられる。

7　﨟纈は蜜蠟あるいは櫨蠟によって模様を布帛に描き（手描の場合と木型による捺染の場合がある）、その後染料に浸染することで、蠟を置いた部分の模様を染め残す。夾纈は模様を彫りおこした二枚の木板に布帛を折りたたんで挟み、板に開けた穴に染料を注ぎ込むことで多彩色に染める。その場合、木型によって挟まれた模様の輪郭部分は、染料が染み込まずに染め残る。纐纈は、糸で布帛を絞ってから染料に浸染することで、糸で締めた部分は染料が染み込まずに模様が染め残る。以上の三つの技法を三纈と称した。

8　十一世紀初めから十二世紀にかけて複数の宮廷女官によって記された仮名による歴史書『栄華物語』巻三十六「根あはせ」に「女房は、桜どもに萌黄の打ちたる山吹の二重織物の表著、藤の唐衣、萌黄の裳に絵書き、繍物し螺鈿し、口置など目もあやに、「心ゆきて」などいふ哥を、かねの具の小きを造りて、哥絵にて桜の咲きこぼれたるかたを書きたり」とある。また、『歌合集』「天喜四年四月三十日皇后宮寛子春秋歌合」には「われもわれもと同じ襲に、表衣、裳、唐衣、みな二重織物、文に秋の古き歌を、心ごころに織りつけられて、繡文を葦手に書き、鏡の池を写し、大堰川、嵐の山を絵に描きて、霜の経やうしろめたからむ龍田姫も、かねにて瑠璃をして紅葉を植ゑて、唐の錦を八重裁ち重ねて、うらうらいろいろに打ちて、紺瑠璃の唐衣に金の筋やりて、心を巧みて、空にぞ秋のといふ歌の心をとぞ見えし」とある。

9　唐時代に盛行した複様緯錦は、地組織を織る経糸と模様を織る経糸の二重組織となっている。一方、準複様緯錦は模様を織る経糸が実際には働かず、地を織る緯糸と模様を織る緯糸の間で芯のような役割しか持たない。このような緯錦の組織は遼の遺跡から発掘されたものに特徴的であることから、近年、遼式錦と称されている。ただ、日本においては、遼墓の発掘が中国で盛んになる以前より伝世品としてこの織組織の錦が存在していたことから、長らく、日本で独自に発展した錦の形態と考えられてきた。日本における伝世品としては、大阪・天王寺に所蔵される懸守の外貼錦、和歌山・金剛峰寺に伝来した勧請幡の天蓋や冠の裏貼に用いられる錦、神護寺経帙の縁などがある。織の組織と模様から、いずれも、遼時代に中国大陸から舶載された錦と考えられる。

10　「魚」の韻は「餘」と同音であることから、有り余る富を意味する吉祥模様とされた。同じ韻を踏むことで異なるものを同義とするのは、言葉の韻を重んじる中国独特の吉祥模様のあり方である。

11　現代では「辻が花」の名称で知られるが、中世の文献に現れる「辻が花」は型紙か防染糊を用いて模様をつけた単仕立の夏の帷子である可能性が高い。小山弓弦葉『「辻が花」の誕生―〈ことば〉と〈染織技法〉をめぐる文化資源学』（東京大学出版会、二〇一二年）を参照。

12　この縫箔は、地色を紅と白の石畳状に織り分けた絹に刺繡で模様をつけている。紅の部分は模様が二部構成となっており、上部には立涌文に枝垂桜、杜若に橋、菊、下部に雪持葦と雪持柳の模様が表される。それぞれ、春、夏、秋、冬を表わし、四季の草花模様となっている。また「杜若に橋」は『伊勢物語』の「八橋」の段を象徴的に表した文芸模様である。一方、白地の部分には椿、梅、桜、葦といった植物を背景にさまざまな形の貝の模様が表され、これは宮廷貴族に好まれた「海賦」の模様、そこに大きく表された短冊の模様も宮廷貴族が好んだ「和歌」を象徴的に表しており、全体として吉祥を意味する王朝模様を表している。

13　「桜」「遠山桜」模様で奈良の吉野山、「流水に紅葉」で奈良の龍田川、そのほか、富士山、嵐山、和歌の浦、住吉の浦、近江八景、六玉川といった風景模様を絵画的に表わした模様が、着物をはじめ、さまざまな工芸品に表された。

図版出典

図1　Edited by Dieter Kuhn "Chinese Silks", Yale University Press, 2012.

図2　Edited by Dieter Kuhn "Chinese Silks", Yale University Press, 2012.
図3　ColBase。
図4　朝日新聞社編・法隆寺監修『法隆寺金堂・聖霊院内陣と「四騎獅子狩文錦」』（一九九五年）。
図5・6　東京国立博物館編『御即位記念特別展　正倉院の世界―皇室がまもり伝えた美―』展図録（読売新聞社、二〇一九年）。
図7　尾形充彦『正倉院染織品の研究』（思文閣出版、二〇一三年）。
図8　『中国絲綢科技芸術七千年』（中国紡織出版社、二〇〇二年）。
図16　『紡織品考古新発現』（芸紗堂／服飾出版（香港）、二〇〇二年）。
図17　東京国立博物館編『国宝　大神社展』図録（ＮＨＫ、ＮＨＫプロモーション、二〇一三年）。
図18〜20　ColBase。

03
香と文化

堀口 悟

1 はじめに[*1]

「香《こう》」の主原料である沈香木《じんこうぼく》は、日本では産出されない。従って、日本の香文化《こうぶんか》を維持するためには、産出国たる東南アジア地域との直接・間接の交易が不可欠であった。

本章では、日本の香文化史の中で、香木産出国との交易が（近現代を除けば）最も盛んであった十六世紀後半から十七世紀初頭にかけての時期、徳川政権誕生前後に着目して、（南アジアを含む）東アジアと日本との文化環境を見て行きたい。

そして、香木流通に目を配りながら、日本での「香」の使用法にも注目して述べたい。

2 家康と王朝文化

元和元年（一六一五）七月二十日、三日前に「禁中《きんちゅう》並《ならびに》公家《くげ》諸法度《しょはっと》」を制定した徳川家康（一五四二～一六一六年）は、大坂城陥落後に凱旋した京都二条城において、従三位中院通村《なかのいんみちむら》（一五八八～一六五三年）から『源氏物語』「初音《はつね》」巻の講義を受ける。「初音」巻は目出度い内容であるために、『源氏物語』五十四帖の講義の最初に行われる慣例がある。

家康が亡くなる九カ月半前のことであった。家康はその晩年、殊に公家《くげ》との関係を密接にし、王朝文化の吸収に努めていたようだ。この前年にも、冷泉為満《れいぜいためみつ》から古今伝授《こきんでんじゅ》を受けようと計画したり、駿府《すんぷ》に来た飛鳥井雅庸《あすかいまさつね》から、いささか『源氏物語秘訣《ひけつ》』の講義を受けたりしている。[*2]

中院通村は、『源氏物語』注釈書として名高い『岷江入楚《みんごうにっそ》』の著者である中院通勝《みちかつ》の息子で、当代一の王朝文学通であったが、香人《こうじん》としても注目すべき存在である。通村が「銘《めい》」を付けた香木は多く、たとえば、元文三年（一七三八）出版の香書『軒《のき》の玉水《たまみず》』（大枝《おおえ》流芳《りゅうほう》編著）の「新六十種名香名寄《なよせ》」には、「御勅銘《ちょくめい》三十三種」「公方家《くぼうけ》（将軍家）御銘六種」と並んで「中院通村卿御銘十六種」が伝えられている。また、自身、宮中などで開催される香会にしばしば参加したばかりでなく、自邸でも多数の香会を催している。[*3]

大量の香木を集めた武家《ぶけ》の家康と公家の香人通村との交流は、日本の「香と文化」を考える上で象徴的な意味を担っているように思われる。

3　沈香《じんこう》の交易と政権

(1) 室町時代中葉まで

焦点の家康について述べる前に、それ以前の香文化について、略記しておきたい。

鎌倉時代までの香の交易は、中国ないし朝鮮半島からのルートにほぼ限られていた。

中国王朝は、遣隋使や遣唐使への土産として日本の皇室へシルクロードを経由した珍奇な産物を与えていた。香木もその一環として皇室や上流貴族にもたらされたと考えられる。また、同地や朝鮮半島からの商人の来航があり、「唐《から》物《もの》」と呼ばれた綾《あや》・錦《にしき》・香薬《こうやく》などが貴族に下賜品《かしひん》として配られた記録がみえる。[*4]

物語にも、『竹取物語』（九世紀末～十世紀初頭に成立）の「右大臣阿部のみむらじ」が「唐船」の「王慶《おうけい》」という商人から「火鼠《ひねずみ》の皮衣《かわごろも》」を買う話に現れているし、『源氏物語』にも、「唐《から》めいた」美品がたびたび登場する。

『源氏物語』の「梅枝《うめがえ》」巻には、有名な「薫物《たきもの》あわせ」の記述がある。「薫物」とは、沈香・白檀《びゃくだん》・貝香《かいこう》・丁子《ちょうじ》・麝《じゃ》香《こう》などの種々の香材料を蜜《みつ》（あるいはその代用品）で練《ね》り固めたものである。実の娘である明石姫君《あかしのひめぎみ》の裳着《もぎ》を控えて、光源氏は薫物の調合を諸方に依頼するために、その主材料である沈香木を準備する。そこで、最近大宰府《だざいふ》の大弐《だいに》（九州全土を統括する副長官で、実質上の長官）が献上した香と、かつて高麗《こま》（渤海《ぼっかい》国）の使節が献上した香とを較べたところ、昔の香木の方が優れていると判定する。この高麗人は、光源氏の父、故桐壺院の治政時代に来訪したことが「桐壺《きりつぼ》」巻に書かれている。高麗人は、幼い光源氏が詠んだ漢詩に感動して「いみじき贈り物」を献じたが、この香木もそのひとつだったわけである。『源氏物語』で「桐壺院の頃」とは、年立《としだて》上「梅枝」巻をさかのぼること三十二年前、物語の舞台としては延喜（九〇一～九二三年）時代を想定している。すなわち、公的なルートで運ばれた平安朝初期の香木の方が、その後の私貿易で取引された香木よりも上等であったとの評価である。皇室には、代々、このような貴重にして上質な香木が長く伝えられて来た、という点を心に留めておきたい。

（２）禅宗の渡来と一木炷《いちぼくだき》の登場

十四世紀後半から、明《みん》の太祖洪武帝《こうぶてい》（一三二八～一三九八年）による「海禁《かいきん》」（事実上の貿易禁止政策）が開始されると、中国以外の東アジアおよび東南アジア地域間の直接交易が盛んとなり、これまでの中国中心の交易とは情況を異にしてきた。一方、日本国内での香文化は独自の発展を遂げる。鎌倉時代に中国から、沈香の単品だけを観賞する「一木《いちぼく》炷《だき》」の文化が禅と共に伝わったが、それが香木の香りの異同を当てて競う「十炷香《じっしゅこう》」として盛んになった。当時の十炷香がどのような作法で行われたのか正確にはわからないが、今に伝わる「十炷香《じっちゅうこう》」と呼ばれる方式は、四種類の匂いの違う沈香（檀香《だんこう》を含む場合もある）を使って、その匂いの異同を判定する。まず一種類目の香木を三片、二種類目と三種類目も各々三片ずつ用意し、別々に紙に包む。さらに、もう一種類違う匂いの一片を一包加え、都合十包作る。

それらを包紙のまま混ぜ合わせた後、一つの香炉に一片ずつ順不同に炷《た》き、香会の参加者は同香か別香かを判定して、その当たり外れを競うゲームである。

やがて、十六世紀の初頭を迎える頃、志野宗信《しのそうしん》や三条西実隆《さんじょうにしさねたか》の時代には、香を炷く作法も洗練され、「炷組香《たきぐみこう》（後の「炷継香《たきつぎこう》」）」が現れ「香合《こうあ》わせ」の方式が定まった。[5]「炷組香」は、香木に（主に）王朝文学由来の優雅な名前を付け、その香名が季節の推移を表現しつつ連歌形式で連なるように一炷（一片）ずつ香を炷《た》き継いで行くものであり、「香合わせ」は、歌合の形式で左方・右方からそれぞれ出された香木の優劣を競うものであった。いずれも、王朝文学の教養を基とする雅な遊びとして成立してきた。

（3）十六世紀後半

一五一一年にマラッカを占領したポルトガル人は、スペインと激しい商圏争いを繰り広げながら、東南アジアに急激に進出した。主要な貿易品の中に、モルッカ諸島の香辛料（とくに丁子《ちょうじ》）・インドネシアの胡椒《こしょう》・バンダ諸島の肉豆蔲《にくずく》（ナツメグ）が中国に、インドに、そしてヨーロッパに送られた。中国は相変わらず海禁を続けており、琉球も一五五〇年代までには、東南アジア交易の中継をしなくなった。[6]その間隙を突くようにヨーロッパ船がアジアの海を頻繁に往来するようになり、その延長線上に、天文十二年（一五四三）の種子島への鉄砲伝来が位置づけられる。

当時日本は、織田信長（一五三四〜一五八二年）が躍進した時代であった。香と信長といえば、かの名香「蘭奢待《らんじゃたい》」との関係が有名である。天正二年（一五七四）三月二十八日に、信長が半ば強引に東大寺の正倉院を開封させ、蘭奢待一寸四方を二切れ切り取ったという事件であった。信長としては、かつて何人かの足利将軍による蘭奢待截香《せっこう》の歴史にあやかって、自分を権威づける意図があったであろう。切った蘭奢待は、一切れを正親町《おおぎまち》天皇に献じ、自分が得たもう一切れから、村井貞勝《むらいさだかつ》らの武将や有力町人で茶人の千利休《せんのりきゅう》と津田宗及《つだそうぎゅう》に分け与えている。[7]信長がどの程度香に親しんでいたかは現段階では不詳で今後の課題であるが、ここで注目すべきは、香を贈る事が截香の目的の一つであったと思われる点である。

なお、次代を担った豊臣秀吉（一五三七～一五九八年）も海外交易に熱心で、巨大な沈香木が秀吉の許にも集まったが、松原睦によれば「秀吉の関心は茶事《ちゃじ》にあり、香についてはあまり深い興味を示していなかったよう」だとのことである。[*8] そして、沈香の使用記録は、皇室や貴族への贈答として残っている。たとえば、天正十六年（一五八八）の後《ご》陽成《ようぜい》天皇の聚楽第《じゅらくだい》御幸《みゆき》に際して、秀吉から献上された香木は百斤《きん》（「大一斤」として約六六・九キログラム）の重さで、六人がかりで担いだほどであったと記されている。[*9] 秀吉の香木贈与は質より量を誇示したようである。

4　家康の「香」輸入

（1）家康の積極外交

徳川家康は、開幕以前からフィリピン（主にマニラ）・オランダ・安南国《アンナン》（ベトナム中部）との貿易交渉を開始し、悪化していた明（中国）や朝鮮との関係を改善し、積極的に海外貿易を促進した。暹羅《シャム》（タイ）・大泥国《タイニ》（パタニ）等のアジア諸国ばかりでなく、フィリピン総督グスマンを通してノヴィスパン（メキシコ）との朱印船《しゅいんせん》貿易交渉まで始めた。[*10]
開幕後は、柬埔寨《カンボジア》・占城《チャンパ》（ベトナム中南部）・呂宋《ルソン》（フィリピン）・安南・暹羅・東京《トンキン》（ベトナム北部交趾《コウシ》国）・大泥等および西洋に渡航する船に朱印状を下付している。

その一環として、沈香ももたらされた。たとえば、慶長十一年（一六〇六）五月には、安南国王が先年日本商船三艘を討伐したことを詫びて、日本国王（家康）に「沈香二十斤（約一三・四キログラム）」を贈ってきた。

（2）直接の書状

家康は、香に関しては特別熱心で、通常の朱印船貿易に加えて、香木の産地に直接手紙を出して、沈香の特上品を求めている。沈香は、東南アジアやインドなどに自生するジンチョウゲ科（アキラリア属）の常緑高木の樹脂が自然に凝固した物である。原木は軽いので水に浮くが、樹脂の沈着が十分であると水に沈む故に「沈水香」略して「沈香」と称する。中でもベトナム中部の山岳地帯を中心に産する、沈香の特上品と考えられていたのが「伽羅《きやら》」（当時の呼称は「奇楠香《きなんこう》」）である。*11

『対外関係史総合年表』によれば、慶長十一年（一六〇六）、幕府は暹羅《シャム》・東埔寨《カンボジア》・呂宋《ルソン》・占城《チャンパ》向けの朱印状を下付した（異国御朱印帳）。家康はそれとは別に、八月十五日にはじめて直接占城国王に、九月に東埔寨国王・暹羅国王に書状を送り、「奇楠香」を求めた。例えば、東埔寨国王には「日本国　源《みなもとの》家康、謹んで東埔寨国主閣下に啓す。（中略）貴邦において懇求する所は、上々品の奇楠香なり」「金屏風五双を贈進す、これ薄物といえども域中の所産也」（『通航一覧』*12）と、徳川家の原姓である「源」を名乗り、家康個人として〝瑣細《ささい》な品ではあるが日本の名産なので〟と謙虚に金屏風を贈って友好を示した上で、伽羅の内でも「上々品」を求めている。さらには、その年の十二月には、伽羅の積み出し港と思われる、インドシナ半島沿岸にあったという田弾《タタン》国王にまで「上々の奇楠香」を求めている。

その結果、家康は多量の上質な香木を手に入れる。例えば、慶長十六年（一六一一）、占城から送られた伽羅は百斤（約六六・九キログラム）だった。ちなみに、この時買い付けにあたった長崎奉行長谷川藤広《はせがわふじひろ》は、占城国王に対して、「日本から送った代金、白銀二十貫目（約七五キログラム）に対して香木が少なすぎる」と書簡を出し、さらに「佳香（この場合は極上の伽羅）」を求めている（『通航一覧』巻百七十三）。

（3）香木の質へのこだわり

実は、多量の沈香を得るだけなら御朱印船貿易だけで事足りた。並の伽羅を求めるなら、それで充分だったはずなのに、わざわざ自分が手紙を書いたのには、それなりの理由があった。

まずは、時の最高権力者として海外の王家に伝わる最高級の香木の献上を求めた。これを象徴するちょっとした事件がある。慶長十三年（一六〇八）一月、家康は長谷川藤広に占城《チャンパ》国の伽羅を献じるように命ずるが、これを聞き及んだキリシタン大名有馬晴信《ありまはるのぶ》は、自分が兼ねて所持していた名香（古来名高い香）を献じた。これには家康は大層喜びして、晴信に報償を与えた（『通航一覧』巻百七十三）。

ここで想起されるのが、前項で触れた『源氏物語』「梅枝」巻での光源氏の言動だ。虚構の物語内のことではあるが、光源氏は、その時太宰府の次官が貿易で手に入れた沈香より、かの高麗からの使者が献じた名香の方が上質だと鑑定した。同じ様な事が、六百年を経た十七世紀初頭に起こったと言えよう。

家康が、極品の伽羅を求めるもう一つの、そして最大の理由は、当時の天皇家あるいは高貴な公家社会に対する贈り物として、上々の伽羅を位置づけていたからであろう。天皇家は古くから中国や朝鮮の王族との付き合いの中で、最上級の香木を所持していた。それに較べて、江戸時代初期の朱印船が運んでくる香木は、いわゆる私貿易の商品である。家康は、一般商人が貿易で扱うような物を超越した、アジア各国の国主が秘蔵するような名香を求めていたのであった。

（４）家康が収集した香木の行方

江戸に幕府を開いた家康の懸案は対朝廷政策であった。[*13] 皇族・貴族に対して、一方では圧力を加え、他方では融和策を採った。公家諸法度は圧力の代表であり、天皇・上皇への財政的な援助や二代将軍秀忠《ひでただ》の娘和子《まさこ》の入内《じゅだい》計画は融和策の柱であった。

後水尾《ごみずのお》天皇と共に香に励んだと伝えられる和子の許には、江戸から大量の香木が送り込まれた。[*14]

その後、寛永三年（一六二六）九月に二条城《にじょうじょう》に御幸した後水尾天皇に、大御所《おおごしょ》秀忠は伽羅十斤（約六・七キログラム）、将軍家光《いえみつ》は長さ一間半と二間の二本の沈香木を献上している。家康の香木収集の成果が現れた一例である。家康は、文化面で貴族と肩を並べる事を目指して、贈り物用に極品の香木を大量に蓄えたと考えられる。

5　おわりに

本間洋子[15]の詳細な研究によれば、薫物は貴族から武士へほぼ一方的に「下賜」されている。家康自身も、慶長十九年（一六一四）十月二十八日、中院通村の『源氏物語』講義を受ける前年に、後水尾天皇から薫物を贈られている（『言緒卿記』）。十七世紀初頭の武家社会では、『源氏物語』を本格的に学ぶが者が希少であるように、薫物の調合法を心得ている者も珍しい存在であったと思われる。武士の多くは、まだそこまで貴族文化を吸収するに至っていなかったのであろう。

新興勢力である徳川将軍家は、その財力と権力をもって東南アジア貿易に乗り出し、沈香・白檀・麝香・蜜などの薫物の材料を手に入れて皇族・貴族に提供し、皇族・貴族はその材料で薫物を作って武家に下賜するという循環が形成されていた。武家と公家とを融和的につなぐ潤滑剤の役割を果たしていたのが、「香《こう》」であった。二条城の一室で『源氏物語』を教える中院通村と教わる家康とは、香好きという点でも響き合うものがあったに違いない。向かい合う、公家の通村と武家の家康との間を、はるか東南アジアからもたらされた「香」が取り持っていたのであった。

注

1　本稿は、堀口悟・鈴木健夫・村田真知子著『江戸初期の香文化―香がつなぐ文化ネットワーク』（文学通信、二〇二〇年）の第一章の内容と一部重なる部分がある。同書も合わせてご参照願えれば幸いである。
2　日下幸男著「中院通村年譜稿―中年期（上）」、『国文学論叢（龍谷大学国文学会）』48、二〇〇四年三月。
3　堀口悟著「江戸時代初期の香文化―『泰重卿記』を中心として」、『茨城キリスト教大学紀要』50、二〇一六年十二月。
4　松原睦著『香の文化史―日本における沈香需要の歴史』雄山閣、二〇一二年。
5　翠川文子・山根京著編『香道秘伝書・米川常白香道秘伝抄（香書双書1）』（清水書院制作、二〇〇五年）および堀口悟著『香道秘伝書集註の世界』（笠間書院、二〇〇九年）参照。

6　アンソニー・リード著、平野秀秋・田中優子訳『《叢書・ウニベルシタス571》大航海時代の東南アジア　1450-1680年　Ⅱ』法政大学出版会、二〇〇二年。

7　翠川文子・山根京・田中美由伎著編、松原睦寄稿『蘭奢待・法隆寺沈水香と六十一種名香の書　古香徴説・古香徴説別集（香書双書3）』（清水書院制作、二〇一〇年）および濱崎加奈子著『香道の美学─その成立と王権・連歌』（思文閣出版、二〇一七年）参照。

8　注4に同じ。

9　『聚楽第御幸記』（『群書類従』第三輯、帝王部）、続群書類従完成会、一九六〇年。

10　対外関係史総合年表編集委員会編『対外関係史総合年表』吉川弘文館、一九九九年。

11　伽羅木については、山田眞裕著『香木三昧─大自然の叡智にあそぶ』（淡交社、二〇一九年）、および山田英夫著『香木のきほん図鑑─種類と特徴がひと目でわかる』（世界文化社、二〇一九年）に詳しい。

12　林韑編『通航一覧』嘉永六年（一八五三）。国立国会図書館デジタルコレクション。

13　熊倉功夫著『寛永文化の研究』（熊倉功夫著作集第五巻）、思文閣出版、二〇一七年。

14　品宮常子内親王著『无上法院殿御日記』（陽明文庫ならびに東京大学史料編纂所蔵）および、堀口悟「後水尾院期の香文化─『无上法院殿御日記』を視座として」（茨城キリスト教大学学術研究センター「研究シリーズVol.4 No.1」、二〇一九年）参照。

15　本間洋子著『中世後期の香文化─香道の黎明』思文閣出版、二〇一四年。

04 都市図の発達と風俗画

崔 京国

1 張択端『清明上河図』

東アジアにおいて本格的に都市の風景を描いた絵画は、『清明上河図《せいめいじょうかず》』がその始まりであることには誰しも異見がないであろう。北宋の開封は経済が発達し、その中で都市民の新たな文化が登場した。宋代になると唐以前のような都市における商業統制が形骸化し、商人が街中で自由に商売を行うことが可能になった。町中に飲食店や飲み屋をはじめ、各種店舗が業種別に集まっていて、商人たちは露店を広げるほど商業活動に積極的だった。とくに夜における娯楽施設の盛行ぶりはそれ以前では考えられない大きな変化であった。そこでは、人々が集まって芸能と娯楽が行われることを楽しんでいた。このような商業活動の繁栄を支えてくれたのが、交通の発達である。とくにこの時期は水路交通を重視して、首都を開封に定めた最も重要な理由も汴河《べんが》が黄河《こうが》と連結しているからである。

宮廷画家張択端《ちょうたくたん》が描いた五メートルに及ぶこの絵巻は、閑散とした郊外から始まっている。小川を渡る橋の手前には五頭の驢馬《ろば》に一杯荷物を載せて歩いてくる二人の商売人の姿がみえる。一人は一番前の驢馬を率いており、もう一人は一番後ろに隊列を見守ってついてくる。小さい村からの収穫物を市場に出すために朝早くから村を出発したはずのこの群れは、あたかも小川が集まって大河をなすように都市に集まっているようだ。

宋の宣和年間（一一一九～一一二五年）当時、世界最大級の都市であった首都汴京《べんけい》（開封《かいふう》）を描いた『清明上河図』はパノラマのように都市の風景を映してくれる。都市の入り口の川辺には船が二隻停泊しており、右側の船からは荷物を陸揚げする人夫たちが船から橋をかけて描かれている。下ろされた荷物の上には、荷主のような男が腰を下ろして左手を前に伸ばして指図をしている。彼の後ろには客店のような店があり、店は両側にずらっと続いている。ここは陸路や水路でたどり着いた人々の憩いの場であろう。上段の店には柱に馬の手綱を縛り付けておいて歓談を交わしている。一人は座って一人は少々腰を上げていながら右の手で何かを指している。この人だけではない。柱に手綱をつながられた馬は手綱を引っ張ってまで退いて後ろを振り返っている【図1】。さらに隣の家の人や馬、そして牛までも視線が一つの場所に集まる。そこには一匹の馬が背に荷物を積んだままに暴れて走り出している。地面に中身がこぼれていてそのすぐ後ろにはこの馬を捕まえようと、袋を左手に握ったまま追っかけている下人風の人と、またその後ろに二人が追いかけてくる。そのとなりには家の前で子供が遊んでいて、馬に怪我でもされたらいけないので抱き上げようと急いでいる一人の大人がいる。閑散としていた郊外から都市の境界に入った途端、緊張感あふれる事件が繰り広げられるのだ。

図1　『清明上河図』都市の境界（以下、上海本画出版社編『清明上河』2004年より）

船泊から川を上っていくとどんどん人々が増えており、一番多く集まっているところがアーチ型に架かっている虹橋《こうきょう》である【図2】。橋の上には日傘とか葦を正方形に編んだものを日除けにした露店がずらっと店を出している。のこぎりやはさみ、包丁など刃物を売る店、くつを売る店や饅頭などの食べ物を売っている屋台、縄を売る店などがあり、客引きしている人の様子まで描かれている。さらに川を眺める見物人や通行人まで加わって橋は人の波で満ちあふれている。

橋の真ん中を通る駕籠《かご》は轎子《きょうし》という上下が長い形のものである【図3】。駕籠の前には二

図２　『清明上河図』虹橋

図３　（図２部分拡大）

人が人波を分けて上に進んで行く。しかし、上からもまた馬に乗った一行が歩いてくる。ここにも前列に二人を立たせて人波を分けて橋の真ん中を渡ってきている。画面にはちょうど双方の前列の二人が遭遇する場面が描かれており、喧嘩でも起こりそうな状況である。まだ、まわりの人々には気づかれていないが、左側の二人の通行人は両方の二人の剣幕に驚いて身を避けている。

橋の下には船が下を通ろうとしている。しかし、船の方向が横になっていてこのままでは橋の低い部分とぶつかりそうな状態だ。船に乗っている人が総出で橋にぶつけられないように頑張っている。橋の上から船にロープを投げている人や船の屋根に立って長い竿で橋を押している人、そして川に竿を突っ込んで船の方向を調整している人など躍動的な人間群像が一人ひとり個性を持って生き生きと描かれている。

橋から下って左側の建物には高い櫓《やぐら》が組まれた、華やかに飾り付けた門が見える。この門は客を歓迎するという意味の歓門である。櫓から道路側に突き出されて垂れている旗には、「新酒」と書かれている。城門の中にはもっと派手に装飾してある〝正店〟があるが、ここは支店にあたる「十千脚店」である。二階建てのこの店の二階の店内の酒宴の様子が窓からのぞかれる。

脚店の入り口には銭差《ぜにさし》を持ってきた人が二人、独輪車に載せる前に銭を数える人がいる【図４】。下には右手には箸《はし》を左手にはお椀を二つ持っている男が描かれている。

図４　『清明上河図』銭差を乗せた独輪車

どこかに出前にでも持っていくのであろう。その隣には女性が子供を連れて、枝に何かを吊るしている男に声をかけている。子供のおもちゃなのか左手に持つ箱に長いものが出ている。

この絵巻には一つの場面場面を切り抜いても、そこには当時の風俗が実にリアルに描かれている。十二世紀という早い時期の都市の繁盛、その中で繰り広げられる庶民の風俗に興味を引かれたのだ。それが、『清明上河図』が名品と呼ばれるゆえんであろう。

２　画題としての「清明上河図」

「清明上河図」は大きく〈張択端本〉、〈仇英本〉、〈清院本〉の三つの系統に分けられる。〈張択端本〉は北宋徽宗《きそう》年間の開封府の景観を描写したものである。〈仇英本〉は蘇州《そしゅう》の職業画家たちが描いた蘇州片で、明代蘇州の景観を描いており、絵巻の後半には〈張択端本〉にはない皇室の金明池《きんめいち》を描いている。〈清院本〉は乾隆《けんりゅう》帝の命によって清代宮廷画院の画家たちが合作として完成させたものである。蘇州片とは明代から清代までの蘇州の民間絵師たちが偽造した書画の通称である。仇英款の偽作の中で一番多い量を占めているのが『清明上河図』で、現在遼寧《りょうねい》省博物館に所蔵されている仇英款『清明上河図』は明代に制作された蘇州片として知られている。*1

王正華「近世中国における芸術と都市文化—都市図および関連する諸問題—」*2には、「18世紀中国における都市図の人気の高まりは宮廷内にとどまらなかった。「清明上河図」の制作が蘇州や揚州などの都市で続く一方で、「盛世滋生図」と非常に近似した蘇州のイメージを描き出した色鮮やかな木版画が販売され、中国南東部や日本に広く出回った」と、『清明上河図』の量産だけでなく、『清明上河図』に倣った都市図の「盛世滋生図《せいせいじせいず》（姑蘇繁華図《こそはんかず》）」の版画が販売される様子を伝えている。さらに、「18世紀の終わり頃、無地の背景に個々の職業を描いた作品が人気を博すようになり、19世紀には、広東で制作される輸出絵画に欠かせない存在となった」とさまざまな商売が描かれたものが風俗画の主要な形態になったと加えている。

〈張択端本〉によって十二世紀に始まった都市図が、明代に至り仇英（一四九四頃〜一五五二年）の『清明上河図』を模写した贋作が多く出回るほど流行したのが、版画に制作されるに至ったのである。

3 朝鮮における『清明上河図』

朝鮮時代に『清明上河図』についての記録が十八世紀初から出てくる。絵師としても名高い趙栄祏《ちょうえいせき》（一六八六〜一七七〇年）の文集『観我斎稿』の中には、「清明上河図跋」という題の文章がある。李童山という人の所蔵しているこの図を一七〇四年正月に借りてきて見たと記されている。冒頭に仇英の画であるとしるしているが、「清明上河」の河を「汴河」と取っている。趙栄祏だけではない。当時の朝鮮では、仇英の『清明上河図』が開封を描いたと信じていたようだ。

趙栄祏は病中だったようでその暇つぶしだったのか、人の数が千四百八十九人、驢馬六十一、羊三十四、馬三十一、牛六、および犬二、駱駝《らくだ》三、鹿二、鶏六、鵞鳥《がちょう》四、鶴二、鷹一、孔雀二というように一つ一つ数えられるくらいに魅入っていた。さらに、登場人物の姿勢を細かく描写して同じ人がいないと感嘆している。しかし、絵が古くなって残失が多いのでもっと詳しく数えることができなかったと記す。「狩り、遊覧、行商、物乞い、匠人、歌舞、喧嘩などおよそ人間事の喜びや驚きの様子がすべて細かく備わっているので、観る人にその中に入ったかのような錯覚を起こさせるのをみると、まことに絵画の奥義と言うべきだ」などと述べ、結論として、「まさに中華の風俗が入っていることが観られる」のが絵画の有益なところであると語っている。

趙栄祏の「清明上河図跋」の叙述は非常に細かいので、彼の見た絵の全体像がわかる。驢馬が馬より多いという指摘や駱駝三匹、鶴二羽などと遼寧省博物館所蔵『清明上河図』に合わせてみると、非常に似ているところが多い。しかし、孔雀はいないのをみると完全に合致してはいない。

朴趾源《ぼくしげん》（一七三七〜一八〇五年）の『燕巌集』には、「清明上河図跋」が四つもある。最初の文章には次のように記している。「都邑として富盛しているのは宋の汴京に比べられるところがなく、節季として繁華なのは清明の上はなく、画品においてもっとも細密なのは仇英に比肩できる者はいない。この絵巻を描くには当然十年の努力は費やすだろう。私はこの絵巻物を除いてもすでに七本を観ている。仇英十五歳からこの絵巻を描いたとしたら、この作品は九十五歳の作品になろう」と、朝鮮に入ってきた『清明上河図』がすべて仇英の作となっていることを批判している。さらに「湛軒所蔵清明上河図跋」でもどうしてこのような偽物を中国人に騙されて買っているのかと嘆いている。この文章を見ると、十八世紀後半には蘇州片の『清明上河図』が朝鮮に多く流れ込んできたことがわかる。

朴趾源の「観斎所蔵清明上河図跋」には、ある収集家の末路が描かれている。「金氏（金光遂。一六九九〜一七七〇年）は骨董や書画の鑑賞に精密で、絶妙な作品に出会いしだいに家の資金をはたいて家や田んぼまで売って収集金に足した。それゆえ、国中の珍宝がすべて彼のところに集まったが、家は日に増して貧しくなった。すでに老いて曰く、私はすでに目が暗くなり、一生目に供えたものを今は口に供えるしかない。しかし、売値は買った時の十分の二、三にもならず、すでに歯もなくなり、口に供えるものもすべて汁か粉だけであった」と嘆いている。この文章から十八世紀の朝鮮に収集家が存在したことがわかる。

4　『清明上河図』と『太平城市図』

朝鮮時代の都市図としては十八世紀中半の韓国国立中央博物館所蔵の八幅屏風『太平城市図』がある。中国と日本に多くの都市図があるのに比べると、朝鮮時代の都市図は非常に少ない。『太平城市図』は当時の首都漢陽《かんよう》を描いたものではない。実際漢陽を描いた都市図があったという記録は、李徳懋《りとくぼう》（一七四一〜一七九三年）の『雅亭遺稿』に、「先日、上命によって都城の風物を描いて屏風を造り、城市全図と名付けた」、また純祖《じゅんそ》（朝鮮の二十三代の王、一七九〇〜

一八三四年）の『純齋稿』「城市画記」一八〇三年の条に書かれた、「我が国の城市を描いた小さな画の一巻である」などがある。純祖は画面に千七百十七人が登場し、五十六の行為が行われていると述べている。[*3] しかし、この「城市全図」は現在、所在は不明である。

『太平城市図』は八曲屏風（各々一一三・六×四九・一ミリメートル）である【図5】。建築物や人物の衣装などに中国的な要素が多い中に朝鮮時代の器物や朝鮮風の建築工程が描かれている。[*4] 約二千百二十人が登場するこの絵にはどこを見ても建物や人々でぎっしりと詰まっている。道路に面している店は二階建てで、そこには壁が描かれておらず中が透き通って見える。左から、置物、鋏、反物、鏡、靴を売っている店が並んでいて屋根の上には凧を揚げている人々が空を見上げている。後ろには中庭があり、女性たちが機織り、刺繍、染色など「耕織図」の中の「蚕織図」から取ったような絵が描かれている。店の前の道路には、下の方は科挙の首席合格行列、上は狩りにでも行くような装束やその後ろには巨大な駱駝二匹が追ってくる。道路下段の家には「太」と「平」の字灯篭が見え、これが太平城市図と呼ばれるゆえんである。

図5 『太平城市図』（『美術の中の都市、都市の中の美術』韓国国立中央博物館、2016年より）

この屏風には、耕織図のような中国伝来の画題や『清明上河図』『姑蘇繁華図』などから倣った商業施設、遊楽の場面から朝鮮風俗図によく描かれる画題が混じっている。朝鮮時代に理想化された中国の都市がどのように構成されたかがわかることで意義のある作品である。

朝鮮時代の風俗画の胎動を告げる人物は、尹斗緒（一六六八〜一七一五年）である。彼は下層庶民の日常生活を素材にした絵画を描いて朝鮮時代最初の本格的な風俗画を描いた。次の風俗画家は、十九歳にして『清明上河図』を実見し跋文を書いた趙栄祏である。『清明上河図』を観たのがきっかけで人物画に没頭したのであろう。彼は、「絵を見てその絵を写すのは間違いで、対象を直接見て描けば（即物写真）生きた絵になる（乃為活畫也）」（「贈吏曹参判趙公墓誌銘」）と考え、写実を追及していた。

その後、趙栄祏の写実を受け継いだ呉命顕（生没不明）、尹愹（一七〇八〜一七四〇年）によって風俗画が拡散する時期を迎え、金弘道（一七四五〜一八〇六?年）、申潤福（一七五八〜?年）に至り、朝鮮時代の風俗画の花が咲くことになる。

5 『清明上河図』と『洛中洛外図』

曺命采が第十回朝鮮通信使の従事官として見聞を記録した『奉使日本時聞見録』一七四八年三月十一日条には、対馬《つしま》の宴に参加して広間庁の棕櫚の間に入る。そこには唐の絵一軸が紅い漆を塗った櫃《ひつ》に入れてあり、軸には「清明上河図」と書かれていた。彼はこれを対馬島主が自慢して出したとみている。一七三四年第九回の朝鮮通信使を応接する茶礼にも『清明上河図』は棚の上を飾ってあった（池内敏「十八世紀対馬における日朝交流」『名古屋大学文学部研究論集（史学63）』二〇一七年）。

対馬の『清明上河図』の現在の所在はわからないが、日本には多くの『清明上河図』が残されている。楊東勝主編『清明上河図』（東方博古叢書、人民美術出版社、二〇〇九年）には、『清明上河図』の所蔵処を表にしていて、表の五十点の中、日本にあるのは十一作品にものぼる。

日本で都市図といえば、すぐ思い浮ぶのは「洛中洛外図屏風」であろう。『清明上河図』の虹橋と類似した場面が『洛中洛外《らくちゅうらくがい》図《ず》屏風』舟木本にもある。

舟木本で一番大きく、通行人が賑わう橋は五条大橋である。画面全面に雲が散らばっているものの、この五条大橋は雲の上にそびえている【図6】。橋の右側にある豊国神社にも雲はかかっていない。画家がはっきり見せたいところには雲を描かないのであろう。この雲が大和絵の特徴の「すやり霞」である。空から風景を俯瞰《ふかん》する場合の約束事のように使われた。

図6 『洛中洛外図屏風』五条大橋（東京国立博物館監修『洛中洛外図屏風 舟木本』2013年より）

橋の真ん中には桜の枝を持った花見帰りの一行が橋を渡っている。先頭に立った二人は幹から取ったような大きな桜の枝を右手に持って踊っている。そのすぐ後ろには扇をもった四人、合わせて六人が後ろの集団を導いている。後ろの集団は、身分の高い人なのか桜の枝を持って踊っている巴紋の赤い服を着た女性は後ろの人が高い日傘を一所懸命にかざしていて、傘を持っている人が全部で六人である。集団の次には同じ服装をした二人の侍が集団を保護するかのようについて行く。手前の馬に乗った侍は右の袖に顔を隠しながら後ろを向いている。後ろについてくる人の視線も後ろを向いている。視線が向いているところには酔っ払って両側から脇をかかえて歩いている巨漢がいる【図7】。上着が乱れ、裸になって苦しく息をしており、刀まで前の人に預けている。欄干《らんかん》の柱の陰には、笠をかぶり顔まで袖で隠す怪しい人物がこの姿を注視している。

図7 （図6部分拡大）

図8 （図6部分拡大）

橋の反対側には一人の乞食《こじき》と三人の物売りが並んでいる【図8】。乞食は髪は乱れて髭が汚く顔を覆っていてあまりにも痩せて体中の骨が出ており、巻いておいた薦《こも》の前で服もなく、布切れ一つで下半身を隠している。哀切な表情でひざまずき、両手で曲げ物を持ち上げて花見の集団に物乞いをしている。ちょうど橋に進もうとしていた馬は騒ぎに驚いて後ろに退いており、従者が手綱を短く取っている。すでに橋に入ってしまった人々は欄干にくっついて見物をしている。橋の下には鴨川が流れていて、裸になって泳いでいる人、荷物を持って川を渡っている人、洗濯をしている人、馬を洗っている人などが描かれており、橋脚を通ろうとしている二隻の薪を積んだ船には橋上の騒ぎに気を取られて上を向いている船頭の姿が描かれている。画面に登場する約二千五百人が一人ひとり表情や個性をもって生き生きと自分の役割を果たしていて、場面場面を見るものにドラマを考えさせられて飽きない。『洛中洛外図屏風』舟木本は、〈張択端本〉と〈仇英本〉に比べて豊かな表情を持った立体的な人物を作り上げることができた。「洛中洛外図」は現在まで残されている作品が百点を超えるそうだ。これくらい大量消費されたというだけで当時の京都の都市としての魅力や豊かさを推測できる。

6　消費される風俗

二〇一二年三月から五月にかけて展示された人間文化研究機構連携展示の図録の第三章「洛中洛外図屏風から風俗画へ—遊興と生業」には、「安土桃山時代ころから、洛中洛外図屏風の一部をクローズアップしたような、人物を中心とする絵画が描かれるようになる」[*5]と記されている。巨大な都市の中で繰り広げられる人間群像から一つ一つのテーマ別に独立した形で描くようになった。まさに風俗画が登場するのである。それは花見の遊興図であったり、職人尽くし絵であったり、湯女図などだったりするのである。

都市の名所への関心は中川喜雲《なかがわきうん》の『京童《きょうわらべ》』（一六五八年）から始まる名所記の出版を促し、同年山本泰順《やまもとたいじゅん》の『洛陽《らくよう》名所集』（一六五八年）、浅井了意《あさいりょうい》の『江戸名所記』（一六六二年）と続く。大量生産されるほどの「洛中洛外図屏風」は、それでも庶民には高嶺の花であった。やっと庶民にも手に取って名所風俗を鑑賞できるようになったのである。

江戸時代における出版文化の発達は、風俗画にも大きな変化をもたらした。浮世絵肉筆画の「見返り美人」を描いた菱川師宣《ひしかわもろのぶ》が江戸の案内書『江戸雀《えどすずめ》』（一六七七年）を出してから、『よしはらの体《てい》』（一六八一～八四年頃）のような墨摺り絵、『美人絵づくし』（一六八三年）のような風俗絵本を肉筆画と同時に制作したのは、すでに肉筆画だけには需要を充足できなかったからであろう。

出版の発達とともに風俗画は風俗絵本だけではなく、浮世草子、黄表紙などの挿絵としても描かれるようになった。一枚摺りの浮世絵も、初期の単色摺りから工夫を重ね、丹絵《たんえ》、紅絵《べにえ》、紅摺《べにずり》絵などを経ていよいよ、裕福な文化人の集まりである絵暦《えごよみ》交換会によって錦絵という多色摺り版画としての技術が確立するようになった。多くの絵暦を制作して錦絵の成立に決定的な役割をした鈴木春信《すずきはるのぶ》（一七二五頃～七〇年）の革新的な版画が大衆の人気を博した。

その後、役者絵の勝川春章《かつかわしゅんしょう》（一七二六～一七九三年）、美人画をよく描いた北尾重政《きたおしげまさ》（一七三九～一八二〇年）を経て、女性美を追求した喜多川歌麿《きたがわうたまろ》（一七五三～一八〇六年）、デフォルメされた役者の似顔絵を描いた東洲斎写楽《とうしゅうさいしゃらく》（生没年不明）、大胆な構図で自然の一コマを捉えて描く歌川広重《うたがわひろしげ》（一七九七～一八五八年）、生涯三万点を超える作品を発表した画狂というあだ名を持つ葛飾北斎《かつしかほくさい》（一七六〇～一八四九年）、奇想天外な発想の持ち主である歌川国芳《くによし》（一七九八～一八六一年）など浮世絵の黄金期を導く浮世絵師が次々と登場したのである。

浮世絵という言葉が定着した天和年間[*6]（一六八一～八四年）から幕末まで約二百年近く、浮世絵は技術の開発や表現様式の発達によって日本独自の美意識を作り上げることができた。最初オランダを通して輸出した漆器や陶磁器を包装した紙としてヨーロッパに渡ったのが、ゴッホ、モネ、マネ、ドガなど印象派の画家たちの目に留まり、マネーの『エミール・ゾラの肖像』、ゴッホの『タンギー爺さん』などの絵の中には浮世絵が描かれた。さらに、日本の美術品、とくに浮世絵の熱狂的な収集のブームが巻き起こり、ジャポニスムにまで発展したことはよく知られている。

都市の発達、経済の発展とともに都市図が描かれ、その中の人間の営みが独立して風俗画になる。さらに、風俗画をもとめる収集家が現れ、その需要に応えるために絵が制作された。中国や韓国でも風俗画が流行った時期はあったが、量としてみると日本より少ない。日本は値段が高かった肉筆の絵が版画によって大量生産されることにより、浮世絵が簡単に買える値段になったが、多色摺りで品質はあまり劣らない。産業としての浮世絵が成り立ってから、絵師も彫師も摺り師も安定した生活が確保されて腕前と技術を積み重ねることができた。浮世絵の錦絵は世界的なレベルに到達していたので西洋にも迎え入れられたのである。

注

1 Lee, Ju-hyun「明清代の蘇州片清明上河圖の研究―仇英款蘇州片を中心に」、『美術史學』26、二〇一二年、ソウル。
2 『図像・民具・景観　非文字資料から人類文化を読み解く』、神奈川大学21世紀COEプログラム　第2回　国際シンポジウム、二〇〇七年三月。
3 Ahn, Dae-hoe「城市全図詩と18世紀ソウルの風景」(『古典文学研究』35、韓国古典文学会、二〇〇九年）には、この二つの記録が同じ絵をさしていると推測しているが、屛風と巻物の違いについては説明されていない。
4 朴孝銀「17―19世紀韓国画家の中国都市認識とその表現」、『明清史研究』46、明清史学会、二〇一六年。
5 国立歴史民俗博物館・国文学研究資料館編『都市を描く―京都と江戸』歴史民俗博物館振興会、二〇一二年。
6 小林忠「浮世絵の歴史とその魅力」、『大浮世絵展』二〇一四年。

05

肥前磁器に描かれた文様と古典文学

Nguyen Thi Lan Anh

1　はじめに

日本の陶磁器は世界的にも有名であり、日本人にとって生活に欠かせないものだと考えられている。さらに日本では陶磁器は実用的な容器としてだけではなく、装飾品・調度品としても一般的である。その中でも肥前陶磁は、日本を代表する陶磁器の一つであり、多くの研究者が研究している。陶磁器は日本のみならず多くの国で芸術的な価値があるだけでなく、交易の商業活動においても重要な役割がある。その原点には、日本人の社会生活に関連して、精神文化（生け花など）・物質文化（食器など）における陶磁器の役割や使用法についての関心が存在している。陶磁器は人々の生活との関係のなかで発展してきた。人々が生活から得たものが、その模様にされている。そうした点で、同じく人々の生活に根ざした文学の分野とも類似し、関連していると思われる。実際、かなり以前から陶磁器に関わった詩歌が作られていたようである。アメリカの国民的詩人ヘンリー・ワーズワース・ロングフェローは少年時代、故郷の老陶工がろくろを回し土の塊から器を作る様子を飽きずに見ていた経験に基づき、一八七七年に長編詩を発表している。ほかに蒲原有明《かんばらありあけ》（一八七五〜一九五二年）には、夫人の実家が佐賀県有田町・蔵宿《くらやど》にあることから、詩「有田皿山にて」など、九州、有田に関連する作品が多い。有明は明治三十一年（一八九八）六月『読売新聞』に連載した紀行文

『松浦あがた』で「ケラモス」に触れ、伊万里《いまり》、有田の往時を偲ぶ。

本章では、肥前磁器に描かれた文様の起源や背景を知るために、肥前磁器の文様と共通するモチーフを描いた文学作品を取り上げて、述べていきたい。

2　肥前磁器について

肥前磁器とは、肥前（現在の佐賀県・長崎県）で焼かれた磁器のことをいう。肥前磁器の焼造は十七世紀初頭から始まった。豊臣秀吉の朝鮮出兵の際、多くの大名が陶工を日本へと連れ帰った。肥前国佐賀藩祖の鍋島直茂《なべしまなおしげ》が、連れ帰った一人の李参平《りさんぺい》は、一六一六年に有田の泉山《いずみやま》で白磁鉱を発見し、そこに天狗谷窯《てんぐだによう》を開き日本初の白磁を焼いた有田焼の祖と言われていた。李参平が肥前磁器の発展に大いに貢献したことは確かであり、有田町では李参平を尊重し祭神とする陶山神社もある。

日本で初めて「有田」の泉山の地に磁石鉱が発見され、約四百年が経った。その間に「有田」の町は「陶磁器の町」として国際的にも広く知られるようになり、今では、陶磁器なくしてこの町は語れないというほどの、主産業となった。佐賀県と長崎県の県境にまたがる「肥前皿山《さらやま》地区」は、同じ「陶磁器」を主産業にしながらも地区それぞれに、独自の特色を出しながら、お互いに刺激し合い、切磋琢磨し、発展してきた。その中に唐津焼《からつやき》、有田、伊万里、三河内《みかわち》、波佐見《はさみ》はそれぞれの歴史と特色を有している。

・唐津焼は古くから茶の世界では、「一井戸《いど》、二楽《らく》、三唐津」という茶碗の格付けがあり、茶の湯の名品として多くの茶人に愛された。また、「備前の徳利《とっくり》、唐津のぐい呑み」と言われるように酒器としての評価も高く、飽きのこない一品に出会う楽しみもある。

・伊万里・鍋島焼は伊万里大川内山《おおかわちやま》で江戸時代、佐賀藩の御用窯《ごようがま》が置かれ、将軍家などへ献上する特別にあつらえた焼き物「鍋島」が焼かれていた。現在の窯元は、高度な技法を受け継ぎながらも新たな技術を取り入れるなどし、「伊万里・鍋島焼」として約三百五十年の歴史と伝統を引き継いでいる。
・武雄焼《たけおやき》は一五九〇年頃から、鉄絵《てつえ》・緑釉《りょくゆう》・鉄釉《てつゆう》・刷毛目《はけめ》・叩《たた》きの技法で、大皿、瓶、壺、茶碗、甕《かめ》など多様な焼き物が作られ、日本各地だけでなく東南アジアにも輸出されていた。現在は、およそ九十軒もの窯元がそれぞれ、この伝統的な技法を生かしながら、個性を尊重し、多様な作品を生み出している。
・肥前吉田焼は十六世紀、その後、寛永年間（一六二四〜一六四四年）、蓮池《はすのいけ》藩主、鍋島直澄《なべしまなおずみ》が朝鮮陶工を吉田山に招き、磁器を焼かせた頃から本格的に製造が始まったといわれている。現在も、スタイルにとらわれることなく、技術向上に励んでいる。志田焼《したやき》は十七世紀後半から日常雑器の生産が行われていた。作品には人物や動物を戯画的に表現した楽しい染付皿《そめつけざら》が多く見られる。
・三河内焼は四百年ほど前、平戸《ひらど》藩御用窯として発達した三川内《みかわうち》である。江戸時代のさまざまな経済の荒波に巻き込まれることなく、技術の粋を極めた「細工もの」や茶道具などを作り、繊細優美と表現され、幕府や朝廷に献上品として納められた。また、純白さと透き通るような薄さで、オランダをはじめとするヨーロッパにおいて高く評価され、当時のものは大英博物館などに収蔵されている。
・中野焼は松浦《まつら》鎮信《しげのぶ》公が平戸の中野で開いた平戸藩窯「中野窯」である。中野焼として、陶器質の素地に白土で化粧した上に呉須《ごす》で文様を描いた「陶胎染付《とうたいそめつけ》」と呼ばれる製品が伝世しているが、当時の世界最高のやきものである景徳鎮《けいとくちん》製磁器を強く意識した磁器も作られていたことが確認されている。
・波佐見焼は、江戸の昔から今日に至るまで、庶民の暮らしに深く関わり、日本の食文化に大きな影響を与えてきた。現在も長い歴史に培われた伝統と技術を保持しつつ、現代の暮らしにマッチした器が作られている。
・有田焼は十七世紀初頭、朝鮮人陶工李参平によって有田町泉山で磁器の原料となる陶石が発見され日本初の本格的な磁器の生産が始まった。それから四百年、食器から美術工芸品まで幅広い焼き物の生産を続けている。

一六二〇年頃に朝鮮陶工李参平が肥前有田の泉山で良質の磁石鉱を発見して以来、有田と、秘境大川内山に藩窯が置かれた伊万里は窯業の中心地となり、色絵磁器の優品を作ってきた。伊万里の港から積み出されたことから、この地方で作られた焼物全般は伊万里焼きと呼ばれた。海外文化にも影響を及ぼした伊万里焼、豊かな歴史を持つ有田、伊万里の窯業、そこに働く陶工の人生は多様なテーマで文学に描かれている。その中で、アメリカの国民的詩人ヘンリー・ワーズワース・ロングフェローの詩「ケラモス」に伊万里が登場する。一八七七年に発表された長編詩は、詩人が少年時代、故郷の老陶工がろくろを回し、土の塊から器を作る様子を飽きずに見ていた経験にもとづく。詩人の空想の空の旅は、メイン州ポートランドの陶工の仕事場から出発し世界の窯業の地を訪ねる。大西洋を越え、デルフト、サント、マヨルカ島、イタリア中部の窯業地グッビオ、ファイアンス、フィレンツェを訪ね、南下しギリシャの遺跡、カイロ、そしてヒマラヤを越え、景徳鎮、南京を経て伊万里に至り地球を半周する。各々の窯業地の繁栄の様子、そこで作られる作品の美しさを詠う。

　また、山本一力の江戸を舞台に、武士や商人、職人などさまざまな階層の人々の人生の断面を描く時代小説の中に有田焼にまつわる作品がある。輸出磁器として台頭した有田焼だが、国内でも赤絵《あかえ》は高級食器として人気が高く料亭などで使われた。

　山本の『紅けむり』（双葉社、初版二〇一四年）は有田と江戸を舞台に、幕府禁制の火薬、塩硝《えんしょう》（焔硝）を密造する一味と隠密の戦いを描く。塩硝が有田で密造され、江戸に運び込まれようとしているというわさに、隠密が放たれる。塩硝は密造が明らかになれば藩取り潰しにもなる。有田皿山の薪炭屋の若店主は隠密の密造団捕縛に協力する。

　物語は寛政八年（一七九六）元旦、初詣で賑わう有田皿山の陶山神社から始まる。前年、有田焼（山本は「海外では、積み出し湊の名にちなみ、伊万里焼と呼ばれた」と注を付ける。江戸でも伊万里焼と呼ばれることが多い）の輸出を一手に担ってきたオランダ東インド会社が閉鎖され、不安な気持ちで冬をむかえた皿山の人々に、師走に江戸から吉報が届いた。

　このように、肥前磁器が文学のなかに書かれたものは少なくない。また、文学に描かれた人物、動植物や景色と共通するモチーフを陶磁器に描いた例も少なくない。陶磁器では肥前磁器をはじめ、ほかの陶磁器にも文学に描かれたモチーフを文様にした作品もたくさんある。

3　文学と肥前磁器に描かれたモチーフ

本章では、文学に登場する動物、景色と肥前磁器に描かれた絵柄のモチーフを中心として論じていくが、一口に文学といっても幅広いため、『万葉集』『新古今和歌集』『源氏物語』を主な対象とし、文学における人物、動物や景色などと肥前磁器に描かれた文様を取りあげていこう。

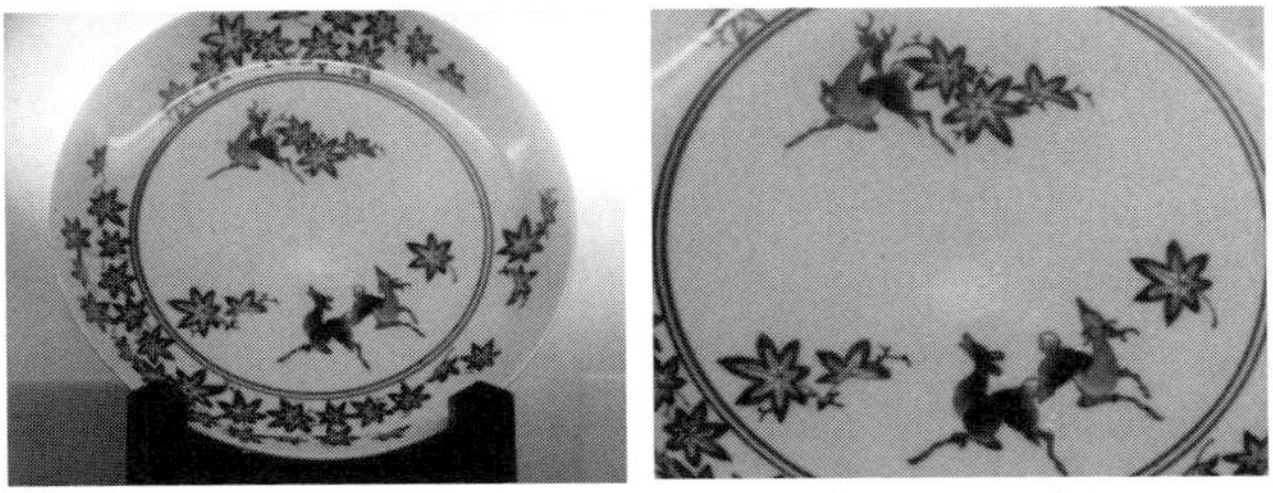

図1　染付鹿紅葉文皿　有田皿山　1670-1690年代　直径18.2㎝　高さ2.3㎝

（1）肥前磁器に描かれた動物

陶磁器には動物や景色が題材として描かれている。とくに文学に現れた鳥、鹿、兎なども親しまれている。陶磁器には動物文様がたくさんあるが、その中でも鹿文様はとくに多く描かれた。

長寿の象徴といえば、鶴だけではなく、鹿が縁起のよい、長寿象徴とされる。中国では、鹿を表す「縁」＝お金、またはこの「縁」が七福神の一人「福縁寿」を表すことから、鹿＝金運上昇と長寿の象像とされる。鹿は神様の乗り物、神の使いとされる縁起のよい文様である。鹿はシカ科の動物の総称で、鹿といえば奈良公園の鹿がよく知られている。春日大社に祀られている神様は、鹿島神宮から白い鹿に乗ってきた武甕槌命《たけみかづちのかみ》という神様である。奈良公園の鹿はその鹿の子孫とされていて、大切に保護されているのだそうである。

【図1】には飛び跳ねる鹿が三匹に、染付けではあるが、おそらく楓のもみじ（紅葉）が描かれている。このお皿は十七世紀の後半に有田で焼かれた古伊万里のお皿である。鹿と紅葉の意匠は、この時代に多く制作されている。ちなみに鹿と紅葉の起源は、『古今和歌集』（秋二一五）猿丸太夫《さるまるだゆう》「奥山に紅葉踏みわけ鳴く鹿の声きく時ぞ秋はかなしき」と言われている。『万葉集』には六十八首にもある。そのほとんどは、鹿の鳴く声を詠んだものである。歌の中では、鹿・さ牡鹿《おしか》・猪鹿《ちょろく》などという形で詠みこまれている。また、鹿とともに萩を同時に詠みこんだ歌が多く見られる。「夕されば小倉の山に鳴く鹿は今夜は鳴かず寝《い》ねにけらしも」（『万葉集』巻第八・一五一一）に記載されている。「夕方になると小倉の山で鳴いている鹿は、今夜は鳴いていませんね。もう寝てしまったのでしょうか」という意味である。そして、「あしひきの山椿咲く八峯《やつを》越え鹿《しし》待つ君が斎《いは》ひ妻かも」（『万葉集』巻第七・一二六二）にも登場した。

戦国時代から江戸初期にカルタが流行し、『百人一首』の中にこの歌が、個別に取り出される中で、紅葉が楓のもみじと解釈されるようになってしまったようである。またカルタとは、十六世紀の後半、安土桃山時代の天正年間にポルトガルより伝わったもので、「天正カルタ」と呼ばれ、これが江戸初期には「ウンスンカルタ」、江戸中期になっていわゆる「花札」になり、おなじみの楓のもみじに鹿が描かれた札が、この意匠が描かれるに至る、決定的な役割を果たしたものと思われる。柴田コレクションには、このお皿とほとんど同じ鹿と楓のもみじの絵が描かれた染付け皿が存在する。

江戸時代後期になると、料理文化の隆盛とともに器もより華やかになり、さまざまな文様が描かれた直径四〇センチを超える大皿が数多く生産された。この時期にはモチーフは、獅子牡丹、竹に虎や松に鷹などの伝統的な意匠から、鯉の滝登り、恵比寿に大黒、鶴や旭日などのめでたい絵柄、また、当時大流行していた浮世絵をもとに描かれたような図様、洒落を利かせたものまで多岐にわたる。兎は陶磁器、文学、浮世絵にも何回も現れた。

『万葉集』ではいくつかの歌があるが、代表な歌は以下の通りである。「等夜《とや》の野に兎狙はりをさをさも寝なへ子ゆるに母に嘖《ころ》はえ」（『万葉集』巻第十四・三五二九）。

兎といえば赤い目に白毛、そして長い耳が想像される。ところが、これは家畜用に改良されたもので、野生の兎の目は黒く体毛はほとんど茶色である。ただし、雪国の兎は夏は茶、冬は白と保護色用の毛に生え変わる。昼間は日当たりのよい笹の葉陰などに安眠し、夕方から草の葉、木の皮、若芽など食を求めて動きはじめるが筍、甘藷が好物なので時々山野の作物を荒らすいたずらものである。前足に比べては後足が長いので「脱兎のごとく」早く走るが、山を下るのが苦手でよく転倒するそうである。

色絵水葵双兎大皿【図2】は十九世紀伊万里で焼かれた皿で内面には仲良く寄り添う双兎で、目が黒く体毛は茶色なので、野生兎ではないだろう。濃密な濃み《だみ》[*2]を施した背景には流水と求愛の意味をもった水葵文が明るく表られ、幻想的な雰囲気を漂わせている。

図2　色絵水葵双兎大皿　江戸時代　伊万里　高 5.4 cm　口径 46.0 cm　底径 26.3 cm（荒川正明監修『伊万里 染付の美』世界文化社、2013 年より）

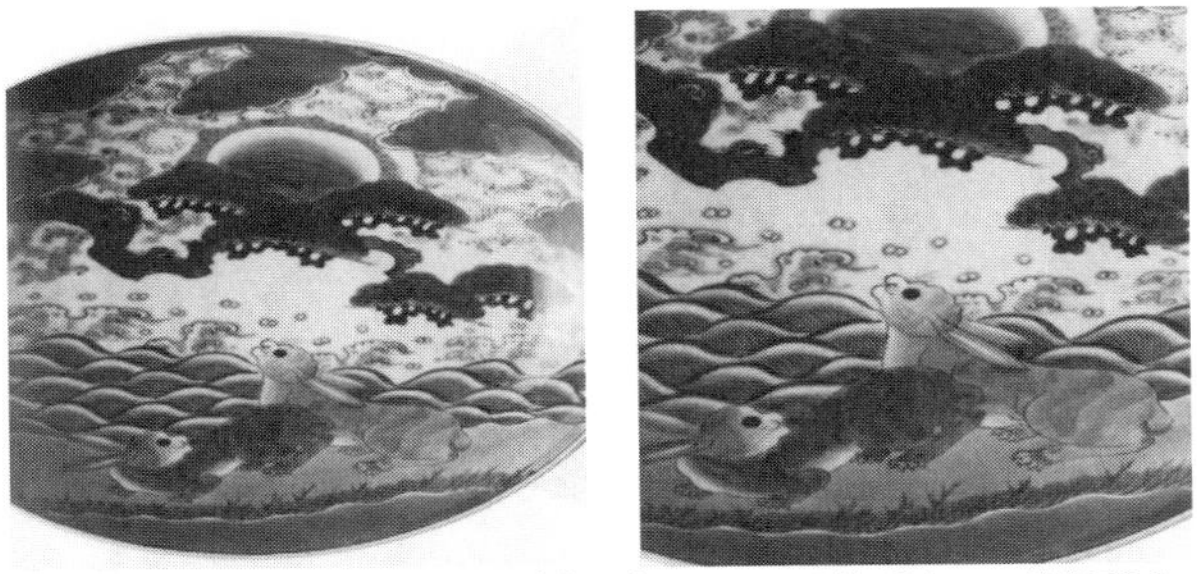

図3　染付松下波兎文大皿　江戸時代　高 9.4 cm　口径 46.4 cm　底径 22.1 cm（『「図変わり」大皿の世界・伊万里の染付の美』より）

昔から日本にいた兎は、目が赤くて毛が白い兎とは違っていたようである。野兎は通常、毛が茶色で、本州中部より北の東日本にいるエチゴウサギは冬に毛が白くなることがあるらしいである。昔の人にとって、白兎は特別なものだったのではないであろうか。「因幡《いなば》の白兎」は、神聖な白兎としての意味があったのかもしれない。

【図3】には月の浜辺に遊ぶ二兎を描いた、幻想的な雰囲気の図様である。雲が晴れて松の枝の向こうに現れ出た丸い月、一転してあたりが青白く輝き始め、おどろくつがいの兎の背景のであろう。

月に兎が住むという伝説は仏教説話であるが、月の餅つき伝説は日本独自のものとして伝わるように、月と兎は切り離せない古文様である。その上、波兎は謡曲（能の謡い）琵琶湖の「竹生島《ちくぶしま》」の一節をテーマにして波と兎が描かれるようになった。謡曲『竹生島』の「月海上に浮かんでは兎も波を走るか面白の浦の気色や」にちなむが、鰐鮫《わにざめ》を欺《あざむ》いて海を渡ろうとした因幡の白兎のイメージも投影されていると考えられる。兎と月、白兎が波の上を飛び跳ねるの図像（波に兎）やのモチーフは絵画よりもむしろ染織や工芸品の中で多く用いられ、伊万里焼にも取り入れられている。日本の絵画の中ではこの月から満月、そして秋を連想し、（秋草に兎）が一つの画題として江戸時代までに成立しているそうである。この画題では、基本的に兎はうずくまって上方を仰ぐ姿で表されており、直接月が描きこまれていない場合であっても月の存在が暗示されている。[*1]

ここまで長寿の鶴、鹿など、一節をテーマとして文学や陶磁器に現れたのであるが、その中で冬の鳥も文学や陶磁器には多く現れた。紹介したいのは染付芦雁図大皿である。

雁（「がん」または「かり」）はカモ目カモ科の水鳥の総称である。通常、鴨より大きい。雁は万葉の頃は「かり」と呼ばれていたが、室町時代あたりから少しずつ「がん」という呼び方が始まった。『万葉集』には「雁が音」と詠まれた歌が非常に多くある。「雁が音」は、「雁の鳴く声」の意味であるが、「雁」そのものの意味にも使われている。「我が宿に鳴きし雁がね雲の上に今夜鳴くなり国へかも行く」（『万葉集』巻第十・二一三〇）。この歌を詠んだ人は、旅の途中なのであろうか。

この鳥は寒い北の国で暮らしているのであるが、その国が冬の間は、比較的温かい日本に来て暮らす。宮城県にもたくさん来るので、宮城県の鳥にもなっている。この雁は、群れを作ってきちんと並んで飛んで、疲れても途中で休むわけにはいかないのである。群れから離れてしまうと生きていけないだろう。その雁の飛んでいる姿を書いた詩がある。

側へ行ったら翅の音が騒がしいのだろう
息切れがして疲れているのもあるのだろう

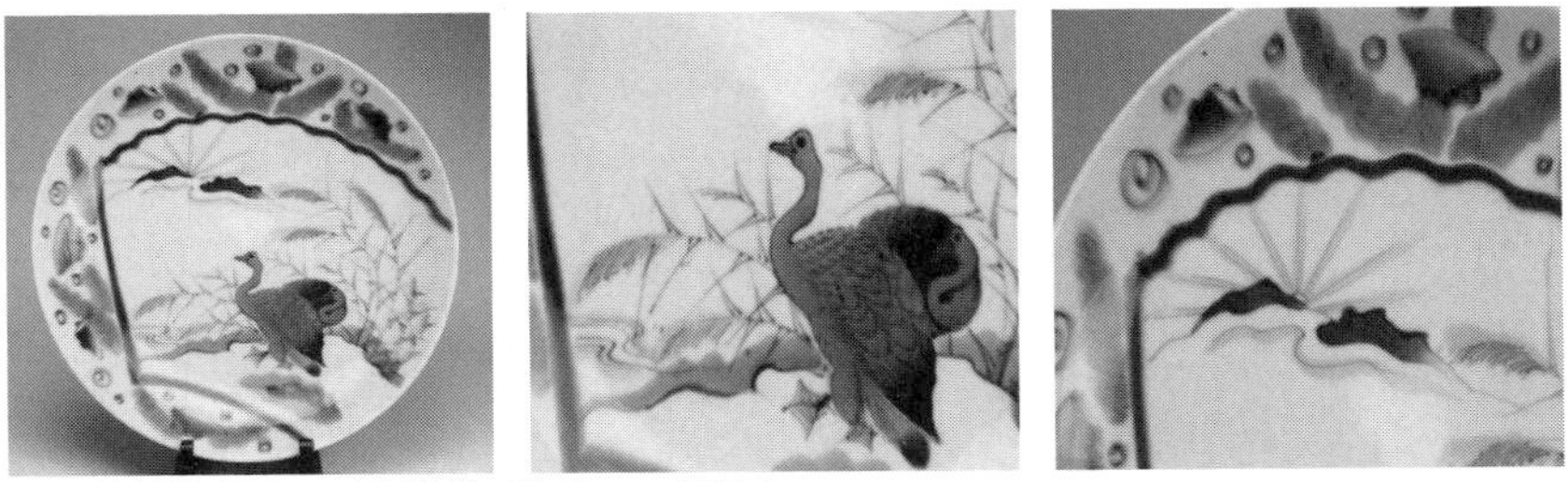

図4　染付芦雁図大皿　江戸後期　高 6.7 cm　幅 36.4 cm

だが地上にはそれは聞こえない
彼等はみんなが黙って、心でいたはり合ひ助け合って飛んでゆく
前の者が後になり、後ろのものが前になり
心が心を助けて、セッセセッセと
勇ましく飛んで行く。
（千家《せんげ》元麿《もとまろ》 一部抜粋）

どんなに困っていても、心で励ますことはできても、助けてあげることはできない。文学に現れたわけではなく、雁は代表的な狩猟鳥で、文様や絵などに多く記されている。国語の教科書にも載った「大蔵じいさんとガン」には「残雪」という賢い雁が登場する。

雁文様は肥前磁器にも多く現れた。ここで紹介するのは江戸後期に有田窯で焼かれた染付芦雁図大皿である【図4】。この皿には二雁は厳しい冬から飛来し落ち着いた感じで、日の出に向かっている姿である。海岸で山から太陽が昇るのをみて、渡りの春を待っているのであろう。文学や陶磁器に登場するとき、雁は仲良い二匹や集団で行動する姿が多く表される。雁は家族のつながりが深く、集団から離れないこともある。雁は大人になるのに二〜三年かかるため、その間はずっと親が付き添い、お世話しながら渡りのコースや飛び方、どんな危険があるかということを教えるのだそうである。飛ぶときも、田んぼで食事をしているときも、いつも家族と一緒に移動する。子どもが食事をしていると、親は交代でじっと周囲を警戒している。子どもはずっと親の温もりに守られて生活している。

（2）日本人に親しまれている植物

日本の代表的な樹木として知られる松は、長寿や節操を象徴するものとされ、神聖な木として神霊が宿るとの信仰があった。代表的なものが正月の門松で、この木を立てて歳神様を迎えるのである。神社や仏閣には来迎の松、影向の松、降り松などの名称で信仰の対象となっている。いずれも神仏が松の木に降臨するとの信仰によるものである。『源氏物語』は、女性の目を通して描かれた植物カタログという一面をもつといえよう。記述されている植物を見れば、紫式部の花の好みが見えてくる。『源氏物語』に描かれた「花鳥風月」の中で、最も種類の多いものは「花」「植物」である。植物の種類は全部で百十種類で、それら植物の全出現回数は一〇四一回である。最も出現の多い植物は松で、計四十二回、松の木、松葉、小松、下松、ふたはの松、おほたの松、たけくまの松、うなひまつ、打ち松、まつといった表現として登場する。さらに松風、松原、松島、まつのやま、松門など、マツ関連の地名や用語が約三十ほども出てくる。

文様としては松竹梅や菊、牡丹などの植物が描かれるようになり、肥前磁器の文様にも非常に大きな影響を与えたと言われている（『柴田コレクション―古伊万里様式の成立と展開―』）。肥前磁器にも染付によっていろいろな文様が描かれている。松は、文学だけでなく、陶磁器にもたくさん描かれてきたのである。

植物文様について本章では、君子にたとえた四君子《しくんし》（菊、蘭、竹、梅）を紹介したい。君子とは徳が高くて品位の備わった人物を指す。また、三友《さんゆう》（松、竹、梅）、五友《ごゆう》（菊、蘭、竹、梅、蓮）の一つとしても知られているので、菊は文学にも陶磁器にもたくさん登場する。菊はキク科キク属の多年草で原産国は中国が知られている。品種が多く、花色は白、黄、桃、紅等とさまざまにあり、長生きの薬と信じられていた。中国では早くから観賞の対象とされ、日本にも奈良時代末期に中国から伝えられた。菊はとくに縁起がよいとされ、陽数の九が二つ重なる「重陽《ちょうよう》の節句」の九月九日は、若と長寿を祈るため、霊力を持つ菊の花を浮かべた菊酒を飲み、邪気を祓《はら》い長寿を願った。また、皇室の紋章（十六の重弁）に採用される等、その美しさは高く評価された。菊水は流水に菊花が浮かんでいる様子を描いた日本人好みの意匠で、南北朝時代の武将・楠木正成《くすのきまさしげ》の家紋としても名高いである。

また、五友（菊、蘭、竹、梅、蓮）では蓮の花もあり、スイレン科の多年生水草で原産国はインドが知られている。葉は円形で長い柄を持って水上に抜き出す。夏に白色や紅色等の大きな花を開き、果実や根茎《こんけい》（蓮根）は食用とされる。花が散った後に花托《かたく》は蜂の巣状になる事から日本では「蜂巣」と呼んでいたが、「はす」に転訛《てんか》された。ほかにも水芙《ふ》蓉《よう》、芙蓉、不語仙《ふごせん》、池見草《いけみぐさ》、水の花等の異称がある。寺院の池、沼、水田等に栽培され、仏教では泥水から清浄な美しい花を咲かせる姿が仏の智慧や慈悲の象徴とされている。

文学には菊がたくさん登場したようであるが、『万葉集』には「菊」という言葉が見当たらない。ほとんどの解説書では、菊の渡来は平安時代なので、万葉人は菊の存在を知らなかったと記されているが、もしそうであれば同時代の『懐風藻』になぜ菊という語が多くみられるのであろうか。それは菊がなかったわけではなく菊のことをそのころは百代草《ももよぐさ》といっていたからである。『万葉集』には「父母が殿の後方《しりへ》のもよ草百代いでませ我《わ》が来るまで」（巻第二十・四三二六）一つしか登場しなかった。

菊と同じように、蓮は『万葉集』には四首だけ登場する。仏教とは関係がなく、きれいな人を連想して詠んでいるようである。代表な歌は「蓮葉はかくこそあるもの意吉麻呂《おきまろ》が家なるものは芋の葉にあらし」（巻第十六・三八二六）。

文学には菊・蓮について五友とされているが、陶磁器の文様はどうなるか調べていこう。

『柴田コレクション』には色絵地詰菊散文菊花形鉢【参考1】や色絵菊牡丹文皿などがあり、有田市歴史民俗資料館には色絵菊流水文皿、染付菊花文皿【参考2】などがある。

染付菊花文皿【図5】は見込みの周囲には五方に割り付けられた菊唐草文がめぐっている。鍋島では、このような絵付が難しい奇数に割り付けられた作品が多く、二重の圏線によって見込みの中心に大きな余白が設けられている。色絵菊流水文皿【図6】は鐔縁の皿である。鐔縁には墨弾き技法による青海波文がめぐっている[*3]。見込みには、下に向かって蛇行し、渦を巻きながら吸い込まれるような流水に菊が浮かんでいる様子が描かれ、躍動感のある画面構成とな

図5　染付菊花文皿　1690 年代
高 4.5 ㎝ 口置 14.6 ㎝ 底径 7.3 ㎝

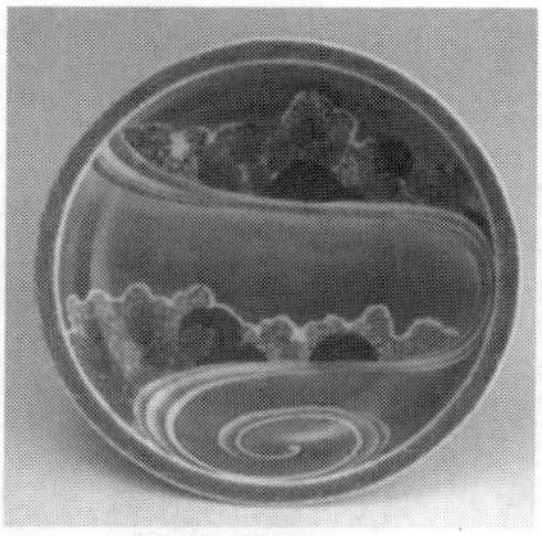
図6　色絵菊流水文皿　1690 年代
高 4.6 ㎝ 口置 15.4 ㎝ 底径 8.0 ㎝

参考1　色絵地詰菊散文菊花形鉢
1690-1710 年代　口径 29.2 ㎝ 高 10.8 ㎝ 底径 15.2 ㎝

参考2　染付菊花文中皿　伊万里　1670-1680 年代　口径 20.3 ㎝ 高 10.0 ㎝

っている。ほかは濃淡の染付で埋めつくしており、丁寧な作行《さくゆ》きである。

松竹梅の文様以外は、鍋島藩窯には食器類を製作し、紫陽花の文様がたくさん出てきた。紫陽花の語源は「あづさい」で「あづ（集まる）」＋「さあい（真藍）」「青い花が集まって咲く」という事に由来している。紫陽花はユキノシタ科の落葉低木で原産国は日本が知られている。梅雨時に咲き、雨にとてもよく似合う花である。六〜七月頃、球状の集散花序に四枚の蕚《がく》だけが発達した不実の実（装飾花）を多数付ける。花色は白、青、赤、紫等さまざまにあるが、順々に色彩の変化するところから「七変化」「移り気、心変わり」の名称も知られている。アジサイの花の色が変化するのは、土壌の酸性度によるものとされているのである。酸性土壌では青、アルカリ性土壌では赤ということはよく知られている。また、土壌中の窒素量やカリ量などでも色が変わるようである。ガクアジサイを元にヨーロッパで品種改良されて日本に渡って来たものが、現在一般に知られている「手まり咲き」の紫陽花である。なお、『万葉集』で調べたら意外な感じで紫陽花はたったの二首にしか登場しない。それは「言問《ことと》はぬ木すら紫陽花諸弟《もろと》らが練りのむらとにあざむかえけり」（巻第四・七七三）と「紫陽花の八重咲くごとく八つ代にをいませ我が背子《せこ》見つつ偲はむ」（巻第二十・四四四八）である。

文学と比べると肥前磁器には紫陽花がかなり現れた。たとえば、青磁染付紫陽花文皿、鍋島色絵柴垣紫陽花文皿、染付捻り牡丹紫陽花文皿、鍋島青磁染付紫陽花文皿などである。なお、紫陽花は長崎市花にも指定されている。

紫陽花の文様も、江戸時代の古伊万里にも描かれている古典文様のひとつである。染付つまり藍色だけで描かれている場合が多く、それはそれで、藍色の濃淡による表情の違いがなんとも美しくもあるのである。梅雨時は雨の日やはっきりしないお天気が多く、だからこそこの季節に花開く紫陽花の色彩の鮮やかさに心惹かれる人が多い。

この文様は、色絵、染付、青磁染付と三種類の作品が伝世しているがいずれも名品である【図7】。上部周辺を青磁でかたどりしてその中に染付で紫陽花を器全体に描いている。紫陽花を描いたものは鍋島に比較的多いがこの図様はこれらと比べ群を抜くものである。花弁の表現も点線で微妙に描き、葉の濃淡も絶妙である。鍋島には美しい草花を意匠化している色絵が多いが、その色絵の中にあってもこの紫陽花は異彩を放ち、青磁の着想も見事である。

紫陽花は根元から束生する日本固有の花で、土質などにより花の色が紫、白、青、ピンクと変化する。その艶やかさは『万葉集』にも詠んだ歌があり、文様としては、古伊万里や蒔絵《まきえ》などにも用いられている。四弁花が集まって咲く紫陽花は情緒豊かな花で大変人気がある文様である。

図7　鍋島青磁染付紫陽花文皿　1688-1736年　高5.6㎝　底径20.2㎝（佐賀県立九州陶器文化館蔵）

五友、人気がある紫陽花など、ほかには『万葉集』にたくさん詠まれた草は武蔵野草である。武蔵野とは東京都と埼玉県にまたがる洪積地域で、武蔵野の意匠は秋の情緒豊かな風情を象徴する題材として有名であり、「武蔵野は月の入るべき山もなし草よりいでて草にこそ入れ」と『万葉集』（巻第八・一七四四）にも詠まれ、見渡すかぎりの平坦な草叢が広がっていたと考えられている。月とススキに代表され、古くから文学、絵画、美術品に表現される日本独自の題材である。

武蔵野は大きな変革の時代を過ごして、そこに住んだ庶民は、美しい故郷、厳しい生活環境の中で見事に愛と恋喜びと不安、嘆きや悲しみをうたい上げた。古代の武蔵野人の悲喜こもごもが、その時とは変わりきった現代の武蔵野に、まるで生きているように、ストレートにうったえられる。

この製品は江戸時代から続く有田焼の老舗香蘭社赤絵町工房ブランドの皿、鉢で

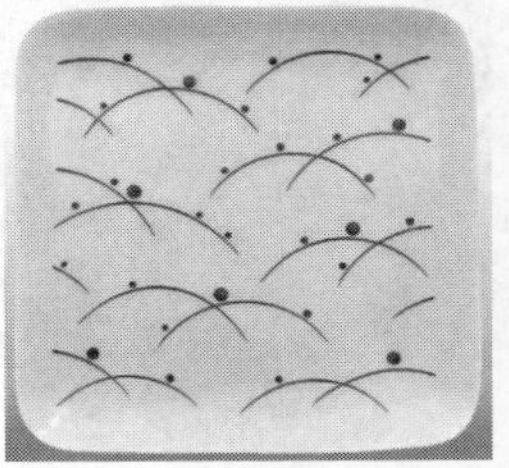

参考3　武蔵野　銘々皿　縦13.5 cm×横13.5 cm（筆者蔵）

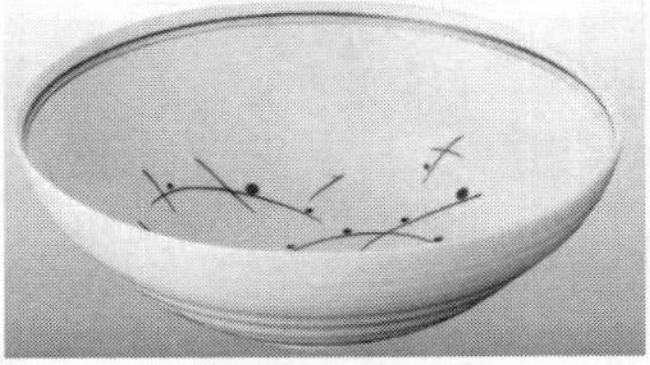

参考4　武蔵野　中鉢　計17 cm（筆者蔵）

ある。これは平安時代から好まれる日本独自の文様がデザインされた赤絵である。この製品は夏の野原の情景を描いた文様、露がおりて恵みをもたらすさまを描いている。

肥前国の有田・伊万里は、日本の代表的な磁器生産地として知られる。陶磁器生産の先進地である中国では、漢代末期には磁器が創始され、宋代以降は景徳鎮を中心にさまざまな磁器が生産されていたが、日本では長らく陶器や無釉《むゆう》の焼締陶器が主流であり、磁器の生産が始まったのは十七世紀初頭のことであった。時代や要求によって肥前磁器は文様のモティーフも変わっていった。伊万里の港から積み出されたことから、この地方で作られた焼物全般は伊万里焼きと呼ばれた。また、伊万里は美しい日本の自然、それを写した伊万里、有田の磁器の特徴をとらえその芸術性を詠い上げた。窯業は十九世紀末位まで、限られた特権階級だけではなく、庶民の生活を豊かにする花形産業として期待されていた。海外文化にも影響を及ぼした伊万里焼、豊かな歴史を持つ有田、伊万里の窯業、そこに働く陶工の人生は多様なテーマで文学に描かれる。文様は生活の中、とくに文学に描かれた文様と共通するモチーフを主題として、肥前磁器にも多く使用された。それらの中では、『新古今和歌集』『百人一首』『源氏物語』などに描かれた景色、人物、動物などを取り上げて、陶磁器に描いた模様が多い。肥前では、伊万里、柿右衛門《かきえもん》磁器の絵文様が『源氏物語』の一説話から影響を受けた。とくに柿右衛門様式磁器の製作が盛んであった江戸時代では、公家や武家のみではなく、庶民にも文学の教養が浸透していた。一方、海外文化にも影響を及ぼした伊万里焼、豊かな歴史を持つ有田、伊万里の窯業、そこに働く陶工の人生は多様なテーマで文学に描かれてもきた。このように、陶磁器と文学は異なる分野ではあるが、双方向的に影響を及ぼし合ってきたのである。

注

1　今橋理子『江戸の動物画　近世美術と文化の考古学』東京大学出版会、二〇〇四年、四三～四八頁。

2　染付の際に、素地に絵付けの輪郭線を施した中を太い濃筆に呉須を含ませて塗っていく作業を濃みという。

3　うつわの内側の部分である。陶磁器の場合、釉薬が溜まっている姿を楽しんだり、色絵などの装飾が施されていたり、うつわの個性を特に感じられるところである。

参考文献

・『柴田コレクション―古伊万里様式の成立と展開―』、九州陶磁文化館一九九七年。

・『陶磁器の文化史』国立歴史民俗博物館、一九九八年。

・大橋康二『日本のやきもの　有田・古伊万里』株式会社　淡交社、二〇〇二年。

・久保田淳『新古今和歌集』角川ソフィア文庫、二〇〇七年。

・山岸徳平『源氏物語』岩波文庫、二〇一〇年。

・荒川正明『伊万里 染付の美』世界文化社、二〇一三年。

・児玉実英『アメリカのジャポニズム　美術・工芸を超えた日本志向』、中公新書　一九九五年。

・蒲原有明『松浦あがた』、読売新聞、一八九八年。

・佐竹昭広『万葉集』全巻、岩波文庫、二〇一三年。

・『紅けむり』山本一力（双葉社　二〇一四、初出「小説推理」二〇〇四年二月号～二〇一三年六月号）。

図版出典

図1、図4、図5、図6、参考1・2（九州陶磁文化館『柴田コレクション―古伊万里様式の成立と展開―』より）

06 妓女と遊女の文化

山田恭子

1 妓女と遊女

妓女と遊女について、その呼称は遊女の方が古くからの文献にみられる。[*1] 以下は、すべて高句麗の遊女に関して記したものであるが、遊女とは、決まった夫がおらず、淫奔な者であることが記されている。

風俗好淫、不以為愧、有遊女者、夫無常人。（『周書』巻四十九・列伝第四十一）

婦人淫奔、俗多遊女。（『隋書』巻八十一・列伝第四十六）

風俗尚淫、不以為愧、俗多遊女、夫無常人。（『北史』巻九十四・列伝第八十二）

遊女の概念としては、遊女を国家の管理下に淫売をしながら納税した女とするものや、妓女の始原的存在とするもの、国家的な社会編成から逸脱し、売淫を行う女で軍士たちの慰安妓とするものがある。[*2] また『資治通鑑《しじつがん》』（一〇八四年）にある隋の記録には高句麗の遊女が登場する。

隋末従軍没于高麗、高麗妻以遊女、與高麗雑錯居。（『資治通鑑』巻百九十六）

ここでは六四〇年に高句麗に渡り帰国した陳大徳が、隋末に従軍した隋人が高句麗に残り高句麗の遊女を妻にして雑居している、と伝える内容であるが、記事をみると、遊女とは一夜妻、現地妻的な存在であったことがいえよう。これらが妓女であったか否かは定かではない。「妓女とは歌舞を行う女楽《じょがく》と妻がいない軍士の世話をする遊女の両方を含むものである」[*3]とするならば、広義の妓女は遊女も含むものといえる。しかし本章では狭義の妓女、すなわち歌舞を行う女楽としての妓女について言及する。また妓女のことを「妓生」とも称するが、これは朝鮮世宗代（一四一八〜一四五〇年）以降であり、高麗時代以前にはほぼ見られない。[*4] 妓女についても官妓、私妓、家妓[*5]などさまざまであるが、ここでは官妓としての妓女に焦点を当てて考察していく。

2 朝貢としての妓女

元来、妓は中国から由来する女楽と大いに関連がある。『孔子世家《こうしせいか》』には孔子が仕える魯国が大国化することを恐れた隣の斉国がそれを妨害しようと女楽を送り、為政者を籠絡し、見事に堕落させ、孔子を去らせてしまう様子が描かれている。

　斉の国中から美女八十人を選び、美服を着せ、康楽を舞わせ、四頭立ての立派な馬車三十とともに、魯の君に送った。魯の城南の高門の外に女楽を連ね、美しい馬を列した。季桓子《きかんし》がお忍びで再三見に行き、喜んでこれを受け、魯の君を誘って、城の内外を歩き回り、終日それを見て政治を怠った。

（『孔子世家』[*6]）

またこれらの女楽は時に朝貢の一つとして利用されもした。『旧唐書《くとうじょ》』「新羅国」によれば、すでに貞観五年（六三一）には朝貢の一つとして女楽を送っていたことが記録されている。

　新羅が貞観五年（六三一）に使いを送ってきて女楽二人を貢いだ。皆髪が美しく美女である。太宗が侍臣に言うには「朕がその楽を聞くに良いとは思えない。山河も厳しく土もよろしくないのであろう。近日ベトナムが白いオウムを送ってきたがなじめず帰ってしまった。まして人なら当然そうであろう。遠くまで来て哀れだし、親も恋しいだろう。使者をつけて家に帰すが良い」。

（『旧唐書』「新羅国」[*7]）

また『高麗史《こうらいし》』成宗《せいそう》十三年（九九五）には、「契丹に使いを遣り、妓楽を進めたが、これを返された」[*8]とある。この頃になると、「女楽」は「妓楽」と記録されている。当時は、女楽すなわち妓楽を中国側に送ってもむしろ返される方が多かったようである。『遼史《りようし》』にある一〇三一年六月三日の記事にも「高麗の女楽をしりぞけ帰した」[9]とある。

その後、妓楽が盛んになる契機の一つとして元寇《げんこう》が挙げられる。とくに、高麗忠烈王《ちゆうれつおう》代（一二七四〜一三〇八年）になると、諸道の妓女や都の巫堂や官婢から美貌で芸ある者を選抜して宮中の教坊に籍を置いて、歌舞を学ばせていた。

「州郡の娼妓で才色かつ芸達な者を選び、教坊に充当するように命じた」[10]

「諸道の妓を選び、才色で芸達者なものを選び、また都の巫および官婢で歌舞を善くする者を選び、宮中に籍を置き、羅綺衣《らきころも》に、馬尾笠《ばびかさ》を載せ、一隊を別に作り、男装だと称して、新しい歌を教える」[11]

元寇によって高麗が元の附馬国となり、朝貢《ちようこう》として良家の女性ですら元の高官の妻妾や宮中の後宮、侍女として差し出されたことを考えると、それは当然のことであったといえる。元と高麗の外交が盛んになれば妓女たちが迎賓し接待する機会も多くあったであろうし、当時の妓女は王や高官の妾になり、その子孫が社会的に官吏として出世することも稀ではなかった。[12]

元寇以降、朝鮮時代にかけて朝貢として送られた女性を貢女というが、忠烈王一年（一二七五）から恭愍王《きようびんおう》（一三三〇〜一三七四年）まで八十年間に四十四次にわたり百七十名以上の貢女が元に送られた。これは朝鮮時代に入っても続き、太宗八年（一四〇八）から世宗十五年（一四三三）までの七次にわたった。朝鮮時代の貢女の総数は百十四名でその内訳は処女十六名、婢四十八名、雑饌女《ざつせんによ》四十二名、歌舞女八名とある。[13]朝鮮時代には料理人である雑饌女が比較的多く、妓女と思われる歌舞女は八名と少ないが、高麗時代にも、その総数からして、かなりの数の妓女が歌舞女として貢女に選抜されたことは想像に難くない。

3　妓女の賤人化

高麗の妓女に関しては新羅統一を果たした際、敗北を喫した百済《くだら》の遺民たちが多く含まれていた。これらの大部分は揚水尺《ヤンスチョク》、禾尺《ファチョク》などといわれ、高麗にしばしば反抗していた。[14] 尺《チョク》という言葉はもともと楽工[15]をさすものである。『三国《さんごく》史記《しき》』雑志第一「楽」に「新羅時代には楽工を皆尺といった」[16]とあり、そのことが記されている。また下級専業者をさす用語としても使われた。[17] つまり揚水尺とは楽工をしながらも時には新羅時代から伝統的にあった柳器を作りながら細々と暮らしていた非賦課民である百済の遺民であった。

禾尺と共に才人という言葉も使われるが、これはもともと元から恭愍王に嫁いだ魯国公主《ろこくこうしゅ》（一三六五年没）を慰労するために元から来た興行集団の末裔であり、揚水尺同様に、もとは良人であった者が賎民化した。[18]

そしてこれらの揚水尺は高麗中期、妓女に隷属する身となり、公に管理されるに至った。揚水尺が妓女に隷属し搾取されたことは次の高宗三年（一二一六）の内容からも明らかである。

以前に李至栄《イジヨン》（一一九六年没）が朔州分道将軍だった時、楊水尺が興化道と雲中道に多く住んでいた。李至栄が言うには、お前たちは本来賦役がないから、私の妓である紫雲仙に隷属させた、といいながら、ついにそれらの名前を登録した後、際限なく貢物を徴収した。李至栄が亡くなると、崔忠献《チェチュンホン》（一一四九～一二一九年）が紫雲仙を妾にして、人員を数えて貢物を徴収するとさらにひどくなった。楊水尺がひどく恨み、契丹の兵が致に及び、迎えて投降し、道案内して導いたので、契丹軍は山川や要害の道路の距離を知り尽くした。揚水尺は太祖が百済を攻撃する時、制圧するのが難しかった人々の後裔すなわち遺種たちであり、元来貫籍と賦役がなかったのであり、水草が生じるところに寄って、一定の居所なく、移動しながら狩りや柳器を作って売ることを生業とした。おおよそ妓のもとは柳器匠の家から出ており、後に揚水尺たちが匿名書を書いて貼って言うには、「我らは元より反逆者ではない。妓家の収奪がひどくて耐えきれず、契丹の賊に投降し、道案内をしたのだ。もし朝廷で妓女たちと順天寺の主持を殺してくれたら槍を反対に向けて国を助けるだろう」といった。崔忠献がこの言葉を聞いて遂に、妓の紫雲仙《チャウンソン》と上林紅《サンニムォン》を故郷に帰した。順天寺の主持は勢力を盾に自分勝手に行動し、妓とともに淫乱をなしていたが、この言葉を聞くと逃げ出してしまった。[19]

引用文にある揚水尺は、百済の遺種であり、高麗時代には李至栄と崔忠献の寵妾だった紫雲仙という妓や、全羅南道《ぜんらなんどう》順天にある順天寺から管理され、賦役を課されていたことがわかる。[*20] そしてこのことから揚水尺が妓へと編入されていったのもまた自然だったといわねばなるまい。[*21]

つまり、妓女とは中国に由来する女楽を土台に形成され、元寇によって、その維持拡大につながっていったといえよう。そしてその人員構成として百済遺民や大陸からの芸能集団を交えていること、このような経緯から妓女は、公に管理される賤民としての歴史を歩んでいったものと考えられる。

4 妓女の生活文化と年中行事

朝鮮の妓女の生活文化に関して知ることができる資料としては、一八九四年の作とされる『消愁録《ソスロク》』がある。『消愁録』は韓国国立中央図書館蔵の六四張、[*22] 一二五頁からなるハングルの筆写本で、詩歌、書簡など、全十四編の作品集である。作者は冒頭に記されている海州監営（官庁）の妓女明善《ミョンソン》とされ、朝鮮後期の妓女たちの生活を知るのに大いに役立つ内容となっている。[*23]

その中でも、作者明善が恋しい君への気持ちを歳時風俗で詠んだ歌があり、形式としては月齢歌あるいは月齢体歌と称される。その内容は以下の通りである。


正月上元、世の人が楽しまずにはおれないが、青籠の玩月《がんげつ》と野遊の踏橋《とうきょう》で君がいないのが妾《わらわ》の恨。

二月仲春、踏青《とうせい》に世の人が楽しまずにはおれないが、白馬金鞭で貴き君が帰ってこないのが妾の恨。

三月上巳、曲江《きょくこう》の船遊を世の人が楽しまずにはおれないが、遥か彼方で、君が帰って来ないのが妾の恨。

四月八日、煌々《こうこう》たるつがいのごとき提灯を世の人が楽しまずにはおれないが、独りぼっちの妾の恨。

五月端午、鞦韆《ブランコ》に梨花が乱れ落ちる、その鮮やかさに世の人が楽しまずにおれないが、艶やかな姿を君に見せられないのが妾の恨。

六月流頭、髪梳《くしけず》る広石の川遊びに世の人が楽しまずにおれないが、廻り流れた水のように、君が帰って来ないのが妾の恨。

七月七夕、銀河の逢瀬を世の人が楽しまずにはおれないが、碧い臨津江《イムジンガン》に烏鵲橋《オジャッキョ》が途絶えたのが妾の恨。

表1　年中行事

旧暦　月日	節句・年中行事	事項
一月十五日	小正月	玩月、踏橋遊び
二月十五日	仲春	踏青遊び（野遊会）
三月三日	上巳（初巳日）	曲江で舟遊び
四月八日	釈迦誕生日	燃燈遊び
五月五日	端午の節句	ブランコ遊び
六月十五日	流頭	広石川（黄海南道海州）での水遊び
七月七日	七夕	銀河での逢瀬
八月十五日	中秋	玩月
九月九日	重陽	龍山の紅葉（龍山会）
十月十五日	上元	雪景色での飲酒　蘇軾「後赤壁賦」にちなむ
十一月		雪中梅
十二月三一日	臘月、除夕	除夜、行く年来る年

八月中秋、玩月を世の人が楽しまずにはおれないが、君の顔と満月を変えられないのが妾の恨。

九月重陽、龍山の紅葉を世の人が楽しまずにはおれないが、楓林で酔った君により添えないのが妾の恨。

十月望月、蘇軾《そしょく》（一〇三七～一一〇一年）の雪堂[*24]のような雪景の玩月を世の人が楽しまずにはおれないが、君と楽しめないのが妾の恨。

十一月、雪中芳梅、世の人が楽しまずにはおれないが、我が身の香りを君にかぐわせられないのが妾の恨。

十二月除夜、世の人が楽しまずにはおれないが、行く年来る年を迎えながら、君を迎えられないのが妾の恨。

十二佳節三六〇日、妾が楽しき日もなくて、これこそ随時の悲しみよ。[*25]

行事と関連する箇所を、表にまとめると上のようになる**【表1】**。

登場する年中行事はとくに妓女たちだけの特殊なものではなく、朝鮮で行われていた風習と強い関連性を持つ。そもそも官に隷属していた妓女たちであったが、ふだんの居所はその外にあり、身分的な制限はあったものの、廓のような身の拘束がなかった彼女たちの日常は市井の人々と変わりがなかった。[*26] 従ってその年中行事も、妓女独特のものではなく一般的であったといえよう。その中でも特筆すべきは三月三日、五月五日、七月七日、九月九日などの節句は日本での伝統的な節句とも共通しており、そのほかの四月八日の釈迦誕生日[*27]を除くと残りはほとんど十五日が多く、玩月の風習があったことがわかる。玩月の多さは、中秋の名月を除き、日本とかなり差があるといえる。少なくとも日本の平安時代において、玩月は不吉なイメージである。白居易《はくきょい》（七七二～八四六年）の『白氏文集《はくしもんじゅう》』第十四「贈内」には、「月を見て過去を思えば、容姿を損ない短命になる（莫対月明思往事、損君顔色減君年）」とあり、その影響から玩月は忌むべきものとされていたようである。[*28]

一方で、『消愁録』の十一月十五日の歌内容は、玩月と雪をテーマに蘇軾の「後赤壁賦」を引用しており、日本の中国漢詩の影響とはかなり趣向が異なることがわかる。

5　妓女の精神文化と儒教

妓女明善の歌には君に対する恋しさが多く詠まれている一方、母に対する孝の念は非常に高く、母への想いを表した内容も相当あることを述べておく。儒教を国家統治理念とする官に奉仕した妓女の思想もやはり儒教的である。また『消愁録』には水揚げについて「十二で成人し、どこで受けた礼儀か禽獣と変わりない」と記された箇所があり、このような描写の根底に流れる思想の一つとして、人と禽獣を区別する韓愈《かんゆ》（七六八～八二四年）の論を挙げることができよう。韓愈は、道教の無為《むい》論や仏教の「一切の存在物に仏性があり、草木や石ころにもこころがある」[*29]という悉有《しつう》仏性《ぶっしょう》論とは異なる儒教的価値観を、『原人』[*30]論で表している。それによると、万物は天地人の三つに分けられ、その中でも「人は夷狄禽獣《いてききんじゅう》の主である」とし、万物に差等をつけている。[*31]そして男女の仲が「あはれ」ではなく「節」で示されている点[*32]もまた、官に奉仕した朝鮮の妓女の真骨頂を表すものである。『消愁録』には「禽獣ですら守るものを況《いわん》や人が節[*33]を知らぬものか」として新任長官が来ても身を守り、君の子を出産し、その愛情を頼りに上京していく明善の気持ちが綴られ、最後にはほかの妓女たちに、苦難の人生の中でも後裔に禄を食わせ、節婦であることへの忠告を残し終止符が打たれている。妓女にとって、国家理念である儒教の忠孝を掲げ貞節を盾として生きることは、官に拘束された身でありながらも、その軛《くびき》から自由を得られる唯一の方法だったといえよう。

注

1　古くは『詩経』周南「漢広」に「漢有游女、不可求思」とある。この内容は『烈女伝』弁通「阿谷処女」にも引用されている。「游」は「遊」と通じるため、以下すべてを遊女と統一表記した。なお、本章の中国資料に関しては次の中国哲学書電子計画を参考とした。以下同様。参考URL、https://ctext.org/zh（二〇一八年八月十九日閲覧）。

2　金ソンジュ「高句麗〈遊女〉の性格」（『歴史民俗学』11、韓国歴史民俗学会、二〇〇〇年、一八四～一八七頁と注の四・五・七）参照。

3　金ソンジュ、一九〇～一九一頁。李慶馥によれば『宣和奉使高麗図経』（一一二三年）の「公卿大夫妻、市民遊女、其服無別」という言葉から、遊女は妓女・娼妓すべて含めた言葉であるとされる。李慶馥「高麗妓女風俗と文学の研究」（中央大学校大学院博士学位論文、一九八五年、五二頁）。結論として遊女は妓女よりは広い範疇で用いられる言葉であると考えられよう。

4　高麗時代の「妓生」の唯一の用例として、一三八二年四月に、参政の車若松が妓女に二人の子供を産ませたことが記録されている。「参政車若松畜妓生二子」（『高麗史』列伝巻第四十七、一三八二年四月）。

5　李慶馥「高麗時代妓女の累型考」（『韓国民俗学』18、一九八五年）。李慶馥によれば女妓だけになったのは高麗中期以降で、それ以前は男妓もいたとする。私妓は官に属さず妓業を行なったもの、家妓とは家に宿泊した男たちの世話をした家内の婢をさす。

6　「於是選齊國中女子好者八十人、皆衣文衣而舞康楽、文馬三十駟、遺魯君。陳女楽文馬于魯城南高門外、季桓子微服往観再三、将受、乃語魯君爲周道遊、往観終日、怠於政事」（『孔子世家』）。

7　「貞観五年、遣使献女楽二人、皆鬒髪美色。太宗謂侍臣曰、朕聞声色之娯、不如好徳。且山川阻遠、懐土可知。近日林邑献白鸚鵡、尚解思郷、訴請還国。鳥猶如此、況人情乎。朕愍其遠來、必思親戚、宜付使者、聴遣還家」。これらの記録は『唐書』巻二百二十、列伝第一百四十五、東夷、新羅、『太平御覧』巻七百八十一、四、夷部二、東夷二、新羅、『玉海』巻一百八、音楽、四、夷楽「唐新羅献女楽」にも記されている。

8　「遣使契丹、進妓楽、却之」（『高麗史』巻三「世家巻第三」成宗十三年八月）。『高麗史節要』巻二「成宗文懿大王」成宗十三年（九九五）にも同じ内容が記されている。

9 「却高麗女楽之帰」（『遼史』巻十七、本紀十七、聖宗八、太平十一年、六月己卯）。

10 「命選州郡倡妓有色芸者、充教坊」（『高麗史』巻二十九、世家巻第二十九、忠烈王五年、十一月二十八日壬申、忠烈王六年一月二日陽）。

11 「選諸道妓、有色芸者、又選京都巫及官婢善歌舞者、籍置宮中、衣羅綺、載馬尾笠、別作一隊、称男装、教以新声」（『高麗史』巻百二十五列傳巻第三十八）。『高麗史節要』巻二十二忠烈王四、忠烈王二十五年（一二九六）五月にも同様の記事がある。

12 当時の政権を握っていた崔忠献の孫である崔沆が没した一二五七年の記録をみると、崔沆の母は娼妓瑞蓮房であり、その子の竩の母もまた婢であったことが記されている。「沆本倡妓所出、竩母又賤」（『高麗史節要』巻十七高宗四、高宗四十四年閏四月）。

13 鄭求先『貢女』（国学資料院、二〇〇二、二七〜二八、五一頁）。貢女の最近の研究としては、元代の貢女が制度的であったのに対し、明代になると宦官を通じてのものが大きかったとされている。林常薫「明初朝鮮貢女の性格」（東洋史学研究、二〇一三年、一二二頁）。

14 「禾尺群聚、詐為倭賊、侵寧海郡、焚公廨民戸。遣判密直林成味、同知密直安沼、密直副使皇甫琳、前密直副使姜筮等、追捕之、成味等献所獲男女五十餘人、馬二百餘匹。禾尺即楊水尺」（『高麗史』列伝巻第四十七、一三八二年四月）。同様の記事が『高麗史節要』巻三十一、禑王八年四月、一三八二年四月にもある。

15 楽工とは新羅時代に音声署で歌、舞、楽器を演奏した人。工、工人、楽人、楽生。工は『隋書』音楽志の「高麗伎」に見られ、工人は『旧唐書』巻二十九の高麗楽と『通典』巻百四十六の「百済楽」に使われ、楽人は『日本書紀』巻十七に使われており、楽生は『続日本紀』巻十一で使用された。宋芳松『韓国古代音楽史研究』（一志社、一九八五年、二四二頁）。

16 「羅時楽工皆謂之尺」。鄭求福ほか『訳注三国史記』四、註釈篇下（韓国精神文化研究院、二〇一二年、八五頁）。

17 新羅時代には、笳尺、琴尺、舞尺、歌尺のほかにも「職官志」の鉤尺、弓尺、木尺などがある。高麗および朝鮮時代には、水尺、禾尺、楊水尺、津尺、刀尺、墨尺、雑尺などの名称がある。古代の尺は古音がチであったことから、国語での職業の呼称であるチ（屋）、チ（官職屋《クワナチ》、商売屋《ジャンサチ》、革靴屋《カッパチ》など）に該当するものではないかと推測される。李丙燾『国訳三国史記』（歴史学会、一九七八年、五〇九頁）。

18 『芝峯類説』雑記条。柳水尺、禾尺才人、百丁と時代によって名称を変えたとされる。玄文子「李朝妓女制度と生活研究」（『亜細亜学報』10、亜細亜学術研究会、一九七二年、四六頁）。

19 「初李至栄為朔州分道将軍、楊水尺多居興化・雲中道、至栄謂曰、『汝等本無賦役、可屬吾妓紫雲仙』遂籍其名、徴貢不已。至栄死、忠献又以紫雲仙為妾、計口徴貢滋甚。楊水尺等大怨、及契丹兵至、迎降郷導故、悉知山川要害、道路遠近。楊水尺、太祖攻百済時、所難制者遺種也、素無貫籍賦役、好逐水草、遷徙無常、唯事畋獵、編柳器販鬻為業。凡妓種、本出於柳器匠家。後楊水尺等帖匿名書云、『我等非故反逆也、不堪妓家侵奪故、投契丹賊為郷導。若朝廷殺妓輩及順天寺主、則可倒戈輔国矣』忠獻聞之、乃帰其妓紫雲仙上林紅于其郷。順天寺主、亦恃勢自恣、與妓為乱者也、聞之亡去」（『高麗史』列伝、巻四十七、謀叛三）。李至栄と妓については『東国通鑑』に逸話が残されている。吉川萍水『妓生物語（朝鮮風俗資料）』（半島自由評論社、一九三二年、五七頁）。

20 当時の寺にいた奴婢たちには売春をするものもいて、サダンペ（寺堂牌・社堂牌）というのもこれに由来すると考えられる。金用淑『韓国女俗史』（民音社、一九九〇年、二四二頁）。李能和『朝鮮解語花史』（翰南書林、一九二七年、二八二頁）。

21 後に朝鮮後期の学者である丁若鏞が「スジャ（水尺）は官妓の別名である。今なお水汲みの官婢をムジャイ（巫茲伊）と称するが、文字を訳せば則ち水尺となる」としている。「水尺者、官妓之別名也。今官婢汲水者猶称巫茲伊、以文訳之、則為水尺」（「疋言覚非」）。ムジャイ（巫茲伊）とは宮中の水汲みをする官婢のムスリ（水賜伊）をさすと考えられる。李能和によれば、水尺は海尺、すなわち魚を取って生活していたもので、契丹の侵入以降、妓にしたとある。李能和、上掲書、四、七頁。当時の高麗は渤海とは友好的な関係であった反面、契丹とは敵対関係にあり、成宗十二年（九九三）には一次侵攻を受けた。

22 紙一枚を一張とする。半分に折って閉じたものが冊子本になる。朝鮮の古典本は巻物ではなく冊子本となっている。

23 明善が金進士と逢った時が「大清道光二五」とあることから、筆写年代は一八四五年頃と推定される。鄭炳説『私は妓生だ』（文学ドンネ、二〇〇七年、二八三頁）。本章の『消愁録』の原典引用はすべてこの書による。

24 雪堂とは蘇軾が湖北省黄州に幽閉された時、居所としていた臨皐亭の東側に雪の中で建てた住居で、四方の壁に雪景を描いたとされる。蘇軾『後赤壁賦』は、元豊五年の旧暦十月十五日の夜、雪堂から臨皐亭に帰る時、二客と酒肴を調達し、赤壁で月見をしながら詩歌の応酬をするという、道教的な背景の詩である。なお現代の韓国では初雪が降ると恋人たちが連絡し合って雪景を眺める慣習がある。

25 鄭丙説、上掲書、二八八～二八九頁。日本語訳はすべて筆者による。

26 山田恭子「朝鮮文学の花・妓女（妓生）―日朝遊女比較論の前提として」（『日本近世文学と朝鮮』勉誠出版社、二〇一三年、一四六～一五八頁）。

27 高麗文宗代以降、仏教行事である八関会や燃燈会では、妓女も歌舞を披露した。李能和、上掲書、八頁。高麗時代にはすでに四月八日に燃燈会が行われていた。元来、中国の上元の燃燈が統一新羅時代に伝わったものとされ、景文王六年（八六六）と真聖王四年（八九〇）の小正月に王が黄龍寺に行幸し燈火を見たと『三国史記』に記録が残っている。

28 『古今集』八七九にある在原業平の和歌からは玩月は「老いとなる」と認識しており、『竹取物語』でも「月の顔を見るは、忌むこと」、『源氏物語』「宿木」でも「月見るは忌みはべるもの」としている。

29　岡田真美子「東アジア的環境思想としての悉有仏性論」(『木村清孝博士還暦記念論集　東アジア仏教―その成立と展開』春秋社、二〇〇二年、三五六頁)。悉有仏性論が安然《あんねん》(八四一～九一五年)によるものであれば、韓愈の『原人』論から影響を受けた可能性も示唆される。

30　韓愈は『原人』だけでなく、『原道』『論仏骨表』においても仏教への批判を述べている。山田恭子「東アジアの交流と日朝比較文学―「武威」と「文華」をキーワードに」(廣田收・岡山善一郎編『日韓比較文学研究会』9、日韓比較文学研究会、二〇二〇年、六～一五頁)。韓愈の『原道』『原人』『論仏骨表』については、星川清孝『唐宋八大家文読本一』(明治書院、一九六七年、五二～五三、六二～六三、一二〇頁)参照。元来、儒教思想は人間とそれ以外を区別するところがある。「今之孝者、是謂能養。至於犬馬、皆能有養。不敬何以別乎」(『論語』為政第二)参照。

31　「天者日月星辰之主也。地者草木山川之主也。人者夷狄禽獣之主也。主而暴之、不得其為主之道矣。是故、聖人一視而同仁、篤近而擧遠」(韓愈『原人』)。天は日月星辰の主なり。地は草木山川の主なり。人は夷狄禽獣の主なり。主がこれを暴《そこな》えば、其の主の道なるを得られず。是故に聖人は一視同仁し、近きを篤くし、遠くを挙ぐ。このような人が地上の主宰者として「仁」をもって、夷狄禽獣を司《つかさど》るという考えは、結局のところ、等差をつけるものであり、華夷思想とつながっている。

32　山田恭子「日韓古典文学における男女の愛情関係―『李娃物語』と『王慶龍伝』を中心に」(『異文化』法政大学国際文化学部、二〇〇四年、一一二頁)。

33　原典には「節概」とある。「節概」とは節義と気概をさす。韓愈『唐宋八家文』「柳子厚墓誌銘」に「行立有節概」とあり、朝鮮の古典作品では節操、貞節という意味でよく用いられる。

07

エッセイ
境界を越える名妓吉野

渡辺憲司

1　花供養

二〇一八年四月八日、京都での吉野太夫ゆかりの花供養に参列した。この供養は、毎年四月の第二日曜日京都、鷹ケ峯《たかがみね》の常照寺《じょうしょうじ》で行われるもの、かなり古くから行われていたのであろうが、戦後復活してから数えて今年六十六回目の恒例行事である。十時三十分、鷹ケ峰のバス停付近は、太夫道中を見る観光客で長蛇の列。以前来たときにはこんな雑踏ではなかったような気がする。

太夫の内八文字、立《たて》兵庫の髷《まげ》がゆれ、付きそいの少女の禿《かむろ》の鈴が、石畳を歩くたびに涼やかに鳴る。

花は盛りをいささか過ぎていたが、今日の寒さで何とか持ちこたえているようだ。道中が吉野寄進の赤門を過ぎると桜が打ちかけの裾に散った。

*

吉野の名は、代々郭で引き継がれた源氏名。わかっているだけでも、十名ほどの吉野の名を冠した遊女がいるが、今日の供養は、二代目吉野のこと。

彼女は「なき跡まで名を残せし太夫、前代未聞の遊女也」と井原西鶴《いはらさいかく》に絶賛された。

慶長十一年（一六〇六）生まれ、六条三筋町《みすじまち》で太夫に昇進、寛永八年（一六三一）二十六歳の時に退郭、本阿弥光悦《ほんあみこうえつ》一門の灰屋紹益《はいやしょうえき》の妻となり、寛永二十年（一六四三）三十八歳で没した。

紹益と吉野の身請けを競ったのが、後陽成《ごようぜい》天皇の第三子、近衛信尋《このえのぶひろ》（関白、後に応山）。近衛信尋は、和歌にすぐれ茶道・連歌にも巧みであった。桂離宮を造営した智仁《としひと》親王とともに、当代文化サロンの中心人物だ。修学院離宮造営の後水尾《ごみずのお》天皇は実兄である。

光悦中心の京都町衆文化、そして江戸時代初期近衛家を中心とした公家文化、さらに吉野の精神的バックボーンを支えた常照寺開山日乾上人を中心とする京都における法華経文化、それらが重なり合いながら日本文化の歴史の上で最も高雅に芸術・宗教の至上性を開花させた寛永文化のアイドルというべきか。その象徴的なヒロインが吉野太夫なのだ。

2　世之介と吉野

吉野の名を広めたのは、日本で最初のベストセラー西鶴作『好色一代男《こうしょくいちだいおとこ》』（天和二年［一六八二］刊）。吉野は『好色一代男』の主人公世之介《よのすけ》が身請けして妻とした唯一の女性だ。『好色一代男』の名妓列伝説話の中でも、別格の存在と言っていいであろう。そして、主人公世之介が、先にあげた灰屋紹益をモデルとしたという話も知れ渡っている。

吉野墓前礼拝（撮影：著者）

世之介が吉野を妻とした話は、短編集成である『好色一代男』の中でも際立っていい話だ。『好色一代男』巻五の巻頭の物語に次のごとくある。

七条通りの小刀鍛治《こがたなかじ》の弟子が吉野を見初め、太夫のあげ代五十三文をようやくため、吉野のもとへ行く。吉野はその真心に応じてその望みをかなえてやる。揚屋《あげや》の主人は、身分の低いものと契ったことに苦情を言うが、吉野のパトロンであった世之介は、その振る舞いこそ「女郎《じょろう》の本意」だと、吉野を褒め、その夜のうちに身請けし妻とした。世之介の親類たちは、遊女を身請けしたことに大反対、世之介との親戚関係を絶ってしまう。自分のためにこのような仕打ちにあったことを悲しんで吉野は離縁を申し出るが、世之介は承知しない。そこで吉野は親類中をあつめ離別のパーティーをひらき、親類の女性たちを接待する。そこで親類たちは、その客扱いの見事さに感動し、世之介と吉野の結婚を認めた。

というような話である。身分差を越えた〈性〉接待は、吉野の「情愛」を強調し、客扱いの見事さは、茶道・和歌・香道・華道はもちろんのこと、その頃流行り始めた時計の直しまで行うという当時の遊女の教養の高さを示すものだ。「前代未聞の遊女也」と世間から持ち上げられた吉野の評価を決定的にしたものは、「情け第一深し」

とした点である。

「情け第一深し」は、遊女賞賛の常套句である。この情けの語の解釈も、かなり広い意味と狭義な意味合いを持つ場合がある。広い意味では、人の心のありさまを示し、人間性、情愛、人情、他者への親切などといったヒューマニズムと言い変えていいような一般的概念でとらえ考え得る。又、一方では、床のさばきを誠心誠意行うことであり、情けの性的具体的行為の反映として使われている。遊女におけるヒューマニティが、相手に対する能動的〈性行為〉にあることを考えて置かねばならない。

吉野をはじめとする名妓が、身分的差別をうけている客や病身の客にまで、性行為の中で、自身の誠意を尽くすことが、情けである。遊女に許された人間回復の行為として性行為の自由がある。そのゆえに世間から蔑まれている鍛冶職人に思いを遂げさせる吉野の行為が「それこそ女郎の本意なれ」と賞賛されたのだ。

3 『色道大鏡』

荘厳な『法華経《ほけきょう》』の響きとともに焼香が続く間、唐髷《からまげ》とも称される吉野の立兵庫によく似た中国古代の髪形を思い出した。吉野は、唐の男たちをも魅了した遊女であった。吉野の伝を伝えるもので、基本となるのは、藤本《ふじもと》箕山《きざん》著の遊里百科全書『色道大鏡《しきどうおおかがみ》』（延宝六年［一六七八］頃成立）である。吉野の出自などを記した後で、箕山は次のごとく記している。原文は漢文体のもの、詩のみ原文で記し、ほかは意を取り現代語に訳したものをあげておく。

＊

大明国の李湘山（呉興）という人物（この人物がいかなる人物であるかはっきりしない。詩人であろうかと思い、当該の資料を当ってみたがわからない。御教示賜れば幸いである）が夢の中で吉野に会い言葉を交わし、その幽《かす》かなるたおやかな面影に惹かれて、寛永四年（一六二七）八月に日本へ詩を送ってきた。

その詩には、

日本曾聞芳野名　夢中髣髴覚猶驚
清容未見恨無極　空向海東数鴈行

（日本における芳野［吉野］の名声をかねてより聞いていたところ、夢の中にありありとその姿が浮かび、驚き目が覚めた。その清らかな姿をまだ見ていないことは限りなく無念なことだ。空しく海の東のかなたの日本へ雁たちが飛んで行くのを数えるのみだ。）

とあった。さらに翌年、中国から徳子（吉野）の絵姿をもとめてきた。そこで我が国の遊客たちが相談して、画工に依頼し吉野の画を書かせることにした。吉野に礼を尽くし、その美しい姿を書き写したが、はるか元の時代の毛延寿の逸話にあるような粉飾された画像を描くなどということはなかった。その時描いた画像は七枚であるが、顔の色もそのままであり、鏡に映したような絵姿であった。それらはすべて軸に仕立てて七幅とした。そしてそれを九州に送って、異国の商人たちが持参した美しい綾《りよう》羅《ら》の着物とかえた。商人たちはこれを大いに喜こび、まして日本人がこの絵姿を喜んで買いもとめたことは言うまでもない。多くの人が金峰山《きんぶせん》（吉野の山）の桜を見ては、松氏（吉野の姓松田）のすがたを懐かしく思い、また袖振《そでふる》山《やま》（吉野の西側に位置する山）の月を見ては、徳子（吉野の名）の面影を思い出すのだ。寛永八年、麁客《そきやく》（前述、小刀鍛冶の弟子）を廓《くるわ》に招き入れたため、廓での物議となり、非難を浴びたこともあり、年季を満たすことなく、同年八月、二十六歳で退廓し実家に戻った。

作者、藤本箕山評して曰く。

ああ、なんと、吉野の人格（徳）の世の中の人を感動させたことよ。吉野の名声は、中国にまで流布し風雅を愛する人々の胸の奥底の真心を動かし刻まれたことよ。それは吉野の色香に心を動かされたといったことのみではない。我が国で、異国、中国に名の知られた人物はそんなに多くいるわけではない。天正の時代から、今までに知られている人物としては、林道春《はやしどうしゅん》（羅山《らざん》）の名が大明国まで知られている。また那波活所《なばかつしょ》（道円《どうえん》）も詩人としてその名が異国まで知られているという。吉野はこれら二人の人物と並び称されて歴史に刻印されるべき人物だ。

まことに残念なことよ。もしも司馬遷《しばせん》がこの世に生きていたならば、必ずや、『女史の伝』に彼女を載せたであろう。

*

吉野が、廓を出て紹益の妻となった、寛永八年（一六三一）前後は、御朱印船貿易の時代である。秀吉治世の文禄元年（一五九二）から徳川家光《いえみつ》の寛永十二年（一六三五）まで、わずかに四十年ほどの間であるが、この時期は、東アジアへの日本貿易活況の時代であった。

関ヶ原の戦いに勝利して覇権を確立した徳川家康は海外交易に熱心な人物で、慶長八年（一六〇三）豊後の海岸に漂着したオランダ船の航海士ウィリアム・アダムスらを外交顧問として採用した。そして翌年以降、安南（ベトナム）、スペイン領マニラ（フィリピン）、カンボジア、シャムなどの東南アジア諸国に使者を派遣して外交関係を樹立し、慶長九年（一六〇四）に朱印船制度を実施、これ以後、寛永十二年まで三百五十隻以上の日本船が朱印状を得て海外に渡航する。朱印船は必ず長崎から出航し、帰港するのも長崎であった。御朱印船が東アジアの海を席捲したのである（「東南アジアと御朱印船貿易」重藤威夫『長崎大学研究年報』一九六八年）。寛永二年十二月には、明の福建都督が幕府に寇民（日本人海賊）の鎮圧を要請している。公的貿易を越える私的貿易の存在も容易に想像できる。

4　長崎の遊女

そんな状況の中で、もう一人の遊女のことが重なる。出典は『好色二代男《にだいおとこ》』巻五「夜の契りは何じややら」。長崎の町外れに住む乞食《こじき》が、丸山の遊女金山に思いを掛け、乞食は中国人に身を変えて首尾を遂げるが、この事が露見して遊里から追い出される。しかし、その夜、金山は、乞食が持っている欠けた椀や竹箸などを模様にした着物を作り、「世間晴れて、我恋人を知らすべし。人間に、何か違ひ有べし」とその意地を見せる。人々は「女郎はかくありたきもの」と評し、又、花鳥は、「都の吉野は、鉄職にま見へ、江戸の尾崎は、病職人に身を任す。大坂の夕霧は、座頭も一度は。これらこそまことのけいせいぞかし」と、金山を名妓にもならぶ行為と讃えた。数日後、菩薩祭りの日、自分のために迷惑を掛けたと乞食は、金山に手紙を託して長崎を離れる。金山は、乞食の実意に報いようとしたが涙に暮れるばかりであった。作者は「又あるまじき心底、日本は申すにおよばず、唐へもかたりくになるべし」と結んでいる。

この金山、そして吉野・尾崎・夕霧さらに花鳥、いずれも名妓と呼ばれた遊女である。彼女らはいずれも世俗の価値観、日本という限定や、遊郭とはかくあるべきだという境界をこえることで評価されたのである。もとよりそれは、彼女たち遊女が、越えることのできない大きな壁にさえぎられていた己の身を、性を媒介とすることで飛び越えようとしたのである。彼女自身のみではない。

日本とか、中国とかいった国民意識を乗り越えたのである。それは、この時代の持つ大きな潮流であった。天皇を中心とする王権に連なる遊女の中世的幻想は、今、近世の時代にはない。

幻想は、唐にも知られたという吉野や、「日本は申すにおよばず、唐へもかたりくになるべし」といった金山の異国性を媒介としながら、王権との別離を果たし、その新たなる存在を示したのである。

吉野の名が中国、東アジアにまで知れ渡ったという話、日本から外国へと広がった話であるが、話題としては一方的である。外国から女性を呼び、共に日本で住んだ男の話を紹介しておこう。

出自など不明だが、長崎の豪商荒木宗太郎《あらきそうたろう》の話である。元和五年（一六一九）、ベトナム中部（広南国）を支配していた阮《グエン》氏の娘、王加久戸売《オウカクトメ》を嫁に迎え、現地妻として現地に置くのではなく、自分の朱印船に乗せて長崎に連れて帰り、自分の長崎の屋敷に住まわせて、その生涯を正妻として日本で全うさせたということが挙げられる。この女性は、長崎の人々から本名でなく「アニオーさん」と呼ばれて親しまれ、夫・宗太郎の死後、正保二年（一六四五）に長崎で没している。墓は、宗太郎と同じ長崎市鍛治町の大音寺にある。そして長崎のおくんちでは、ゆかりの本石灰町《もとしつくいまち》では朱印船を出し、その船に宗太郎とアニオーさんが乗っているのだそうだ（沖田英明著『荒木宗太郎と阮福源』湘南社、二〇一九年など参照）。

長崎は、「宝の山」と称された。西鶴作かとも推定される『好色盛衰記《こうしょくせいすいき》』（貞享五年［一六八八］刊）巻二の二の冒頭「宝の島といふを、何国かとおもへば、長崎の事に極まれり」としるし、港にあふれる異国船の舶来の珍品があふれ、金銀つかみ取りで一夜にして長者になるものもいるという。また、『長崎土産《みやげ》』巻一には、「遊女は大勢人形屋のごとく作り出すゆへ、蜥蜴《とかげ》のをのが尾をくらふがごとし、当時昔の遊女の数に定置侍らば、古のよし野、八千代もなどかなからん」などとある。八千代も吉野と並び称されるこの時代の遊女である。吉野や八千代が長崎を仲介として唐へ、海外へと知れ渡っていくこともごく自然の成り行きだったのだ。

『一代男』最終巻の日本脱出、「床の責道具」。女護ケ島《にょごがしま》へ好色丸を仕立て船出する世之介は、緋縮緬《ひぢりめん》の吹き流しを船首で掲げ持つ。吉野形見の腰巻で作ったもの。船の大綱は遊女の髪、船の中には長崎土産が満杯である。意気揚々の風情である。この挿絵はすでに、『長崎土産』巻四で、船に唐人を呼んで遊山に興じている図を粉本《ふんぽん》（下絵）として好色丸が仕立てられていると指摘があり、又世之介のモデルは、朱印船貿易で巨万の富を得た末次平蔵の密貿易事件と関連があるといった説もある（箕輪吉次「『好色一代男』と末次平蔵」、『西鶴とその周辺』勉誠社、一九九一年など参照）。

世之介に、そして吉野の周辺に東アジアへの夢が浮遊していることは確実である。

＊

帰路、鷹ケ峯、光悦寺を散策。山裾のせいか、少し肌寒い。このあたりは、反権力を内在した町衆の法華文化が、芸術集団としてまとまり、一時代を築いたところだ。その中心にいたのが本阿弥光悦。吉野存在の意味もそのあたりのことを考えなければなるまい。夕暮れが近くなったせいか、観光客もまばらだ。光悦寺の庭から京の町を眺望する。山城にいるような錯覚だ。

鷹ケ峯からほど近くには、五山送り火の金閣寺大北山の「左大文字」。京の夏の空をこがす大文字の隠れスポットとか。東山《ひがしやま》の妙法は、『法華経』を。西賀茂船山の「船形」は、波濤を越える朱印船だ。

清水寺《きよみずでら》の、末吉《すえよし》船図・角倉《すみのくら》船図などの大きな渡海船額も重なる。角倉船は全長三十六メートル、幅十六メートル。乗船人員四百人。積み荷は八百トン以上に耐えたという。おそらく世界最大級、オランダ船の二倍、中国船の四倍半だったそうだ。

おそらくそんな船に世之介は乗り、吉野の腰巻を空に翻していたのだなどと妄想をふくらます。坂を下ると、今宮神社はやすらい祭（鎮花祭）。花冷えが熱燗を呼び出した。酔いが回ると、吉野の立兵庫の唐髷が揺れた。

08 春画

山本ゆかり

1 はじめに

日本の春画は、東アジアのなかで独自な発展を遂げた。はじめ肉筆で描かれていたが、江戸時代以後、浮世絵版画・版本でも広まるようになり、彫摺技巧の凝らされた高度な春画世界がつくり上げられた。多彩で成熟した錦絵の表現などから、日本の春画は日本独自の産物と捉えられがちであるが、春画のはじまりや発展などの重要な局面において、中国の春画文化からの影響が及んでいたことが判明している。中国の春画文化との関連に留意しつつ、春画をめぐる東アジア文化のありさまを俯瞰《ふかん》する。

2 中国の春画

東アジアの春画の歴史は中国に淵源をたどることができる。南宋の洪邁《こうまい》（一一二三〜一二〇二年）の考証随筆『俗考』には、「春画」の項目が立てられて来歴が語られる。まず前漢の広川王《こうせんおう》（劉海陽、在位前六四〜前五〇年）が室内に男女の交接（性交渉）する絵を描かせ、諸父（伯父、叔父）と姉妹を呼んで酒を飲みながら仰視させたという。この記録は『漢書《かんじょ》』（八二年頃成立）「景十三王伝第二十三」に確認できる。『俗考』ではさらに、南朝斉（四七九〜五〇二年）の鬱林王（第三代皇帝）が潘妃《はんき》（第六代皇帝・東昏侯《とうこんこう》の貴妃）の閨房《けいぼう》の壁に男女が交接する絵を描かせたこと、南朝宋（四二〇〜四七九年）の鄱陽王が寵姫との姿を鏡に照らして、その交わる姿を絵に描かせたことが紹介される。

考証随筆によれば、春画の来歴は前漢の広川王にさかのぼり、王たちが好んで描かせていた。該当する古春画は失われたが、古代の造形では画像塼に交接の図様例がある。伝来する春画作品は明時代以後のものになり、野外や室内で交接する姿が描かれる。春画を描いた絵師に唐の周昉《しゅうぼう》、元の趙孟頫《ちょうもうふ》、明の唐寅《とういん》、仇英《きゅうえい》らの名が伝わっている。

3　中国の房中書と春画

一方で中国では房中書が発達し、春画の成立にかかわった。房中書とは交接の方法を伝える教本で、身体に良い養生術としての交わりが説かれた。歴史は古く、一九七三年に発掘された馬王堆《まおうたい》三号漢墓《かんぼ》（前一六八年頃）から、房中術の記された簡《かん》が出土している。

代表的な房中書『素女経《そじょきょう》』では、中国古代伝説上の帝王・黄帝《こうてい》と仙女・素女とが問答を交わし、正しい交接の方法が伝えられる。一例を挙げれば、黄帝が節度ある交接の秘訣を素女に問う。素女は交接の道を説いて、男が元気であれば女は百の病が除かれて気力が充実するが、道を知らぬまま実践すれば衰える。道を知ろうとするならば、定気《ていき》（落着き）、安心、和志（和らぎ）が大事である。三つの気が行きわたることで、寒からず熱からず、飢えず、飽きることもなく身体が整い、交接の道が定まると助言する。

房中書は交接のかたちを表した絵とともに寝室で参照されていた。後漢の張衡《ちょうこう》（七八〜一三九年）の「同声歌」に、新婚夫婦が寝台に春画を並べ、房中書に従って交接するさまが詠まれる。房中書に説かれる教えと、交接を描いた春画との密接なかかわりが示唆される事例である。*1

4　房中書の伝来と日本の偃息図

中国の房中書は日本に伝わり、春画の黎明を日本にもたらしたと考えられる。日本で春画のことを古くは「偃《お》息図《そくず》」といった。〝おそく〟（偃息）とは男女同衾の意。唐の白行簡《はくこうかん》（七七六〜八二六年）の作とされる『天地陰陽交《てんちいんようこう》歓大楽賦《かんたいらくのふ》』第四段に、春画の意味で「隠側《おそく》」の用例があることから、中国に由来し日本で使われた呼称であろう。『大楽賦』では、『素女経』の理解を助ける絵に対して「隠側」の語が充てられる。*2

日本では『養老律令《ようろうりつりょう》』（七一八年）の医事の諸規定「医疾令第二十四」に医生・針生が学習する際の手引きとして「偃側等の図」が挙がる。また恒貞《つねさだ》親王（八二五〜八八四年）の伝記『恒貞親王伝』では「偃息図一巻」を進呈された親王が、恥だとして命じて焼かせたとする記述がある。*3

これらは八世紀以降、日本で偃息図が描かれていたことを明かす記録である。日本に房中書がもたらされ、その理解を助ける交接の絵・偃息図も描かれる。養生術としての交接が説かれるなかに、春画の淵源の痕跡が刻まれるのである。

中国から伝来した房中書は、日本で編纂された最古の医学全書『医心方《いしんほう》』に収載された。宮廷医・丹波康頼《たんばのやすより》（九一二〜九九五年）が九八二年に編纂し、九八四年に天皇に献上した。主に隋や唐の医薬書百余点から項目別に内容を抜粋・引用したもので、全三十巻から成る。第二十八巻「房内」篇が交接について扱う。[*4]

房中書の記述は、『古事記』『日本書紀』の内容にも及び、伊邪那岐《いざなぎ》・伊邪那美《いざなみ》の和合《わごう》により、日本が誕生したという国生みの神話が、中国の房中書から影響を得ていることが指摘される。[*5]『古事記』（七一二年）では、男神の伊邪那岐が女神の伊邪那美に国を生むことを提案し、二神による聖婚の儀礼が行われる。伊邪那岐が左から、伊邪那美が右から天の御柱を廻り、出会い、男神から女神にことばが唱えられ、契るという方法で結ばれる。このくだりは、中国の房中書『洞玄子《どうげんし》』に由来を想起させる記述がある。中国の房中書に説かれた思想が日本に伝来し、日本の歴史のはじまりを告げる神話に息づいているのである。

5　中国の春画と浮世絵

中国の房中書や春画は日本の春画の新展開にも関与した。日本の春画は長い間肉筆で描かれてきたが、江戸時代に入ると木版で摺られるようになり、一気に享受が町人へ広がる。木版の一枚絵は「浮世絵」と名付けられ、春画は浮世絵として流通するようになる。この木版文化の幕開けに際し、その萌芽を日本にもたらしたのが、中国の房中書や木版の春画であった。

代表的な事例に『黄素妙論《こうそみょうろん》』の出版がある。『黄素妙論』は一五三六年に中国で刊行された房中書『素女妙論』を、日本の医学者・曲直瀬道三《まなせどうさん》（一五〇七〜九四年）が抄出和訳したものである。はじめ写本で広まるが、文禄（一五九二〜九六年）、あるいは慶長（一五九六〜一六一五年）から元和（一六一五〜二四年）の頃に木版出版され、房中書出版のさきがけとなった。本文のみの伝本とともに、和漢の人物による交接の挿絵が備わる伝本があり、房中書の挿絵と日本での最初期の木版春画の発生とが密接であったことを明かす。『黄素妙論』にあった房中術の指南は、幕末まで江戸時代の春本に取り入れられた。[*6]

第二に『風流絶暢図《ふうりゅうぜつちょうず》』の出版が挙げられる。一六〇六年に中国で春画画冊『風流絶暢図』が刊行されると、日本では貞享三年（一六八六）頃に同名の和刻本が刊行された。中国の『風流絶暢図』は見開きの各々に艶詞《えんし》と春画が構成される。和刻本は序文、図様、艶詞まで唐本を踏襲するが、画面構成は異なり、見開きに春画を、上部の区画の右丁に艶詞を、左丁に艶詞の大意を載せる。絵師は菱川師宣とされる。[*7]

中国では、明代末期に色摺の木版技術が全盛を極め、一五七〇年頃から一六五〇年頃まで、高い美的水準に達する色摺春画画冊の制作が行われた。中国の『風流絶暢図』は墨摺版だけではなく色摺版もつくられ、[*8]ほかにも『鴛鴦秘譜《えんおうひふ》』などの優れた春画画冊が生まれた。[*9]

十七世紀後半には中国船が多く来航し、大量の書籍が日本に舶載された。中国との活発な交易関係のなかで房中書とは別種の中国の春画画冊が伝わり、日本の版画制作、春画制作に影響が及んでゆく。浮世絵春画が、中国の交接図様を借用していた例も紹介されている。[*10]

6 朝鮮の春画

中国の房中書・春画の影響は朝鮮にも波及した。たとえば洪萬選《こうばんせん》（一六四三〜一七一五年）の農書『山林経済』の巻六「摂生」、巻十二「家政下」には房中術が引用されている。元と交流のあった高麗時代後期から、その後の李朝時代に明の春画が本格流入するなかで、中国の影響を受けつつ朝鮮独自の春画がつくられた。十八世紀に入って朝鮮が経済的な発展を遂げると、快楽志向の高揚に応えて、中国や日本のように春画流行の波が訪れる。[*11]

一七一九年の朝鮮通信使に随行した申維翰《しんいかん》（一六八一〜?年）は、日本紀行『海游録《かいゆうろく》』で春画を所持する日本人の性生活について言及しており、[*12]日本の春画を認識していた。

現存する朝鮮の春画は少なく、大多数の春画は散逸し、残ったとしても秘められた存在であった。近年、朝鮮時代後期の絵師・金弘道《きんこうどう》（一七四五〜一八一八年）、申潤福《しんじゅんぷく》（生没年不詳）の肉筆春画が紹介されるなど、[*13]研究・公開の機運が高まりつつある。朝鮮春画の素朴な画風は中国とも日本とも異なる。中国の影響下にありながらも、東アジアの各国々で独自の春画が展開していたありさまが見えてくる。

注

1　房中書と春画との関連は主に以下で言及、考察される。①林美一『芸術と民俗に現われた性風俗　王城の春篇』(河出書房新社、一九九八年、五五頁〜六二頁、一四九頁〜一五三頁／初出一九七八年)、②R・H・ファン・フーリック『古代中国の性生活─先史から明代まで』第三章「秦と前漢王朝」、第四章「後漢王朝」(せりか書房、一九八九年)、③劉達臨『中国性愛文化』(青土社、二〇〇三年)、④石上阿希「日本春画における外来思想の受容と展開」(『日本の春画・艶本研究』平凡社、二〇一五年／初出『立命館文学』630、二〇一三年)。

2　注1①一五〇頁〜一五三頁、②飯田吉郎『白行簡大樂賦』汲古書院、一九九五年、③中野美代子『中国春画論序説』講談社、二〇一〇年、二二五頁〜二二八頁。

3　注1①六一頁〜六二頁、一五三頁〜一五四頁。注1④三六頁〜三七頁。

4　馬屋原成男監修『醫心方　巻第廿八　房内』至文堂、一九六七年。

5　注1①五五頁〜五七頁。

6　注1④「中国養生書と艶本」。

7　①リチャード・レイン「師宣と明朝の名作艶本『風流絶暢図』原寸複刻」(『季刊浮世絵』64、画文堂、一九七六年)、②河野元昭「春画─中国から日本へ」(『浮世絵秘蔵名品集　小町びき』学習研究社、一九九二年)。

8　注7①一一〇頁。

9　注1②四一五頁〜四三〇頁。

10　鈴木堅弘「春画と挿絵─浮世絵春画における借用表現について」、『日本研究』44、国際日本文化研究センター、二〇一一年。

11　Hong Seon-Pyo, *The Sociality and Artistry of Obscene Pictures in the Joseon Dynasty*, Special Exhibition LUST, Hwajeong Museum, 2010.

12　申維翰著・姜在彦訳注『海游録』平凡社東洋文庫、一九七四年、三一二頁。

13　金文学『韓国の春画』南々社、二〇一一年。

第4部　食文化と文芸

01 食文化と料理

原田信男

1 はじめに――東アジアの食文化

東アジアが属するアジアモンスーン地帯は、高温多湿な気候条件から、稲作農業に適している。イネには、インディカと熱帯ジャポニカ・温帯ジャポニカがあるが、このうちジャポニカ種については、長江下流域が原産地とされており、ここで水田が考案され、アジアモンスーン地帯に、米文化が広まっていったことになる。ただし熱帯ジャポニカは、耐水性に強いことから、マレーシア半島やインドネシア諸島などで、焼畑による栽培も行われている。これに対して、日本人が好む温帯ジャポニカは、温度や水の管理に微妙な問題があるため、水田という装置を必要とする。

いずれにしても稲作には、多量の水を必要とするところから、そこに棲む魚を米飯に組み合わせた食事パターンが基本となり、これにトイレなどで簡単に飼うことができるブタが動物性タンパク源として加わる。そして調味料としては、小魚類を塩漬けにしてアミノ酸発酵を促した魚醤《ぎょしょう》が利用されるが、これが長江南部で小魚の代わりにタンパク含有量の高い大豆を用いた穀醤《こくしょう》へと進化し、中国大陸・朝鮮半島・日本列島では、双方が併用されている。また原理的には魚醤の兄弟分で、魚類を米飯に漬け込んで乳酸発酵を促進させたナレズシも、この米文化に広く伴うという特徴がある。[*1]

そして主食となる米は、嗜好品においても主役となっている。たとえば米を飴で固めたオコシのような菓子は、東アジアに広く見られるし、日本では餅菓子・煎餅・和菓子などに米粉が多用されている。さらに酒類においても、ベトナムのラオロンやラオスのラオラオなどのほか、日本酒でも米が酒の主要原料となっている。そして酒から造る酢も、重要な調味料となっているほか、穀醤である味噌や醤油などの発酵スターターには、米麹《こめこうじ》カビ菌が重要な役目を果たしている。このように米文化圏では、米に魚とブタとが主要な組み合わせとなり、主食のみならず調味料や菓子・酒などの嗜好品においても、米を頂点とした味覚体系が確立されているのである。

こうした米文化圏における食文化の味覚体系は、米とは逆にどちらかといえば寒冷乾燥の気候を好む麦を主体とする麦文化圏と対照をなす。麦文化圏は、西アジアからヨーロッパにかけての地域に広がるが、麦の発祥地はチグリス・ユーフラテス川上流部の東トルコ付近であり、ユダヤ教・キリスト教・イスラム教の文化圏に重なっている。麦を中心とした畑作は、牧畜と結びついたことから、ウシやヒツジなどの乳製品と、その肉とパンとが組み合わさった食文化が基本をなす。

調味料には、バターやチーズなどの乳製品が用いられ、クッキーやケーキなど、小麦粉にミルクやクリームを用いた菓子が好まれるほか、ビールやウィスキーなど麦を原料とした酒が飲まれている。こうした食文化上の特色をもつ麦文化圏が、ユーラシア大陸の西北部に広く分布するが、中国北部にも麦文化が広まっており、ここでは小麦粉を用いた饅頭《まんとう》や麺類が独自の発達をみた。東アジアのなかでも、中国は寒冷な北部に麦文化圏が広がり、温暖な南部には米文化圏が展開するという特色がある。ただし亜熱帯平原からヒマラヤの山脈に連なるブータンのように、牧畜を行って米と乳を組み合わせた食文化が展開している地域もある。

2　日本の食文化の特色

言うまでもなく日本は、モンスーンアジアに広がる米文化圏の東端に位置するが、こうした米文化は中国南部から朝鮮半島経由で、弥生時代に伝えられた。これまで弥生のイノシシとされてきた骨の多くが、動物考古学の発達によってブタであることが明らかにされており、[*2]かつては東アジアと同じように、米と魚とブタを組み合わせた食文化が日本でも営まれていたことがわかる。ただ、このうちブタが、弥生末から古墳時代にかけて次第に抜け落ちていき、統一的な古代国家が成立すると、米への集中が著しくなり、代わりに肉食が忌避されるようになる。

天武《てんむ》天皇四年（六七五）に出された肉食禁止令は、円滑な水田稲作のために、家畜などの特定動物の殺生と食用を禁じたもので、厳密には殺生禁断令とすべきだろう。[*3]気温や水量など繊細な栽培条件を必要とする稲作には、さまざまなタブーが伴い、東アジアの各地に存在するが、[*4]日本の指導者たちは、そのなかでも肉を食べると稲作が失敗すると信じていたことから、政策的に肉食を禁じたものと考えられる。そして、その後に肉食を穢れとして排除したことから、代わりに動物性タンパク質摂取のために魚食が重視された。こうして日本では、国家によって米と魚を基本とする食事体系の方向性が決定付けられたのである。

もちろん現実には、米を十分に食することができない多くの下層民などは、狩猟を行って肉食をしていたし、貴族などのなかにも嗜好として肉を食べるものもいた。しかし宮中への出仕や神社の参詣などにあたっては、肉は穢れとして厳密に忌避されたし、正式な儀礼に肉が供されることはなかった。いずれにしても古代以来、中世を通じて肉食の禁忌は社会的な浸透をみた。そして米を経済の基礎とした近世には、肉を食べると口が曲がるとか、目が見えなくなるとかいった迷信が庶民層まで広がった。いずれにしても、日本の米文化は、東アジアのなかでも、ブタ（＝肉）を落とすというきわめて特異な展開を遂げるところとなった。[*5]

ただ、こうした方向性は堅持されたものの、中国・朝鮮半島からの影響はまぬがれなかった。古墳時代には、水田稲作に加えて農耕用の牛馬も朝鮮半島から移入されたが、これを雨乞い儀礼などに用いる動物供犠も伝わり、その後も長く継承されている。[*6]また古代には、神饌料理という料理様式があり、神への捧げものとして、飯のほか生物や干物を美しく切って盛り上げるという神饌の料理があったものと思われるが、盛り方には朝鮮半島からの影響が認めら

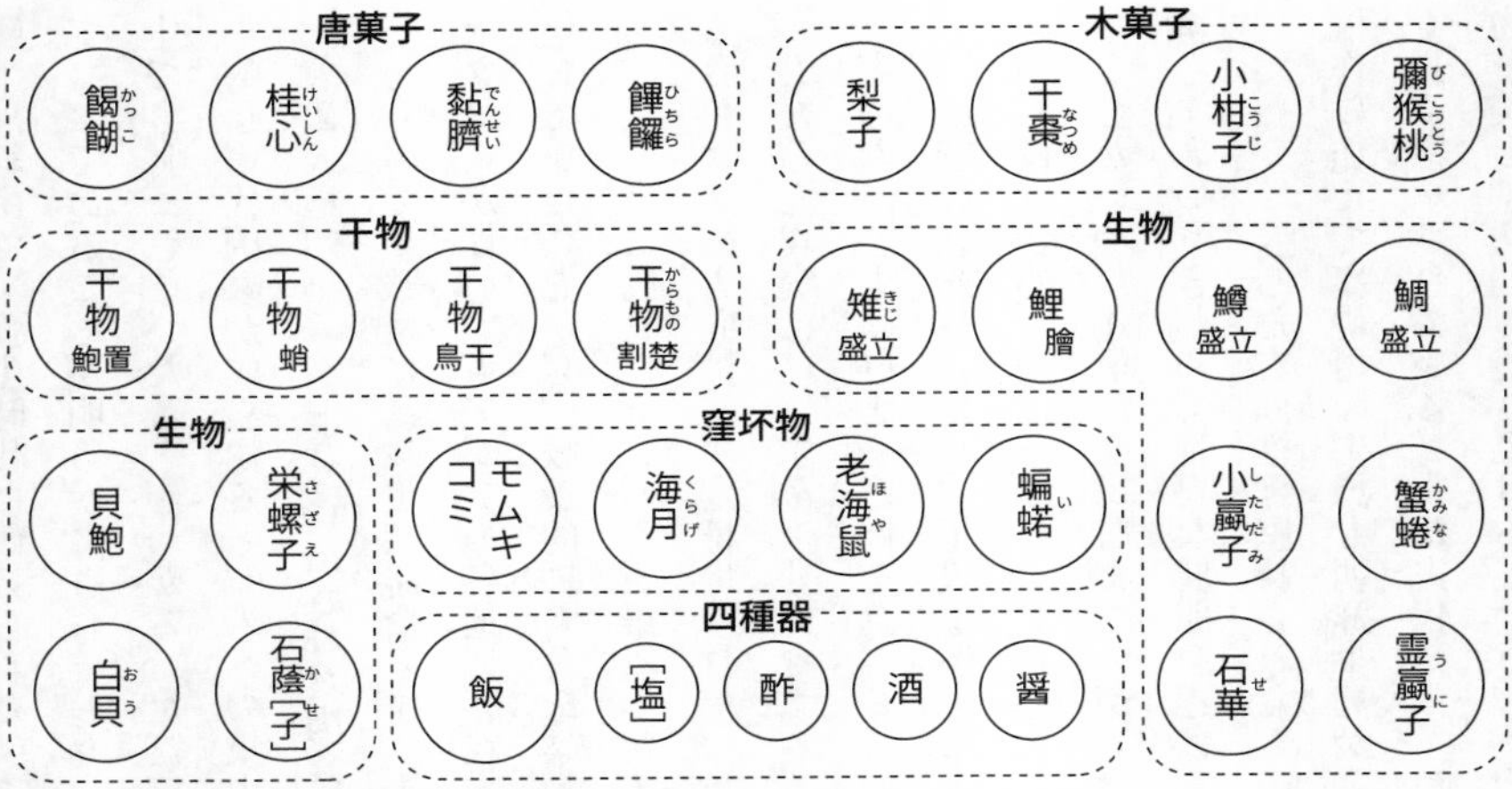

図１　大饗料理献立（『類聚雑要抄指図巻』より作成）

れるほか、仏教的な着色が施されたケースなどが、奈良地方の古社に伝承されている。

とくに平安貴族が皇族を主客に迎えて行う大饗《だいきょう》料理からは、明らかに中国料理の影響を読み取ることができる【図1】（大饗料理正客献立）。まず膳ではなく、台盤《だいばん》が用いられて、中国のイスとテーブル式の食事スタイルとなる。また奇数ではなく、中国で好まれる偶数の品数の料理が並ぶほか、小麦粉の揚げ菓子である中国からの八種唐《はつしゆとう》菓子《がし》がメニューに加えられている。さらに箸と匙《さじ》が添えられている点が注目される。かつて『魏志倭人伝《ぎしわじんでん》』には、「籩豆《へんとう》手食す」と見え、高坏《たかつき》状の器から手で食べていたが、考古学的研究から、箸の使用は七世紀ころから役人層に広まり、八世紀末頃になって、都の庶民にも普及が進んだとされている。[*7] つまり実際には、日本では匙が落ちているにもかかわらず、大規模な儀式には匙が添えられており、大陸・半島風のスタイルが国家上層部では好まれていたことがうかがわれる。

３　日本的料理文化の成立と展開

ただ、この神饌《しんせん》料理・大饗料理においては、干物や生物が並べられるだけで、それらの調味は、食べる者が食べるときに、塩や酢や酒や醤などを自らの手塩皿《てしようざら》に取って、それぞれに好みの味をつけるというのが基本であった。つまり、この段階までの料理は、食材そのものに対して加工的な味付けを行うのではなかった。これが大きく変化するのは、南宋の禅宗寺院で発達した精進料理が、そこで修行した日本人の禅僧たちが帰国して伝えた鎌倉期以降のことであった。殺生戒を重視する僧侶は肉食を禁じられているが、植物性の食材を用いて、限りなく動物性食材の味に近づける調理の技術を開発し、その向上に努めた。*8

　こうした精進料理が日本に入って広く浸透していく過程で、いわば調理革命が進行し、まったく独自の新しい料理様式が室町期に成立をみた。これが本膳《ほんぜん》料理で、今日の和食に通じる日本的料理文化と評してよいだろう。これは七五三の膳を基本とし、膳を用い奇数の品数の献立で構成されており、大饗料理とは異なる日本的な性格を読み取ることができる。ちなみに平安末・鎌倉初期の『病草紙《やまいのそうし》』には、折敷《おしき》に一汁三菜と飯に箸を立てた歯槽膿漏《しそうのうろう》の男の食事風景が描かれている【図2】。その手元には手塩皿と思しきものがあり、まだ精進料理的な調理技法は広がっていないが、匙を捨てて箸を用いた奇数組の料理が、すでに民間では一般的であったことがうかがわれる。そうした伝統の流れの上に、精進料理の調理技法を採り入れて、日本的料理様式としての本膳料理が室町期に完成をみたのである。

図２　歯槽膿漏の男（『病草紙』京都国立博物館蔵、ColBase より）

　さらに、この室町期には、カツオやコンブなどの出汁が用いられ、発酵調味料である醤油も登場するところから、本膳料理は味覚的にも今日の和食に近いことになる。カツオやコンブは古代からも用いられていたが、前者は鰹の煎汁《いろり》という調味料であり、後者はエビスメとしてそのまま食されていた。コンブを出汁とする技法は、精進料理の技術的成果と考えられるが、室町期にカツオブシが出現し、蝦夷地《えぞち》から大量のコンブがもたらされ出汁に利用されるようになった。また弥生時代の魚醤に次いで、穀醤つまり味噌の原型も古代にもたらされ、古代国家には大膳職のうちに醤院《ひしおいん》が設けられていた。その管轄内容から、すでに古代国家の段階で、日本では魚醤よりも穀醤の方が卓越していたことがうかがわれる。

　また中世では、酒や酢および味噌などの高い発酵技術が、精進料理の中核であった寺院に蓄積されており、ここから社会に広まっていった。とくに麹を用いた酒造りは、すでに『播磨国風土記《はりまのくにふどき》』などに見え、古代から行われていたが、中世には麹の技術は高いレベルにあったと思われる。日本の米麹カビ菌は、選抜育種が繰り返された結果として創り出されたもので、他国には存在しない優れた性質をもった菌である。室町期になると、地方などにも麹室《こうじむろ》の売買文書が残ることから、麹の利用が社会的な広まりをみせていたことがうかがわれる。そうしたなかから、醤油造りも行われ、さまざまな和食料理に不可欠で重要な発酵調味料として、広く活用されるところとなったのである。

ただ本膳料理は、基本的には武家の儀式料理であったことから、装飾性が優先され、料理も前々からの作り置きが原則であった。鎌倉期以降、精進料理とともに禅僧が中国から伝えた茶が民間にも普及するようになり、闘茶《とうちゃ》などとして娯楽の要素が採り入れられた。しかし禅林の茶礼などの影響を受けて、精神性を重視した茶の湯が広まると、茶を楽しむための質素な懐石料理が、新たな料理様式として登場するに至り、やがて和食文化は頂点に達した。これは本膳料理の長所を巧みに採り入れたもので、茶会の一期一会という思想から、もてなしとしつらえという美学にこだわった。

その茶会の季節にふさわしい旬の食材を用い、それに調和するふさわしい器を選び、温かいものは温かく、冷たいものは涼風を大切に供し、いかに客をもてなすかに工夫を凝らした。またしつらえとしては、路地や庭の手入れのほか、床の間に、どのような書画をかけるか、どんな花をどのような花器に生けるのか、また行燈《あんどん》はどうするのか、さまざまな配慮を通じて、その時の茶会の性格に応じた食の空間が創り出される。食を精神的なゆとりのなかで味わうための演出が心がけられており、戦国期に登場した懐石料理は、まさしく和食の最高峰に位置するものといえよう。

こうして中世末期には、和食の基本が完成していたが、それまでの料理様式は、すべて儀式料理としての性格が強かった。そのため懐石料理にしても、それに預かれるのは、茶会への参加を許された特定の人間のみで、料理を提供する場所も、そして時間も定められていた。誰もがいつでもどこでも、自由に料理を楽しむことは、中世においては不可能であった。そうした状況を大きく変えたのが、鎖国体制を維持して対内的に安定的な社会を築き上げた近世という時代である。

近世に入ると、料理屋が出現し、そこへ行けば自由に料理に出会えることになる。近世前期は、貸席料理屋などが主流であったが、後期に入ると三都などには、料理屋が林立し、庶民的な店から高級料亭までが並んだ。また料理書が出版されるようになって、料理の知識や技術が、金さえ出せば自由に手に入るようになった。中世までは、本膳料理の発達に伴い、さまざまな武家の庖丁流派が生まれたが、そこに伝えられた知識や技術は、門外不出の流派ごとの料理書のなかに止められていた。近世前期の料理書は、おそらく貸席料理屋などで腕をふるったセミプロ的料理人のためのものであったろうが、後期になると、むしろ素人向けの料理本が人気を呼び、料理屋のガイドブックなどとともに、より料理を身近なものとする役割を果たした[*9]。

さらに近世に入ってからの大きな変化は、和食の基本となる発酵調味料の大量生産である。町や村の素封家が醸造業に手を染め、酒や醤油や味噌・味醂・酢などが工場生産されるようになった。味噌はともかく、それ以外の発酵調味料は、自家製で賄うことがむずかしかったが、とくに後期に流通の展開ともあいまって、少量でも個人での入手が容易になった。これによって屋台などの商売人のほか、家庭レベルでも、自由に発酵調味料が利用できるようになった。ソバつゆ・天つゆ・蒲焼きのタレのほか、煮物や焼物さらには汁や刺身などに欠かせない醤油や味醂などの発酵調味料が出回るようになって、近世に和食は広く親しまれるようになったのである。とくに宝暦～天明期・文化～文政期という十八世紀後半と十九世紀前半に、江戸の料理文化は二つの大きなピークを迎えたが、幕末維新期の政治状況のなかでは、目立った開花をみせずに、明治維新を契機に西洋料理が流入するところとなった。

4　北海道・沖縄と東アジア

北海道と沖縄が、ともに正式に日本の領土として組み入れられるのは、明治になってからのことであるが、両者と日本の料理文化との間には、複雑な関係があった。そもそも日本において肉食の否定が浸透しなかった空間が四つあった。それは山の民と被差別部落民そして北海道と沖縄で、そこには優れた肉食文化が育まれていた。北海道のアイヌ民族は、シカやクマから大きな恵みを受けていたし、沖縄では中国食文化の影響を受けて、ヤギとブタの飼育が盛んであった。優れた肉食文化とは、家庭レベルで動物解体の技術を保持して、動物の内臓から血までをすべて食べ尽くすことを意味し、日本以外のアジアには普遍的に存在する。

中世までの日本の国家領域は、北海道と沖縄を含まず、鎌倉中期の『平家物語』では俊寛《しゅんかん》が流された鬼界ケ島《きかいがしま》を、また南北朝期の『諏訪大明神絵詞《すわだいみょうじんえことば》』では蝦夷が千島《ちしま》を、ともに農耕を営まずに殺生を行う肉の世界と捉え、米の世界である日本と対比的に描いている。[10] 肉食を否定した古代国家のもとで、聖なる米と穢れた肉という食物に対する価値観が形成されたが、これは近世に入って、検地によって畑地や屋敷地などにも米を税として課した石高制社会というシステムを完成させ、米を至上の経済価値とみなしたためである。

しかし北海道は寒冷な気候ゆえに稲作に適せず、弥生文化を受容しえなかったことにより、東南アジア・東アジアに広がる米と魚とブタを中心とする米文化の浸透が遅れた。明治二年（一八六九）に正式に日本の一部となり、はじめは西洋的な畑作牧畜を理想としたが、やがて移り住んだ農民の努力で稲作が開始され、その後著しい発展をみせた。また同十二年に中国から切り離されて日本となった沖縄は、温暖な気候ではあったが河川が発達せず、水田適地には恵まれなかった。ところが十一世紀後半以降のグスク時代に、日本から稲を含む農耕がもたらされて、国家形成の原動力となった。やがて十七世紀初頭に薩摩藩の侵攻により検地が実施され近世石高制のシステムが適応されたが、米を至上の食物とする価値観は根付かなかった。薩摩藩の侵攻後、日本的な料理文化がもたらされはしたが、肉食は盛んであった。

日本における肉食の再開は、明治維新後のことで、牛鍋が人気となり、徐々に肉食も浸透していったが、やはり近代においても米に対する願望が高かった。西洋近代を模するように、アジアの内部に植民地をもとめて戦争を行ってきたが、その結果として手に入れた朝鮮半島と台湾においても、産米増産政策を植民地の農業政策として推進した。とくに朝鮮は、日本に水田稲作をもたらしてくれた地であるが、それから二〇〇〇年近く経った朝鮮王朝末期には、苗代の播種量《はしゅ》は日本の倍以上に及んでいたという。[*11] また台湾では蓬莱米《ほうらいまい》という優れた品種の開発に成功している。これらはともに明治初年の日本の水田稲作技術が高い水準に達していたことを示すもので、弥生以降の歴史のなかで米作りに著しい努力が払われてきた結果といえよう。そうした水田稲作技術を、大正初期に朝鮮半島と台湾に持ち込んだが、その背景には日本で歴史的に長く育まれてきた強い米志向があり、国内的に不足する米の増産を東アジアの植民地にもとめたのである。

参考文献

1 石毛直道『魚醤とナレズシの研究』共著、岩波書店、一九九〇年。
2 西本豊弘「弥生時代のブタについて」、『国立歴史民俗博物館研究報告』36、一九九一年。
3 原田信男『歴史のなかの米と肉』平凡社選書、一九九三年（平凡社ライブラリー、二〇〇五年）。
4 宇野円空『マライシアに於ける稲米儀礼』日光書院、一九四四年（復刻版：東洋文庫、一九六六年）。
5 原田信男『コメを選んだ日本の歴史』文春新書、二〇〇六年。
6 原田信男『神と肉』平凡社新書 二〇一四年。
7 佐原真『食の考古学』東京大学出版会、一九九六年。
8 原田信男『日本の食はどう変わってきたか』角川選書、二〇一三年。
9 原田信男『江戸の料理史』中公新書、一九八九年。
10 原田信男『義経伝説と為朝伝説』岩波新書、二〇一七年。
11 李春寧『李朝農業技術史』飯沼二郎訳、未来社、一九八九年。

02

米や酒そして作物

韓国と日本の比較を通して

伊藤信博

1 はじめに

一般的に日本人は普段コシヒカリに代表される品種の米を評価し、普段は炊いて食しているが、かつては米の種類や食べ方は多様であったろうと考えられる。『延喜式《えんぎしき》』および『倭名類聚抄《わみょうるいじゅしょう》』に記される「飯」の種類が二十種類近くに及ぶからである。

また、日本人は米が主食で、欧米人はパンが主食であるとよく言われるが、渡仏した際、尋ねてみると必ず「肉」が主食で、パンは副菜であると反応がある。ドイツなどの芋と同じ扱いである。一方、我々は米ばかり食べていたわけでもない。『古事記』や『日本書紀』では、五穀は米、大麦や小麦、粟や稗、大豆や小豆など豆類も指しているからである。室町時代においても、明代の日本情報書『全浙兵制考《ぜんせつへいせいこう》 附日本風土記《にほんふどき》』（十六世紀末）は、穀として、大麦、小麦、蘆《よし》、蕎麦、粟、黍稷《しょしょく》、豆として、菀豆《えんどうまめ》、赤豆、緑豆その他、芝蔴《ごま》や鶯粟《おうぞく》も挙げている。また、『日葡《にっぽ》辞書』で、米、麦、粟、稗《ひえ》、黍《きび》に豆が五穀に入れられているのである。このようにみると、米だけを主食とは見なさず、さまざまな穀物を主食としていたのであろう。

応永二十七年（一四二〇）に足利義持《あしかがよしもち》派遣使節の回礼使として日本を訪れた朝鮮官僚である宋希璟《そうきけい》の『老松堂日本《ろうしょうどうにほん》

行録《こうろく》』には、日本の農家が秋に大麦、小麦を蒔き、翌年の初夏に収穫し、その後に稲の苗を植え、初秋に収穫し、続いて、蕎麦を蒔き、収穫するとし、川をせき止めて水を蓄えて水田としたり、水を落として畑にしたりしていると尼《あまが》崎《さき》での見聞を記している。そして、『日本中世気象災害史年表稿』（藤木久志編、二〇〇七年）からは、洪水が秋から冬にかけてあった年で、次の年の夏に旱魃《かんばつ》が起こった時に飢饉が連鎖している事実がわかり、麦や蕎麦、さらに大根などの保存が効く根菜類なども生活には欠かせない重要な食物であったことが考えられるのである。

また、お酒を考えてみれば、今の日本酒は、二〇〇六年に日本醸造協会によって、米を使用したニホンコウジカビ（アスペルギルス・オリゼ）が国菌《こつきん》となり、この菌を使用して造酒されたお酒を「清酒」と呼ぶこととなった。この伝統は室町時代の「麹座《こうじざ》」によって発展した麹菌を使ったお酒造りから来ていると想像できる。

そして、『御酒之日記《ごしゅのにっき》』（一三五五年）や『多聞院《たもんいん》日記』（一五六〇年）に記される、使用する麹米、蒸米すべてに白米が使われる（諸白）や「酘《とう》法」による「もろみ仕込み」が室町時代以降徐々に定着してくるのである。さらに『多門院日記』には、できた酒を「火入れ」（低温で加熱殺菌）し、発酵を止め、貯蔵する方法が記され、それまで発酵が進む夏の造酒から、冬だけの酒造りが可能となり、現代のお酒造りと同一のお酒造りの基礎が生まれてくる。

一方、このような発展は一つには画一的なお酒造りとなった可能性を示唆する。麹にしても、愛知県豊橋市にある室町時代から存続する麹屋からは、中国や韓国で一般的にお酒に使用される、室町時代の物と推定される餅麹《もちこうじ》（ケカビ）が見つかっており、昔は造酒にもさまざまな麹が使用された可能性が指摘できるであろう。

さらに、『朝鮮の料理書』の「酒類」では、麹は小麦を使った餅麹で六月に作るとする。*1 その注では、日本の麹は「バラ麹」であると書き入れているが、『延喜式』「造御酒糟法」では、やはり六月に酒造りを開始するとし、「小麦もやし」を使うとも記載するため、小麦を使用した餅麹の可能性があるのである。つまり、「ケカビ」を使った酒造りが存在した可能性も指摘できる。「ケカビ」で造ったお酒は、一般的にはフルーティとも言われ、韓国では好まれたとされる。

また、もう一つには、現代の日本酒には、タンパク質がほとんどなく、一合（一八〇グラム）で、〇・七二グラムであり、ご飯百五〇グラム中のタンパク質量は三・八グラムとすると、必要なたんぱく質の摂取量はお酒であれば、四十合以上、ご飯なら、九杯ぐらいが必要となる。したがって、当然豆類などのタンパク質を摂取する必要が生じるであろうし、鳥の肉や魚、または獣肉も必要となってくる。これが、濁り酒であれば、ある程度のタンパク質が含まれており、お酒だけでも、ある程度のタンパク質が摂取できたであろう。

砂野唯氏はその著書『酒を食べる』で、エチオピア・デラシャを例に、モロコシを原料に作るパルショータという酒を「食べる」文化を紹介しており、大人は、他の食べ物を摂取せず、お酒だけを「食べ」、健康に生活しており、タンパク質が十分に摂取できる状態であることを指摘する。[*2]

そこで、こうした日本や韓国における米や酒だけではなく、その周辺の作物にも視点を置き、当時の作物と文学や文化の関りを考察してみたいと考える。とくに、時代の環境の中で、どのように文学や文化が生まれてきているのかを考えてみたい。

2　室町時代における大唐米

大唐米《たいとうまい》は『和漢三才図会《わかんさんさいずえ》』「秈《せん》の項」に「そもそも赤米はよく舂《ひ》いて糠を取り去ると白色で、微紅文《びこうもん》を帯びている。飯にするとよくふえて粘らない。温かいうちは香気があって大へん佳い。冷えると風味は減って、食べてもすぐ腹が減る。（中略）また秈糯《せんもち》というのがあり、これを大唐糯《だいとうもち》という。赤・白の二種あって、どちらもやや粘る」と記される。

この大唐米は粳米《うるちまい》も赤・白、糯米《もちごめ》も赤・白の種類があり、大唐米に由来する在来稲のDNA分析では、インディカ米に類別されることが明らかにされている。[*3] また、大唐米の初見は『東寺百合文書《とうじひゃくごうもんじょ》』「教王護国寺文書二百十八号」で、延慶元年（一三〇八）の丹波国大山荘《おおやまのしょう》西田井村の条であり、[*4] 以降、「矢野荘公文名算（散）用状」「矢野荘供僧方算（散）用状」「矢野荘学衆方算（散）用状」（『東寺百合文書』）では貞和二〜寛正七年（一三四六〜一四六六）、『三宝院文《さんぼういんもん》書《じょ》』の「醍醐寺領讃岐国東長尾荘算用状」では応永四年（一三九七）、『安芸文書《あきもんじょ》』「大忍庄内検《おおさとのしょうないけん》」（土佐国安芸郡・香我《かが》美《み》郡）では応永二十九年（一四二二）と記録がある。

「田植草子」には「きのふ京からくだりたるめぐろのいねはな、いね三ばにな米は八石な、ふくのたねやれ、三合まいては三石、かこかさし候、けにちもとこのいねにわ、まかうや、ふくのたねをば」とあり、京から来る「目黒」稲は福の種であり、多収穫の稲を歓迎しているのである。

しかしながら、『和漢三才図会』が「秈の項」で、大唐米と記しているが、厳密には、大唐米と秈米は区別する必要がある。大唐米には糯米種は存在しないのである。秈糯とは、ベトナム中部沿海地方に成立していたチャンパ王国（占城）から中国に流入したチャンパ米のことである。この米には紅血糯《こうけつもち》、黒糯米《くろもちまい》などがあり、日本の糯米より粘らない種類の米である。

したがって、『田植草子』の「目黒」は秈米の可能性がより高い。『奈良市史』民俗篇にある御田の歌謡（手向山《たむけやま》八幡）には「唐より渡るふしくろの稲はな」と記され、「田遊び」には、「京から来るふしくろの稲はな、稲三把《ば》で米八石」とあるとの指摘も秈米であろう。[*5] 大唐米（粳米）、秈米（糯）はどちらも中国を経由し、鎌倉期、室町期に流入したため、両方を大唐米と『和漢三才図会』の作者が混同した可能性が大なのである。

ところで、近世において大唐米と記載がある書物は『本朝食鑑《ほんちょうしょくかがみ》』（今本邦處處所種、謂大唐米者、似粳而粒小、有赤白二色。其熟最早六七月収之、而米亦多、恐是綱目之秈米也乎）、『倭訓栞《わくんのしおり》』（たうぼし、大唐米ともいう、秈也といへり）、『清良記《せいりょうき》』（太米之事。早大唐、白早大唐、大唐餅）、『毛吹草《けふきぐさ》』（その他、香米もあり、芳米と記す）、など数多く、大唐米または秈米と記す。

つまり、中世には赤米種および白米種、糯米種、粳米種もある「大唐米」（占城稲《せんじょうとう》）が流入し、気候条件に左右されず、どのような土地でも育つことから、新田開発の条件にも適し、低湿地帯や水はけが悪く、常に湛水状態の土地や洪水時に湛水しやすい土地、高冷地で盛んに栽培されたのである。江戸時代に、農書を初めとして赤米の栽培や流通に関する記録が多く残った理由もそこに挙げられる。

中世では、『御湯殿上《おゆどののうえ》の日記《にっき》』、天正九年（一五八一）十一月十八日の条は、「なかはしよりあかき御かゆまいる」と記し、赤粥の記録がみえる。*6 天正元～十九年（一五七三～九一）の間の日記をみると、赤御供や菱餅を「赤のかちん」と表現している箇所が多数ある。*7

『群書類従』巻第三百六十四『厨事類記』においても、「米餅。赤。蘇芳。青。花田。黄。白。或以縹用青色。以蘇芳用赤色。或濃薄色多種用之。近代以一色一折敷居之」などと赤い餅があることを示し、延徳四年（一四九二）、万里《ばんり》集九《しゅうきゅう》作『梅花無尽蔵《ばいかむじんぞう》』は「占城之早稲、孟秋已熟、魯史所期之大有也（後略）」と記し、占城米の早稲《わせ》が実っていると記すのである。*8『七十一番職人歌合《しちじゅういちばんしょくにんうたあわせ》』にも「売り尽くすたいたう餅や饅頭の声ほのか成夕月夜哉」とあり、饅頭売と法論味噌売が対となって紹介されてもいる。したがって、大唐米と占城稲が混在して記されていることに気づくのである。

江戸時代では、享保三年（一七一八）版『御前菓子秘伝抄《ごぜんかしひでんしょう》』における大唐米を使用した菓子の種類は、「りん」（砂糖の衣をかけた一種の霰《あられ》）、「醒《さめ》が井餅《いもち》」（一種のかき餅）、「饅頭に使う甘酒」、「物相強飯《もっそうこわめし》」、「白藤」（一種のしんこ餅）、「鶉焼《うずらやき》」（鶉餅を焼いたもの）、「砂糖貝」（鶉餅を焼かずにきな粉をつけたもの）、「付粉餅」、「きんとん餅」【図1】、「こわ餅」、「すすり団子」、「けいらん」、「おこし米」、「こいただき」、「茶巾包」など十五種類にも及ぶのである。

そうした大唐米が室町時代後期に成立した『酒飯論《しゅはんろん》絵巻』には描かれており、第三段の飯室好飯住房《いいむろこうはんじゅうぼう》における食事および、その準備風景が描かれた画や詞書には、二本三本、五本たて、本飯復飯《ほんはんふくはん》、すへ御れう、鳥の子にきりの、わか御料《ごりょう》、玉をみ

図1　大唐米で再現した「きんとん餅」（撮影：筆者）

がける、すき御料、粟の御れうの色こきは、をみなへしにぞ、似たりける。桃花の宴の、あか飯は、花の色かや、うつるらん、夏は涼しく、おぼえける、麦の御れうも、めづらしや、地蔵かしらの、高飯《たかめし》は、六道《ろくどう》のちく、たのもしく。

と、強飯や「頓食」（鳥の子）が記されるのである。さらに、

其後、もちゐ、色〳〵に、やよひも、はじめの、わか草はちゝこ、はゝこの、はう子もち、手づくりからに、いたゐけや、かはらぬ色の、松もちゐ、千世とぞ、君を、いのりける。ぼんのうの、きづな、きりもちゐ、菩提にすゝむ、たよりあり、命は水の、あわもちゐ、世の、あだなるも、知られけり。五月五日のちまきには、屈原がむかし、おもひ出、冬のはじめの、いはひには、ゐのことなづくる、かいもちゐ、秋の鹿にはあらねども、紅葉をしくも、いとやさし、青陽《しゆんよう》の春のはじめには、たかきいやしき、をしなべて、ことさとかゞみの祝こそ、千とせの影をば、うつしける。神社、いづれの御願寺も、壇供のもちゐ、すへてこそ、修正のをこなひ、ありときけ。

と、餅の説明がある。父子草《ちちこぐさ》・母子草《ははこぐさ》・御形《ごぎょう》を使った草餅、松餅、笹餅、切り餅、粟餅、粽《ちまき》、亥《い》の子《こ》餅（おはぎ）、鏡餅、団子または大豆餅・小豆餅となる。松餅（笹餅）は、「千代とぞきみをいのりける」を修飾し、いつまでも若々しくの意味であろう。韓国では、餡を入れた餅の下に松を敷き、松餅と読むのである。

さらに、こうした米を主題にするだけではなく、詞書には、「粟の御れうの色こきは」や、「夏は涼しく、おぼえける、麦の御れうも、めづらしや」と粟や麦ご飯も描くのである。そして、

四季おりふしの、生珎《いくたま》は、くゝたち、たかんな、みやうかの子、松たけ、ひらたけ、なめすゝき、あつしる、こしる、ひやしづけ、調味あまたに、しかへつゝ、うそゝけ入の、うす小づけ、よきほとらかの、小さいしん、御まへにすへて、見さうはや、まいらぬ上戸《じようご》や、おはします。

と、アブラナ科の青葉、筍、茗荷の芽、松茸、平茸、鼠茸《ねずみたけ》（ホウキ茸）、熱汁、小汁、湯漬け（水漬け）飯、菜を入れ、味付けした飯や食材は汁、羹《あつもの》の材料も記す。*9 このように五穀や野菜や茸、果物など豊富な材料を記し、また描くこと

から、米を物語では主題としながらも、副菜も豊富に記すことから、米だけではなく、果蔬《かそ》も重要視していることがわかる。

3　日本と朝鮮半島の酒造りについて

日本の現代の造酒に必要な過程を挙げると以下のようになる。

・アルコール発酵
　酵母が無酸素的に糖を分解し、エネルギーを獲得する様式
・糖化・液化
　デンプンなどの多糖を酵素により加水分解、還元糖に変換するプロセス
・蒸留
　水は沸騰せず、アルコールが沸騰する温度で、アルコールを蒸気として回収する蒸留後冷却することにより、液状アルコールに変換

このような造酒は口嚙み酒《くちかみざけ》（唾液）も含み、ビール、ウィスキー（もやし→麦芽）、日本酒、焼酎（かび→麹菌）で、アミラーゼを利用し、糖化を行うものである。日本酒の製造は並行複発酵であり、玄米を処理し、精米歩合として五十〜七〇パーセント程度の白米にし、蒸米に麹カビを繁殖させ、糖化酵素を生産させるのである。なお、酒造好適米は粳米である。

粳米はより的確に言えば、「醸造用玄米」に分類され、心白《しんぱく》が多く、破精込み《はぜこ》（麹菌が入ること）がしやすいものとされる。糯は蒸米の際に粘って、作業がしにくい。また、米中のタンパク質は、麹の酵素（プロテアーゼ）で分解され、清酒の味の主成分であるアミノ酸になるが、多すぎるとくどい味になるとされる。麹と水を混合したものに乳酸と酵母を添加し、培養することにより酒母《しゅぼ》を調製し、酒母に蒸米と麹米および汲み水を仕込み、もろみを本発酵させて、日

本酒を造るのである。
実験により籼米で実際に造酒したところ、アミノ酸が多すぎてくどい味になったが、熱燗にすると、今の日本酒とほぼ変わらない味になった。そこで、かつては、日本酒が燗で飲まれていた事実を思い出すのである。また、籼米で造酒すると、乳酸菌が増殖しないため、何度も重ねて醸す「古酒」には相応しい可能性も指摘できる。乳酸菌が増殖し過ぎると、お酢になってしまうのである。

ところで、『延喜式』に記される酒は十数種類に及ぶが、代表的なものに「雑給酒《ざつきゆうしゆ》」（下級官人への給与酒と）、「醴酒《れいしゆ》」（米、麹を酒に仕込み、しぼらずにそのまま使う酒）、「三種糟《さんしゆそう》」（三種糟料八斗。五斗糟料。三斗三種麹各一斗料。糯米五斗。粱米五斗。小麦三斗［小麦もやしを使用する儀式用の酒］）、「御井酒《みいのさけ》」（使用する水を減らし、できた醪《もろみ》を酒袋に入れて濾過《ろか》した酒）、「白貫・黒貫」（白貫は醪を大篩《おおぶるい》で粗越しした酒。黒貫はそれに久佐木の灰を入れた酒）、「御酒」（いったん発酵の終了したもろみを濾し、この酒に、さらに蒸米と米麹を入れて再発酵させ、再び濾す製造と考えられる）などが挙げられる。

上述した『御酒之日記』には、酒母を熟成後、その中に麹と水を加え、冷やした蒸米を入れる製法（「酘《とう》」）が記され、現代の日本酒造りと同様な製法と指摘される一方、醸しては漉し、さらに、できたお酒に蒸米を入れ、醸すを繰り返す「シオリ法」も記される。

この「シオリ法」は重醸酒であり、『延喜式』に記される「御酒」の製法でもある。『日本書紀』で素戔嗚尊《すさのおのみこと》が八岐大蛇《やまたのおろち》を退治する場面での「八醞の酒」（何回も繰り返して醸す酒）でもあり、『釈日本紀《しやくにほんぎ》』が記す「或説、一度醸熟絞取其汁、其糟棄、更用其酒為汁、亦更醸之。如此八度。其為純酷之酒也」（何度も醸した酒）や、『播磨国風土記《はりまのくにふどき》』「宍禾郡庭音村条《しさはのこおりにわとのむらじよう》」にある神に捧げた強飯が濡れて、カビが生え、醸して、酒を造ったとする話も同様の重醸酒の可能性がある。

『本朝食鑑』では、「年を越すものを諸白《もろはく》古酒と称す。甕壺《かめつぼ》に収蔵して、よく年を経つべし。その三、四、五年に至るものは味濃く、香美にして、最も佳《か》なり」とし、まず、日本酒を造り、その酒を新酒と名付け、その後、糯米と麹を加え、古酒を製造するとするが、この古酒が「重醸酒」の可能性が高い。

名古屋大学神宮皇學館文書「菓子類製法覚書」には、梅酒の製造法が記されており「一同方　慶徳玄錫流、豊後梅〈十五〉能洗ひ紙にて水気をふき候也。白砂糖〈壱斤〉、古酒〈壱升〉、右合壷ニ入封付置也。毎度小出候時口封候てふし口明候へは梅香失申候也」（梅を洗って水分を取り、砂糖と古酒を入れて作る）と述べるが、この古酒も重醸酒と考えられるのである。

さらに、『本朝食鑑』は古酒を「酎」とも言うと記し、「酎」の水割りという表現があり、重醸酒の水割りと考えられるのである。ちなみに現在の焼酎は「焼酒」と記し、新井白石《あらいはくせき》『南島志《なんとうし》』では、「甑《こしき》ヲ以テ蒸シ、其ノ滴露ヲ取ル」と焼酎の製法を伝える。また、『和漢三才図会』では焼酒に「しょうちゅう」と仮名を振ってもいるのである。この焼酒は、鹿児島県大口市大口郡山八万神社の屋根裏から発見された木札に、「永禄（禄）二歳八月十一日、作次郎、鶴田助太郎、其時座主は大キナこすでをち、やりて、一度も焼酎ヲ不被下候。何共めいわくな事哉」（一五五九年）と記し、仕事の終わりにであろうか、焼酎も飲ませてくれないケチな人と非難を記している。

ところで、古酒に関しては、室町時代では、天台宗天野山金剛寺で造られた天野酒などは上述した重醸酒であると考えられる。また、『閑吟集《かんぎんしゆう》』で「うえさに人のうちかづく、練貫酒《ねりきぬざけ》の仕業かや、あちよろり、こちよろよろ、腰の立たぬはあの人のゆゑよのふ」と歌われる「練貫酒」、『蔭涼軒日録《いんりようけんにちろく》』文正元年（一四六六）正月十日の条、『碧山《へきざん》日録』応仁二年（一四六八）正月十七日の条に記される筑前や豊後で造られた酒も重醸酒であろう。練酒は、「奈良屋与兵衛法」で造るもので、戦国末期から江戸期にかけて造られたお酒であり、酒に糯米を加えて、新酒の糖化酵素を利用し、糯米でんぷん粉を糖化する方法を繰り返して造り、アルコール分がかなり高かったとされる。

また、糯米で造るお酒は、他に味醂《みりん》酒がある。味醂は焼酒に糯米と麹を入れて造るとされ、『太閤記《たいこうき》』には、「上戸にはぶどう酒、味醂酎、下戸にはかすていら、こんぺい糖」と記され、宣教師が日本人と会談する手段として利用したとされるのである。

そして、擬人化された餅や酒の話が記される江戸期の本では、黄表紙『餅酒《もちさけ》／腹中能同志《おなかのよいどうし》』（安永九年［一七八〇］）に主人公の名前として「九年酒《くねんしゅ》」、咄本『餅酒大合戦《もちさけおおかっせん》』（江戸後期？）には「老松山本の判官」、滑稽本『滑稽五穀太平記《こっけいごこくたいへいき》』（弘化元年［一八四四］）では「酩見芥の太夫樽底」、錦絵『太平喜餅酒多々買《たいへいきもちさけたたかい》』（天保十四〜弘化三年［一八四三〜四六］）では「一本木割無《いっぽんぎわりなし》」「内田三ツ割《うちだみずわり》」などが記される。この名前はどれも重醸酒と考えられるのであり、「一本木割無」は水で割っていない酎を指し、「内田三ツ割」は逆に酎の水割りであろう。

日本酒を造るには糯米では、麹を混ぜにくいと記したが、占城米はあまり粘らないため、『和漢三才図会』第十八巻「糯」では、「糯は粘る性質があるので、酒に醸したり、粢《しとぎ》にしたり、蒸糕《むしもち》にしたり、熬餳《ぞうに》にしたりする。また炒って食べてもよい。その種類も多い。穀殻に紅・白の二色あって、毛があったりなかったりする。米にも赤・白の二色があって、赤いものは酒に醸すと糟は少ない」と記すのであり、米の種類の多様性が酒の種類にも大きな影響を与えていることがわかるのである。

ところで、韓国の造酒は、参考とした十七世紀に作られた『朝鮮の料理書』には、上述した麹については、小麦を粗く挽き、水を加えて枠に入れ、蓆《むしろ》で保温して作るとする。時期は六月中が最適と記す。韓国は、高温多湿の北太平洋高気圧の影響で、この時期以降には、蒸し暑い日が現在では続く。また、梅雨も六月末には、ソウルまで北上するため、この時期が最適なのであろう。

小麦で麹を作るとするが、日本酒と同じ麹菌であるアスペルギルス・オリゼか「ケカビ」であるリゾプスが麹として作られるが、麹が黄色または白くなると麹作りが成功したと考えたようである。また、日本と違って、アスペルギルス・オリゼはお酒用の麹としては好まれなかったようである。

また、酒を造る甕は専用の甕を用い、松葉や小枝を入れ、甕を逆さにして、何度もいぶしてから使用するとされる。また、酒造りでは、糯米を蒸し、小さな塊、つまり団子状にして、甕に敷き、熱湯を注ぎ、さらに糯米を小さく固めて入れ、その後に、小麦粉と麹を潰して入れて、酛酒《もとざけ》を作ったようである。その後、白米を蒸し、お湯をかけ、一晩寝かした後に、麹の粉と小麦粉と酛酒を混ぜて、お酒を造ったのである。

ただ、さまざまなお酒を造るのに、必ずはこの酛酒を入れると記されるが、重醸酒のような作り方は記されておらず、後述するが焼酎の種類が多く、日本とは相違していることがわかる。しかし、麹の違いはあっても、「酘《とう》法」のようなお酒の造り方で、両国に大きな違いはない。

しかしながら、原料となる糯米であるが、占城米が韓国にも入っていたかどうかは明らかではない。ただ、占城米の方がジャポニカ米の糯米より生産性がより高く、韓国においても、糯米を基本として、造酒をすることから、占城米が韓国にも流入していたであろうと想像できる。

また、食文化として一番注意が必要なのは、ご飯の食べ方である。日本では江戸後期まで、強飯が食の中心である。つまり、米を蒸して食べるのが中心の食生活なのである。そして、余ったご飯の保存を考えたとき、糯米の方が、餅にしたり、かき餅にしたりして、保存がしやすいため、糯米が食の中心であったといえるであろう。

粳米では、硬くなったら、お茶漬けや湯漬け以外では、なかなか他の食べ方は難しいであろう。そこで、『和漢三才図会』が記すように、糯米が酒造りの中心になっているのは不思議ではないのである。この点は韓国も同様と考えられる。

ところで、麹を造るときに小さく固めた餅を使用すると記したが、穴餅《あなもち》といって真ん中に窪みをつけ、良く熱が通るように工夫もしている。さらに、酒を造る季節は、春夏秋冬と年間を通してであり、黄道に沿って、春は氐《とも》日《ひ》（東南）、夏は亢《たかぶる》日《ひ》（東南）、秋は奎日《とかきび》（西北）、冬は危日《あやぶにち》（北）が酒造りの吉日とされている。この点は中国文化の影響が日本よりより強い印象を受ける。

このような事実から、日本と朝鮮半島の麹文化の違いに鑑みると、小麦を使った麹に特徴があり、日本が米麹である点が大きく違う。また、酛酒にも小麦粉を入れる点に相違があるが、糯米を使う点には共通点があるようであり、最初に記したように、日本でも小麦から麹を作る文化があったことは、「ケカビ」である麹が室町から保存されている事実からも明らかである。そして、酒造文化は百済《くだら》からの影響があったことも間違いないようである。

一方、韓国において、酒の種類は四十種以上に及び、その半分は糯米を使用しており、麹も糯米である。また、薬酒の種類も非常に多く、このような酒の種類から、名古屋大学神宮皇學館文書「菓子類製法覚書」に記される酒の種類と比較しても、大きな差がなく、造酒が一般家庭で禁じられる明治時代（韓国も日韓併合後に同様となる）までは、豊富な多種多様な酒があったことが想像できる。また、韓国では、焼酎についても、小麦焼酎、糯米焼酎、米焼酎があったことが明らかである。*10

4　おわりに

米と酒の周辺にある食物に関して、韓国というと、今では白菜のキムチが想像できるが、保存食としてよく食べられた野菜は大根や蕪《かぶ》などの根菜類が非常に多い。また、魚の保存食にも特徴があり、蟹や干し肉（牛や野鳥）などの種類も多く、日本と比較しても、保存という意味では大差がない。

その他の野菜では、韮《にら》、ニンニク、瓜、蓼《たで》、からし菜、きゅうり、海藻、ネギ、冬瓜、菱なども塩漬けの保存食として食されている。さらに、糯米を食材として、惜呑餅（甘柿を使用した餅）、新果餅（栗や棗《なつめ》を使った餅）、餛飩餅（糯米と蜂蜜を練ったもの）、石耳餅（岩竹を生で叩いて作った餅）、松片（いわゆる松餅）、緑豆餅、糯米の菓子、梅花繖子（糯米を炒ったお菓子）など、二十種以上が『朝鮮の料理書』には挙げられている。また、果物の保存法も豊富である。

こうした保存食の豊富さや餅の種類の多さは、飢饉などに絶えずさらされた当時の人々の生活の知恵でもある。とくに韓国の保存法を見る限り、江戸後期に記された西尾市岩瀬文庫蔵『年中貯食物秘伝』に描かれる保存法との大きな差はないのである。一方、日本とは相違する点も多い。荏胡麻やチサバや大豆の葉で、ご飯などを巻いて食べる文化であり、生食が少なかった日本とは大きな違いがある。

ところで、日本においては、室町時代から食物が擬人化されて描かれ始める特徴を持つ。代表的なのは『精進魚類物語』で、大豆、蕗《ふき》、栗、ワカメ、大根、苣《ちしゃ》、蓮根、胡瓜、豌豆《えんどう》、茗荷、薢《ところ》、筍、冬瓜などさまざまな植物・食物（精進物）が魚・獣（肉類）と戦う物語である。食物に関しては、「往来物《おうらいもの》」（教科書など教訓書）である『尺素《せきそ》往来』や『庭《てい》訓《きん》往来』が食物尽くしを語り、これらの成立の背景には、季節を通したさまざまな食材について、食材の産地、季節ごとの産物や各地方の名産品の把握、料理書の確立など、室町時代を代表する「饗応文化」や「料理文化」の発展がある。

このような植物・食物が擬人化される思想的背景には、中世からの仏教思想である草木も成仏するとする「草木国土悉皆成仏」思想が挙げられるが、なぜ室町後期にとくに広がったのかは明らかではない。

十三世紀前半に記された『発心集《ほっしんしゅう》』には、加茂社の供物として捕らえられた鯉を聖《ひじり》が逃がすが、その鯉が聖の夢に現われ、供物として成仏するはずが、逃がされたため、畜生としての業を続けなければならないと嘆く説話が描かれる。[*11]そして、十三世紀後半に記された『沙石集《しゃせきしゅう》』では、神に供された生類は、仏道に入るとされるのである。[*12]『古今著聞集』巻二十第六九二話が語る、供物である「蛤」を救い、怨まれる説話も同類の話であろう。

このような説話は、古代から中世にかけて、寺社が祭祀にさまざまな供物を捧げてきているが、中世において、神社が祭祀の際に行う殺生の問題、「血の穢れ」をどのように解決するかの葛藤から生まれてきた思想とも考えられる。つまり、供物として捧げられる動物は、六道輪廻から逃れ、成仏するのであるから、神社が殺生儀礼を行うことは、正しいとする考えから生まれているのである。

捧げられる生類は聖なる供物として扱われたからである。この視点からは、動物だけではなく、植物や食物も祭祀の際に捧げられているため、「非情」とされる植物や食物も六道輪廻から逃れられるとも捉えてよいであろう。仏教では、「有情」の存在しか救われないとされるからでもある。[*13]

そして、このような「食物」を擬人化して描く作品を韓国ではあまり見受けられないのである。仏教より、儒教の影響がより大きく作用したのであろうか。人が生きていくための知恵として、さまざまな保存法を考え、水分補給や栄養摂取も経験値として発展させ、アルコール度が低い発酵飲料も誕生させた両国である。しかし、日本では、発展した食物の擬人化が、韓国では発展しなかった理由を今後考慮に入れながら、比較研究を進展させたいと考えている。

注

1 『朝鮮の料理書』東洋文庫416、鄭大聲編、平凡社、一九八二年、八四～八五頁。

2 砂野唯『酒を食べる』昭和堂、二〇一九年。

3 大越昌子他「マイクロサテライトマーカーを用いた日本の在来イネの分類」、『育種学研究』6、二〇〇四年、一二五～一三三頁。

4 黒田日出男「中世農業技術の様相」、『講座・日本技術の社会史』第一巻、日本評論社、一九八三年、七四頁。

5 同書、七十五頁。

6 小正月に食べる赤粥は小豆入りであり、平安時代からの伝統を持つが、それ以外の時期にも赤粥が記されるが、その場合は小豆入りとは考えていない。

7 『御ゆとの丶上の日記』第七～八巻（続群書類従完成會、一九五八年）を参照。この期間だけでも、栗のかちんや白かちん、その他「酒飯論絵巻」に描かれる「菓子」、茸類が多く登場している。

8 『五山文学新集』第六巻、東京大学出版会、一九七二年。

9 『料理物語』は小汁を筍汁とする。『古事類苑』は「酒飯論絵巻」での例を挙げるのみである。そして、模本すべての詞書において、「ひやしつけ」と記されるが、『古事類苑』は「冷汁」と解釈している。冷汁であれば、平安末期に成立した有職故実書である『類従雑要集』に「熱汁、蚫、志女知《しめぢ》、寒汁、鯉味噌、松茸または魚鳥肉を入れた羹（菜を入れたもの）」と記す。なお、『料理物語』では冷汁を茄子、栗、生姜、茗荷などで作るとする。

10 『朝鮮の料理書』、東洋文庫416を参照した。

11 『発心集』は、鴨長明の晩年の編著で、建保四年（一二一六）以前の成立。巻八・第十三「或る上人、生ける神供の鯉を放ち、夢中に怨みらるる事」。

12 巻一・第八「生類ヲ信神明ニ供ズル不審ノ事」。

13 有情は、感情など持つもので、人間、鳥獣などを指す。衆生ともいう。一方、非情とは、草木。山河、瓦礫など、感情を持たないものを指す。

03 茶の文化と文芸

石塚 修

1 はじめに

茶が東アジアを代表する食文化の一つに数えられることは今さらに述べるまでもない。雲南省《うんなん》にその起源をもとめたとしても、また、ヤマチャの存在に起源をもとめたとしても、東アジアの温帯モンスーン地帯における食文化に茶が定着していることは確かな事実である。しかし、たとえば茶の飲み方については、煎じ茶を中心としている点で共通しているものの、日本には、中国や朝鮮半島ではすでに一般的に見ることはできない、抹茶という粉末の茶を茶筅で点じて飲む独特な方法が残っている。このように茶の文化といっても、現存の食文化としての茶が、必ずしも歴史的に普遍性をもっているわけではないことを、まずもって認識しておく必要がある。高橋忠彦はその点について、

……茶文化といったところで、その大半は文字を通して伝えられるが、文字と実物はすぐに乖離するし、中国と日本では、言語も文化も本質的に異なるのであるから、それはなおさらのことである。……

漢字にまつわる問題としては、「煎茶」、「抹茶」、「茶筌」などの「日本的用法」を思い起こさざるを得ない。「煎茶」は中国では、茶を煮る意であるが、後には湯を沸かして茶をいれる意にも転用されることがある（多くは詩語として）。明代の文人がこのような用法を好んだことに関わるのであろうが、日本で煎茶道が成立すると、それに

用いる茶葉も「煎茶」と呼ぶようになり、一定の混乱を生じている。この混乱は中国にも及んでいるらしい。[*1]と指摘している。この指摘をうけて考えると、東アジアの茶の文化を文字により成立している文学との関連をみていく場合には、その実態と文学での描写が必ずしも同一ではないという前提を立てておく必要がある。とくに文芸における茶の表現を一律にみてしまうことには注意が必要であろう。

2 『類船集』にみられる中国茶文化

『類船集《るいせんしゅう》』は、『俳文学大辞典』によると、

俳諧辞書。角書「俳／諧」。横七。梅盛著。延宝四（一六七六）・一一、京都寺田与平治刊。同五・一・二〇、自序。前著『便船集』の改訂増補本。付合の題材をいろは順に提出、それぞれに付合語を列挙したうえ、見出し語に関連する詩歌・故事・物語・伝説などを注記したもの。……（榎坂浩尚）[*2]

とある俳諧辞書である。ここでは、我が国の俳諧への中国の茶文化の影響を、『類船集』を通してみていく。

茶　元日　仏前　朝ぼらけ　初雪　弁当　親の目　彼岸　目さむる　酔さむる　染宮　弱る鯉　やみ目　舟　年寄　食後　やねふき　祖母　桑　うこぎ　枸杞《くこ》　奈良　栂《とが》の尾　趙州　丹波　宇治

茶は能く散悶（いきどほりをちらす）といふも、人事をいひ嫁をそしるわざなるや。陸羽《りくう》といふ人はよき茶を飲事をしるゆへに、茶をひきて家には形を作りて祭りしとぞ。東坡煎茶歌に「蟹《かい》眼已に過ぎて魚眼颼々《しゅうしゅう》として生ずと松風の鳴るを作らんと欲す」と作れり。陸羽茶経あり。盧仝《ろどう》が茶歌あり。姥祖父はよく飲物也。若輩の者茶をのめばうつけになるといひ伝へたり。

たたく　…日高きこと丈五睡正に濃也、軍将門をたたきて周公を驚かすと盧仝が茶歌なり。

茶碗　畳　放下師　湯漬食　煎茶　仏棚　墓原　公家　干飯　高麗　伊万里　長崎　瀬戸

盧仝が茶経に云、「一碗喉吻《こうふん》調ふ、二碗孤悶を破る」と有は、此事なるべし。名匠のこのまれし唐木の棚にかざ

りしはうるはしからずや。深閨にある娘のけさう有を入しは、見るもすゞしげ也。蒜をむきて茶碗に入たるとは、いさぎよき事をいふと也。

この茶の付句の解説に「東坡煎茶歌に、蟹眼已に過ぎて魚眼生ず颼々と松風の鳴るを作らんと欲す、と作れり」とあるのは、蘇軾《そしょく》「試院煎茶」という詩の一節である。

蟹眼已過魚眼生　　蟹《かい》眼は已に過ぎて魚眼生ず
颼颼欲作松風鳴　　颼《しゅう》颼として松風の鳴《めい》を作《な》さんと欲す*3

ここでいう「蟹眼」と「魚眼」は、陸羽『茶経』下に「其の魚目のごとく沸き、微かに声有り。一沸と為す*4」とあったり、徽宗《きそう》『大観茶論』「水」に「魚目蟹眼、連繹迸躍を以て限と為す*5」とあるところからわかるように、茶の湯の沸き加減をしめす。

「たたく」の解説にある、「日高きこと丈五睡正に濃也、軍将門をたたきて周公を驚かすと盧仝が茶歌なり」とある部分や、「茶碗」の解説に「盧仝が茶経に云、一碗喉吻調ふ、二碗孤悶を破ると有は、此事なるべし」とあるのは、

走筆謝孟諫議寄新茶　盧仝　　筆を走らせて孟諫議の新茶を寄するに謝す
日高丈五睡正濃　　日高きこと丈五、睡《ねむり》正に濃し
軍将打門驚周公　　軍将門を打ちて周公を驚かす
……
一碗喉吻潤　　一碗喉吻《こうふん》潤おい
両碗破孤悶　　両碗孤悶を破り
三碗捜枯腸　　三碗枯腸を捜《さぐ》れば
唯有文字五千巻　　唯《た》だ文字五千巻有るのみ
四碗発軽汗　　四碗軽汗を発し

平生不平事　　平生不平の事
尽向毛孔散　　尽く毛孔に向って散ず
五碗肌骨清　　五碗肌骨清く
六碗通仙霊　　六碗仙霊に通ず
七碗喫不得也　　七碗喫し得ざるなり
唯覚両腋習習清風生　　唯だ覚ゆ、両腋《えき》習々として清風の生ずるを[6]

という詩を典拠としている。石川忠久は「作詩の事情はよくわからない」としながらも、高価な団茶を三百斤もらったとあることで「盧仝と高官との交際ぶりをしのばせる」と述べる。そのうえで、「この詩の中心は何といっても、一椀・二椀とたたみかけて七椀に至るところ。茶の効能をたくみに詠いあげている」とする。これは『古文真宝《こぶんしんぽう》（前集）下』にも収められており、若干の誤謬もあるものの、このように俳諧の愛好者たちには、それ相応の茶の湯への造詣が前提とされていたことがうかがえる。[7]

3　文人を演出する茶

中国に淵源をもとめられる茶の湯文化は、日本において定着して茶道として代表的な伝統文化となる。日本での茶の湯の「わび茶」以前の伝統は大きくわけて二系統が言われている。一つは仏教における「茶礼」であり、もう一つは唐物趣味からおこなわれるようになった「会所」の茶である。[8]

しかし、東アジアの茶の湯を考えるとき、さらにそれが「国際儀礼」としての茶の湯となっていたことも忘れてはなるまい。たとえば、朝鮮通信使を例にしてみると、一六〇七年の第一回答兼刷《かいとうけんさつ》遣使の記録でも、六月六日に江戸城大広間で国書伝達の儀式がおこなわれ、秀忠《ひでただ》は使節の遠来の労苦をねぎらい、酒杯を重ねたあとに、菓子と茶を出して儀式を終えている。[9] これ以降も儀式の最終では茶が供されることが一般的であった。天和二年（一六八二）の『福岡藩朝鮮通信使記録』では、福岡藩として通信使の饗応のため、「京都からは金箔一万枚、紫袱紗五十枚、天目大皿一六枚、それに極上の茶、なつめなど」を調達し[10]たことからも、「外交儀礼」としての茶の湯の機能は大きかったことがわかる[11]。こうした茶の湯を外交儀礼の場でもちいることは、室町時代にすでに先例があり、応永九年（一四〇二）、足利《あしかが》義満《よしみつ》が明使接見儀礼において茶の湯をおこなっている[12]。

さらに琉球での茶の湯については千利休《せんのりきゅう》の流れをくむ喜安《きあん》（一五六六〜一六五三年）という堺出身の僧侶が渡来して本格化したとされ、「茶は煙草とともに琉球国の儀礼や接待にとって欠かせないモノであった。そのためにも、士族は茶の湯を身につけておかなければならなかったのである」[13]という。それも慶長十四年（一六〇九）の琉球の役以前からの早い時期からであり[14]、この流れが、八重山諸島にも及び、宮良殿内《みやらどぅんち》文庫には「山林真秘・諸法式・伊勢故実」のなかに「煙草盆飾り」や「手水鉢」の置き方と藪内《やぶのうち》流の台子《だいす》の茶の湯の点前が炉と風炉と記載されて伝えられてもいる[15]。

このように八重山諸島にまで台子の点前が伝播して重んじられた理由は、琉球間の士族たちにとって、茶の湯はもはや個人的な趣味にとどまる存在でなかったことを示している。それは、外交儀礼として茶の湯による茶礼が不可欠であったためである。首里城跡からは天目茶碗が数百点、那覇の渡地村《わたんじ》（現・那覇市通堂町）からも天目茶碗と茶入れが複数出土しているという[16]。ハレの席での茶の湯の重要性は、近松門左衛門《ちかまつもんざえもん》『槍《やり》の権三重帷子《ごんざかさねかたびら》』（一七一七年）からもわかる。ここでも出雲松江藩の表小姓である笹野権三は、城中での若殿の祝言の饗応の「真台子」の点前の披露をもとめられたために事件が起こるという設定になっている。

こうした賓礼としての茶礼は、日本のみならず朝鮮半島でも中国の明使、清使にたいしても行われ、それは宴席の簡素化とも関係していると篠原啓方《ひろかた》は指摘する[17]。では、酒宴が簡素化され、茶礼に向かうのは、単純に経済的な合理性によるものなのだろうか。そこに茶という飲料ならではの何らかの特質をみることはできないだろうか。

その際に、参考となるのが日本における茶の記録として最も古いとされる、『日本後紀』の弘仁六年（八一五）四月二十二日、嵯峨《さが》天皇が近江の梵釈寺《ぼんしゃくじ》で「永忠手ずから茶を煎じて奉御す」の記述である。この「手ずから茶を煎じ」

たということは、史実としてもそうであったのだろうが、茶という飲料の特質を示しているとも言える。すなわち、茶は酒と異なり、同席するその場で提供することが可能な飲料なのである。主客が同座する場において食品が調理されることは、たとえばバーベキューパーティーなどを例にとれば現代ではそれほど珍しいことではない。しかし、現代にあっても国際儀礼の場でそうした光景は公式の席（「ハレ」の座）では見ることはほぼないであろう。ちなみに、昭和五十八年（一九八三）、中曽根康弘元首相は東京都西多摩郡日の出町の日の出山荘に、ロナルド・レーガンアメリカ合衆国大統領（当時）を招き、炉辺で抹茶を自ら点てつつ、首脳会談をおこない、ここがいわゆる「ロン・ヤス関係」発祥の地となったことは、時代こそ異なるが、国際儀礼の上で茶が果たした興味深い例である。

茶は高貴な身の上であっても「自ら」調えて飲むことができる飲料であった。そのことが、酒に代替する存在として貴族階級に東アジアで受容される一因となったとは考えられないだろうか。もちろん、仏教における茶礼の形式の影響も無視はできないが、儀礼の簡素化を粗略に感じさせない存在として茶が活用されたのは、そうした手篤さの感覚をもたらす飲料であったからであろう。そこに点前の重視が見られるようになってきたと考えられよう。さらにそうした茶は手づから煮る・点てるものであるというあり方が、「隠逸の文人」の雰囲気にも通じ、それらを醸し出す素材として文芸にもとりこまれていく。

茶詩を蒐集したものとして知られるものに『詠茶詩録《えいちゃしろく》』（天保十三年［一八三九］刊）がある。その編者である館柳湾《たちりゅうわん》（一七六二〜一八四四年）の詩「埭口観楓晩憩村亭煎茶書即事似同遊諸子」の一説に、

団坐林間温酒罷　　林間に団坐して酒を温め罷《おわ》り
更焼紅葉煮真茶　　更に紅葉を焼《た》いて真茶を煮る[*18]

とあるが、これは白居易《はくきょい》の「林間に酒を煖めて紅葉を焼き、石上に詩を題して緑苔を掃ふ」〈「王十八の山に帰るを送り仙遊寺に寄題す」〉をうけていて、石川忠久によれば、館は「白楽天は、紅葉を焼いて酒を温めるところまでだが、こちらはさらに紅葉を焼いて茶を煮るのだ、と風流さを誇っている」[*19]と指摘する。

『詠茶詩録』から、それに類する例をさらに拾ってみると、

成彦雄《せいげんゆう》「煎茶」

蜀茶倩箇雲僧碾　蜀茶箇《こ》の雲僧を倩《やと》うて碾《ひ》かしめ
自拾枯松三両枝　自《みずか》ら拾ふ枯松の三両枝

陸游《りくゆう》「夜汲井水煮茶」

汲水自煎茗　水を汲んで自ら茗を煎《に》る

陸游「飯罷碾茶戯書」

手碾新茶破睡昏　手づから新茶を碾いて睡昏を破る

楊万里《ようばんり》「以六一泉煮雙井茶」

自看風炉自煮嘗　自ら風炉《ふろ》を看、自ら煮嘗《しゃしょう》せん

楊万里「船泊呉江」

自汲淞江橋下水　自ら汲む淞江橋下の水
垂虹亭上試新茶　垂虹亭上新茶を試みん

とある。これらは、日本では井原西鶴《いはらさいかく》の『懐硯《ふところすずり》』（一六八七年）巻四の四「人真似は猿の行水」にある、

（妻が可愛がっていた猿が）それぞれにあたりちかき山に行て、薪など柏枯枝松の落葉掻き集めてきたり、茶の下をもやし二人に給仕する躰おかしき中にもしほらしく、

という記述や、芭蕉が深川の草庵に移り住んだ延宝八年（一六八〇）の句、

柴の戸に茶を木の葉掻く嵐かな

に通じている。この句は、「長安は古来名利の地、空手にして金なきものは行路難し」という前書きの一部からわかるように、白居易「送張山人帰嵩陽」の影響を受けつつ、茶を自ら煮るために木の葉から集めている姿を描くことで、

わびの究極を示している。

4 おわりに

東アジアの茶文化は、士大夫たちの外交儀礼という表舞台と文人の隠逸趣味とを両立させる文化としての伝統を持ち続け、文学に親しむための必須の素養として存在してきた。そのことを、茶の湯がどうしても女性中心の趣味としてイメージされる現代において、今一度考えなおし、東アジアの文芸に向かい合うべきであろう。

注

1 高橋忠彦「中国茶文化研究の歴史と諸問題」『東洋の茶 茶道学大系』七、淡交社、二〇〇〇年、六～七頁。
2 尾形仂ほか編『俳文学大辞典』角川学芸出版、二〇〇八年、九七三頁。
3 石川忠久『茶をうたう詩―『詠茶詩録』詳解』研文出版、二〇一一年、三一八頁。
4 千宗室編『茶道古典全集』第一巻、淡交社、一九七七年、一〇五頁。
5 千宗室編『茶道古典全集』第一巻、淡交社 一九七七年、二五四頁。
6 石川忠久『茶をうたう詩―『詠茶詩録』詳解』研文出版、二〇一一年、一〇〇頁。
7 石塚修『西鶴の文芸と茶の湯』思文閣出版、二〇一四年。
8 谷端昭夫『よくわかる茶道の歴史』淡交社、二〇〇七年。
9 仲尾宏『朝鮮通信使』岩波新書、二〇〇七年 三八頁。
10 仲尾宏『朝鮮通信使』岩波新書、二〇〇七年、一二三頁。
11 実際の通信使にまつわる茶の資料としては、岐阜市歴史博物館『特別展朝鮮通信使』(一九九二年)がある。三七頁所載の漢詩は寛延元年(一七四八)に彦根市望湖堂所蔵の扁額の詩による後年の製作品として「湖東焼赤絵金彩望湖堂曹蘭谷図煎茶碗」が二〇一八年米原市柏原宿歴史館で展示された。高月観音の里歴史民俗資料館・佐々木悦也学芸員の教示による。
12 橋本素子『中世の喫茶文化』(吉川弘文館、二〇一八年、一〇六頁)、橋本雄『中華幻想』(勉誠出版、二〇一一年、二四八頁)にも詳しい。
13 武井弘一『茶と琉球人』岩波新書、二〇一八年、一〇八～一一一頁。

14　喜舎場一隆「琉球における茶道」（『九州文化史研究所紀要』35、九州大学九州文化研究施設、一九九〇年、一〇八～一五六頁）、岡本弘道「近世琉球における茶文化の重層性」（『東アジアの茶飲文化と茶業』関西大学、二〇一一年、九五～一〇六頁）。中村幸「琉球の茶の湯―薩琉外交にみる喫茶儀礼の展開―」（『平成21―22年度嗜好品文化研究会研究奨励事業［助成研究］報告書』六七～九一頁）。
15　琉球大学図書館「琉球・沖縄関係貴重資料デジタルアーカイブ」（http://manwe.lib.u-ryukyu.ac.jp/d-archive/）による。
16　倉成多郎「沖縄工芸の魅力」、『淡交』二〇一八年八月、二九頁。
17　篠原啓方「朝鮮王朝の茶礼」、『東アジアの茶飲文化と茶業』関西大学、二〇一一年、五七～七三頁。
18　白楽天の詩と茶については、金文京「白居易の酒と茶の詩」（『白居易研究年報　特集　飲酒と喫茶』第十八、勉誠出版、二〇一七年、二七二～二八五頁）などに詳しい。
19　石川忠久『茶をうたう詩―『詠茶詩録』詳解』研文出版、二〇一一年、一一頁。

04

年中行事と食

『宇多天皇御記』にみる

劉　暁峰

1　はじめに

中国では特別な節日では、その節日に合わせて特別な食べ物を食べる。その食べ物を「節食」と呼ぶ。日本古代の節食に関する最も重要な記述は、『公事根源《くじこんげん》』に載せる『宇多天皇御記《うだてんのうぎょき》』に見える。そこには「寛平二年二月卅日丙戌、仰善曰、「正月十五日七種粥、三月三日桃花餅、五月五日五色粽、七月七日索面、十月初亥餅等、俗間往来、以為歳事。自今以後毎色辨調、宜供奉之」」（寛平二年二月卅日丙戌《みそかへいじゅつ》、仰善曰《おうぜんいわ》く、「正月十五日は七種粥《ななくさがゆ》、三月三日は桃花餅《とうかもち》、五月五日は五色粽《ちまき》、七月七日は索面《そうめん》、十月初《ついたち》は亥餅《いのこもち》等、俗間往来、これを以《もつ》て歳事《としごと》にす。今より以後毎色《いろごと》に辨《わきまえ》て調じ、宜しく供奉《くぶ》す」）とある。

この記述には、幾層かの意味がある。第一に、「俗間往来、以為歳事」とあるのは、八九〇年当時の日本社会がすでに相当に内容の整備された節食の伝統を有していたことを示す。第二に、「自今以後毎色辨調、宜供奉之」とあるのは、こうした民間における節食の伝統が平安時代中期には宮廷内に取り入れられ、宮廷における節日文化の一部となっていたことを物語る。第三に、この記述全体が九世紀末の日本の宮廷における節食の大要を反映している。「正月十五日七種粥、三月三日桃花餅、五月五日五色粽、七月七日索面、十月初亥餅」というこれら五種類の節食は、東アジア文化交流史にとって、いずれもきわめて意義のある研究材料である。なぜなら、これらの節食の背景にはどれも中国文化の影響があるからである。

2　十月初亥餅に見られる節日の原理

まず、「十月初亥餅」について見てみよう。これは、東アジアの節食を分析する上で格好の例である。

十月亥日の早朝に餅を食べることは、中国では古来より習俗として行われてきた。晋代の人である束皙の『餅賦』に「玄冬猛寒、清晨之会」とあるのがその証である。十月初亥餅という節食を明らかにするためには、古代の人々にとって十月という月がどのような存在であったかをまず先に理解しなければならない。十月初亥餅は、後世では「厳重」「玄猪」「おなりきり」「おなれぎり」「おまいりきり」などとも称され、現在ふつうにみられるのは豚型のものではなく、丸くて大きい礎石のようなものである。

今日なお日本の各地で伝え残されている十月亥子の節は、非常に歴史の古い節日である。この節日について、多くの年中行事に関する専門書は、すべてその由来を不明であるとする。実際に、旧暦の一年十二か月では、十月を冬の始まりとする。古代の人々は、五色をもって四季に充て、冬の色を玄つまり黒としたため、冬はまた「玄英」「玄冬」などと呼ばれた。十二か月と十二属相はそれぞれ配当され、十月は亥の月とされた。亥の月の初亥の日は、月と日の属が重なるため、「玄重」と呼ばれた。

『年中行事秘抄《ねんじゆうぎょうじひしょう》』に引く『斉民要術《せいみんようじゅつ》』には「又一説云、豕能生多子、故女人羨之。至十月豕日、献餅祝之也。愚謂十月亦豕月、故用之。此月此日也。豕毎年産十二子。象一年十二月、閏年則十三子産也。豕與猪亥相通而用之者也」(又一説《あるせつ》に云う、豕《いのこ》、子を多く生《む》すが能《あた》ふ、故《ゆえ》に女人、羨む。十月豕日《いのひ》に至り、餅を献じて祝うなり。愚謂《ぐうい》ふ、十月亦豕月《またがいがつ》、故に用ゆ。此月此日なり。豕、毎年十二子《こ》を産む。象、一年十二月、閏年《じゆんねん》則ち十三子《こ》を産むなり。豕と猪亥、相通《あいかよ》ひて用いるなり)(『下学記』に引く『雑五行書』にも同様の記述がある)とある。ここに見える「此月此日」とは、まさに月と日が重なることを指す。古代の人々は、月と日が重なる日を節日とすることが多く、一月一日、三月三日、五月五日、七月七日、九月九日などは皆その例である。だが、一月一日から九月九日までの数字の序列は、いずれも奇数月の奇数日である。

これに対し、十月は偶数月であるから、十月の初亥日を節日とするのは、ほかの「奇数の節日序列」という数理の原理とは明らかに異なる原理に基づいている。筆者は、十月初亥の節日の起源は、「亥」が十二属相の最後に当たることと関係があると考える。古代の人々の思想では、最初と最後はともに非常に重んじられ、さまざまな解釈や意義が賦与された。たとえば、『新約聖書』ヨハネの黙示録（22:13）に「わたしはアルパであり、オメガである。最初の者であり、最後の者である。初めであり、終りである」とあり、またヨハネの黙示録（1:8）にある主神が「わたしはアルパであり、オメガである」と述べているなど、これらの記述にみられるように、東アジアの十二属相中の亥と子も、重要な意義を持つ終わりと始まりである。

この意味において、なぜ十月初亥の日が重視されるのかがわかる。「亥刻」すなわち「亥月亥日亥刻」は、十二属相の開始である「子」と終了である「亥」との関係において理解できるのである。つまり、十月初亥の節日は独立したものではないのだ。「十月初亥餅」が後に「亥子餅」と称されるのと同様に、亥の次は子であり、亥の日の次は子の日であって、これは十二地支の始まりと終わりの境界に由来する節日である。「十月初亥餅」はこうした境界を背景に登場した節日習俗である。

十月初亥餅に関して、『政事要略《せいじようりやく》』の「蔵人式」中に比較的関わりの深い資料が見える。その「初亥日自内蔵寮進殿上男女房料餅各一折櫃」条に「内蔵寮所進餅已見給糧」（内蔵寮進《まい》らす所の餅は已《すで》に給糧《きゆうりよ》）や「但又大炊寮出渡糯米、内膳司備調供御。雖不載式文、寮司供来尚矣」（また大炊《おおい》寮より糯米《もちこめ》を出で渡り、内膳司《ないぜんし》の供御に備調《びちよう》す。式文に載せずといへども、寮司供え来ること、尚《なお》し）とあり、もち米で亥子餅を作る習俗が宮中において非常に長い歴史を有していたことがわかる。

一方、『年中行事秘抄』に引く「或記」はより多くの意義ある情報を伝える。それによると、「盛朱漆器立紙四枚。居御台一本上女房取之。供朝餉。次招蔵人所鉄臼入其上分擣、令為猪子形。以錦嚢之。插於夜御殿帳畳四角」（朱漆器に立紙《たちがみ》四枚を盛る。御台《みだい》に居る一本上女房、取《と》る。朝餉《あさがれ》に供う。次に蔵人所《くろうどどころ》の鉄臼を招《まね》き、其の上に入り分けて擣《うつ》、猪子形《いのこ》に為さしむ。

錦を以て囊《ふくろ》す。夜、御殿の帳の畳四角に於いて挿《さ》す）。この記述から、当時の亥子餅には二種類あり、その一つは赤色の漆箱に収められ、朝ごはんとして食されるものであることがわかる。このことは古代中国晋朝の『餅賦』の「玄冬猛寒、清晨之会」の記載と一致する。それは、子豚の形状に作った後、錦の布で包み、帳の隅において災を祓い福を祈ったというものである。

だが、このような作り方は中国の典籍には記載がなく、中国由来のものか日本独自の創作にかかるものかは、今日となっては判断できない。なお、『二中暦《にちゅうれき》』は亥子餅が使用した具体的な材料について「亥子餅は七種の粉、大豆・小豆・大角豆・胡麻・栗・柿・糖」と記している。それが室町時代には、白・赤・黄・栗・胡麻の五色へと変わっている。さらに近世以降には小豆が混入し、牡丹餅にきわめて近い薄紅色へと変わった。

韓国古代には、同様の亥と子に関わる民俗があるが、その節食では炒めた穀物と煎り豆を用いていた。『洌陽歳時記《れつようさいじき》』に「禁中以亥子二日、裁各色綾緞、造配囊。穿結雑組、下做流蘇。栩栩如大蝴蝶。正朝候班近臣卿宰、例得頒賜。其来甚久、而莫省所以。或曰、「亥子居十二辰終始、以是日造囊者、囊括一歳福禄之意也」」（禁中亥子《いのこ》二日もちて、各色綾《あや》緞《おり》を裁《た》ち、配囊《はいのう》を造る。雑組穿結《はきゆ》い、下に做流蘇《ふさをつくる》。大蝴蝶の如く栩栩《くく》たる。正《まさ》に朝候に班《なら》ぶ近臣・卿宰、例によりて得頒賜《わかち》わる。其來ること甚だ久し、而《しこう》して省く所以《ゆえん》なし。或は曰く〝亥子は十二辰《しん》の終始に居《い》、この日を以て囊《ふくろ》を造るなり、囊は一歳《ひととし》の福禄を括る意なり〟）とある。この中の「佩囊」は、「亥子居十二辰終始」と同様の意で、佩囊には穀類と豆類が収められた。また『京都雑誌』に「亥子巳日」条には「正月上亥為豕日、上子為鼠日。国朝故事、宮中小宦数百、聯炬曳地、呼燻豕熏鼠、焼穀種盛于囊、頒賜宰執近侍、以視祈年之意。頒囊尋廃矣。当寧御極、复頒。囊用錦制、亥囊円、子囊長。子日閭巷亦炒豆、呪云、鼠嘴焦、鼠嘴焦。亥日作豆屑澡面、黒者漸白。豕色黒、故反取其義也。巳日不理髪、忌蛇入宅」（正月上亥《じょうがい》は豕日《いのひ》なり、上子《じょうし》は鼠の日なり。国朝故事に、宮中小宦《こげん》数百ありて、炬《きょ》を聯《つらな》ひて地に曳《ひ》き、燻豕熏鼠《いふすびネズミふすび》と呼ぶ、穀種を焼きて囊に盛り、宰執近侍に頒賜《わかちたま》い、以て祈年の意を視《しめ》す。囊を頒つこと尋ぬるに廃《すた》れり。当に寧《いずく》んぞ御極せんや、複《ま》た頒つ。囊は錦を用いて制《つく》り、亥の囊は円《まる》、子《し》の囊は長し。子日《ねのひ》、閭巷《りよこう》に亦、豆を炒り、呪して云う：鼠の嘴焦《くちこがし》、鼠の嘴焦。亥日に豆屑澡面《まめくずそうめん》を作りて、黒い者漸《ようよう》白くなる。豕の色黒し、故に其の義《い》に反して取るなり。巳日《とみのひ》に理髪せず、蛇の宅に入るを忌む）とある。韓国の「佩嚢」は「亥子居十二辰終始」の意であり、これは日本の十月初亥餅を理解する上で参考に値する。

3　「縁起が良い」の原理と「縁起が悪い」の原理

正月十五日に「七種粥」を食べる由縁について、『十節記』の記載によれば、中国古代の帝王である高辛氏の娘は「心性甚暴悪」であった。彼女は正月十五日に道ばたで死んだ後、その魂は悪神と化して道路を往来する人に危害を加える存在となった。幸いにも彼女は粥が好物であったので、粥を供えて彼女を祀れば、それ以後は危害を加えなくなった。この神霊の威力は強大で、家屋の建設から子供の出産、そして引っ越し後の家で怪奇現象に出くわした時まで、とにかく粥を四方に撒いて彼女を祀りさえすれば、たちどころに「災禍自消除也」となったのである（『年中行事秘抄』群書類従四、四八一頁）。

五月五日の五色粽にも特別な由来がある。『十節記』の記載によれば、かつて高辛氏の子供が船に乗って海を渡っていたところ、にわかに暴風雨に遭遇した。船は、五月五日に海中に沈没して、彼の霊魂は海神と化し、以後、航海する人の船を祟って沈没させていた。人々が五月五日に食べる五色の粽は、まさに「海中へ投じて」この海神を祀るのに用いたのであった。五色の糸は、海中で五色の龍に変化した。古代の人々は同種同族は攻撃し合わないと信じていたので、海神は五色の糸を目にすると、遠くの場所に身を隠し、航海者に危害を加えなくなった（『年中行事秘抄』群書類従四、三三〇頁）。

七月七日の索麺の由来も、上の二種の故事と基本的に同じである。『十節記』に載せる故事の大要は次のごときものである。なぜ七月七日に索餅を食べるのか。かつて高辛氏の息子が七月七日に死ぬと、彼の霊魂が一本脚の鬼神となり、人々に病をもたらす存在となった。この子供は生前よく麦餅を食べていたので、彼の命日に麦餅をその霊前に供えて祀ることとなった。こうしたことから、後世の人々は、七月七日に麦餅を食べれば年中疾病の災いをまぬがれることができると考えたのである。なお、文章の流れからして、ここに言う麦餅が索麺であることは容易に判断できる。

ところで、そもそも節日とはいったい何か。漢字における節日の「節」の字は、思想的に深い意義を持つ。「節」の原義は、竹の節に由来する。物理学的には、毎日、毎時間の長さは一定である。けれども、私たちの生活では時間の流れを区切る必要がある。この区切る点が節である。節は、無限で無窮の時間に対して目盛りを記すものであり、各民族は異なる自然条件や文化に基づいてこの目盛りに意味付けをする。つまり、節日の核心は日常が非日常に変わるところにあるといえる。節日の世界は、すなわち非日常の世界なのである。

『孟子《もうし》』に「食色、性也」とあるごとく、飲食は、私たちそれぞれが持つ生命の根本的な欲求であり、毎日の生活における日常部分である。また、中国にはこのような言葉がある。「人は鉄、ご飯は鋼、一食抜けば腹ペコでどうしようもなくなる」。私たちは、生きている限り、毎日「何を食べるか」という問題に直面し続ける。だが、年中行事のそれぞれの特殊な状況をつぶさに観察すると、年中行事は、まさにある特定の時間を正常な時空から独立させて、非日常の時空を創出し、参加する者を非日常の世界へと導いているのである。この非日常の世界では、日常生活の細部に特別な意義が賦与される。

正月新年を例に見てみよう。年越しの夜の御節料理は三百六十五日中の一食にすぎないが、大晦日のこの一食は両年にまたがるもので、一年の終わりであり一年の始まりでもある。新しい一年の最初の一か月の始まり、新しい一年の最初の一日の始まりはいわゆる「三正《さんせい》」である。したがって、この一食は非常に大きな象徴的意義を有する。年越しの時期、正常に秩序が保たれていれば、来る一年間に行われる諸事はすべて平穏のうちに運ぶことを意味する。

だが、もし秩序にたとえほんの小さな問題でも起これば、すべて重大視され、象徴的意義を持つものとして理解される。たとえば、年越しの夜の御節料理の準備開始から終了まで何者かが皿や碗を割ったら、老人たちはすかさず「碎平安」などと口々に唱え、同時に心中では不吉な影が首をもたげる。もしこの一年のうちに、家庭内の生活で実際に何らかの問題が発生すると、老人たちはすぐに春節の時に割った皿や碗のことを想起するのである。

東アジア地域において、正月の料理は、各地の飲食と文化の間にある複雑な関係を最も如実に反映する典型的な存在である。人々はよく新しい一年への期待を正月の節食に込める。中国では、正月の節食にはかならず鶏と魚がなければならない。中国語の鶏の字の発音は「機運」、「機会」の「機」の字と同音である。また、魚の字の発音は「富余」の「余」の字と同音である。鶏があり魚があることは、新しい一年が発展の機会があるだけでなく、毎年財産に余りが出るほど、豊富な収穫があることを象徴する。だが、貧しかった時代にあって多くの場所、とりわけ水資源の少ない山奥などでは、年越しの節食にかならず魚を準備できるとは限らず、より多くの場所では正月の食事中で魚を用意することは困難な状況にあった。単なる木で作った魚は、中国の多くの家庭食卓で見ることができる。生活が裕福になってきた後、成長した新世代の青年たち学生たちは、見たところ大昔の木魚を知っている人はもはや非常に少ないであろう。だが、かつては多くの家庭で正月の食卓には目立つところに木魚がおかれていたのであり、それはまさしく節日の料理であった。

日本人が正月に「雑煮」を食べたり「お餅」を食べたりするのには、持続と長久の意味が込められている。朝鮮半島でも年越しにはお餅を食べるが、それは「新しい年にたくさん機会を持ってくれる」の意味を持つ。このような節食はみな「縁起が良い」「良い縁を持ってくれる」に関係がある。これらは、基本的な発想が非常に近いところにある。一般的には、東アジアの節食はこのように節日の特殊な時間と結びついて、徐々に整然とした「縁起が良い」「良い縁を持ってくれる」という節食文化へと発展していったのである。

だが、このような考え方をもって『公事根源《くじこんげん》』所載の『宇多天皇御記《うだてんのうぎょき》』中の節食に関する記述を見てみると、どうもあてはまらない。どうやら『宇多天皇御記』中の節食の背後に働いているのは、異なる原理であるかのようである。先の三つの故事を読めばすぐにわかるように、十五日の粥、五月の粽、七月七日の索餅、これら三種の節食の起源は、死後もなお世間に災厄をもたらす神霊を祀るためであった。したがって、これら節食は「結善縁」「縁起好」に起源するのではなく、別の論理に由来する。

第一に、神の御子は死後、強大な殺傷能力を持った神霊となり、道行く人や航海者に危害を加えたり、疾病をもたらしたりする点である。第二に、これら三種の食物はその神霊の好きな物か、あるいは嫌いな物であるなど、いずれも死後の神霊との間に特殊な関係を有する点である。第三に、これらの食物を介して、人類と神霊の間で、平穏を保証するという暗黙の一致がなされる点である。小松和彦は、強大な殺傷能力を有する悪霊が神霊となると人々に崇拝された。こうした祭祀によって脅威を取り除くという方法は、早くから日本人が用いてきたものである、と考えている。この中には、祭祀によって戾気を溶かすという原理が含まれており、明らかに「縁起が良い」「良い縁を持ってくれる」という原理と異なるものである。

祭祀によって脅威を取り除くという原理は、中国古代の節日文化にみられる早期の節日伝説の中に普遍的に存在するものである。だが、魏晋南北朝以後、こうした状況に変化がみられるようになる。人々がより重視するようになったのは、節日の佳節良辰の側面である。三月三の節日を例にとれば、『続斉諧記《ぞくせいかいき》』中に次のような話を載せている。

ある時、晋の武帝が尚書郎《しょうしょろう》の摯虞《しぐ》に三月三の起源についてたずねた。その際、摯虞は「後漢の章帝《しょうてい》の時、徐肇という人物がおり、彼は三月初めに三人の娘をもうけましたが、三日後にはすべて死んでしまいました。村人たちは気味が悪くなり、何度も川辺に来て、川の水で手や顔を洗って身を清めて邪気を払い落とそうとしました。また、川辺で身を清める際、人々は盃を水辺に浮かべ、水の流れを借りて盃を次へと伝えました。いわゆる「曲水流觴《きょくすいりゅうしょう》」というのは、まさにこうしたことから始まったのです」と答えた。晋の武帝《ぶてい》は、これを聞いて不快になり、「ということは、三月三の「曲水流觴」は、いいことでもなんでもないのか」と言った。

すると、もう一人の束皙という人物はこの状況を見てあわてて上奏した。「摯虞はまだ歳若く、知識も浅うございます。ですから、どうか私から三月曲水の起源について説明させてください。かつて周公《しゅうこう》が洛邑《らくゆう》を造営した時、水の流れを借りて泛酒を行いました。このことから、古詩に「羽觴随波」の句があるのです。のちに秦の昭王《しょうおう》が三月三日に川辺に泛酒を行った際、突然、水の中から一人の金人《きんじん》が水心剣を手に現れ、「この剣を携えて西夏の地に治るべし」

と言いました。その後、秦が覇になると、神の加護に感謝するために、かつて金人が出現した場所に曲水祠を建立しました。この習俗は、のちの両漢時代にも継承され、祠の規模は時代を経るごとにますます大きなものとなってきたのでございます」。

晋の武帝は、この束皙の説明にいたく感心し、金五十斤を下賜し、一方で摯虞を陽城県令に左遷させた。

魏晋南北朝時代になると、「曲水流觴」において、人々はただ単に楽しむことと水辺で音楽を演奏することに力を入れるようになった。王羲之《おうぎし》『蘭亭《らんてい》の序』が描いているのは、まさに三月三日の節日である。この日は、表向きに「修禊事」で、実際には群賢がみな集まり、年長者も年少者も一堂に会するためであった。「修禊」より高い山、茂る竹林、流れている渓流を見て楽しむためであり、また「流觴曲水」の中で「仰観宇宙之大、俯察品類之盛、所以游目騁懐、足以極視听之娯」するのであり、それはことごとく「可楽」になるものであった。

したがって、上述の三つの史料が記した正月十五、五月五、七月七の節日伝説に見られたものは、いずれも早期の節日伝説全体に共通して見られる特徴なのである。

4 偉大になる高辛氏

前に語った三つの史料には、もうひとつ驚愕すべきことがある。それは、『十節記』を出典とするこの三つの故事が中国古代の典籍中には全く見られないということである。それどころか、そもそも『十節記』という本自体、中国のどこを探しても見当たらない。そのため、この本は日本人が編纂したものだと誤った解釈をする日本人学者まで出て来たほどである。三つの故事は、隋唐代の典籍に現れないだけでなく、それ以前の典籍にも全く見られない。いうまでもなく、これら故事は節食の伝統が中国起源のものであることを説明するためのものである。だが、学習対象とされた中国の側には、日本人が依拠した故事はもう残されていない。これはいったいなぜなのだろうか。

このことは私の好奇心を刺激してやまない。詳しくみてみると、この三つの記事が記しているのは、三者共に神の子が死後に祟りをなすという故事である。だが、正面切っては登場しないが共通の主人公がいる。それは、死んだ三者の神の子の父親である高辛氏である。高辛氏とはいったい何者か。関連資料を調べてみると、事情は複雑であることがわかった。

高辛氏にはもう一つの名前があり、その名を帝嚳《ていこく》という。『世本』帝系篇に「帝嚳は高辛氏である」とある。宋衷《そうちゅう》の注釈によれば、高辛は本来が地名であった。それを自分の号とされたものであり、嚳こそが本名である。帝嚳には、さらにもうひとつより輝かしい名前があり、帝夋《ていしゅん》といい、帝俊とも表記する。『初学記《しょがくき》』巻九に引く『帝王世記《ていおうせいき》』には「帝嚳は生れて而して神異し、自らその名を「夋」と言う」とあり、『山海経《せんがいきょう》』では「帝俊」としている。

『史記』中には帝嚳高辛氏の伝記があるが、字数はたったの二百七十六字にすぎない。そのうち世系に関わるものを除けば、ただの百数字に過ぎず、さらにそのうちの中身のない言葉を取り除けば、残るのは百字に満たない。このおよそ百字のうちから読み取れる情報は、まず高辛氏がきわめて賢く、生まれるとすぐに自分の名前を口にしたという点である。また、彼は時間や暦法、祭祀を重視し、民衆の教導に重きを置いた。そのほかにはもう見るべきものはない。だが、他の典籍を調べてみると、帝俊の位置づけは驚くほど変化している。そこでは、彼は太陽と月の父親となっているのである。『山海経』大荒南経には、彼と彼の妻羲和が十の太陽を生んだとある。一方、大荒西経には彼と彼の妻常羲が十二の太陽を生んだと記す。彼はまた星辰の父親でもあった。『左伝《さでん》』昭公元年には、彼の二人の息子である閼伯と実沈の兄弟は仲が悪く、会えば喧嘩した。高辛氏はやむなく閼伯を商丘に遷して商星の主とし、また実沈を大夏に遷して参星の主とした。彼はこの二つの星を星空の両端に配置し、この兄弟を永遠に会えないようにした。

また、中国の南方には昔から「南蛮《なんばん》」と呼ばれる部族が生活している。伝説では高辛氏はこの南蛮部族の義理の父であるとされる。『後漢書《ごかんじょ》』の記載によれば、ある年、犬戎氏が侵攻してきた際、高辛帝は大いに苦戦したが、どうしても相手を打ち破る方法が見つからなかった。そこで、彼は布告を出して天下有能の士を召募し、敵軍の大将の首級を挙げたものには、黄金千鎰・邑万家を与えるとともに、自分の娘を嫁がせることとした。当時、彼は五色の毛を生やした犬を飼っており、名を盤瓠といった。その盤瓠が、高辛氏の布告を聞くやすぐさま敵陣に突進し、蛮族の将軍の頭をくわえて戻ってきた。そこで、高辛帝は娘を盤瓠に嫁がせた。三年後、盤瓠は妻との間に六男六女をもうけた。盤瓠の死後、この六男六女はそれぞれ互いに夫婦となった。この彼らこそが南方蛮族の祖先である。

著名な火神である祝融は高辛氏の下で火を司る火正であった。人間の世界でも、高辛氏の地位は同様にきわめて高い。彼は夏人、商人、周人らの共通の祖先である。文献には次のように記載される。高辛氏は有部氏の娘を娶り、生んだその息子は五穀を発明した周人の祖先后稷であり、また有娀氏の娘を娶り、生まれたその息子は商人の祖先契であり、さらに陳隆氏との間に生まれた息子は帝堯であり、陬訾氏との間に生まれた息子は帝摯である。

かくも神々しき事績にあふれた高辛氏は、さしずめ古代ギリシャ神話のゼウスのごとき大神である。彼の事績は、中国古代の典籍において特筆大書されるべきものである。けれども、実際には帝嚳高辛氏の記載はただほんのごく一部が『史記』に採録されているに過ぎない。上述した内容のほとんどの部分は四書五経や正史の中には見られない。知識人が正統とみなす典籍の中には、高辛氏のぼんやりした影を認めることができるだけである。だが、高辛氏の三人の子供たちの伝説は、驚くべきことに一つとして中国には伝え残されていない。これは実に思ってもみなかったことである。

5　古代中国の「神々の流竄」

王国維《おうこくい》『卜辞所見先公先王考』では、商代の卜辞中にはたびたび夋を高祖としており、これは夋が殷商王朝の高祖の中で地位の最も高い者であると指摘している。また、何新の『諸神的起源』にも「上古時代の中国では太陽神への崇拝が広く流行していた。……東方の一族（帝嚳族）は太陽を夋と呼び、鳳を太陽神の象徴としている。この家系は商人の先祖である」と述べている。筆者はこの説は基本的に首肯すべきと考える。日本に残されている三つの節日の伝説は、非常に明らかな地域的特徴が見受けられる。これは、中国の東部地域の特殊な文化的土壌に保存されている上古の東方民族の伝説である。

古代の歳時節日文化起源の研究は、通常は『荊楚歳時記《けいそさいじき》』を基礎とする。だが、『荊楚歳時記』は著者である宗懍《そうりん》の生活圏内で行われた歳時の慣習を反映しているに過ぎない。南北朝に生活した宗懍は南の人間で、使者として北朝へ派遣されたが、そのまま足止まられて北朝の臣になり、そのため、彼が南北中国の風俗を比較でき、『荊楚歳時記』を書いた。しかし、彼の見識にはやはり限界があり、各地域の文化について知識に乏しかったところがあった。『荊楚歳時記』に記載されている中国の南北における歳時文化の差異と同じぐらい、東西における差異も存在していた。

三つの伝説を記した『十節記』は、地域的には主に上古東方民族の伝説であり、これは東遷した殷商遺民と歳時との関係を表す最古の伝説の一部である。その逸文が記した上古神話伝説の体系は、隋唐時代にはすでに散逸したものの、そのほんの一部の残片が域外典籍に散見しており、誠に貴重である。だが、私たちが答えるべき重要な問題は、なぜこれら上古の神話伝説が中国には残されず、日本で保存されたかという点である。この三人の神の子の伝説はなぜ遠く日本へ行ってしまったのか。

この問題に答えるための格好の参考材料となるのは、ハイネ（一七九四～一八五六年、ドイツの詩人）の『神々の流竄』という文章である。

一八五三年、ハイネは著書『神々の流竄』の中で、キリスト教の支配下において古代ギリシャ・古代ローマの神々は段々亜流へと追いやられる過程をたどったと指摘した。キリスト教が決定的な勝利を収めた時は、ちょうど第三紀年にあたり、古い神々は何という哀れな境遇に陥ったことだろう。ティーターン神ら多くの神々はエジプトへと逃れ、トラのイメージへと変わった。さらに多くの神々は、市民層の業会の神になって生き残るしかなかった。アポロン神はやむなく牧人になり、戦神アレースは、傭兵となって、諸神の王ユーピテルは海上を放浪し、思い出を頼りに日々を送っていた。ハイネは詩人としての鋭さをもって次のような事実を指摘している。すなわち、時間軸を神の系譜の中に取り入れると、時間の変化に伴って神の系譜にも不断の変化が起きていることがわかるのである。

これはハイネが述べた思想の発展過程だが、実は古代中国にも同じく存在している。西周の「周公孔子の道」を尊崇する儒学が戦国秦漢における発展を経て最終的に決定的な勝利を収めた時、中国各地に存在していた各地域の文化と信仰は、同じように絶えずに儒家思想の体系に取り込まれる過程をたどった。かつての殷商時代に多く存在した神々は、正統の神聖な地位から排除され、人々に徐々に忘れ去られていった。この流れの中にありかつ神々の上に存在した帝嚳高辛氏も神である光を失い、五帝の一人になり、その子供である神々、まさに祭られるところを失い、次第に人々の視野から消えってしまった。ただ、たまたま日本へたどってきたこの帝嚳高辛氏の子供たちは、時代を超えてその名を伝えてきたのである。

では、これらの神々はどのようにして日本へ伝わったのか。これについては誰もはっきりとした答えを出すことができない。想像すれば、恐らくこれらの神々が初めは大陸の東方から信仰され、その一部の敬虔な信者たちはずっと自身の独特な信仰を記憶しており、その話を『十節記』という書物の中へ書き込んだのだ。その後、そうした敬虔な信者の中の一人がある時代に海を越えて日本へとやってきた。そこで、これらの神々は東海の外に根付くことになったのである。しかし、これらの話は結局推測の域を超えず、歴史の真相は今日となって時間の埃に埋もれたままである。

6　三月三日の桃花餅にまつわる未解決の謎

最後に、寛平二年の年中行事の記事中に見えた三月三日の桃花餅に関して、『十節記』も説明を加えている。『和漢《わかん》三才図会《さんさいずえ》』上巳条に引く『十節記』には次のように記されている。はじめ周の幽王《ゆうおう》は淫乱で、そのために群臣は非常に憂えていた。そこで黄河のほとりに曲水の宴を設けた。その時、ある人が草餅を作って周の幽王に献上した。周の幽王が食べてみるとこれがなんともすばらしく美味で、類まれなる珍品であったので、それを宗廟の先祖の霊前に供えることにした。彼はそのようにしたことで、周の世は安寧となり、天下は太平を得た。後世の人々は、この日に草餅を作って祖先の霊前に供えるのは上のような故事が由来となっているのだ、と伝えている。

これはすばらしい帝王故事である。過失を改めた帝王がおいしい桃花餅を祖先に捧げるのである。こうした先祖に孝行するというやり方は、国の人々の間にも広く行われ、最終的には国家が治まるまでになった。三月三日に桃花餅を食べる習俗はこの故事から生まれた。

だが、これはある意味で不可解な故事でもある。この故事に聖主として謳《うた》った周の幽王が決して聖になる帝王でなく、多少なりとも中国古代の歴史の常識を持っている人なら、周の幽王は中国古代の非常に有名な暗君である。歴史上有名な烽火で諸侯を弄んだという故事の主人公はまさに幽王その人である。もちろん、このような亡国の君主が多少のよい事を行うことがあり得ないわけではないが、問題は彼の治世がどうひいき目に見ても、「大治」や「太平」とは呼べないということである。この誤りはあまりにもひどい。とくに『十節記』に残された殷商高辛氏の子女の故事との関連で考えれば、この誤りは決して偶然ではないように思える。けれども、このような素晴らしい聖主故事をなぜ周の幽王をモデルとして編んだのか。その背後に果たしてどういうことなのか、これもまた未解決の謎であるというほかない。

八九〇年の日本の宮廷と社会に中国からの文化的影響があることはよく知られている。だが、これらの文化的影響のルートは、決して単一のものではなく、均質のものではなく、その文化影響のルーツに従い、多元的な多様性を持つことは、この『宇多天皇御記』にある「正月十五日七種粥、三月三日桃花餅、五月五日五色粽、七月七日索面、十月初亥餅」など五種の節食からよく読み取れる。広大無辺の中国大陸にあって、かつて異なる時代に存在したあまたのエスニシティは、多くのさまざまな文化的伝統を有していた。本章でさかのぼったごとく、これら影響のルートをいちいちはっきりさせることが今日では容易なことではないが、この研究を通じて古代東アジア文化交流の多様性、多元性、多面性を多少認識していただけるようになれば何よりうれしいことである。

05 ベトナムの竈神

鍋田尚子

1　はじめに

ベトナムでは遥か三、四千年前から炉《ろ》に置かれた三つのレンガを用いて調理をしてきた。その生活はわずか数十年前まで続けられてきた。人々の暮らしに欠くべからざる火とその道具は、民俗文化を醸成し信仰と結びついてきた。現在、多くの家ではガスコンロやＩＴ調理器が使われている。しかし台所の形態が変わっても、竈神《かまどがみ》は家族の重要な神として在り続けている。

ここではベトナムの竈神と各地域の祀り方をとおして、人々の暮らしの一端に触れてみたい。

2　ベトナムの竈神

ベトナムの竈神はオンタオ（翁灶）、北部地域ではオンコン・オンタオ（翁公・翁灶）と呼ばれている。正式な名称はタオクアン（灶君）、陰暦十二月二十三日に天に上がり、玉皇《ぎょくこう》上帝に各家族の一年間の出来事を報告する。一見すると中国の竈神が信仰され祀られているようにみえる。しかし、彼らは「ベトナムの竈神」を祀り、儀礼を行っているのである。「ベトナムの竈神」とは、男神二柱・女神一柱の三柱から成る神である。中国の竈神や信仰を取捨選択しつつ、自分たちの信仰と混合させ三柱の竈神を形成し、さらには地域による展開をしてきたのである。まず、ベトナムの竈神を紹介しよう。

・昔話で語られるベトナムの竈神

竈神三柱の由来は昔話で語られている。伊藤清司による指摘があるように、日本の「炭焼き長者」再婚型との類似がみられる。[*1] これまでグエン・ドン・チー[*2]やロルフ・スタン[*3]がベトナムの竈神の昔話を収集してきた。ここでは少し古い時代、十八世紀の資料を紹介したい。

宣教師アドリアーノ・ディ・テクラ神父によると、竈神は女性が崇拝する神であるとして、以下の話を載せている。[*4] 完成された竈神の昔話としては現時点で最古のものである。

〈梗概〉

チョン・カオとティ・ニーの夫婦は口論し、妻は財産をすべて夫に取られた上に暴力も受け、家を出た。そして三つの川の交わる橋の上でファム・ラーンに出会い結婚した。

ティ・ニーとの結婚後、ファム・ラーンは富を得たが、チョン・カオは不幸が起き貧乏になった。ある日、チョン・カオは物乞いに入った家で妻に再会する。前夫に同情した妻は、食事と酒を十分に与えた。すると前夫は食事に満足し酔っ払い、寝てしまった。後夫に見つかるのを恐れた妻は、前夫を藁の山の中に隠した。

ファム・ラーンは狩猟から帰ってくると、獲ってきたシカを焼くために藁に火をつけた。チョン・カオはその炎の中で死んだ。妻は前夫に同情し炎に飛び込んだ。妻の死を見た後夫も動揺し飛び込んだ。

民間では「男二人と女一人の竈王」として崇拝することを始めた。人々は三つのレンガと、もう一つ灰で被われた火種の上に四つ目のレンガを置くという。このレンガは夫婦二人の下女である。毎年正月には竈神三人と下女一人の四人が描かれた絵を台所に掛ける。

この話は、現在も語られる昔話と人物もその構成もほぼ同じである。この再婚譚の最大の特徴であり独自性は、愛情ある三人の関係と結末の三人の死であり、最後に三つのレンガが神体であることが語られる。この三つのレンガは、フングエン文化の遺跡から出土が確認されている非常に長い歴史をもつ道具である。そしてこの昔話のもうひとつの特徴は、信仰とともに語り継がれてきたことにある。[*5]

3　ベトナム各地域の竈神

三柱の竈神を祀りながら、その祀り方には地域による多様性がみられる。次にその特徴を紹介しよう。

(1) ハノイ――北部地域の竈神

まずハノイの家の竈神をみてみよう。現在、竈神は台所ではなく祖先の祭壇で祀られている【図1】。祭壇に置かれた香炉の数は家によって異なるが、竈神は「神霊」を祀る中央の香炉でさまざまな神と一緒に祀られていることが多い。左右には、「祖先」と「バーコー（トー）婆姑（祖）」と呼ばれる若くして未婚でなくなった女性を祀る香炉が置かれている。

ハノイには家で竈神を祀らない、また竈神は一年に一度の神という人たちがいる。しかし日常的に竈神を祀っていない家も、年に一度の竈神の上天日は、朝から多くの供物を準備して竈神を天に送る儀礼をする。供物は、鶏一羽、おこわ、春雨の炒め物、揚げ春巻き、スープ、果物など。そして立体的で大きな竈神三柱の冠と靴、紙銭《しせん》、紙の鯉が入ったマー（mã：紙製祭祀用品）セットである。また竈神は鯉に乗って天に上るため、生きた鯉を供え儀礼の最後に川や池に放される。

図１　祖先の祭壇と竈神（撮影：筆者）

図２　竈神を祀る（Oger, Henri 2009（1909））

現在は祖先の祭壇で祀られている竈神だが、元来は三つのレンガを竈神として祀っていたことが、二十世紀初めのアンリ・オジェ編纂の版画に描かれている[*6]【図2】。その後、二十世紀中葉から二十一世紀にかけて、台所形態は地炉から人々が立って使う台へ、三つのレンガや五徳からガスコンロへと大きく変わっていく。そのなかで神体となる「物」がなくなり、北部地域の社会政策も影響し、竈神は祖先の祭壇に置かれた香炉へ移ったと考えられる。竈神の祭壇を持たないことで、一見すると竈神に対する重要性は低いようにみえるが、実際には家の中央に置かれた祖先の祭壇のその中央の香炉で、祖先を祀るよりも上位に置かれて祀られているのである。もう一つ重要な点として土公《どこう》との習合がある。

土公は十七世紀のアレクサンドル・ドゥ・ロード神父の辞典に、土地を守る神として記されている。[*7] しかし、次第に土公の役割は竈神と重複していく。二十世紀初め頃まで土公と竈神は区別されていたが、二十世紀中葉以降になると同一視または混淆されていく。そして土公と竈神が習合することにより、オンコン・オンタオとしての竈神は台所での煮炊きや家族を守る神としてだけでなく、家、家族、祖先も含めた屋内、屋外のすべてを保護するさらに強大な神となったのである。それらは人々が意識する竈神への観念よりも実際の行為のなかにみることができる。[*8]

(2) フエ——中部フエ地域の竈神

ベトナム最後の王朝がおかれたフエ地域では、古い儀礼を継承しつつ独自の祭具を用いて竈神を祀り、儀礼を継続している。

台所に設置された竈神の祭壇には、土製の小さな神像と版画が置かれている【図3】。陰暦十二月二十三日、家で竈神の儀礼を行ったあと、古い神像を神聖な木の下に持っていき、見送りをする【図4】。この竈神の神体の新旧交換はベトナムの古い儀礼の形式である。前述したオジェ編纂の版画から北部地域でも行われていたことが確認できる。中南部地域でも子どもの頃に新旧交換をしていたという話が聞かれる。他の地域では時代や社会の変動のなかで失われたものが、フエ地域では現在に至るまで継承されているのである。[*9]

図3　祭壇に置かれた神像と版画（神像の下）（撮影：筆者）

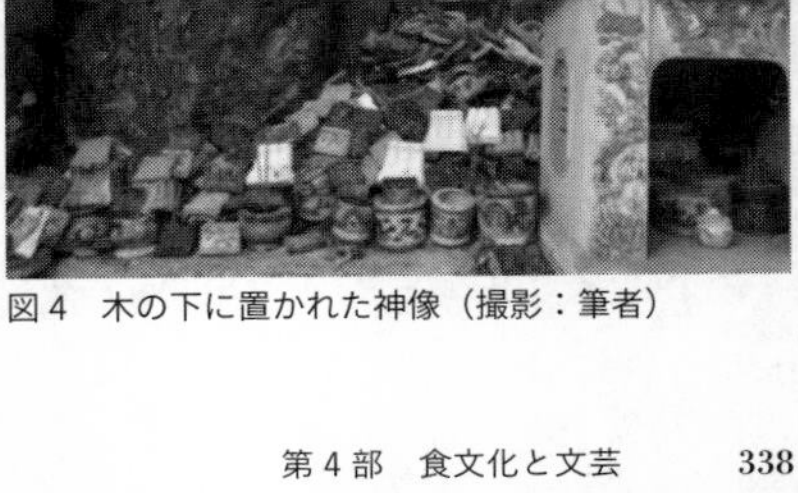
図4　木の下に置かれた神像（撮影：筆者）

一方でフエ地域独自のものとして、一つに竈神の儀礼版画がある。版画が用いられることは、北部地域さらにそのもとをたどれば中国の影響が考えられるが、フエ地域の特徴は描かれたモティーフにある。北部地域のドンホー版画やオジェ編纂の版画には描かれない、自分たちの豊かな暮らしへの願望が版画全体に詰め込まれている。[*10]

二つ目は竈神の神像である。フエ地域も元来は三つのレンガを竈神の神体としてきた。実用品としての使用が少なくなるなか、そのレンガを象った小型の神像が作られた。現在は竈神三柱を象った神像が主流になっている。この神像は生活形態が変わるなかでフエ地域で作り出されたものである。[*11]

この地域性の背景には竈神の儀礼を正しく行うことを重視してきた人々の暮らし方があり、そこにはフエが王都であったことも関連する。版画には王宮との関わりがみられる。そして神像は、三つのレンガを起源とする竈神の信仰・儀礼を継承し、神体の新旧交換を継続するために創造されたといえる。

(3) ホイアン、ホーチミン——中南部地域の竈神

ホイアンの旧市街には古い竈が残されている。その竈が置かれた場所に、竈神の祭壇はある【図5】。新しい台所が作られても竈神を祀るのは古い竈の場所である。それは古い竈がすべて東側に作られていることに関係していると考えられる。[*12]

ホーチミン市の竈神は、家の台所で祀られている。新しく家を建てた若い夫婦の家にも祭壇がある。

竈神の祭壇はホイアンもホーチミンも共通している。そこには「定福灶君」と書かれた牌位が置かれている。朔《さく》望《ぼう》には果物と線香が供えられ、家族の健康や子どもの試験、就職など何かあれば竈神に祈願する。人々の暮らしに寄り添うように竈神が存在している。しかし竈神の上天儀礼は、供物もマーもシンプルである。鶏は財神への供物という考えがあり、ホイアンだけでなくホーチミンでも竈神に鶏を供える家は少ない。また竈神が鯉に乗って天に上がるという考えは基本的にないため、鯉を供え放生《ほうじょう》することはほとんどない。

図5　ホイアンの竈と祭壇（撮影：筆者）

中南部地域における竈神の祀り方の特徴は、マーセットと祭壇に置かれた牌位

に中国の影響が強くみられることである。これは、明末清初にかけて多くの中国人が移入してきた歴史と関わっている。とくにマーセットの中身から広東《かんとん》とのつながりが明らかになっている。しかし、それらの祭具は「物」（商品）としての流通の影響が強く、信仰として中国の竈神が大きく影響を与えているわけではない。なぜならマーセットのなかには、竈神三柱用に金銀紙やろうそくが三つずつ用意されているからである。中国の影響を取り入れつつ自分たちの信仰に合わせて変えているのである。

4　おわりに

ベトナムの竈神とその祀り方を駆け足でみてきた。ベトナムの歴史のなかで、炉と三つのレンガは長く家族の暮らしと結びつき、そのなかで竈神は信仰されてきた。そのことが男神二柱と女神一柱の三柱の竈神を継承してきた理由であろう。一方で祀り方は、歴史的事象や社会、経済の発展に伴い台所の構造や暮らし方が変わるなかで、自分たちの生活や社会に適した方法を取り入れてきた。言い換えれば、竈神の祀り方からそれぞれの地域の歴史背景をみることができるのである。しかし人々にとっては、竈神を信仰し祀り続けるために取捨選択してきた結果である。そこには昔も今も家族にとって重要な神として竈神が存在している。

注

1　伊藤清司「ベトナムの炭焼の話」、『国文学　解釈と教材の研究』44-14、一九九九年十二月、六～一一頁、「民間説話の伝播と変容」、『国立歴史民俗博物館研究報告』106、国立歴史民俗博物館、二〇〇三年、一三～二一頁。

2　Nguyễn Đổng Chi 1974 *Kho tàng tuyển cổ tích Viet Nam Tập I*, Nhà xuất bản Khoa Học Xã Hội Hà Nội.

3　Stein, R.A 1970 "La legend du foyer dans le monde chinois", *Echanges et communications*, Mouton the hague, Paris, pp1280-1305.

4　Adriano di St. Thecla (Olga Dror translator and annotator)2002(1750) *Opusculum de Sectis Apud Sinense et Tunkinenses* (A Small Treatise on the Sects among the Chinese and Tonkinese): *A Study of Religion in China and North Vietnam in the Eighteen Century*, Southeast Asia Program Publications Southeast Asia Program Cornell University Ithaca, New York.

5　ベトナムの竈神の昔話について、鍋田尚子「ベトナムの竈神　昔話の事例紹介」、『比較民俗学会報』38-1、二〇一七年七月、一二～二〇頁。

6　Oger, Henri 2009(1909)*Techinique du peuple Annamite*,

Mechanics and crafts of the Annamites, Kỹ thuật của người An Nam I II III, Nhà xuất bản Thế giới

7 Alexandre De Rhodes (biên dịch : Thanh Lãng, Hoàng Xuân Việt, Đỗ Quang Chính)　1991(1651) *Từ điển Annam-Lusitan-Latinh* (Thường gọi từ điển Việt - Bồ - La), Nhà xuất bản Khoa học xã hội, Hà Nội : 770-771, 222-223.

8 北部地域の竈神について、鍋田尚子「ベトナム北部地域のオンタオ儀礼　具象から抽象へ」、『非文字資料研究』14、神奈川大学日本常民文化研究所非文字資料研究センター、二〇一七年三月、一九七～二二四頁。

9 フエ地域の竈神について、鍋田尚子「ベトナム・フエ地域のオンタオ崇拝」、『地域文化論叢』16、沖縄国際大学大学院地域文化研究科、二〇一五年三月、三七～六四頁。

10 フエ地域の竈神の版画について、鍋田尚子「版画に描かれたモティーフとオンタオ儀礼—シン村オンタオ版画を中心に—」、『非文字資料年報』12、神奈川大学日本常民文化研究所非文字資料研究センター、二〇一六年三月、一七七～一九七頁。

11 フエ地域の竈神の神像について、鍋田尚子「フエ地域のオンタオをめぐる物質文化—オンタオ神像製作と儀礼—」、『東南アジア考古学』34、二〇一四年十一月、五九～七四頁。

12 ホイアンの竈について、鍋田尚子「居住空間からみたベトナムのオンタオ（竈神）祭祀—ホイアンの事例報告—」、『比較民俗研究』29、比較民俗研究会、二〇一五年三月、二一七～二二八頁。

第5部　年中行事と芸能

01 東アジアの儺

鬼神往還祭儀

野村伸一

1 東アジアの儺

古代の祭儀「儺《な》（nuó）」は、中国中原《ちゅうげん》（黄河流域）でなされた。儺礼は夏（史書記載中の中国最古の王朝）商（殷）に兆し、周代（前一〇五〇頃～前二五六年）には年三回の儺礼が規範化されたとみられる。なかでも年末の儺は大儺《たいな(たいだ)》として重視された（『礼記《らいき》』『後漢書《ごかんじょ》』など）。一方、民間でも郷人禓《しょう(よう)》（『礼記』）、郷儺（『論語』）があった。儺の本義は鬼遣《おにや》らいである。漢唐（前二〇五～九〇七年）の儺は周辺に伝播した。とくに大儺は越南《ベトナム》では漢末（二二〇年頃）、朝鮮半島では（文献上では）高麗朝（九一八～一三九二年）、日本は飛鳥朝（五九三～六二九年）に開始された[*1]。

問題は郷儺（民間の儺）である。これには国家の儺礼の縮小版とみられるものもある。たとえば日本では平安時代に王室の儺は変貌し、主役の方相氏《ほうそうし》が忌み追われる鬼になった。これが室町以降、民間の節分の追儺《ついな》となり、「福は内、鬼は外」の行事になった。中国でも古代の儺礼に結びつく民俗が多数、遺存する。それが一九八〇年代以降、次々と報告され、儺文化探究は活気づき多数の著作がなされた。

だが、民間の儺は国家の儺礼の残存というだけでは十分理解できない。問題はなお数多い。第一、郷儺の根源性究明。儺の開始時期については稲作と同時（林河）、夏商周の三代など、定論はない。また儺の発生地についても中原説、南方説があり、未決定である。[*2] 本章では起源問題には触れないが、民間の儺は国家以前のもの、従って多様だという観点に立つ。第二、郷人禓の究明。これは巫覡《ふげき》による強鬼（横死者の霊魂）遣らいである。強鬼は人間社会の善悪を越えて数多い。強鬼を含めて鬼神の発生、往還は東アジアの基層文化といえる。儺という語に拘泥せず禓を比較の視点で扱う必要がある。第三、儺は蜡《さ》（また祖先祭祀を含む臘《ろう》）と共に考察する必要がある。両者は年末の重要な祭儀であり後代に到っても密接に関係している。宗懍《そうりん》撰『荊楚歳時記《けいそさいじき》』（六世紀成立）では十二月八日臘日《ろうじつ》に村人が楽隊をなし逐疫つまり儺をしている（後述）。第四、東アジア各地の儺に何を読み取るのか。逐《お》われた鬼は戻ってくる。それはなぜか。鬼《グウイ》（guǐ）またオニは山野の神、祖霊、無祀孤魂、横死者の霊などを網羅した鬼神の総称であり、それは追いやってすむものではない、等々。以下、上記の諸問題を念頭に大概を記した。

2　大儺

古代中国の国家は季節の変わり目に順調な運行を祈るため季春三月、仲秋八月、季冬十二月に儺をおこなった。とくに十二月には「大儺をし旁磔〔四門《よんもん》に生贄《いけにえ》をはりつけし——〔〕は野村による注、以下同〕し、土牛を出して寒気を送った」（『礼記』月令）。大儺では方相氏が悪鬼を脅し追う（『後漢書』『周礼《しゅらい》』）。『後漢書』志・礼儀中はいう。「先臘一日〔臘《ろう》の前日〕、大儺、謂之逐疫」。黄門〔皇帝近侍の官吏たちの〕子弟のうち、年十歳以上、十二以下、百二十人が侲子《しんし》として選ばれる。方相氏は黄金四目、熊皮を蒙《まと》い、玄衣《げんい》、朱裳、戈を執り盾を揚《かか》げる。さらに「有衣毛角〔毛と角のある衣を着た〕」の十二獣がいる。彼らは皇帝の側近、黄門令〔中級の宦官〕が「侲子備《そなわれり》、請逐疫〔逐疫《ちくえき》を請う〕」と唱えると、儀礼をはじめる。十二獣と侲子は十二神をして十二の鬼をやらうという内容の呪文を唱和する。のち方相氏と十二獣は共に舞って「嚾呼〔大声をあげる〕」。そして炬火《たいまつ》を持ち送疫して端門〔宮殿の南の正門〕を出る。門外には騶騎〔騎兵〕がいて引き継ぎ、雒水《らくすい》〔洛河。黄河の支流〕にこれらを棄てる。[*3] 方相氏らが官吏の指揮下、悪鬼を門外に追う形は唐代まで継続する。ただし、その間、儺礼は絶えず華麗化した。唐代『楽府雑録《がふざつろく》』によると、儺礼の十日前に諸楽（歌舞雑戯）がなされ、それを看るために官吏や百姓らがくる。それはすこぶる壮観であった。[*4] こうした変容は郷儺の盛行に由来するとみられる。六世紀の荊楚地方（現湖北・湖南省一帯）では、方相氏に代わって金剛力士などの護法尊が逐疫をした（『荊楚歳時記』）。鬼神を逐うための神霊は威力がありさえすればよかった。これが王室の儺（宮儺）を取り巻く状況であり、その変容は宋代に一層、顕著となった。都汴京《べんけい》（河南省）の除夜の儺では、将軍、判官、鍾馗《しょうき》、小妹《しょうまい》（鍾馗の妹）、土地神《とちがみ》、竈神《かまどがみ》など共千余人《つごうせんにんあまり》が禁中から駆祟《おにやらい》しつつ南薫門外に出て「転龍彎《りゅうわん》［龍彎に到った］。謂之埋祟《まいすい》［これを埋祟と謂う］」（『東京夢華録《とうけいむかろく》』）。[*5] ここでは方相氏、侲子、十二獣はみられない。同じ状況は南宋の都臨安《りんあん》（浙江省）でもみられた（『夢粱録《むりょうろく》』）。また、北宋末、大儺の際、「下桂府進面具［桂林に仮面をつくらせ進上させたところ］」、八百枚が一副《ひとそろい》、「老少妍陋［年寄り、若者、美しいのと醜いのと］、無一相似者［ひとつも似た者無し］、乃大驚［そこで（京官は）いたく驚いた］」という（陸游《りくゆう》『老学庵筆記《ろうがくあんひつき》』）。[*6] なお、越南の大儺は十三世紀に、また朝鮮半島では朝鮮朝後期、十八世紀英《えい》祖《そ》の頃に終わった。[*7] 日本では平安初期に大儺から「追儺」となり江戸初期までつづいた。

3　東アジアの民間の儺の諸相

（1）類型

東アジアの民間の儺（郷儺）は分布も形式も多様で包括的に捉えることがむずかしい。そこで次のように類型化した。第一は古代中原の儺の系譜上にあるもの。大儺の系譜としては方相氏類の鬼面の神霊（群）が先導し地域や家内の鬼神（悪鬼）を追いやるもの。江西省の儺舞、安徽省の儺戯《なのあそび》など。また郷儺の系譜は韓国南部の農楽隊に典型的である。第二は仏教法会に含まれたもの。僧または菩薩の化身が先導し、仏敵退治、信徒や地域の災厄除去をする。チベット文化圏のチャム、日本の修正・修二会《しゅにえ》、修正鬼会《しゅじょうおにえ》など。第三は村落の民俗化した儺。中国貴州の撮泰吉《ツオタイジ》、[*8] 湖南の毛古斯《マオグース》、日本のマユンガナシ、トシドン、[*9] ナマハゲ、花祭の鬼などの来訪神行事。第四は儺戯としての祭祀芸能。

中国の目連戯[*10]、韓国の仮面舞踊《タルチュム》、東アジアに流布した獅子舞など。第五は、放船を伴うアジア海域の儺。福建海辺での放船民俗は新中国では迷信視され消失したが、台湾南部や済州島《チェジュド》、韓国南部海域では今日なおみられる。以下では、まず民間の儺の古代の形を取り上げ、次に上記類型に沿って若干の事例をあげる（なお紙幅の都合で第三類型は割愛）。

（2）郷儺と巫儀

古代郷儺の内容を伝える文献は少なく、歴史的考察は容易ではない。そんななか、『礼記』郊特牲の記述は興味深い。そこには「郷人禓、孔子朝服、立于阼階［東側の階段に立ち客を迎える］。存室神［室神《しつしん》を守るためである］也」とある。禓（shāng,yáng）は強鬼、厲鬼《れいき》、雄鬼また悪鬼のことである。強死者《ひごうのしをとげたもの》の魂魄はとかく人に憑依し淫厲《わざわい》を為す（『左伝』昭公七年）。それはまた疫厲《ひどいえきびょう》を引き起こす。とくに兵死［戦死］による鬼は非常に危険で、よく慰撫すべきものである[*11]。郷人禓とは強鬼遣《や》らいである。郷人《むらびと》が担うが、儀礼の差配者は巫覡《ふげき》とみられる。巫覡は村や家の安寧のために、あらゆる死者を呼び寄せ慰撫し、送り返す。同時に巫覡は生活の根本である農事（時には狩猟）の成敗にも係わった。農神祭、害獣退散や虫除けには巫覡の力が欠かせない。その祭儀は農事の進行に合わせて毎年、適宜なされた。そして国家儀礼に取り込まれ年末の蜡《さ》祭となった。蜡は天子主宰の祭儀だが、天子は元来、司宰者、巫覡そのものだっただろう。従って、天子が蜡や儺を主宰するのは当然である。蜡と儺の祭儀は周代には確立していた。古代国家の秩序維持に必要なのは「民、食、喪、祭を重んじること」である（『論語』堯曰《ぎょうえつ》）。だが、民にとって食や喪（葬儀）、祭（祖先祭祀）の順行には巫覡（また小人儒《しょうじんのじゅ》）の祭儀がより重要であった。それをよく知る孔子は「其の鬼《グウィ》に非《あら》ずして之を祭るは諂也《へつらいだ》」（『論語』為政）といった。鬼《グウィ》とは何か。まずは祖霊、自然神、農神など、これは祭るべきものだ。しかし、強鬼類の祭祀は諂《へつらい》と批判した。古来、水死、自殺、事故死、刑死などに由来する冤霊の鎮魂儀礼は巫によりなされた。儒者は、それを淫祀として否認したが、民は「非其鬼［まつるべきでない鬼］」の祭祀に親近感を抱いた。それは打夜胡《だやこ》（『東京夢華録』）などの民間の儺者を生み、仏教の盂蘭盆会《うらぼんえ》、道教の黄籙斎《こうろくさい》など、孤魂済度《きゅうさい》儀礼の深層を成した。そして、そうした民意が国の儺礼を絶えず変容させた。

（3）第一類型より

中国の郷人儺は明清以降、多くは年末ではなく元宵（旧一月十五日夜）迎春の行事としてなされた。迎春隊は「大儺の方相儺隊の流れ」を受け継いだものという（迎春は立春に際しての官衙《かんが》の行事）。[12] これは、儺と蜡の混淆の結果、一年の予祝に重点が移行したのだとみられる。また元来、両者は不可分だったものが、古代国家儀礼としていったんは分離されたものの、再度、始源の形に回帰したともいえる。[13] 田仲一成は、立春だけでなく元旦から元宵のころまで各地で大儺、古代郷儺の系譜を継いだ行事がみられるとして例示した。たとえば広東《かんとん》省雷州《らいしゅう》府では（正月）至十五夜、毎夜綵灯、三、四百あるいは五、六百人を一隊となし、「粧鬼判［地獄の役人に扮して］」、諸色雑劇［さまざまな雑劇］をなした。安徽《あんき》省太平府（当塗《とうと》県）の里儺では（方相氏の）其流が当塗の瞼神《けんしん》となる。初春から春暮［三月］まで競って神会をした。数百人が「撃鉦而張之［鉦《かね》を撃ってくり広げた］」。瞼神は甲《よろい》を着けた将軍の姿で、方相氏の末裔である。また当塗では病気平癒の祈願として仮面行列がなされた。その酬愿［願ほどき］では楽隊と共に観者《みるもの》多数、狼藉飲食して金銭を浪費した。[14] こうした儺隊の様相は規模は縮小したが、近現代まで各地で維持された。

現代中国の郷儺では江西省西部南豊県の儺舞が名高い。[15] 儺舞は主に初春の行事だが、県内では十二月二十五日に子供らによる和合舞があり注目される。仮面を着けた者二人、楽師三人が組をなし、「種をまきにゆかん　各家を回りてゆかん」と唱えつつ各戸をめぐる。これは「春播《はるまき》の前奏曲」だ（王慶雲）。[16] まず蜡（臘）由来の和合舞があり、そののちに儺舞がある。この蜡と儺の組合せは古い郷儺の一端とみてよい。

ところで、県内石郵村の跳儺《ティアオヌオ》は十二月末日にはじまり一月十八日までつづく。それは起儺、演儺、捜儺、円儺から成る。起儺は諸神招請、願かけ。演儺は芸能、跳儺活動の中心である。捜儺は各戸の厄払い、円儺は儀礼全体の総括で神への感謝、占いを伴う。[17] この跳儺の由来について『石郵郷儺記』はいう。明初に呉潮宗が広東省潮州海陽県の県令になった。当時、海陽では疫病が流行《はや》り多数の者が死んだ。そこで儺神に祈り巡行をさせると、疫病は止んだ。帰郷時（一四二七年）、この儺神を持ち帰り「嵊頭山楽姓の敷地」を購入して儺神廟を建てた（村内の大姓呉氏の『呉氏族譜』所収）。担い手の儺班は八人構成、呉姓以外の他姓から選ばれる。これに関して呉潮宗は帰郷時に「八人の跳儺の芸人」を連れてきたという伝承がある。[18] おそらく元来、この跳儺は特定の儺人あるいは男巫が担ったものだろう。田仲一成は儺班を「伯公」とよぶことをあげ、「巫咒師が尊敬を受けていた隋唐以前の古制の面影を残すものかもしれない」という。[19] 加えて嵊頭山《じようとうさん》には旧廟があった。それゆえ石郵村の儺儀は明初以前に溯る可能性がある。[20]

以上のほか江西省万載県の郷儺、婺源《ぶげん》県の儺礼、貴州省安順府の地戯《ディシ》、安徽省貴池県の儺戯、山西省曲沃県の扇鼓神譜、江蘇省南通県の僮子戯《トンズシ》［僮子《トンズ》は巫師］、さらに貴州省徳江県や思南の儺堂戯《ヌオタンシ》もつとに名高い。このうち儺堂戯は漢族の堂儺からの派生とする見方がある。これは家単位の儺戯で儺隊の巡行や各戸逐疫は伴わない。儺堂戯は「郷村全体のためという共同体的スケールを欠く」。それは明代以降に少数民族の上層部が受容した演劇と位置づけられる[21]（田仲一成）。ただし土家族《トウジャズ》の「過関煞」をみた上でいえば、土老師《トウラオシ》（男巫）の祭儀は郷儺の核心に迫る点もあり興味深い。儺公、儺母（唐末にはみられた儺神）を中心に開山、開路、土地（農）の神が現れる。「造船清火」［松明の火で屋内を浄め模造の藁船に災厄を載せ戸外で焼却］による家内の浄祓があり、見物の村人も多数。その光景は古層の郷人禓に連なるとみられ相応に見応えがあった。演劇史的な見方と同時に跳神《ティアオシェン》（現地の呼称）からの考察も必要であろう。[22]

朝鮮の郷儺では以下の朝鮮朝の記録が注目される。第一、十九世紀の洪錫謨《ホンソンモ》『東国歳時記』によると、江原道高城《カンウォンドコソン》の郡祀堂には錦緞で作った神面が置かれている。この神が臘月念後［十二月二十日過ぎ］に邑人《むらびと》に下降《おり》る。神はその仮面を着けたまま蹈舞しつつ衙内《やくしよのうち》や邑村《むらむら》に出遊する。このとき「家迎而楽之［家毎に迎えて共に楽しむ］」。正月の望《じゆうごにち》前に神は堂に還る。「歳以為常［毎年、恒例のことだ］」。蓋し「儺神之類也[23]［この神は儺神の一類とみられる］」。この神の巡行には村人による楽隊が伴っていたことだろう。残念ながら高城の民俗は消失したが、南部の農楽隊の巡行は今もみられる。第二、高宗三十年（一八九三）、慶尚南道固城《コソン》府使呉宖黙《オホンムク》による儺戯の見聞記。当年府使となった呉宖黙は陰暦大晦日に風雲堂（吏属らの運営する祭堂）にいった。そこでは諸吏輩が毎年恒例の儺楽《なのあそび》をしていた。呉は黄昏時に官衙に還った。すると、儺戯の輩が錚《かね》を鳴らし鼓をうち、「踊躍轟闐［飛び跳ね騒がしく］、斉入官場［隊を成し役所の庭にやってくる］」。そのとき庭には炬火《かがりび》が焚かれ昼のようだ。「金革乱聒［鉦《かね》、太鼓の音がけたたましく］、人語分難［人の声が聞こえない］」。そのとき月顛［新羅末の文人崔致遠の「郷樂雑詠五首」にみられる仮面戯の一人物］、大面（同上）、老姑優《ばあさん》、両班倡《ヤンバンクァンデ》といった奇形怪容の流《たぐい》が「頭頭迭出［次々に現れ］、面面相譃［互いになぶり合い］」、狂叫《さけ》んだり、慢舞［悠長な舞］をしたりする。「数食傾［程経て］」、止《や》んだ。蓋しその雑戯は咸安《ハムアン》のものと「略相似［大方、似ているものの］」、滑稽《おもしろさ》は「較勝［一枚上だ］」。ただし服飾は較《やや》劣《おと》る。[*24] この儺戯は郷吏らが官衙の平安のためにおこなった。郷吏は一面、下級知識人、中国の官衙の儺を知り真似たのだろう。しかし仮面は朝鮮風である。月顛、大面の語は現在の仮面戯にはなく、未詳だが、大面はマルトゥギに相当するとみられる。これは今も仮面戯や農楽隊の一員として知られる【図1】。韓国の農楽隊は一般に農旗《ノンギ》や令旗（軍令伝達の旗。元来は城隍竿《ソンファンデ》［村神の象徴］）を掲げて家々をめぐる。これは埋鬼《メギ（メグゥイ）》、地神踏《ジシンパルビ（パプキ）》みとよばれる。名称からして中国の埋祟《マイスイ》（前引『東京夢華録』）に連なることがうかがわれる。ただ朝鮮半島南部海辺では埋鬼に献食《ホンシク》という祭儀が伴い、この部分は中国中原の儺とは異なる（後述）。なお十九世紀初、越南でも大晦日に郷儺「過索」があった。童子らが竹棚《たけえだ》を手に家めぐりをし十二神名を叫んで悪鬼を駆《か》ったというが、のちには子供らの乞銭《こづかいかせぎ》となった（范廷琥『群書参考』[*25]）。

図１　雑鬼を逐うマルトゥギ。正月の農楽隊に伴う姿は方相氏の趣。慶尚南道駕山里《カサンリ》。（撮影：著者）

（4）第二類型より

インドのラダック地方ではチベット暦の年初、村外からアビ《ばあさん》、メメ《じいさん》とよばれる仮面、異装の者が現れる。[*26] 彼らは楽士《モン》と共に家めぐりをする。竈の脇で踊り家人を祝福する。そして酒と食べ物でもてなされる。祝福者だが「よくない者」ともみなされる。奇妙な裏声を使い、饗応時にも人語を語らない。沖縄県石垣島の来訪者マユンガナシ、またアンガマも同様である。[27] 明らかにアビ、メメは異界からきた儺者である。それを強く印象づけるのは、村めぐりのあと、供物《トルマ》と称される人形《ひとがた》を持ち去り村外に捨てる場面である。このゆえに彼らは忌まれる。だが彼らは人気ある芸能者でもある。寺院のチャム儀礼でそれはよくうかがえる。彼らはチャムでは阿闍梨《アッチャラ》ともよばれ僧の一員として位置づけられている。チャムの主役は毘沙門《ナムトス》[28]（清らかな顔の神）、ゴンポ（恐ろしい顔の護法尊）で、アビ、メメは道化役である。だが同時に護法尊が退治した仏敵《トルマ》を片付けもする。それは儺者の仕事の片鱗であろう。

ラダック各地の寺院では年初に何日かの法会をおこなう。チャムはその末尾になされる大衆向け芸能である。一般に「一週間は『カンソ』という法要が営まれ、後の二日間に仮面舞踊がおこなわれる。それが終了すると供養に用いたトルマを焼却してすべてを終える」[29]。ヘミス寺では五月挙行のこの行事について次のようにいう。「ヘミスのチャムを観れば、人々は健康になり、病は癒え悪鬼も払われる。そして長寿が授かり功徳を積むことになり、富と幸が手にはいる。さらに勇気と気高さを増長し、皆から尊敬される。皆人《みなひと》このチャムを慰みとしてではなく敬虔な気持ちで仰ぎみなければならない」[30]。チャムは無病息災、豊饒を約束するものといえる。ヘミス寺の法会は五日間、その最後の二日間にチャムがなされる。チャムとアビ、メメの地域巡行（一種の儺）は日本の修正会とその基盤の民俗オコナイのありかたに通じる。これらは寺院やそれを取り巻く地域社会に民間の儺が浸透していったあとをよく示す。なお中世の神社、寺院の祭儀を媒介に地域社会に浸透した日本の翁猿楽・能もこの範疇にはいる。つまり、それは儺のあそび（儺儀、儺楽）としてはじまったのだろう。

（5）第四類型より

韓国各地の仮面舞踊は担い手、特徴において一様ではないが、共通して儺戯《なのあそび》の趣を持つ。そのうち慶尚北道の「河回《ハフェ》別神《ビョルシン》クッ仮面戯《タルノリ》」を取り上げてみよう。河回洞《ハフェドン》では例年の城隍《ソナン》クッ（村祭）とは別にかつて五年または十年に一度、村の主神（女神）の啓示を受けて別神クッをおこなった。啓示は年末、山主《サンジュ》（祭官）に降りる。このとき別神クッをしないと村に病者が出る懼《おそ》れがある。[*31] 一方で危篤の病者がこの行事のお蔭で回復したともいう。[*32] 河回では他地域の別神クッとは異なり、巫女は主たる活躍はしない。ここでは農楽と仮面戯でほぼ尽きる。しかし、この仮面戯の核心は女神の慰霊である。この女神は十五歳で寡婦となり、子もなく恨《ハン》多くして死んだ、ある実在の女性と同一視されている。[*33] それゆえ、その婚礼（元来見物が還るころ、未明の畑での秘儀）が最も重要である。この仮面戯は今日「安東《アンドン》国際タルチュムフェスティバル」の看板として観光化されている。だが、元来は見世物ではなかった。神霊の招請、娯神、還御、それは臨時の儺であり、東アジアの郷儺の本流に位置するものだったといえる。

（6）第五類型より

放船を伴う儺が東アジア海域には広くみられる。根柢には海洋他界観―死者霊は強鬼を含めて海底（龍宮）または海彼《うみのかなた》にいき、時経て故地《こち》に戻るとする観念がある。これは中原の儺にはない。福建省海辺ではかつて放瘟船（放王船）が盛行した。淵源は沿海地域の水葬習俗であろう。[*34] 古代の閩人《ミン》（福建人）は船棺葬をした。これは長江以南から東南アジア一帯にかけての特殊な葬送習俗であった。[*35] 人々は元は簡素な模造船に神霊を乗せて送った。これは瘟疫流行時だけでなく、年中行事化した。丁紹儀《ちょうしょうぎ》『東瀛識略《とうえいしきりゃく》』巻三（一八七三年）はいう。台湾で最も重要なのは「五月出海，七月普度《ふと》。出海者，義取逐疫［出海は逐疫の意味であり］，古所謂儺［古《いにしえ》の所謂《いわゆる》、儺《な》のことだ］」。[*36] 出海は現在も各地でみられる五月の龍舟競漕に通じる。これは元来は競技ではなく儺であった。また閩南《ミンナン》（福建南部）、台湾では七月の普度［プドゥ。元来衆生済度の意味の仏教用語。民間儀礼では施餓鬼の意味で、道教でも不可欠な儀礼］でも最後に法船に心尽くしの供物と餓鬼を乗せ西海に送る。放船は儺の一部であった。しかし次第に神霊からの加護にだけ意が注がれるようになる。今日、台湾南部の東港や西港などの三年一度の王醮（祭神は諸種の名を持つ王爺）では大きな王船を作り盛大に儀礼を催し最後に焼却する。ここでの王爺は代天巡狩の神として地域を巡回し、焼船後は天に戻る。今日、王爺を瘟神とする意識は希薄である。台湾の王爺は変容をつづけ保境安民の神、さらには禳災植福の万能神となった。*37 韓国南部海域（含済州島）の儺も独特である。全羅南道大浦里《デポリ》では一月はじめ、日を選んで堂山《ダンサン》クッをする。そこでは農楽隊の巡行時に海辺で水中孤魂への献食《ホンシク》をし、広場では盗っ人捕らえ《トドゥクチャビ》クッなどの儺戯《なのあそび》を演じる。*38 また全羅北道蝟島《ウィド》大里《デリ》の正月の龍王祭では農楽隊が村めぐりののち、茅船《ティベ》に一年の災厄と水中孤魂を載せて放船する。*39 これらの農楽隊は儺隊といえる。一方、済州島では海彼から来訪する令監《ヨンガム》（鬼神類《トッケビ》）が興味深い。これは次の点で王爺と比較しうる。第一、令監は横死者の癘鬼《れいき》である（複数の口頭伝承あり）。とくに女性に取りついて病を惹き起こす。第二、令監は済州の家・村の神また冶匠神《かじがみ》となる。厚遇すれば富を与えるが、冷遇すれば災いを与える。また令監は軍卒《グンジョル》（雑鬼）となって徘徊する。道路では死煞鬼、水・海では龍王軍卒、船では船王《ソナン》軍卒となる。*40 玄容駿は令監を①富神②船神・豊漁神③冶匠神④祖先神（一家、一族の守護神）⑤堂　神《しゅうらくのかみ》⑥疫病神・災殃神とまとめた。以上のことから令監と王爺の位相は類似したものといえる。*41 神房《シムバン》（巫覡）による令監戯《ヨンガムノリ》はかつて治病儀礼として、また漁船新造時に、あるいは令監を祀る部落祭の形でもなされた。令監戯は今日では消失したが、例年二月の済州チルモリ堂《ダン》ヨンドゥン祭《クッ》の際に一部が模擬的に演じられている。

4　おわりに——オニも内へ

今日の東アジアの儺は大方は儺儀ではなく儺戯《なのあそび》である。その心意は「福は内、鬼は外」といえる。しかし、儺の核心は禓の祭儀にある。夭死、事故死、自死、戦死、刑死は今も後を絶たない。その供養のためには死者の来歴、その内心に迫り、できれば巫、司祭を通して各人が故人の声を聞く必要がある。かつて郷儺はこれをなした。その中心には小人儒（『論語』雍也）がいる。そして各種の神霊、とくに横死者の訴えに応じて時々に儺を催した。それは共同体の智慧、儺の思想でもあり、時代の変化にかかわらず尊ぶべきものである。近代市民社会では既成宗教がそうした死を供養してきた。東アジアでも仏教寺院の施餓鬼、仏教、道教の普度、カトリックの万霊節がこれを担ってきた。だが、その多くは今日、あまりにも様式化していないか。とくに体制《レジーム》外の人々とその死に対しては寛容さに欠ける。今日の市民社会には出自を異にする人々が多数、住み、さまざまな生と死がある。それゆえ儺のような、基層文化に根付いた民俗の再認識は大いに意味がある。かつて三河の花祭で見物《せいと》はオニに対して悪態もついた。だが、一方では敬意を抱き、「山見さま」「榊さま」ともいった。花祭にはいろいろなオニが出た。見物もまたそのオニを演じる。*42 そうした悪態祭の光景は韓国の仮面戯の場にもある。儺の参与者は元来は鬼の来臨を他人事《ひとごと》とはみなかった。だがオニへの畏敬の念は祭儀共同体とともに失せつつある。そして市場原理のもと「福は内、鬼は外」の儺戯が華やかに演出される。だがそれは国家、共同体、家の「内は平和、外は修羅場」にも聞こえる。それだけでよいはずはない。せめては個々人が儺の原点に戻り、絶えざる横死者の去来をおもうべきである。東アジアでは魂は常に故地に還ろうとする。できれば「オニも内へ」と唱えたい。これは新しい儺である。同時に原初の儺に含まれてもいた。なぜなら、巫儀の末尾では必ず雑鬼雑神を招き、送るからなのだ。

注

1 曲六乙、銭茀『東方儺文化概論』山西教育出版社、二〇〇六年、三六一頁。
2 同上、五六頁以下。
3 『中國哲學書電子化計劃』、https://ctext.org/hou-han-shu/li-yi-zhong/zh（二〇二二年二月七日閲覧）。
4 金学主「儺礼と雑戯」、『韓中両国の歌舞と雑戯（한・중 두 나라의 가무와 잡희）』ソウル大学校出版部、一九九四年、一〇頁以下。井上秀雄訳『朝鮮研究年報』六（一九六四年）に抄訳がある。
5 田仲一成『中国巫系演劇研究』（東京大学出版会、一九九三年、一三四、一五〇頁）、孟元老著、入谷義高・梅原郁訳註『東京夢華録』（平凡社、一九九六年、三四九頁）参照。
6 前引、田仲一成『中国巫系演劇研究』一五〇頁。
7 前引、曲六乙、銭茀『東方儺文化概論』三六六、三九一頁。
8 後藤淑・廣田律子編『中国少数民族の仮面劇』木耳社、一九九一年、一〇七頁以下。
9 野村伸一『巫と芸能者のアジア』中央公論社、一九九五年、九五頁以下。

10 野村伸一編著『東アジアの祭祀伝承と女性救済―目連救母と芸能の諸相』風響社、二〇〇七年。
11 蕭兵『儺蜡之風』江蘇人民出版社、一九九二年、二〇五頁。
12 前引、田仲一成『中国巫系演劇研究』一四一頁。
13 野村伸一『東シナ海祭祀芸能史論序説』風響社、二〇〇九年、五〇頁。
14 前引、田仲一成『中国巫系演劇研究』一六一頁以下。
15 前引、田仲『中国巫系演劇研究』、廣田律子「中国・江西省の追儺行事」(諏訪春雄・川村湊編『アジア稲作民の民俗と芸能』、雄山閣出版、一九九四年)、廣田律子、余達喜編、王汝瀾、夏宇継訳『中国漢民族の仮面劇 江西省の仮面劇を追って』(木耳社、一九九七年)など。
16 前引、田仲一成『中国巫系演劇研究』二七〇頁。
17 前引、『中国漢民族の仮面劇』一五頁以下。
18 同上、五八頁。
19 前引、田仲一成『中国巫系演劇研究』二八一頁。
20 前引、廣田ほか『中国漢民族の仮面劇』一八頁、余大喜説参照。
21 前引、田仲一成『中国巫系演劇研究』一一四八頁以下。
22 野村伸一「中国貴州省徳江の儺戯」(『自然と文化』52、日本ナショナルトラスト、一九九六年)。また前引、後藤淑・廣田律子編『中国少数民族の仮面劇』(一〇七頁以下)参照。
23 任東権『韓国歳時風俗』(瑞文堂文庫、瑞文堂、一九七六年、二二一頁)、姜在彦訳注『朝鮮歳時記』(平凡社、一九七一年、一六八頁以下)。
24 李勛相、宮嶋博史訳『朝鮮後期の郷吏』法政大学出版局、二〇〇七(原本一九九〇)年、一二九~一三〇、二五八頁。
25 前引、曲六乙、銭茀『東方儺文化概論』三六七頁。本書には現在のベトナムの民間の儺、候影(跳神)の記述もある。それによると影は神霊、候はカミの意向を伺う者。つまり候影は巫覡によるカミあそばせである(三七〇頁以下)。
26 以下は、野村伸一「ラダックの儺」(『日吉紀要 言語・文化・コミュニケーション』14、慶應義塾大学日吉紀要刊行委員会、一九九四年)参照。
27 本田安次『沖縄の祭と芸能』第一書房、一九九一年、一一五頁。
28 毘沙門の登場は修正会との親近性を一層、強く示唆する。ただし龍天に相当するゴンポはいかめしい鬼神である。
29 加藤敬、塚本佳道、ツプテン・パルダン『マンダラ群舞』平河出版、一九九一年、一五二頁。

30 一九九二年、寺院門前で入手した小冊子、Ge.Tsewang Rigzin の解説による。
31 崔常壽『河回仮面劇의研究』高麗書籍、一九五九年、二頁。
32 柳漢尚「河回別神仮面舞劇台詞」、『国語国文学』20、一九五九年、一九七頁。
33 前引、崔常壽『河回仮面劇의研究』六一頁。
34 劉枝萬『台湾民間信仰論集』聯經出版事業公司、一九八三年、二三二頁。
35 辻尾榮市「舟・船棺起源と舟・船棺葬送に見る刳舟」、『人文学論集』大阪府立大学、二〇一〇年、一五七頁。
36 丁紹儀『東瀛識略』『中國哲學書電子化計劃』、https://ctext.org/wiki.pl?if=gb&res=704450（二〇二一年二月七日閲覧）。
37 前引、劉枝萬『台湾民間信仰論集』二三三頁以下。
38 前引、野村伸一『東シナ海祭祀芸能史論序説』一一九頁以下。
39 ちなみに道教神霄派の科儀書「神霄遣瘟送船儀」によると法師［民間道教の神人］らは自派の正神、将軍、土地神などを請じたあと、「華船」（別称、茅舟、神舟、画舟）を作る。さらにこの船にはあらゆる「行瘟鬼神」が招請され船の宴（船筵）がなされる（康豹「屏東県東港鎮的迎王祭典：台湾瘟神信仰與王爺信仰之分析」『中央研究院民族学研究所集刊』第七十期、一九九一年、一五三頁）。この船の祭儀は蝟島の茅船の民俗と基本的に同じである。
40 令監の口頭伝承は七種類。玄容駿『巫俗神話와文献神話』集文堂、一九九二年、二二八〜二三二頁。
41 令監は正三品と従二品の官位名。これは済州島の最高位牧使《モクサ》（正三品）に匹敵する。この点でも「王爺」と類同する。
42 『早川孝太郎全集』第一巻、未来社、一九七一年、三五九頁。

02 年迎えと祖霊祭祀
古代からの伝承、歴史と現代

松尾恒一

1 「年」と稲作祭祀

『隋書《ずいしょ》』「倭国伝」に「毎至正月一日，必射戯飲酒」と記されるのが、日本の正月についての最も古い記録であろう。この頃六～七世紀、千年以上前には一年の始まりに飲酒をして射的の儀礼を行うといった、現在の正月の習俗につながる行事がすでに行われていたのである。

一年、三百六十五日～三百六十六日の時間の周期を表す漢字「年」は穀物、特に稲を意味する「禾」と、音を示す「千」の部分により構成されている。地球が太陽のまわりを一周する時間が一年であるが、宇宙の中、地球の軌道に目印があるわけではない。いつを年の区切りと考えるか、地球に生きる人類にとって大きな問題であったが、東アジアにおける稲作の発祥の地である中国大陸では、春の稲の播種から秋の収穫のサイクルを一年の重要な指標としたことが、「年」の文字の成り立ちからうかがうことができる。

稲作の起源は、考古学の知見では、約一万年前に中国長江流域の湖南《こなん》省周辺ではじまったとする説が有力である。その稲が、朝鮮半島を経由して紀元前十世紀には日本に伝来し、寒冷な東北地方を含む九州～本州全土に伝播したが、日本人の一年のサイクルの認識も中国からの強い影響を受けている。日本人は「年」の字を日本語で「とし」と読んだが、この言葉には一年の時間の単位とともに、稲の稔りの意味を含んでいる。

平安時代、宮廷においては二月に「祈年祭（きねんさい／としごいのまつり）」が行われた。本行事は、天皇が全国の神主を宮中に集め供物を賜り、全国の秋の稲の稔りを祈る儀礼であった。

中国では、明代に永楽帝が建立した国家祭祀を行うための天壇のなかでも祈念殿《きねんでん》は、皇帝が正月に五穀豊穣の祈りを捧げるための祭壇であった。中国・日本のいずれも、皇帝が年の初めにその年の稲の稔りを祈願することが、国家儀礼としての重要な行事であったのである。

現代の日本は、近代以降、西洋暦を導入し、西洋暦の一月一日を正月元日として祝うのが一般化した。第二次大戦後は、日本人の多くの生業が農耕より第二次・三次産業へと移行したが、正月元旦には、糯米《もちごめ》を搗《つ》いて作った餅を神に捧げた後に食し、正月七日には七種類の草を入れた「七草粥」を食する。これらの習俗は、都市化の進んだ現代でも、日本広くで行われており、正月と稲・米の結びつきの強さを見ることができる。

2　火の継承

太陰暦の正月十五日は満月となり、中国では「元宵節《げんしょうせつ》」として春節の終わる区切りとなる。日本では「小正月」と称して、正月飾りを集落の広場や神社に集めて燃やす「どんど焼き」が行われるが、正月に迎えた神を天に送り返すために行われるものと考えられている。この小正月行事は、集落の人々が集まって行われるが、このときの焚火で、子どもたちは木の枝に付けた団子を炙《あぶ》って食したりする。この団子は、正月にこの日まで各家で作られて飾られるものである。木の枝に付けた餅は「餅花《もちばな》」「成花《なりばな》」等と呼ばれるように花を表現しており、その年の稲の花が咲き、稲が稔る祈願の気持ちがこめられている。

新年には新しい年の火をもらうために神社に参拝したりする地域も見られる（京都 祇園神社「おけら参り」等）。隋・唐代の仏教が移入された、奈良の寺院（東大寺《とうだいじ》・薬師寺《やくしじ》・法隆寺《ほうりゅうじ》等）では、仏教儀礼による年頭行事が行われる。なかでも、東大寺「お水取り」、薬師寺「花会式《はなえしき》」の名で知られる二月の行事は、懺悔《さんげ》を意味する「悔過《けか》」を儀式としつつ、観音や薬師等の本尊仏のみならず、日本全国の神祇が勧請されて祈りが捧げられ、また、僧侶が穢れを祓うための「中臣祓」を奉読するといった神仏習合的な側面が多々見られる。こうしたことより、これらの行事は、従来、中国から移入された仏教の、日本における民俗的な展開であると考えられてきた。しかしながら、唐代には、次の敦煌《とんこう》文献のように、年初にその年一年の平安の祈願を行う仏教儀礼が行われていたことを確認することができる。

夫曠賢大劫、有聖人焉、出釋氏宮、名薄伽梵。心凝大寂、身意無邊。慈氏衆生、號之為佛。厥金座前社邑等、故於三春上律、四序初分、脱塔印沙。啟加願者奉為（已）躬保願功德之福會也。唯公乃金聲夙鎮（振）、玉譽早聞、列位名班、昇榮冕職。遂乃妙因宿殖、善芽發於今生。業果先淳、道心堅於此日。［知］四大而無注（住）、曉五蘊而皆空。脱千聖之真容、印恒沙之遍跡。更能焚香郊外、請僧徒於福事之前、散食遍所於水陸之分。以此印沙功德、迴向福因、先用莊嚴、梵釋四王、龍天八部。伏願威光轉勝、福力彌增、救人護國。願使聖躬延受（壽）、五穀豐登、管内人安、歌謠滿城。又持勝福、伏用莊嚴施主即體。惟願身而（如）玉樹、恒淨恒明。體若金剛、常堅常固。今世後世、善縁莫絶。此世他生、善芽增長。然後散霑法界、普及有情。賴此勝因、齊成佛果。摩訶般若。

（大英図書館 S.663「印沙佛文」）

注目されるのは、この年初の仏教儀礼の中では「護国」の祈願のほか、

・五穀豊穣の祈願が行われること
・施主である皇帝の身体の健康祈願が行われること

さらに、

・「水陸」の霊に対する供養が行われること

といった、仏・菩薩以外の民俗神に対する祭祀も行われていることである。これらのすべての要素、特徴は、東大寺・薬師寺等の先にあげた年初の儀礼にも見られる。唐代の護国祈願の仏教自体に当時の大陸における民間信仰の要素が

含まれていたのである。日本が取り入れたインドを起源とする漢訳仏教は、中国の民俗神の祭祀をあわせ有する変容を遂げていたのであり、日本はこうした性格を有する仏教を受容し、現代に継承しているとみることができよう。

なお、東大寺・薬師寺・法隆寺等の年初の儀礼においては、本尊仏に大量の円形の餅米を搗いた餅が供えられる。儀礼における唱え言でも、天皇の玉躰安穏と五穀豊穣の祈願が行われるが、餅を供えることからも、特に稲作に対する祈願が強いことがわかる。

3 餅と生命の更新

現代の正月の習俗では、親や親戚の叔父・伯父などから子どもが金銭をもらうことが広く行われており、この金銭を通常「お年玉」と言う。しかしながら、貨幣経済以前の古い時代には、「年玉」とは餅を意味した。日本人は「魂」や「霊」を玉、円、丸の形にイメージしたが、「年玉」とは「年魂」のことで、新しい魂、霊力を身体に取り込むことであると信仰されてきた。食する前に、神仏に供えられる餅を円形に作るのは「魂」を象ったものと考えられるが、この「魂」とは、(死霊ではなく)身体にこもる生命の活力を意味している。糖質を多く含んだ米は、五穀の中でも最もカロリーが高く、また、一般庶民は、近代までの長い間、日常には食することができない穀物であり、年の初めに食することで、身体の活力を高めたのである。

古代の宮廷においては、天皇による稲作収穫感謝の祭祀「新嘗祭《にいなめさい》」が十一月の二回目の卯の日に行われ、その前日には、天皇に対する「鎮魂祭」が行われた。旧暦十一月のこの時節は冬至の頃になるが、日照時間が一年で最も短く、寒くなる季節に、天皇の魂を身体に鎮めることによって、天皇の身体の活力をとり戻すことが「鎮魂祭」の目的なのであった。これに続いて、天皇がその年に収穫された米・粟《あわ》等を供え、自らも食するのが「新嘗祭」であるが、天皇の即位の年には、特別な神殿「大嘗宮《だいじょうきゅう》」を作り、「大嘗祭」と呼ばれる、新穀のほか各地から献上された麻や絹布、野菜、海産物が供えられた。ちなみに平成は三十一年に改元され、新天皇が即位し、令和元年(二〇一九)十一月に大嘗祭が行われた。

4　儺儀と方相氏

中国は現在でも、旧暦（太陰暦）の正月一日に、「春節」として新年を祝う習俗が続いており、門の両脇に「万事如意堂春」「佳節逢吉祥」等々、新しい年の幸運の招来を祈願する文言の書かれた赤い紙「対聯《ついれん》」（とくに新年のものは「春聯」と称する）」を貼ったり、家では祝いや辟邪の願いを示す図案の「年画《ねんが》」が貼られたりする。

一方、日本では門松や稲藁で作られた注連縄《しめなわ》が飾られるが、これは、新たな年の「年神《としがみ》」を迎える標示であると同時に、災厄が入らないよう結界する役割を有するものと考えられている。ちなみに、「帝」を日本語では「みかど」と読んだが、「みかど」とは「御-門」の意で、直接には、尊い神霊の出入り口を意味し、さらに、尊い存在そのものを意味するようになったのである。

東洋の太陽暦である「二十四節気」の「立春」の前日「節分」も、新たな年の重要な指標となる。この日、日本では、多くの家庭や神社や寺院、また、幼稚園などで、鬼（儺）の仮面を被った役（家庭では父親が鬼に扮することが多い）を子どもたちが炒った大豆を投げて災厄をもたらす鬼を家の外に追い出し、その後、その大豆を年齢の数分、食するといった行事が行われる。日本では、古くは誕生日に年を重ねるといった考え方よりも、年の変わり目、越年のときに家族や村落等共同体、皆が一緒に一つ齢を取るといった認識をしていた。大豆を、新しい年齢の数を家族それぞれが一緒に食するのは、こうした考え方に基づくものである。

この民俗行事の起源は古く、奈良時代（隋代）にさかのぼり、宮廷儀礼として十二月晦日の夜（大年夜）に「追儺《ついな》」の名で行われた行事に始まる。追儺においては、「方相氏《ほうそうし》」と呼ばれる四ツ目の恐ろしい仮面を被り、楯と鉾《ほこ》を手にした「方相氏」が、「疫鬼《えきき》」を宮廷の外に追い払う儀礼が行われた。この「追儺」の起源は中国で、「方相氏」役を勤めたのは、陰陽五行の知識に通じた役人「陰陽師」であった。

追儺は、その約二世紀後、十一世紀、平安時代以降は、先に紹介した平城京や平安京の寺院での年頭祈願の仏教儀礼において行われるようになった。その後、十六世紀ごろに、現代のような民間行事として全国に広まり、現代に続いているのである。

なお、方相氏の行う追儺は日本では消滅し、また、中国でも現在には伝わっていないようであるが、朝鮮半島には、一九八〇年代まで、葬礼において魑魅魍魎《ちみもうりょう》を追い払う役として続いていた。

中国の春節においては、大年夜に爆竹を鳴らす地域が多い。現代は環境問題により、特に都市部において正月の爆竹が規制されているが、六世紀、大陸南方の歳時を記した『荊楚歳時記《けいそさいじき》』には「正月一日、是三元之日也、謂之端月、鶏鳴而起、先於庭前爆竹、以辟山臊悪鬼」と記されており、元旦に悪鬼・邪気を払うために家の庭前で、爆竹を鳴らしたりする習俗が、古代以来の伝承であったことがわかる。

5　西洋における〝新年〟

新しい年のはじめに幸福をもたらす年神とともに、災厄のもとになる鬼（儺）が訪れ、これを追いはらうといった信仰が民俗として東アジアに広く見られることは興味深い。

ちなみに、クリスマスは、イエス・キリストの生誕を祝う宗教行事とされ、夜、Santa Claus が家を訪れ、子どもたちにプレゼントをしてくれるといったストーリーとともに、欧米だけでなく世界に広まり親しまれている。しかしながら、古くはキリスト教の宗教行事ではなく、ヨーロッパにおいて冬至の頃に、恐ろしい姿をした神霊が村を訪れるといった民俗行事であった。それが、村にあとから入ってきたキリスト教と習合して、現代のサンタクロースの現れる宗教行事に変容するのであるが、当初、キリスト教は、異端の信仰として冬至の民俗行事を禁ずる立場をとっていた。

ロシアにおいては、サンタクロースではなく、「ジェドマロース（Дед мороз）」と呼ばれる（赤ではなく）青い衣装を着た男性老人が、雪の精霊である若い女性とともに家を訪れ、十二月二十四日ではなく、十二月三十一日、まさに年の変わり目の行事として行われている。

古代中国を起源とする、月を基準とした太陰暦（旧暦）と、太陽を基準とした二十四節気《にじゅうしせっき》は、日本列島・朝鮮半島において現代も大切にされている、季節の移り変わりを認識する重要な暦である。二十四節気は、去る二〇一六年に、中国の世界遺産としてユネスコに登録された。年の変わり目、新しい年を家族で迎えともに過ごし、親戚、友人を訪ねるといった過ごし方は、中国・日本・韓国と共通する習俗で、現代社会では希薄になりがちな、子どもから大人・老人まで世代間が交流する重要な機会となっている。

地球が太陽を一周する時間の中で、いつを一年の区切りとして定め、どのように過ごすのか、その起源や歴史を人類史の課題として世界がともに考えることは、グローバル化が進む現代において重要性を増しているものといえる。

6　日本の華僑社会の先祖祭祀「普度」と餓鬼王〝焦面大士〟

日本文化＝日本の文化を考えるとき、我々は無意識のうちに、日本列島に住む日本語を話す日本人によって創られ、伝えられてきた文化を選び取っていることが多い。

しかしながら、隋唐代以降、大陸や半島との交流は、宋・明・清、各時代に行われ、人とともに有形・無形の文物が日本に移入し、日本人の文化の形成に多大な影響を与えた。

そうした交易において、江戸幕府の成立するのとほぼ同時期、明—清の王朝の交替は、漢族から満州族への帝国に転換する激変の時代であった。こうした状況で、明朝の復興を目指して、台湾の台南《たいなん》にゼーランディア城を築き東アジア交易の拠点としていたオランダ東インド会社を掃討し、台湾を拠点として清国と敵対したのは鄭成功《ていせいこう》であった。鄭成功は、徳川幕府に軍隊の支援の要請を繰り返したが（「日本乞師《きっし》」）、江戸幕府は、鄭氏の東都、清朝のいずれにも与することはなかった。これは、豊臣秀吉の朝鮮半島遠征の失敗の記憶が鮮明に残っていたからであろう。かといって清国からの船も、鄭氏による台湾からの船も拒むことなく、交易をつづけた。一方、清朝は鄭氏との敵対関係が続く間、鄭氏政権の封じ込めのため、大陸より外洋に出航することを禁じる海禁策を敷き、沿岸民を内陸部に移住させる政策まで行っていた。すなわち、台湾からの船以外の日本や東南アジアを目指した広東《かんとん》・浙江《せっこう》等、大陸からの船は密貿易船であったわけであるが、禁を破り、沿岸の清朝政府の警備艇の目をかいくぐって異国を目指したのは、交易が莫大な利益をもたらしたからである。一方、日本側では、日本産より高品質なチャイナシルク（生糸）のほか、砂糖や日本の鹿より加工のしやすい台湾鹿の革等を欲し、鄭氏の船も清朝からの船も長崎港に迎えた。

日本は、スペイン・ポルトガルによる南米やフィリピン征服やその過程でのキリスト教、とくにカトリック布教についての事実をつかんでおり、彼らを危険視して禁教し、鎖国する道を選び、ヨーロッパはプロテスタント国のオランダとの交易のみを続けたのであった。オランダとの交易を続けたのは、ヨーロッパの文物を欲したばかりでなく、列島の防衛のためヨーロッパの情勢を把握しておく必要を強く認識していたからでもあった。

江戸幕府は、自らもキリシタンとなった大村氏が献上することによってイエズス会領となっていた長崎を直轄地として長崎奉行・代官を置き、清国人は十善寺郷（現、十善寺町）の唐館（唐人屋敷）を、オランダ人は出島を居留地として定め、貿易を管理した。

長崎には、また、清国人を信徒とする興福寺・崇福寺・福済寺が建てられ、清国人僧侶により仏事や寺務が営まれ、日本で客死した清国人のための葬儀、先祖祭祀を行い、寺院に中国式の土葬墓を併設した。これらは、日本人の檀家寺とは区別され「唐寺」と呼ばれたが、唐寺は、鄭氏船に乗って訪れた隠元《いんげん》禅師の来崎以降、禅宗より派生した黄檗《おうばく》宗となった。

唐寺においては、盂蘭盆会《うらぼんえ》・中元節《ちゅうげんせつ》として普度会《ふどえ》が行われ、現在は、崇福寺にのみ伝承されている。「普度（普渡）」とは、すべての人を冥界へと導くことを意味するが、唐寺では、「面然《（燃）》大士」とも「焦面大士」とも呼ばれる、道教、中国の民間信仰の色彩の強い神霊の祭祀も行われている。面然大士は口から焔を吐き、それがゆえに物を食べることができず飢えに苦しむ状態にある「餓鬼王《がきおう》」とも呼ばれる神霊で、そのことより、面然大士を祀る普度会は「焔口供《えんこうく》」の名でも呼ばれる。長崎において来航する清国人より聞き取りをして、当時の習俗をまとめた『清俗紀聞《しんぞくきぶん》』巻六には、僧侶による「焔口施餓鬼」の様子が記されるが、僧侶の就く「大扶座《だいふざ》」には観音が安置され、この観音と向かい合わせるようにして正面に「水陸一切男女孤魂等位」を祀る壇が備えられている様子を見ることができる[*1]【図1】。

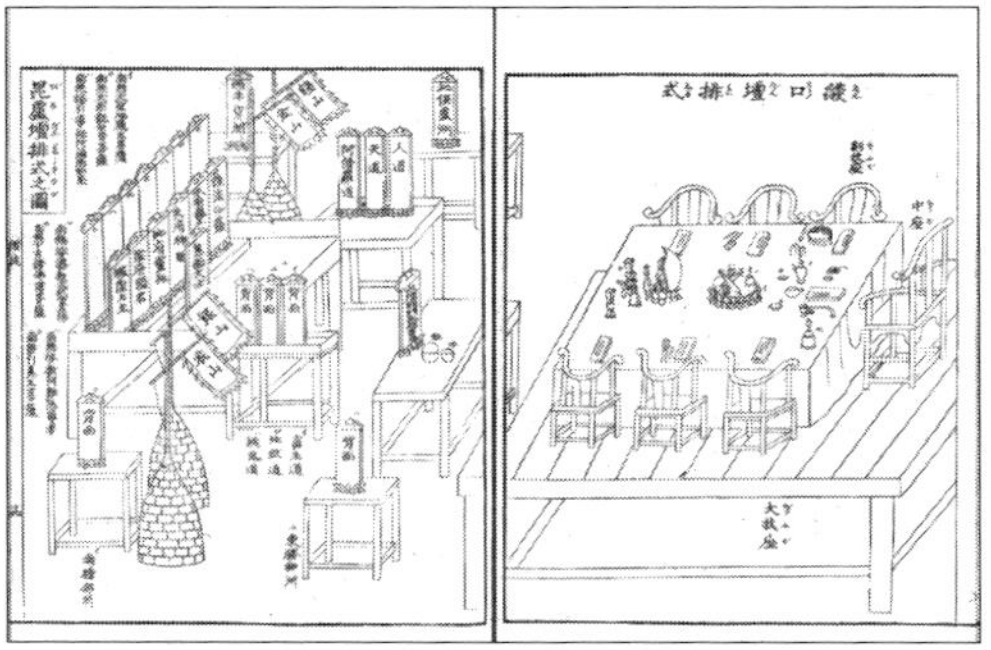

図１『清俗紀聞』巻十三「焔口施餓鬼」の祭壇（国文学研究資料館蔵）

　日本における普度会は、神戸の関帝廟《かんていびょう》や黄檗《おうばく》宗本山の京都萬福寺《まんぷくじ》でも行われるが、特徴的なのは三日間の仏事の翌日、あるいは翌々日に「補施」として手や足を失った人の死霊のための供養が行われることで、手形や足形の饅頭が供えられる。ほかに「米糊《ミーク》」と呼ばれる粥が供えられるが、これは斬首された罪人は口から食することはできないので、首から流し込むための供えだと伝えられる。日本仏教における、死者が他界で成仏するといった認識とは異なる、死去した際の状況が冥土においても続くとする明清～現代の中国の民間信仰を反映した作法であるといえる。

7　航海安全の女神〝媽祖〟と海賊、普度・先祖祭祀

　幕末の開国以降、長崎のほか横浜・神戸が華僑の集住地となり、その多くが中華料理店や中国雑貨を商い、中華街を形成した。長崎においては幕末に唐人屋敷が廃されて以降、孔子廟《こうしびょう》と隣接する新地に中華街が形成されるが、崇福寺では媽祖の誕生を祝う媽祖《まそ》誕（三月二十三日）が中絶することなく継承されている。興味深いのは、崇福寺では先祖祭祀である普度会において、福建出身の華僑による媽祖祭祀が行われることである。黄檗宗《おうばくしゅう》本山の京都の萬福寺や神戸関帝廟でも行われる普度会には見られない、長崎での際立った特徴として指摘できる[*2]【図2】。

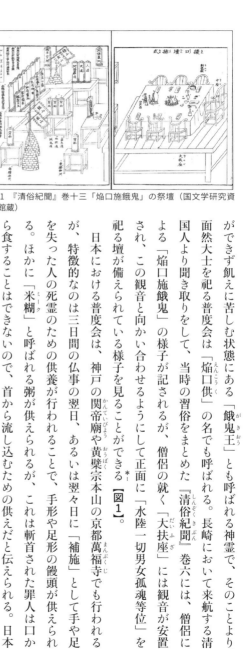

図2　崇福寺普度勝会における媽祖への供物（以下撮影：松尾）

長崎における媽祖信仰としてまた特筆されるのは、二〇〇〇年代以降に、江戸時代／清代に行われていた媽祖行列が福建《ふっけん》華僑により再興されたことである。そのために清代の形状の木造の福州帆船が作られ、湄州島より分霊された媽祖像が長崎に運ばれた。[*3] 媽祖行列は、江戸時代に清国船が長崎に到着すると、船内の媽祖像を唐寺や唐人屋敷内の天后宮へ安置するために、行列を組んで捧持し運んだ行事である。銅鑼を鳴らしつつ行列する清国人たちの様子は日本人には珍しく、長崎の市中の人々も見物した。

唐寺の僧侶は、媽祖像を検分することを重要な任務としたが、これは、当時清国にキリスト教が広まっていたことを幕府も掌握しており、媽祖に擬装したマリアが持ち込まれることをおそれたためであると推測される。[*4] キリシタンの清国人の入国をも警戒し、清国人は長崎への上陸に際してイエス像の踏絵を行うことが義務づけられた（『長崎奉行所分類雑載』四、近世文書研究会『長崎史料叢書』三集、一九七八年）。実際に、清国船内の立ち入り検査によりキリスト教関係の中国語の書物が発見され、船員が拷問にかけられるといった事件も起こっている（オランダ東インド会社『長崎商館の日記』「ヤン・ファン・エルセラックの日記」一六六四年九月条）。ヨーロッパの領土への野心をも持った東アジア進出の中で、日中間の信仰・祭祀の交流のあり方も、ヨーロッパの動向をも含めて考える必要があるのである。

さて、中元節等先祖供養における媽祖祭祀であるが、大陸において一般的とは言えないものの、いくつかの例が確認できる。

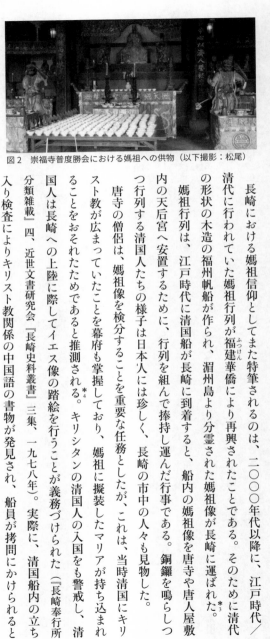

媽祖の誕生の地である福建莆田《ほでん》の文峰《ぶんぽう》天后宮においては、中元節だけでなく、下元節にも先祖供養のための水陸斎が、それぞれ仏教式・道教式の祭祀によって行われる。

文化大革命の行われなかった香港においては、都市部を含めて中元節での盂蘭盆会が盛んであるが（二〇一六年、銅鑼湾ビクトリア公園の香港潮属社団総会主催の盂蘭文化節、筲箕湾《そうけいわん》の潮州南安堂福利協進会盂蘭勝会、油蔴地旺角区四方街街坊の盂蘭勝会についての調査を行った）、海に囲まれた坪州島での盂蘭盆会では媽祖が勧請され、また海の沿岸では海で亡くなった幽魂のための供養が行われる。五メートルを超える巨大な面然大士が作られる坪州の盂蘭盆会は道士による祭祀が行われ、天后宮における媽祖のための祭儀も行われる【図3・4】。

ラッパ等の器楽によるフリージャズさながらの音楽とともに行われる、道士の跳躍が多く行われる祭儀はエキサイティングで、参拝者を惹きつけるが、媽祖との関係で注目されるのは、天后宮脇に建てられる『奉禁封船碑』である。

坪州島は、近代まで「蛋民《たんみん》」と称する船を生活の場とする漁民が多く暮らす島であったが、清代後期、南シナ海を暴れまわった海盗〝張保仔《ちょうほし》〟の掃討のため、清朝政府が蛋民の船の提供を要求したことがあった。張保仔は、南シナ海より大陸に入港したヨーロッパのアヘン取引にも関与した形跡のある、軍船「紅旗帮《こうきほう》」を率いる大海盗であった。しかしながら、蛋民たちは、船が使えなくては漁に差し支え、船で生活する者にとって、生活にも支障があるとしてこれを断り、その清朝政府との確約として天后宮の脇に道光十五年（一八三五）に、この経緯と約束を記した碑を建てたのであった。

実は、蛋民は、特に漁閑期においては張保仔の兵士として活動していた。漁民の出身であった張保仔は蛋民にとってはヒーローであり、特に坪州島では張保仔は英雄として語り伝えられている。媽祖は護国の神として明～清代に天妃《てんぴ》・天《てん》后《こう》の称号を与えられた。その一方、たとえばマカオの「媽閣廟《マーコウ》」内には、甲板に大砲をかまえた船員とともに媽祖

図3　坪州海浜での道士と漁師による幽魂の供養

図4　坪州天后宮脇の面然大士

が佇立して同乗している帆船模型を見ることができるように、戦闘を行う海盗・海商の守護神でもあったのである。[*5]

送り火によって迎えられた先祖を供養し、あるいは集落、町・村単位で盆踊りを行い、送り火で他界、彼岸へ再び送り返す盆行事は、日本各地にみられる風物詩ともなっている。平安時代以降の浄土信仰の庶民への広がり、鎌倉期の一遍上人による念仏踊りを経て、室町期には無縁仏の供養「施餓鬼」をも含む盆行事が成立した。近世期以降には中国の三絃を起源とする三味線音楽・歌謡が導入され、現代のような盆踊りが形成されてゆくが、仏教にせよ、三味線にせよ、大陸起源の文化の影響のもとに数世紀にわたる変容を遂げ、民俗化していったのである。

一方、中国においては、日本の無縁仏にほぼ相当する「孤魂」祭祀を重視する祖霊を供養する中元節がスタンダードとなり、解脱へと導く観音との結びつきの強い道教的な神霊「面然大士」の供養が行われ、さらに、香港の坪州島や文峰天后宮のように海洋の女神としての媽祖と結びついた祖霊祭祀も行われるようになる。日本の華僑社会でも、長崎にのみ伝承される媽祖の祭祀を含む盆行事としての水陸斎は、こうした香港坪州や莆田文峰宮の中元節と一群の祭祀として認めることができるのである。日中の宗教・唐寺での信仰との関連や特質の形成を、漁業・交易の場としての海洋といった環境からも考える必要があるものといえよう。

注

1 「在日華僑の先祖祭祀、普度勝会の歴史と現在」(『HERITEX』1、勉誠出版、二〇一五年)、松尾恒一「在日華僑の普度勝会、長崎・神戸・京都―日本の祖霊信仰を問い直す視点」(『西日本宗教研究誌』4・5合併号、二〇一七年)。
2 注1同。
3 松尾恒一「戦後の在日華僑文化の一考察―伝統の観光利用と国際関係における変容」、『歴博研究報告』205、二〇一七年。
4 松尾恒一「清代、南シナ海の海商・海賊、漁民と媽祖信仰、歴史と伝承」、『儀礼文化学会紀要』5、二〇一七年。
5 注4同。

参考文献

・松尾恒一『日本の民俗宗教』筑摩書房、二〇一九年。

03 舞・踊り・歌謡

諏訪春雄

1　舞と踊りと振り

舞踊ということばは、明治になってヨーロッパのダンスの翻訳語として生み出された。明治十一年（一八七八）の十月から翌年の四月にかけて刊行された『花柳春話《かりゅうしゅんわ》』（ロード・リットン作、織田純一郎訳）に現れたのが早い例であり、術語として日本社会に定着させたのは、明治三十七年（一九〇四）に世に出た坪内逍遥《つぼうちしょうよう》の『新楽劇論《しんがくげきろん》』であった。

この書で、逍遥は、舞踊をそれまでの舞や踊りに代えて使用しただけではなく、舞踊を舞、踊り、振事《ふりごと》の三つの要素に分けて、のちの舞踊論発展の基礎を作った。この三つの特質を整理して示そう。

舞の用例は、隼人《はやと》舞・倭《やまと》舞・五節《ごせち》舞・神楽《かぐら》舞・幸若《こうわか》舞・曲《くせ》舞など、中世以前に集中している。対する踊りは、風流踊り・念仏踊り・かぶき踊り・大踊り・伊勢踊り・鹿島踊りなど、近世以降、江戸と地方に多くの用例がみられる。また、振りは、魂《たま》振り・神輿《みこし》振り・身《み》振り・小唄《こうた》振りなど、全時代にわたって用例をみることができる。

このような用例を分析して、特色を整理する。

①舞の特色

・古代から中世に成立　・「まわる」の意味から旋回運動中心

・滑るように足を使い角《すみ》をとる
・貴族的
・京阪
・意識的に制御された所作
・静的
・『説文《せつもん》』には「楽也」とあって、音楽的動作であった

②踊りの特色
・中世から近世に成立
・両足を大地（舞台）から離す
・動的
・『説文』には「跳ぶ也」と説明している
・跳躍運動
・熱狂的・庶民的
・江戸・地方

「ふり（震り・振り）」について、大野晋ほか編の『岩波古語辞典』は次のように説明している。

物が生命力を発揮して、生き生きと小きざみに動く意。また、万物は生命を持ち、その発現として動くという信仰によって、物をゆり動かして活力を呼びおこす意。その信仰の衰えとともに、単に物理的な振動を与える意。

この説明はすぐれている。「振り」の意味は次の三段階に分けて考えることができる。

1　物が生命力を発揮して動く。　自動詞
2　物をゆり動かして生命力を発揮させる。　他動詞
3　物理的な振動をあたえる。　他動詞

ここで考えたいのは物の生命力である。

五年の秋七月の丙子《ひのえね》の朔己丑《ついたちつちのとうし》に地震《ないふ》る。
（『日本書紀』允恭《いんぎょう》五年）

地震ということばの初出例である。「ない（ゐ）」の「な」は大地、「ゐ」はしっかりとすわっているところの意味である。ふるが振動することである。当時の人たちが地震の発生について科学的知識があったとは考えられない。おそらく大地に宿る超越的な力が自ら発動して地震となったと信じていたはずである。

そのことは、この地震の記事にすぐつづけて、地震の起こった理由についてのべた文によって明らかになる。天皇はこの地震より先、おかくれになった先の反正《はんぜい》天皇の葬儀の準備を玉田宿祢《たまたのすくね》にお命じになったが、玉田は男女を集めて酒宴を催し、葬儀の準備をしなかった。怒った天皇は玉田をよびつけたが、玉田は衣服の下に鎧をつけて現れ、自分の屋敷に逃げこんでしまった。天皇は兵を派遣して玉田を殺害した。

先の天皇の葬儀がその任にあたった役人によって汚され、怒った天皇はその役人を殺害した。このような不祥事が大地の神の怒りを招いて地震が起きたと、この『日本書紀』の記事は主張している。

振りとはそうした物に宿る神の働きが本来の意味であった。始めは神が出現することであり、次には、神を出現させる意味に変った。出現させる役は男女の巫覡《ふげき》つまりシャーマンである。出現した神はシャーマンの身体を借りてその意志を伝える。振りはやがて出現した神々の所作をシャーマンが演じることをも意味するようにもなった。物真似という意味はそのようにして生まれた。

振りという舞踊用語の語源をたずねることによって、舞と踊りがどのようにして発生したかも明らかになった。舞と踊りも、シャーマンの神がかりの状況を表現することばであった。その点で、振りの表現形式とみることができる。しかし、舞と踊りの違いを知るためには、シャーマンの行動の型の分析が必要である。トランスのような異常な心理状態で、シャーマンが超越的存在、神、精霊、死霊などと直接に交流するのがシャーマニズムである。この交流には二つの型がある。自らの魂を肉体から分離させて、この魂が他界の超越的存在を訪れて直接に交流する脱魂(エクスタシー)型と、超越的存在を招きよせて自分の身体に宿らせてその指示を仰ぐ憑霊(ポゼッション)型である。

この二つの型のうち、脱魂型が芸能を生むことはなく、舞と踊りを生んだのは憑依型である。憑依型は、神迎え・神降臨(人神交流)・神送りの三部の構造を持ち、神迎えは五方の神への祈りを籠めて四方を踏む角《すみ》をとる旋回運動を行なう。多くは、正調の貴族的音楽を伴奏として制御された静的動きをする。やがて神が降臨すると、神送りまで、庶民的音楽に合わせて動的、熱狂的な跳躍運動に入る。

日本の舞踊史が大きく舞いから踊りへ推移したのは、このようなシャーマンの型の直接的影響というよりも、そのような型に基いて誕生していた古代大陸伝来の舞楽の影響から中世流行の念仏踊りの影響へと推移したからとみるべきである。

2 かたりとはなしとうた

日本人の言語行為を《かたり》と《はなし》に二分することは、民俗学者の柳田国男の説（『物語と語り物』）以来、一般に承認されている。私はかたりとはなしのほかに《うた》も含めて、三種の言語行為もシャーマニズムの型に由来すると考える。

かたるは、説得・断定の言語行為であり、リズム・長さなどの型がある。音楽を伴うことが多く、語・騙などの文字を宛てる。対話はない。

はなすは、自由な言語行為で定型がない。音楽性がなく話・噺・咄の文字を宛てる。通常、対話がある。

うたはかたりと一卵性双生児である。うたの成立各については次のようにいわれている。

うたは何かに取り憑かれて非理性の〈うたた状態〉（オルギー）に入ること。

（藤井貞和『物語文学成立史』東大出版会、一九八八年）

うたは本来神のことばであり、不可視や未知を暗示する童謡（わざうた）などを生み、また晴の場である宴や儀式での言表、改まったことばとして交わされねばならぬ恋の思いの表白などを支えることになった。

（森朝男「うた」、『上代文学研究事典』おうふう、一九九六年）

ものに憑依されて非理性的な状態の言語行為という点で両説は共通する。うたは旋律を伴ったオルギー状態のかたりに始まっている。舞・踊りと同様、かたり・はなし・うたもシャーマニズムの巫業に起源をもとめることができる。前章でも検討したシャーマニズムの細部に分け入って、かたり・はなし・うたの生まれてくる実態を明らかにしよう。

霊魂が身体をぬけ出して神の許へ行く脱魂（エクスタシー）型は採集・狩猟民社会に誕生した。巫病・修行・世襲で入巫し、タバコ・麻薬・粉末香などの力を借りてトランスに入る。

神霊が巫の身体に入り込んでくる憑霊（ポゼッション）型は農耕民社会に誕生した。採集狩猟民が農耕社会に変ると、脱魂型から憑霊型に変る例は一般的にみられる現象である。巫病・修行・世襲で入巫することは脱魂型と同じである。薬品などの力を借りず、自身でトランスに入る場合が多い。

歌と踊りが憑霊型から生まれるのに対し、かたり、はなし、うたは、シャーマニズムの両型と関係している。中国、韓国、日本で私の調査したシャーマンの言語行為は、次の五型に分けられる。単独タイプとは助手がおらず、分業タイプとはシャーマンと信者の仲介をする助手のいるタイプである。

1　脱魂型の単独タイプで神のことばを巫（トランス状態）がそのまま人に伝える一方的独語。かたりとうた。神→人

2　脱魂型の分業タイプで神のことばを助手（正常）が人に伝える。かたりとうた、はなし。神→人→人

3　憑霊型の単独タイプで神のことばを巫（トランス状態）がそのままに人に伝える一方的独語のかたりとうた。神→人

4　憑霊型の単独タイプで神のことばを巫（正常）がわかりやすく人に伝える対話のはなし。人←→人

5　憑霊型の分業タイプで神のことばを助手（正常）が人に伝える。かたりとうた、はなし。神→人←→人

ここで、私が調査した東アジアシャーマニズムの実例をあげる。

1　脱魂型の単独タイプ（中国満族シャーマン、かたりとうた）

男性で簡単な打楽器を持ち、腰に銅鈴をつける。トランスに入ると、その場に倒れ伏し、意識を回復してから神の意志を伝える。

2—①　脱魂型の単独タイプ（満族シャーマン、かたり・うた・はなし）

六十一歳（一九九六年当時）の男性。家族は息子三名、娘一人、孫は六人。三番目の息子の子である、当時六歳の孫を後継者にする予定という。修業巫。十三歳の時に、二週間と三週間の二回、当時九十歳くらいの師について修行した。全部で六人が一緒に修行したが、今、師の資格を持っているのは二名で、抬頭儀礼（成巫儀礼）を受けなかった他の四人は助手になった。彼の弟子は一名。満語でチーナという草から作る香でエクスタシーに入る。子どもが病気になったとき、子の離れた魂を、自分の魂が抜け出て探しに出る。占いを主とし、人を不幸にする呪いはやらない。文化大革命ではきびしい弾圧を受けた。

2―② 脱魂型の分業タイプ（オロチョン族の男女シャーマン、かたり・うた・はなし）

二人とも巫病体験を経てシャーマンになった。シャーマンから治療のための祈禱をしてもらい、巫になることで病気が治った。男性はふだん猟師をしている。二人とも他人の病気を治したり占いをしたりする。女性は、憑霊と脱魂の両方を兼ねる。神がかりして、その神のことばを一人称で話す。それを助手がふつうのことばに直して伝達する。脱魂の際は、神とともに魂が行くが、行く先は自分にはわからない。春秋の大祭、葬式、結婚の式を主宰する。

3―① 憑霊型の単独タイプ（中国チワン族、かたりとうた）

シャーマン儀礼の調査が終わったあとの関係者の座談会に、無関係の一人の女性がまぎれこみ、隅の席におとなしく座っていた。彼女が突然立ち上がってトランスに入った。眼を閉じ、歌をうたいながら激しく身をもんだ。憑霊型である。おなじ体験を私は沖縄の久高島《くだかじま》でもしたことがある。調査の場にユタがまぎれこみ、突然トランスに入ったのである。

3―② 憑霊型の単独タイプ（台湾、かたり［文字］）

悩みの相談に乗り、占いの結果を口で語らず、すべて文字に記して示す。

3―③ 憑霊型の単独タイプ　日本東北恐山イタコ　かたりとうた

旧暦八月の地蔵会の大祭にテントを張って客待ちし、語りとうたで占いの結果を教える。

4―① 憑霊型の単独タイプ（韓国、はなし）

憑霊型とはいっても、いつも神がかりできるわけではない。そのときによく使う方法が二つある。一つは誘導尋問。神がかりができないときに誘導尋問で信者の家庭の事情や境遇の情報を得て、あたかも神霊が実際に降りたように見せかける技術を使う。もう一つは型の選択。信者に告知する内容を型で把握しておき、眼前の信者に合わせて適合する型を選択し多少変化させて伝える技術もよく使う。韓国の巫に限らない、芸能と文芸を生む巫の共通手法である。

4―② 憑霊型の単独タイプ（中国漢族、はなし）

毛沢東《もうたくとう》の第一夫人の名を名乗る。彼女たちの信奉している神々は多様であり、多いのは道教系の女神である。そのなかで、毛沢東を守り神として信仰している例にもよく出会った。この巫女がその夫人名を名乗っていたのも毛沢東信仰と関わる。信者が多く、毎日数十人が訪れる。一回の料金は一人二元（日本円で三十円弱）程度。病気の治療、失せ物発見、未来の予告など、よろず相談に当たる。病気治療はマッサージが中心。

5 憑霊型の分業タイプ（中国チワン族、かたり・うた・はなし）

ベトナムとの国境の町、広西《こうせい》チワン族自治区の南山村のチワン族の巫女李鳳招（当時四十四歳）。巫女はチワン語でメバ（女仙）とよばれる。三年の巫病にかかって、巫となる。妹がサニワ（巫のことばを伝える助手）で、よりつく神は男女さまざまであるが、神名は不明という。商売人たちがベトナムの国境を越える私的なルートがあり、彼女たちは、かなり自由にベトナムに入って、向こうでも巫業を行なっている。鈴を鳴らし、弦を弾くうちに神がかりとなって鈴を振りながら踊りだした。音楽は、神をまねく依代《よりしろ》の一種である。

3　シャーマンの演じる芸能・演劇

シャーマンが単純な舞、踊り、歌などを演じるだけではなく、総合的な芸能や演劇を演じる例にもよく出会った。二例だけ紹介する。

一九八九年十二月十五日から翌一九九〇年一月七日まで、祭祀・芸能調査を実施した。このときの調査対象は中国江蘇《こうそ》省南通《なんつう》県の僮子戯《どうしぎ》とよばれるシャーマンの祭りであった。僮子は男の子の意味である。巫師を神僮、香童子などとよぶ例は中国では隋代からみられる。南通の巫師たちはほとんどが六十代、七十代の老人であり、すべて女装して儀礼を行なう。十五人の僮子たちが手分けして、祭壇に張りわたす傍《ぼう》とよばれるビラを準備していた。

僮子戯は期日を決めて行なう做会《さえ》（大串とも）と日常の祈禱行為の焼紙に二分される。「做」は作の俗字であり、大串は銭さし、焼紙は紙銭を焼く意味である。私たちが見せてもらったのは三日間に及ぶ做会で、参加巫師の数も多く、費用もかかった。迎えられた神々は道教、儒教、仏教の名のある神のほかに蝗虫神、順風神など、百位を超えていた。

ビラは色とりどりの紙に筆で記された神名と、あらかじめ印刷された神の像である。文字は、巫師が会場で筆を執って記していたが、見事な運筆であった。印刷された神の像も原画は巫師が描くのだという。做会は季節ごとの開耕会、青苗会、豊収会などの農耕儀礼を主とし、消災会、求雨会、長生会など、多様な儀礼が、スポンサー付きで行なわれる。

渡されていた資料には、巫師たちの演じる儀礼は、短いもので五分、長いものでは五時間に及ぶ五十一の種目が列挙されていた。最初に演じられた「勲符招請」は巫師が背に金子（紙銭）と印鑑を背負って神の許へ訪れ、祭祀を執行する資格の認定を乞うという内容である。脱魂（エクスタシー）型の儀礼である。

生業の変化によって脱魂型は憑霊（ポゼッション）型になり、やがてトランス能力じたいを失って芸能化する。僮子戯は芸能の段階に入っていたが儀礼には両型を残していた。その後も「竜宮表封」を始め、多くの神々の許に願文を届ける儀礼が続いた。これらは紙と竹で作った馬に乗った人形、または彼ら自らがその馬に乗って神を訪れる演出であった。
憑霊型シャーマニズムでは、巫師の身体に神がのりうつり、彼らは超能力者に変身する。そのきっかけの多くは神を招く儀礼で、巫が静かな舞から激しく身体を動かす踊りへと変化する。僮子戯もその定型通りであったが、最初に鶏の血を絞り、その血を神に捧げた。神が乗り移った段階で「打瓦浄地」という儀礼に移り、僮子は手で重ねた瓦を叩き割った

二日目の夜も深々とふけてきたころ、巫師たちが祭壇前で、太鼓を化粧台として白塗りをはじめた。「西遊記《さいゆうき》」を演じるためである。僮子ははじめ十五人、これに、観音を演じる女僮子が加わってきた。男僮子も孫悟空《そんごくう》、三蔵法師《さんぞうほうし》などに扮して、見事な歌唱と演技を展開した。彼らは、すべての役務を分担し、音楽、合唱、大道具、小道具などを手際よくこなしていった。演劇、芸能だけではなく、日本でいわゆる芸道が祭りから誕生したことをも私には実感できた。

孫悟空は、妖怪を退治する大活躍もするが、善良な土地の神に乱暴をはたらくなどの悪行もかさねる。せまい祭壇を舞台に飛んだりはねたりの見事な雑技を披露した。巫師たちの鍛錬ぶりがうかがわれる。中国の伝統演劇は、舞台装置は簡単で、多くの場面で、舞台正面にすえられた一個の机と二脚の椅子（一卓二椅）が多様な大道具に見立てられる**【図1】**。

孫悟空の乱暴に困りはてた三蔵は観音菩薩に訴えて、頭にかぶせる銀環をもらう。呪文によってこのたがが孫悟空の頭をしめつけ、さすがの乱暴者もおとなしくなる。女性巫師が観音に変身して登場した。そののち、私は、中国各地の祭祀で、巫師たちが、厳粛な儀礼と洗練された現代演劇を併演するのを見たが、南通での最初の印象は強烈であった。

一九九八年、ベトナムの祭りと芸能調査を実施した。

八月の末。ハノイから小型バスで一五〇キロ離れた南河省の仙香村を訪れ、そこで不思議な神と芸能に出逢った。

その村はベトナムの人たちが深く信仰している女神了幸（柳杏とも記す）聖母の生まれ故郷で、その墓がある。彼女は歴史上の実在の女性と伝えられている一方では、中国道教の最高神玉帝の恋人とも娘とも信じられている。民族の祖先の女神でしかも歴史上の実在とも信じられている存在は、長江流域の稲作民トン族の信奉する女神薩歳とも一致し、日本の皇室の祖先神アマテラスとも類似する。

この了幸女神につながる祭祀芸能が母道である。

図1　南通僮子戯の孫悟空（撮影：著者）

図2　煙草を吸って変身する母道の女巫（撮影：著者）

母道は了幸聖母を信仰する巫女の祭祀芸能である。しかし、芸能化が進んでいて、世間的に成功をかさねた女性が、すべての経費を自分で負担し、神社に奉納する。巫女舞の形式をとっているが、神がかりすることもないし、神のことばを神に代わって伝えることもない。祭祀の形はとっていても、彼女は俳優でもあり、スターでもある。一番の役が終ると頭からすっぽりと布をかぶって変身の過程に入る。狭い幽暗の場所に籠っての再生である。彼女の身体には新しい神が宿り、彼女はその神になりきる。しかし、彼女はトランスに入っているわけではなく、すべては意識的に整序されている【図2】。

ベトナムの母道は、祭りから芸能への過渡期にある祭祀芸能の生きた見本である。主役の女性は、衣装、小道具、音楽のすべてを用意し、次の役が決定すると、付き添いの手を借りて、神前で衣装も着替える。歴史上の人物、老若男女の各種の役を、次から次へと演じてゆく。その演技と舞踊は洗練されていて、人気のあるスターには熱烈なファンの《追っかけ》もつくという。

04

シャーマンと芸能
折口信夫を読み直すために

斎藤英喜

「その夜、男爵あまたの悲哀を夢に見るも／英賓《まろうど》の武人らことごとく／魔女　悪鬼　大いなる蛆の姿かたちをとりたれば／長く夢をば脅かしけり」

（キーツ『聖アグネス前夜祭』*1）

1　読み直される折口学と「アジア」

「シャーマンと芸能」というテーマで折口信夫（一八八七～一九五三年）を論じることは、なんら目新しいことではないと思われるだろう。シャーマンとは、神霊、霊魂の世界と現実の人々との仲介をはたす特殊な能力者であった。シャーマンの神がかりに発した呪言《じゆげん》が叙事詩や歌へと展開し、またそのときの身振り、手振りが芸能のルーツになる……。こうした折口学の定式を繰り返すことは、陳腐な印象をさえ与えるかもしれない。もはや折口信夫から「シャーマンと芸能」について、何か新しい問題が論じられることはない、と。

いや、そんなことはない。二〇〇〇年以降に登場してきた、折口学の「読み直し」による新たな視角からは、これまでとは違う「シャーマンと芸能」の議論に接近することができるはずだ。そのときのキーワードのひとつが「アジア」であった。

二〇〇六年に『折口学が読み解く韓国芸能』（慶應義塾大学出版会）を上梓した伊藤好英は、文字どおり折口門下の直系でもあるが、二〇一六年刊行の『折口信夫　民俗学の場所』（勉誠出版）では、折口学の根幹をなす「まれびと」「翁」「ほかひびと」……など、いわゆる折口名彙をめぐって、膨大な折口のテキストを読み込むことで、折口の学問形成、その本質、構造を明らかにした。他の追従を許さない精緻の読み解きである。けれども本書の意義は、それだけではない。伊藤の論著の白眉は、折口学のキーワードが「アジア」との邂逅のなかで作り出された可能性を論じていくところだ。

折口の「まれびと」のイメージが、沖縄の来訪神信仰から得られたことは、周知のところだが、伊藤はさらに、「まれびと」の「ひと」が「或選民」であり「神と人との間のもの〻名に、常に使はれてゐる」（「万葉集研究」新全集1）と指摘したことに注目し、「ひと」の原義を解き明かすときに琉球語の「すぢ」「せぢ」などとともに、朝鮮語・満州語・蒙古語の「干」「汗」「罕」などなどの知識にもとづくことを示唆していく。さらに若き折口が『日鮮同祖論《にっせんどうそろん》』の著者・金澤庄三郎《かなざわしょうざぶろう》に朝鮮語を学んだことから、満州《まんしゅう》語・蒙古《もうこ》語・朝鮮語のアジア諸言語との比較言語学が「まれびと」の概念を作り出したという推定にいたる（三二〇〜三二一頁）。ここで折口学は、一気に「アジア」へと開かれていくわけだ。それは「シャーマンと芸能」という主題が、均質化し閉じられた「日本」の共同体から跳躍し、「「われわれ」以外の生の営みに出会う機会」（一五頁）を与えてくれることになるだろう。折口学が、フォークロアとエスノロジーとの境界のなかに生成したことが見えてくるのである。[*2]

一方、「文芸批評」の現場から登場してきた安藤礼二は、二〇〇四年刊行『神々の闘争　折口信夫論』（講談社）において、二十世紀末のポストモダンの思想潮流を超克するものとして、新しい折口学の読み直しを提示した。さらにその十年後に上梓された大著『折口信夫』（講談社）において、自身の折口論を「完成」させるのだが、安藤の折口の読み直しのキーワードもまた、「アジア」であった。[*3]

とりわけ安藤は、「シャーマンと芸能」論にとって不可欠な「ほかひびと」の起源として台湾「蕃族《ばんぞく》」の存在に注目し、さらに折口が読んだ台湾の『蕃族《ばんぞく》調査報告書』の内容を精査することで、有名な論考「妣《はは》が国へ・常世《とこよ》へ」（新全集2）に出てくる「隘勇線を要せぬ熟蕃たち……」（二二頁）という記述が、当時の台湾「蕃族」の状態を指し示すことを明らかにしていく。そこから安藤は、折口が「日本文化の外に存在するが半分以上は日本に同化されてしまった民」＝「熟蕃」ではない、ほんとうの「野生状態」におかれた民＝「生蕃」の姿を探求していくことで、「単純な「先住民」対「原住民」といった二元的な対立」ではない「全面的で多元的な「戦争」と、絶え間のない離合集散、大いなる「移動」と交流」が存在している「古代」を見出していくのである（『神々の闘争』二八〜三二頁）。

さらに折口とほぼ同年に生まれた宗教社会学の赤松智城《ちじょう》は、朝鮮に赴任した以降、社会学の秋葉隆と共同研究を行い、その成果を『朝鮮巫族の研究』『満蒙の民族と宗教』という書物として刊行する。そこで「全アジアの民間信仰」の底流に流れている「シャーマニズム的文化の波動」を明らかにしていくのだが、安藤は、朝鮮や満蒙のシャーマニズム研究と連動するように、若き折口が朝鮮語を習い、蒙古語の勉強の準備をしていたことに注目していく（同前、一九五〜一九六頁）。彼もまた折口学の根柢に「アジア」を発見するわけだ。

それればかりではない。全アジアの領域で発見される「シャーマニズム」とは、けっして純粋で単一的な民俗信仰ではなく、多種多様な宗教がぶつかりあい、習合していくなかで形成された信仰形態であることに着目し、折口の「花祭」「雪祭」のフィールドワークのなかにも「中世」における神仏習合の宗教世界を見出していくのである。

以上のような折口信夫の読み直しの動向を踏まえて、「シャーマンと芸能」をめぐる議論に分け入ってみよう。

2　異形の神・安曇磯良

折口学のテーマのひとつに「神楽《かぐら》」の発生論がある。そこで重視されるのは、「安曇磯良《あずみのいそら》」の伝承である。有名な一節だが、まずはここから読み直してみよう。

阿知女作法で呼び出される精霊は、安曇磯良であることは既に述べた。志賀島海中の神で、日本の海人《アマ》の根拠とも言ふべき地にあるのだから、海士の神といふことになつてゐる。〔……〕此安曇神は、神楽起源に関係の深く、傍《かたはら》又、神楽を讃へる伝説を持つた神である。／神功皇后、三韓征伐の際、神々を召し集へなされた処、安曇磯良のみ、己《オノ》が顔姿の醜さに恥ぢて参らぬ。身は海底に在つて、藻や貝殻が生えてゐたからである。唯、此神神楽を嗜むことを知つて、儀式を整へて、之を奏せられると、其に誘はれて海面から浮んで出、遂に三韓征伐に、奉仕した、と伝へられてゐる。饗宴の庭に訪れる異神が、祝福の詞章を奏するのが、祭りの夜の主要な部分であることを思へば、こゝに、才ノ男と、磯良と、其に、人長との絡みあつた交渉が思はれるのである。

（「日本文学の発生　序説・文学と饗宴と」新全集4、二五一～二五二頁）

御神楽の「阿知女《あちめ》作法」について、安曇磯良を召還する作法と解し、磯良が神楽起源に深くかかわる神霊であることを論じていく。その来歴によれば、神功皇后の「三韓征伐」にあたって神々を召したときに、磯良は自分の姿が、海底にあって海藻貝殻が生えて醜いことを恥じて参上しなかった。しかし神楽を奏すると、海中から浮かび上がって皇后の「三韓征伐」に奉仕した、というのである。

ここで注目されるのは、磯良の伝承から「饗宴の庭に訪れる異神が、祝福の詞章を奏する」ことを導くところだ。異形の神・安曇磯良の伝承は、奥三河の花祭において来訪する「鬼」が反閇《へんばい》を踏んで村を祝福するという次第にも通じていく。これは折口の「まれびと」論の根幹にかかわるところで、山の精霊が「山の神」となって「まれびと」へと変化することに対応して、「鬼」が「まれびと」として迎えられるというロジックである。[*4] 花祭における山の神や鬼が、「安曇磯良」という海中の異神・精霊という位置になるわけだ。神楽によって召還された磯良は、「まれびと」として祭祀の場を祝福していくという構造である。「海底の精霊」である安曇磯良は、じつは「嘗ては、他界から来る権威ある神」（「偶人信仰の民俗化並びに伝説化せる道」新全集3、三〇七頁）であった。

こうした記述からは、先に引用した「隘勇線を要せぬ熟蕃たち……」につながる問題が見えてくる。神楽の場に召還される安曇磯良は、ヤマト朝廷に服属・同化した存在になってしまう。しかし、芸能の場の変動性は、磯良が神楽を取り仕切る「人長」でもあり、またその「物まね」＝「才ノ男（細男）」にも変じていく。まさに「才ノ男と、磯良と、其に、人長との絡みあつた交渉」とは、「先住民」が「外来民」に服属していった、という単純な構図には解消できない地平を見ているのだ。神楽の起源にかかわる「安曇磯良」の伝承から、幾重にも積み重なった人々の移動と定住、闘争と協調の歴史があったという「アジア」をめぐる認識が導かれてこよう。その伝承を伝えた志賀の海人たちこそ、半島はもとより漢土にまで往復し、交易の業に従事していたのである。*5

さらに折口の視線の彼方には、「シャーマンと芸能」が、仏教と神々との交渉のなかで変成していく世界が浮かび上がってくる。いうまでもなく「仏教」とは、半島、大陸伝来の「異教」でもあった。

3 「中世神楽」の世界へ

折口が語った「安曇磯良」の伝承は『太平記《たいへいき》』にも語られるように、広く流布されたものであった。その古い語りを伝えているのは、鎌倉時代後期の『八幡愚童訓《はちまんぐどうくん》』（甲本）である。以下のような叙述である。

「当時ハ常陸ノ国ノ海底ニ在ル安曇磯良ト云人ヲ可レ被レ召。其ヲ年〔ゾ〕久《ひさしく》海中に栖テ、海ノ案内者ニテハ在ル」ト被レ申シカバ〔……〕藤大臣連保ト名付テ、磯良ノ許ヘ遣ル。須臾ノ間ニ行着テ、「神功皇后、為ニ二異国征罰ノ一向ハセ給フ。為ニ二梶取ノ一可ト二参給フ一」仰ケレバ、軈《やが》テ俯《うつぶし》ニ伏テ無二御返事一。「如何ガ宣旨ノ勅答何ト可レ申ゾ」ト再三被《られ》レシカバ責メ、「我ハ大海ノ底ニ送テ二年序ヲ一余リ寐ル者ナレバ、六十日五十日ナド起上ラヌ程ニ、諸ノカキヒセト云物顔ニ吸付テ、余ニ面見苦敷キ間伏テ候也。御手ヲモテ我顔ヲ撫給ヘ」ト被レ申シカバ、高良、三度撫給フ。

（『八幡愚童訓』甲本、日本思想大系、一七二頁）

「神功皇后、三韓征伐の際、神々を召し集へなされた処、安曇磯良のみ、己が顔姿の醜さに恥ぢて参らぬ……」と折口がまとめた、異形の神・磯良伝承の元になっている事は一目瞭然であろう。

まずは『八幡愚童訓』というテキストについて再確認しておこう。周知のように、本テキストには、甲本《こう》・乙本《おつ》というふたつの系統があり、その前後関係・系譜をめぐって議論が続いているところだが、[*6]安曇磯良が登場する神功皇后三韓征伐譚を語る甲本のテキストは、中世という時代に読み替えられた『日本書紀』＝中世日本紀の系譜に位置付けることができる。[*7]そこからは、折口が説いた磯良・神楽起源譚を、中世日本紀の系譜のなかで読み直す、という視点が得られよう。

『八幡愚童訓』の磯良を呼び出す「御神楽」の場面を見てみよう。

住吉ノ仰ニ、「磯良ハ只今大魚打愛テ、都テ参ラントモセズ。御神楽ヲ始メバ彼レ是ヲ見テ急可レ参」トテ、住吉、自ラ拍子ヲ取テ歌ヲ詠《ウタ》ハセ給ヘバ、諏訪・熱田・三嶋・高良大明神、笙《しょう》・笛・和琴・篳篥《しちりき》ヲ鳴シテ五人ノ神楽男ト成リ、宝満大菩薩ヲ始メ奉テ八人ノ女房八乙女ト成テ、御手ニ鈴ヲ振リ舞歌足《コタン》給ケリ。磯良、遥ニ是ヲ見テ、「我ヲ早ク参レト思食テ御神楽ヲ被レ始タリ。昔天照大神、天ノ岩戸ニ閉籠ラセ給シカバ、天下常闇ニ成シニ、八百万ノ神達集給テ、（神楽ヲ行ヒ給時、天照大神是ニシテ）岩戸ヲ開キ給キ。御神楽ノ濫觴《らんしょう》是也。……。（同前、一七三頁）

住吉をはじめ、諏訪・熱田・三嶋・高良の神々が「五人ノ神楽男」となり神楽の伴奏を担当し、宝満大菩薩をはじめ「八人ノ女房八乙女」が神楽の舞いを舞う……。この「五人ノ神楽男」「八人ノ女房八乙女」（八人の八乙女）という神楽団の構成は、中世の石清水宮や春日社などで執行される神楽の実修者の姿と重なるものだ。中世御神楽の実態がここに投影されているといってよい。[*8]

注目したいのは、磯良が、自らを召還するために挙行された「御神楽」から「昔天照大神、天ノ岩戸ニ閉籠ラセ給シカバ……」という岩戸まえで行なわれた神代の神楽を想起するところだ。そして神代の御神楽によってアマテラスが岩戸を開いて出たように、自らも御神楽を聞いたうえは、海中から出て皇后のもとに参上することを決意する……。ここで磯良のための御神楽は、神代のアマテラスを迎える御神楽と重ねられていく。

いうまでもなくアマテラスの岩戸まえの行儀は、「神楽」の由来譚として広く流布・展開していくのだが、[*9]『八幡愚童訓』の安曇磯良の神楽譚もまた中世神楽の起源神話の系譜のなかに位置付けることができる。それはまた「蒙古襲来」という、まさしく全アジア的な規模で展開していく時代のただ中に成立したテキストにおいて、あらたな「八幡神」が創造されていく動向と無縁ではないだろう。[*10]

そこで神々や仏菩薩が扮する「五人の神楽男」「八人の八乙女」たちの素性を追うと、たとえば鎌倉時代後期の僧無住《むじゅう》が編纂した『沙石集《しゃせきしゅう》』では、「胎金両部陰陽ニ像ル時、陰ハ女、陽ハ男ナル故ニ、胎ニハ八葉ニ象リテ、八乙女トテ八人アリ。金ニハ五智男ニ官ドリテ、五人ノ神楽男トイヘル……」（巻第一、日本古典文学大系、六〇頁）というように、仏教的理念で説明されていく。八人の八乙女は胎蔵界の八弁の蓮、五人の神楽男は金剛界の五智をあらわすとされる。ここで御神楽は一気に仏教的色合いを深めるのだ。こうした八乙女、五人神楽男の解釈は、南北・室町期の『神道雑々集《しんとうざつざつしゅう》』「八人ノ八人女メ五人神楽人事」（天理図書館吉田文庫）などにも見え、「中世神楽」の功徳として流布されたようだ。[*11]

さらに折口信夫が昭和初頭に通い詰めた花祭の地には、天正九年（一五八一）の年号が記された『御神楽日記《みかぐらにっき》』という資料が伝わるが、そのなかにも、

> 五人の神楽男ハ五智の如来おまなべたり、八人花のやおとめ申ハ八像とのかたちなり、打たいこのをとハちやう夜のねむりおさますかきなり、振ル鈴のひゞきハ五すいさんねつをさますきなり……。
>
> （豊根村教育委員会『神楽の伝承と記録』一八頁）

といった表現を見出すことができる。五人の神楽男、八人の八乙女の神楽奏上によって、神々は衆生の代受苦《だいじゅく》としての「五衰三熱」を除き、その功力によって、衆生を救済するという効能が説き明かされるのである。[*12]

かくして中世神楽の世界を経由したとき、海底深く棲息し、顔中が貝や海藻で覆われた悍《おぞ》ましい相貌をした異神・安曇磯良の素性も見えてこよう。その忌まわしい姿は、衆生の三毒の代受苦を表象していたのだ。それは龍畜や蛇体、あるいは荒神、鬼たちといった、神楽の場に登場してくる異形の者たちとも共振していく。[*13] 彼らは、神楽の功徳によって「五衰三熱」をさまし、その異形の姿から脱皮して、衆生を救済する功力を得るわけだ。

中世神楽の現場から浮かび上がってくる、異神・安曇磯良。折口の視線が、海中の底に蠢《うごめ》く、凶々しい姿をした異神への恐れとともに、彼らを寄り憑かせる神人たちに向けられていることはたしかだ。顔を覆面で覆う異形なシャーマンの素振りから、光も届かぬ深い海底に棲息する安曇磯良が顕現してくるのである。それを見出すことができるのが「中世」であり、その彼方にある「アジア」の視座であった。

注

1 キーツの詩は、大瀧啓裕訳による（ラヴクラフト「アウトサイダー」全集3、創元社、一九八四年）。

2 伊藤好英『折口信夫　民俗学の場所』（勉誠出版）については、斎藤英喜「書評・方法としての「民俗学の場所」」（『物語研究』18、二〇一八年）を参照。

3 安藤礼二による、斎藤英喜『折口信夫　神性を拡張する復活の喜び』ミネルヴァ書房、二〇一九年の書評（『宗教研究』395、二〇一九年）も参照。

4 保坂達雄『神と巫女の古代伝承論』岩田書院、二〇〇三年。

5 西田長男「神楽歌の源流」（『日本神道史研究』第十巻、講談社、一九七八年）

6 岩波思想大系『寺社縁起』解題、参照。また村田真一「八幡神の殺生と利生」、小助川元太「甲本系『八幡愚答訓』諸本の異動から見えるもの」、中根千絵「『八幡愚童訓』甲本の享受」（以上、『伝承文学研究』68、二〇一九年）など、最新の研究も参照。

7 阿部泰郎「八幡縁起の系譜」、『中世日本の王権神話』名古屋大学出版会、二〇二〇年、初出一九九二年。

8 鶴巻由美「中世御神楽異聞―八乙女と神楽男をめぐって」、『伝承文学研究』47、一九九八年。

9 斎藤英喜「変奏する岩戸神楽譚」（岡田莊司編『古代の信仰・祭祀』竹林舎、二〇一八年）で論じた。

10 村田、前掲論文（注6）。また同「八幡神と仏教」（『現代思想』二〇一八年十月・臨時増刊号「仏教を考える」）。なお杉山正明によれば十三世紀からモンゴル統治下で形成された「大陸文化」が日本に流入してくることが指摘されている（杉山「モンゴル時代のアフロ・ユーラシアと日本」、近藤成一編『モンゴルの襲来』吉川弘文館、二〇〇三年）。「アジア」の視点は「モンゴル」にまで拡大する必要があるようだ。

11 「中世神楽」をめぐっては、斎藤英喜・井上隆弘編『神楽と祭文の中世』（思文閣出版、二〇一六年）所収の論考を参照。

12 山本ひろ子『変成譜』「大神楽「浄土入り」」（春秋社、一九九三年）を参照。

13 以上のような「中世神楽」の問題は、斎藤英喜「中世芸能と荒神信仰」（『悠久』155、二〇一八年）、同「神楽の仏教」（『現代思想』二〇一八年十月臨時増刊号「仏教を考える」）などで論じた。

05

政治と怨霊、鎮魂

怨霊となった崇徳院と端宗

韓 正美

1 はじめに

怨霊とは、何らかの恨みを残して死んだ人間の霊魂が、個人や共同体に災いをもたらすことをいう。古来、日本では怨霊が憑依することによって、個人的な祟りにとどまらず、疫病や天変地異など、社会に甚大な被害がもたらされると信じられてきた。個人や社会に災禍をもたらす死者のこのような怨霊に対する怖れと鎮撫の信仰を御霊信仰と言う。一般にそれは、奈良時代末から平安時代初頭にかけて、政変によって恨みをもって殺された人々の霊魂が祟ることのないよう慰霊する行為から発していると考えられている。

韓国でもこのような祟りや怨霊信仰が顕著に見られ、朝鮮の歴史を見てみると、天災や飢饉、疫病などの大きな災厄が発生した場合、歴史上怨みをもって死んだ人物たちの怨念が原因であると見なされることがしばしばあった。

日本三大怨霊といえば、菅原道真《すがわらのみちざね》・平将門《たいらのまさかど》・崇徳院《すとくいん》である。彼らの共通点は、政治的な争いの中で深い怨念を抱いて死んでいったため、政敵や後に遺された人々に対してさまざまな祟りを起こしたとされていることであるが、崇徳院は怨霊の中でも最も恐れられていた。韓国で無念のうちに死んでしまい怨霊となった歴史人物としては、張保皐《チャンボゴ》・崔瑩《チェヨン》・端宗《タンジョン》・南怡《ナムイ》・林慶業《イムキョンオプ》などが挙げられるが、その中でも端宗は、王として非業の死を遂げた後、配流地である寧越《ヨンウォル》において怨霊として現れた。
本章では、怨霊が政治とどのようなかかわりをもっているか、そして、それはどのように鎮魂されるのかを日本の崇徳院と韓国の端宗の対比を中心に考察してみたい。

2　崇徳院と端宗の生い立ち

崇徳天皇【図1】（一一一九～一一六四年）は、元永二年（一一一九）五月二十八日、鳥羽《とば》天皇と権大納言藤原公実《ふじわらのきんざね》の娘璋子《しょうし》（待賢門院《たいけんもんいん》）との間に誕生したが、白河《しらかわ》法皇の圧力による鳥羽天皇の譲位によって五歳にして即位する。雅仁親《まさひとしん》王《のう》（後白河天皇）が同母弟、躰仁親王《なるひとしんのう》（近衛《このえ》天皇）は異母弟であるが、父の鳥羽天皇は上皇となり、皇室の権限は依然曾祖父の白河法皇が一手に握っていた。しかし、大治四年（一一二九）白河法皇が崩じると情勢は一変し、鳥羽上皇が実権を掌握し、異母弟にあたる鳥羽上皇の第八皇子躰仁親王が皇太子（弟）となった。

崇徳天皇は、二年後には鳥羽上皇から譲位を強要されてわずか二歳の近衛天皇に譲位した。久寿二年（一一五五）、近衛天皇が十七歳で崩じると、崇徳院は皇子重仁親王《しげひとしんのう》を即位させようと画策したが、鳥羽上皇によって阻まれ、同母弟雅仁親王が即位した。翌保元元年（一一五六）鳥羽法皇が崩御すると崇徳院は、源為義《みなもとのためよし》、平忠正《たいらのただまさ》らと蜂起するが（保《ほう》元《げん》の乱）、敗北して讃岐に流され、長寛二年（一一六四）、この地で失意のうちに崩御した。

端宗《タンジョン》【図2】（一四四一～一四五七年）は、祖父が朝鮮時代の四代王・世宗《セジョン》で、父が五代王・文宗《ムンジョン》である。ともに学識にすぐれていた王として有名である。その血を受け継いで、端宗も文治主義の王政を行うのに十分な素養を持っていた。しかし、彼は一四五二年に王位を継承したものの、三年後の一四五五年に叔父の首陽《スヤン》（世祖《セジョ》、世宗の次男で文宗の弟）に王位を奪われて、政治的な才能を発揮することができなかった。朝鮮王朝の歴代王は二十七人であるが、端宗ほど悲劇に見舞われた王はほかにいないのである。

そもそも、端宗は生まれたときから哀しみに包まれていた。彼を産んだ顕徳王后《ヒョンドクワンフ》は産後すぐに亡くなってしまい、

図１　崇徳上皇像、『天子摂関御影』（宮内庁三の丸尚蔵館蔵）

図２　端宗影像、江原道寧越郡（報徳寺蔵、韓国精神文化研究院『韓国民族文化大百科事典』デジタル版、2010年より）

端宗は母の愛を知らずに育った。このことが端宗の人生に暗い影を落とす。端宗が即位したとき、彼はまだ十一歳の未成年であった。こういうときに朝鮮王朝では生母が摂政をして王が成人するのを待つのであるが、端宗の場合は生母がいなかったので後ろ楯を得られなかった。それが叔父の首陽につけこまれる根拠となってしまうのである。

強引に端宗に譲位させて首陽が七代王・世祖となると、高官たちによって端宗の復位騒動が起きた。それが歴史上有名な「死六臣（世祖によって王位を追われた端宗の復位を図ろうとして処刑された朝鮮時代の六人の政治家）」の事件であるが、それを未然に防いだ世祖は再び復位騒動が起きないように、端宗を僻地寧越に流罪としたあげくに死罪を命じた。一四五七年のことで、端宗はまだ十六歳である。

崇徳院も端宗も未成年にして即位するが、皇（王）位継承に起因する権力争いが絡み合い、それぞれ讃岐と寧越に配流となる共通点を持っているといえよう。

3　崇徳院を取り巻く政治

前述のように崇徳院は鳥羽天皇と中宮待賢門院璋子の間に生まれた第一皇子で、「顕仁親王《あきひとしんのう》」と呼ばれたが、本当の父は鳥羽天皇の祖父である白河天皇であったようで、『古事談』巻第二に次のように記されている。

待賢門院【大納言公実女、母左中弁隆方女】は、白河院御猶子の儀にて入内せしめ給ふ。其の間、法皇密通せしめ給ふ。人皆な之れを知るか。崇徳院は白河院の御胤子、と云々。鳥羽院も其の由を知し食して、「叔父子」とぞ申さしめ給ひける。

鳥羽院の子と言われている崇徳院は、実は鳥羽院の父の堀河《ほりかわ》天皇の弟で叔父だから、「叔父である自分の子」という意味で「叔父子」と呼んだという。『古事談』のこの記録は、ほかの文献には見られないものであるが、これが保元の乱の遠因にもなったのである。

白河法皇は顕仁親王が数え年五歳になると、まだ二十一歳に過ぎない孫の鳥羽天皇を退位させ、親王を天皇にした。保安四年（一一二三）一月二十六日のことである。鳥羽天皇は上皇になった。しかし、当時、院政の只中であり、実権は法皇にあった。従って、大治四年（一一二九）に白河法皇が崩御するやいなや、鳥羽院の院政が始まったのである。鳥羽院は後に美福門院《びふくもんいん》と呼ばれる権中納言藤原長実《ふじわらのながざね》の娘得子《とくし》に、保延五年（一一三九）に躰仁親王を生ませた。その頃は崇徳天皇に皇子がいなかったので、この親王を天皇の養子にさせ、三歳になると、二十三歳の崇徳天皇を退位させて親王を即位させた。これが近衛天皇である。白河法皇が自分に対して行なったことを「叔父子」の崇徳天皇に対して行なったのである。

譲位した崇徳院は「新院」と呼ばれたのであるが、これは鳥羽院がいたからである。鳥羽院は「一院」と呼ばれたが、三歳で即位した近衛天皇は生まれつき病弱で眼病を患い、久寿二年（一一五五）に十七歳で崩御した。この近衛天皇が眼病で早逝したのは、『愚管抄《ぐかんしょう》』巻第四に、「ヒトヘニコノサフガ呪咀ナリト人イヽケリ。院モヲボシメシタリケリ。証拠共モアリケルニヤ」とある。ここで、「サフ（左府）」は左大臣頼長《よりなが》、「院」は鳥羽院、『愚管抄』の著者慈円《じえん》の父は忠通《ただみち》、頼長は叔父である。忠通は、父の前関白忠実《ただざね》が頼長を溺愛するあまり、「氏長者」も弟の頼長に譲らさせたので、愛宕山《あたご》の天狗像の目に釘を打ち込んだ呪咀を異母弟頼長と父の忠実によるものだと鳥羽院に讒訴《ざんそ》している。このように鳥羽院・美福門院・関白忠通側から排除されつつあった崇徳院・左大臣頼長は、鳥羽院の崩御（保元元年七月二日）に際して「謀反」を計画するに至る。『保元物語』（半井本《なからい》）には、鳥羽院崩御の日、「謀反ノ輩、京中ニ入集リ」

とある。ところが、保元元年七月十一日未明、後白河天皇側（美福門院・関白忠通側）が崇徳院の白河殿を襲い、崇徳上皇側の源為朝《ためとも》などはよく防戦したが、頼長は受けた流れ矢がもとで三日後に死亡し、崇徳院は二十三日に讃岐に配流されるのである。

つまり、保元元年（一一五六）七月二日に鳥羽院が死去すると、天皇方は崇徳上皇、藤原頼長両人をしきりに挑発、上皇方はこれに乗って白河殿に源為義・為朝父子や平忠正らの武士を招集したのであるが、これに対し天皇方は為義の嫡子源義朝、忠正の甥平清盛など主要な武士を掌握していた。これがあっという間に天皇方の勝利に決した理由である。

以上のように保元の乱は皇室・摂関家内の勢力争いに源平二氏の武力も二派に分かれて衝突したものである。皇室は崇徳天皇側と鳥羽天皇側に分かれ、摂関家、すなわち藤原氏も親子・兄弟の対立となったが、権力をめぐる骨肉の争いであった。皇室が二派に分かれて争ったのもこの保元の乱が初めてであるし、藤原氏が真っ二つに分かれて争ったのもこれが最初である。この三年後に起こった平治《へいじ》の乱（一一五九年）も似たような争いであり、保元の乱の延長線上にある。

結局保元の乱に敗れた崇徳院は讃岐に流されるわけであるが、『保元物語』には、崇徳院が配流地の讃岐に下った日（七月二十三日）に、「不思議ノ事」があったとある。保元の乱では武家の源・平の両氏は、崇徳上皇側と後白河天皇側に分かれて戦い、勝ったのが源氏では義朝、平氏では清盛であったが、崇徳院の讃岐に出発した日、この二人が「合戦スベシ」といって兵を集めているというわさが広がった。そのうわさで、「源氏、平氏郎等共、東西ヨリ馳集」、都の人たちは合戦のうわさに怯えて、家財道具を運び出す騒ぎになった。都大路は武士や都人が右往左往するので、埃が黒煙のように舞い上がり、火事かと騒がれた。騒動は天皇の耳にも入ったので、後白河天皇の側近の信西《しんぜい》入道は義朝と清盛を呼んで事情を聞いたら、両人は「まったく根も葉もないことです」と答えた。ところが、この答えに続けて『保元物語』は、「天狗ノ所為ナルカ。人ノ肝ヲツブシケルコソ不便ナレ」（同）と記している。つまり、源義朝と平清盛が合戦するといううわさを広げて、都の人たちの「肝ヲツブシ」た騒動は「天狗ノ所為」だと言うのであるが、この日は義朝・清盛の武力に破れた崇徳院が配流先の讃岐に出発する日であったから、「天狗ノ所為」の天狗は崇徳院にかかわっていることがうかがえる。すなわち、讃岐に流された崇徳院はその怨念から、爪も切らず髪もそらず「生きながら天狗の姿となった」のであり、同様の記事は『源平盛衰記』などにも見ることができる。

4　端宗を取り巻く政治

端宗は朝鮮王朝を通じて最も幼い十一歳で王位に上った。未成年の幼い王が即位すると、宮中で最も序列の高い后妃が垂簾聴政（皇帝が幼い場合、皇后・皇太后のような女性が代わって摂政政治を行うこと）をとるのが一般的であったが、当時の宮中事情はそうではなかった。というのは、大王大妃はもちろん、大妃もおらず、さらに王妃もいなかったからである。

端宗の母后・権氏が、産褥熱で死に、文宗の後宮は淑嬪洪氏《スッピンホンシ》、司則楊氏《サチクヤンシ》二人だけであった。世宗の後宮の中にも恵《ヘ》嬪楊《ビンヤン》氏（朝鮮四代国王・世宗の側室。六代国王・端宗の乳母となり育てた人物）はいたが、遅く宮中入りした上、後宮であるため、政治的な発言権はほとんどなかった。後宮たちは、ただ内事を助ける程度しかできなかった。そのため、端宗は垂簾聴政さえ不可能な立場で即位したのである。

文宗と顕徳《ヒョンドク》王后・権《クォン》氏の間に生まれた端宗は、祖父の世宗が称賛したと、世に広く知られるほどに幼いころから聡明であった。端宗は即位はしたが、あまりにも幼く、政治を治めることができないために、すべての措置は議政府（朝鮮王朝において、全ての役人を総括する国の最高官庁）と六曹（国政を担当した六つの中央官庁の総称）が引き受け、王はただ形式的な決裁をするだけであった。人事問題でも大臣たちは黄標政事制度を作ったが、これは朝廷から指名された一部の臣下が人事対象者の名前に黄色い点を付けて出すと、王はただその点の上に印を付ける方法であった。そのため、すべての政治権力は文宗の遺命を受けた、いわゆる顧命大臣（王の臨終の際、王の遺言を預ける大臣で、国の後事を頼まれる臣下）の皇甫仁《ファンボイン》、金宗瑞《キムゾンソ》などに集中していた。

このように王権が有名無実になり、臣権が絶対的な位置に上ると、世宗の子供たち、すなわち王族の勢力が強まってきた。そして、首陽、安平《アンピョン》、臨瀛《イミョン》、錦城《クムソン》、永膺《ヨンウン》などの王族が徐々に王権を脅かし始めた。その中でも、とくに次男の首陽と三男の安平は互いに勢力競争を繰り広げ、とうとう激しい血族の争いを招くことになった。

首陽大君は一四五三年十月、「癸酉靖難《ケユジョンナン》」を起こした。首陽は文宗が死ぬと、幼い王を補弼《ほひつ》するとの名目で政治に乗り出し、その過程で皇甫仁、金宗瑞などの大臣たちが安平大君周辺に集まると、彼らを警戒し始めた。そして、とうとう自分の部下の韓明澮《ハンミョンフェ》・権擥《クォンラム》などの策略で金宗瑞を殺し、皇甫仁をはじめ朝廷の大臣たちを宮殿に呼び寄せて殺した。彼らの罪名は安平大君を推戴して宗嗣を危険に陥れたということであった。

癸酉靖難で顧命大臣たちがほぼ惨殺されると、朝廷は首陽大君の手中に入った。首陽大君は領議政に上り、また、王に代わって庶務を管掌するなど王権と臣権を同時に握った。そして、彼は自身の執権クーデターに参加した人たちを靖難功臣に封じ、彼らが乱の張本人と称した安平大君と彼の子供・李友直《イユジク》を江華島《カンファド》へ配流したが、その後、安平大君には自決を命じ、友直は珍島《チンド》へ流した。

このように政治的な実権が完全に首陽大君に掌握される中で、一四五四年正月、端宗は宋玄寿《ソンヒョンス》の娘を王妃に迎えた。しかし、翌年六月に首陽大君が自分の部下の臣下たちと論議して、王の側近の錦城大君（首陽大君の弟）以下何人かの宗親、宮人、臣下たちをすべて罪人の濡れ衣を着せて配流すると、危険を感じた端宗は王位を退いて、上王となった。

以後、一四五六年六月に端宗の復位事件が起こると、成三問《ソンサンムン》などの集賢殿《チッピョンジョン》（高麗から朝鮮初期にかけて存在した国家および王室のための研究機関）出身の学者と成勝《ソンスン》などの文臣が処刑され、翌年、端宗も魯山君《ノサングン》に降格され、寧越に流された。しかし、一四五七年九月、配流されていた錦城大君が端宗復位を計画し、発覚する事件が発生し、端宗は再び庶人に落とされ、一カ月後の十月に十六歳で死薬を下されたのである。

5　崇徳院・端宗の祟りと鎮魂

さて、崇徳院の怨霊の祟りはすさまじく、保元の乱の三年後に平治の乱が起こると、後白河天皇側近の信西や藤原信頼が殺され、その後、息子の二条天皇が在位中に二十三歳の若さで亡くなり、安元二年（一一七六）には、寵妃建春《けんしゅん》門院《もんいん》をはじめ孫の六条天皇（二条天皇の子）が崩御するなど、後白河周辺の人々が相次いで亡くなった。

その翌年には、内裏が焼失し、京都の町の三分の一を焼く「太郎焼亡」と呼ばれる大火災が起こり、これらはみな崇徳院の怨霊のせいだと考えられた。そこで後白河法皇は、崩御の段階では「讃岐院」と呼ばれていた院に「崇徳院」の号を贈り、藤原頼長には太政大臣正一位を贈った。このような追贈で、すなわち、生前と同じかそれ以上の官位を贈ることによって鎮魂が行われたのである。

図3　崇徳院廟、京都市東山区所在（撮影：韓正美）

引き続き、成勝寺においては法華八講が修せられた。しかし、怨霊は鎮まらず生き続けた。治承三年（一一七九）、清盛が後白河を鳥羽殿に幽閉して政権を掌握し、その翌年から六年間にわたる源平合戦が勃発した。そんな中、『吉記《きっき》』には、崇徳院は讃岐国において、自筆の五部大乗経を血で書いたことや、崇徳院の怨霊が戦乱を引き起こしているので、議論すべきよしなどが記されている。しかし、こうした動きの背景には、崇徳院の側近藤原教長《のりなが》があったとされている。教長は保元の乱後、常陸国に流されたが、許されて帰京すると崇徳院や頼長を神霊として祀るべきと唱え、怨霊慰撫の火付け役となった。五部大乗経の存在が公表されると、当時の不安定な社会情勢や政治情勢を背景に、人々にその恐怖を決定づけた。そして、崇徳院怨霊に対する対策が次々にとられた。

寿永二年（一一八三）十二月二十九日、保元の乱の時に崇徳院の御所があった春日河原に神祠建立を決定し、翌年造営された。崇徳院廟【図3】と頼長廟が並び建ち、両廟の周囲は筑地塀で囲まれ門が建っていた。この廟はのちに、廟が粟田《あわた》郷にあったことにより、粟田宮と呼ばれるようになり、応仁の乱の兵火により荒廃してしまった。また崇徳院の遺骨は分骨されて、高野山に納められ菩提が弔われた。さらに後白河院の晩年には、院の病気平癒を願って、讃岐の崇徳院陵に御影堂が建立され、御陵が整備された。これらのことは、崇徳院怨霊を鎮める鎮魂行為であったことは言うまでもなく、その後崇徳院は皇統を守護する神と見なされるのである。

一方の端宗は、王位を奪われ、上王としていたが、死六臣の事件以降、寧越に流され殺される。このように無念に死んでしまった端宗の怨霊は、新しく赴任する寧越府使の前に現れた。その姿とは死んだ時の格好である。そして、寧越の地に赴任する府使を次々と殺すのであった。ところが、ある賢明な府使によって端宗の死体が見つかり、端宗は怨みを晴らすことになる。とくに、端宗は自ら寧越府使に申し出た金落漢《キムナカン》という人に次のように話しており、注意を引く。

> 「本当の巫女によってクッをし、無念に殺された私の怨みを晴らしてくれ。」(中略)このように伸冤をした後は、何の事件も起こらず、その村もきれいになったのだ。伸冤をした後は、新しく府使が赴任しても殺されなかった。
>
> (「巫堂クッによってなだめられた端宗の怨恨」、『韓国口碑文学大系』2-8)

伸冤とは、冤罪を晴らす意味で、怨霊によって招かれるかも知れない災いを防ぐために執り行われる儀礼であるが、一般的にクッ(ムーダン[巫堂]というシャーマンが神を憑依[ノリ]させ、お告げを行う祭儀)が行われた。つまり、この伸冤は鎮魂儀礼であり、端宗の「伸冤をした後は、新しく府使が赴任しても殺されなかった」のである【図4】。

また、時の流れとともに、端宗に復権の機会が訪れた。一六九八年、朝鮮王朝

図4　端宗文化祭(毎年4月に鎮魂儀礼として行われる端宗の国葬)、江原道寧越郡所在(撮影:イ・テヨン)

第十九代王・粛宗《シュクジョン》によって名誉回復がなされ、王として追尊されることになった。端宗という名もその時に諡号《しごう》されたものである。墓は王陵として扱われることになり、魯山君墓と呼ばれたのが「荘陵《チャンヌン》」と名づけられた。実に、その死から二百四十一年後のことであった。そして、第二十一代・英祖《ヨンジョ》の時代に、祭祀をあげる祭壇を備えた場所として丁字閣（拝位庁）と呼ばれる建物が建てられた。つまり、名誉が回復され端宗への追慕が広まるにつれ、王陵として整備が進められたのである。

英祖の後を継いだ正祖《ジョンジョ》の時代には忠臣閣が建てられ、端宗のために犠牲となった人たちの位牌が祀られた。癸酉靖難のクーデターから端宗の死に至る四年間の激動の中、重臣から官僚、宦官、女官に至るまで、総計二百六十八人もの人々が命を奪われていたが、その犠牲者の位牌である。このような鎮魂儀式を通して端宗は、怨霊から山神や保護神に変貌していくのである。

6　おわりに

世に恨みを抱いて死んだ人は怨霊となる。怨霊は、祟りをなし世の中を混乱に陥れたが、疫病が流行る原因を、この怨霊の祟りのせいであるとする考え方が生じた。また、奈良時代の後期からは政治的敗者が怨霊として記録されるようになり、平安時代に入るとこれを国家が「御霊」として祀ることで、混乱を治め秩序を維持するという政治手法を編み出した。さらに、平安時代末期には、保元の乱以降、政争と戦乱が相次ぎ、多くの怨霊を生み出したのである。

朝鮮の巫俗においては、怨恨をもって非業の死を遂げた武将の霊を、人間生活に大きな影響を及ぼす将軍神としてとくに恐れた。たとえば、高麗末の悲運の将軍として知られる崔瑩将軍は、各地の堂の守護神として朝鮮巫俗の中で大きな役割を果たしている。朝鮮の巫堂たちは、怨みをもって死んだ崔瑩将軍を祀ることによって、その霊力でさまざまな災厄から人間を守ることができると考えたのである。このような将軍神に対する守護神信仰は、怨霊信仰の典型的な事例と見なすことができる。

崇徳院も端宗も未成年にして即位するが、皇（王）位継承に起因する権力争いが絡み合い、保元の乱と癸酉靖難が起こり、それぞれ讃岐と寧越に配流されるという悲劇を迎えなければならなかった。しかし、保元の乱の原因が崇徳院の思いに起因しているとするなら、癸酉靖難は端宗ではなく首陽大君が政権を奪取した宮廷クーデター事件という点にその違いがある。また、二人とも怨霊の祟りはすさまじいわけであるが、崇徳院の祟りは『保元物語』に「天狗ノ所為」として記されている。しかし、鎮魂においては、崇徳院の場合は、追贈と讃岐の崇徳院陵に御影堂が建立されることによって怨霊の怒りを抑えているが、端宗の場合も、王として追尊され、祭祀をあげる祭壇を備えた場所として丁字閣（拝位庁）と呼ばれる建物が建てられており、共通点が見られる。ただ、端宗の方は、クッを行なうという伸冤、すなわち鎮魂儀礼も執り行われたが、こうした鎮魂行為を通して崇徳は怨霊から皇統を守護する神へと、端宗は、怨霊から山神や保護神へと変貌していくのである。

参考文献

【一次資料】

・岡見正雄ほか校注『愚管抄』日本古典文学大系86、岩波書店、一九六七年。
・国史編纂委員会編『朝鮮王朝実録』http://sillok.history.go.kr/search/inspectionMonthList.do（二〇一八年五月十日閲覧）。
・川端善明ほか校注『古事談』新日本古典文学大系41、岩波書店、二〇〇五年。
・韓国精神文化研究院「巫堂クッによってなだめられた端宗の怨恨」、『韓国口碑文学大系』2-8、一九八九年。
・韓国精神文化研究院『韓国民族文化大百科事典』デジタル版、二〇一〇年。
・坂詰力治ほか編『半井本保元物語　本文・校異・訓釈編』笠間書院、二〇一〇年。
・増補史料大成刊行会編『吉記』臨川書店、一九八九年。

【二次資料】

〈単行本〉

・柴田実編『御霊信仰』日本宗教史叢書5、雄山閣、一九八四年。

・山田雄司『崇徳院怨霊の研究』思文閣出版、二〇〇一年。
・山田雄司『跋扈する怨霊』歴史文化ライブラリー237、吉川弘文館、二〇〇七年。
・山中裕ほか編『平安時代の信仰と生活』至文堂、一九九一年。

〈単行本、雑誌等所収論文〉

・井上満郎「御霊信仰の成立と展開」、民衆宗教史叢書第五巻『御霊信仰』、雄山閣、一九八四年。
・鎌田東二「記紀神話にみる御霊信仰」、『国文学　解釈と鑑賞』63-3、至文堂、二〇〇五年。
・角田文衛「崇徳天皇の生誕」、『待賢門院璋子の生涯』朝日新聞社、一九八五年。
・永藤靖「古代都市と御霊―怨霊から御霊信仰へ」、『国文学　解釈と鑑賞』63-3、至文堂、一九九八年。
・肥後和男「平安時代における怨霊の思想」、史学研究会編『史林』24-1、一九三九年。
・宮田登「民間における御霊信仰」、『国文学　解釈と鑑賞』63-3、至文堂、一九九八年。

06

パンソリと浄瑠璃の「語り」

西岡健治

1　はじめに

韓国の「パンソリ」は、「風の丘を越えて」（原題「西便制」一九九三年）の上映以来、日本人にも少しは知られるようになった。

韓国での留学時代、私にはこんな思い出がある。やむを得ない事情があって韓国人の友人にパンソリ公演の録音を頼んだことがある。終わって、彼はテープレコーダーを返しながら、「パンソリがこんなにおもしろいとは思わなかった」と興奮しながら言ったのである。どうもパンソリを聞けば、韓国人の心には火がつくようである。

この力はどこから来るのであろうか。人々の暮らしの中から紡ぎ出された生活の知恵の結晶である〈民話力〉によるものであろうか。だが、それもさることながら、語り手の〈芸の力〉に注目する必要があるのではあるまいか。彼らは、市の立つ日や交通の要衝に立って磨きあげた芸をひろうし、人々を大いに笑わせ泣かせた。そうすることで生活ができたのである。それゆえ、芸を磨くことは〈生きる〉ことであった。

ところで、この「語り」芸の力の源泉は、どこにもとめられるのであろうか。また、パンソリと浄瑠璃は似ている点も多いが違っている点も多い。それらのいくつかについてふれてみたい。

2　「語り」の発生と〈ことだま論〉

（1）「語り」の発生

パンソリも浄瑠璃も、どちらも現存する長い伝統をもつ「語り」である。さらに言えば、それらは叙事的な物語をリズムにあわせて語る口承芸能である。

昔、文字をもたなかった時代、人々は民族の歴史や物語を伝えるため記憶をリズムにあわせて朗誦したり、あるいは楽器の伴奏にあわせて伝承して来た。日本では、漢字の伝来があったり、ひらがなが創案されると識字層（エリート層）の間では口承の語りは衰えた。だが、中世後期になって「都市」が発達をとげると、交通の要衝や寺社の門前などに遊芸者（周縁化された非農民）が集うようになり、「語り」が息を吹き返した。こうして、平曲《へいきょく》→幸若《こうわか》舞→説経《せっきょう》節→浄瑠璃と語りが花開いていったのである。

他方、韓国でハングルがつくられたのは十五世紀であった。日本のひらがなより約五百年遅れたことになるが、その理由は韓国語の音節構造が日本語より複雑で、漢字を利用して表記することがきわめて困難だったからである。しかし、文字の発明が遅れた分、韓国では「語り」の伝統が分厚くなった側面がある。また、日本のように詳細に「語り」の系統をたどることはできないが、巫との関係が主張されている。鄭魯湜《チョンノシ》が「巫女のクッ（巫儀＝引用者注、以下同）の調子と広大（パンソリ唱者）の調子はよく似ている」[*1]と言い、徐大錫《ソデソク》も「公演的性格の強い世襲巫の叙事巫歌がパンソリによく似た性格をもつ」[*2]という。

巫者（巫堂）は、クッにおいて激しく旋回しながら踊る。そうすることで無我の境地に至り、神を招き入れて神託を行う。また、死者の魂を自己に憑依させて、死者とも交信することができる。こうしたことは、長い時間をかけて磨きあげた呪術的能力や言語の駆使力、踊りや歌などの芸能的表現力、および祭儀管理能力[*3]にすぐれた者だけが可能であった。それゆえ、巫女は人々の心のみならず神々の心をもとらえる卓越した能力の持ち主であった。この巫女の伴奏者であったつれあい（夫）がパンソリ唱者になったという説[*4]がある。巫夫（奏楽）→パンソリ唱者である。そうだとすれば、よく言われるパンソリのもつ情緒は韓国人の身体の隅々にまで染みこんでいると言われるのも納得がいく。

（2）「語り」の芸と〈ことだま論〉

私がパンソリを聞くようになったのは、古典小説『春《しゅん》香伝《こうでん》』がもともと「語り物」であったことを知ってからである。最初聞いたときは、〈これはおもしろそうだ〉という感じだけであったが、その後韓国にパンソリ系小説を勉強しに留学したことを考えれば、この時すでにパンソリの魅力に取りつかれていたのかもしれない。

パンソリは、初めは、聞いて意味のわかる「アニリ（せりふ）」の部分がおもしろかった。だが、韓国語に習熟するにつれ、腹の底から声をしぼり出して人の心をわしづかみにする「チャン（唱）」のほうがおもしろくなった。チャンにこそ、パンソリのミューズがいらっしゃると思ったのである。そして、この時、言葉には「スピリットが潜んでいる」[*5]と思った。

ところで、この「言葉スピリット説」すなわち「言霊信仰」論は、「呪術時代」（井筒俊彦）を背景とする解読である。しかし、折口も詳しい説明はしていない。これを哲学的に解明しようとしたのが、大森荘蔵《しょうぞう》の「ことだま論」[*6]である。かれは、哲学的分析をして次のようにいう。

声は視線より働きがめざましく、この動きを「声振《こわ》り」という。声振りは「体振り」「視《み》振り」とともに「身振り」の一種で、聞き手は話し手の「体ぶり、視ぶり、声ぶり」によって、身体的・精神的に動かされる。つまり、声は「じかに「もの」や「こと」を立ち現わしめる」のだという。この説明で、折口の神秘主義的説明より合理的説明がなされたと思えるが、気になる点がある。それは、私たちがパンソリや太夫の「語り」に感動するのは、ほかでもなく〈ある場所〉の〈ある太夫〉の〈ある瞬間〉の〈ある台詞〉の〈ある声〉だからである。「声ぶり」論と「語り」の芸との相関がさらに問われる必要があるように思う。

3 「語り」の舞台と上演作品

(1)「語り」の舞台

浄瑠璃の楽器は「三味線」（太棹）であるが、パンソリは「プック（小太鼓）」である。中国の鼓詞系講唱でも太鼓が用いられるという。

また、浄瑠璃が今日の〈太夫と三味線と人形〉の形になったのは竹本義太夫《たけもとぎだゆう》が三河国から京都に出て来た十七世紀初頭だといわれるが、三味線との結合は画期的であった。それまでは、聴衆の関心は「語り」の声音や抑揚や話の筋にあった。そこに、三味線という複雑微妙な音色を出す新楽器が登場することによって、しだいに曲節に聞き手の興味が向かうようになったという。さらに、人形とのコラボレーションが空前のものであった。なぜなら、人形の登場は「語り」を可視化し、語り物の戯曲化を招来したからである。そして、人形の登場により活動の場が交通の要衝から劇場へと移動することになった。

他方、パンソリの舞台は「一人立一人座」[*7]である。立って演じるのが語り手で、座って伴奏するのが鼓手である。唱者と伴奏者二人だけの舞台であるが、客に向かって並んで座ることはない。両者は、基本的に客席に横向きになり、向かい合って公演する。その理由は、鼓手は伴奏をしながら観客の代表となって唱者の語りかけに応じたり、合いの手を入れたりするからである。だが、語り手が腹から声をしぼりだして絶唱する場面では直接客席に向かう。この公演様式は、かつて市の立つ日や街頭に立って演じていたときのなごりであろう。

（2）「語り」の上演作品

浄瑠璃で語られる演目は実に数が多い。武智鉄二が「義太夫節の聖書」という『浄瑠璃素人講釈』[*8]には、九十五作が取り上げられている。ここに紹介された外題は明治以降演じられたものであるが、ほかに古浄瑠璃などを含めると相当な数になる。しかし、韓国のパンソリは、文献によれば十二作品あったとされているが現存するものは六作にすぎない。非常に少ないが、それには理由がある。第一は、浄瑠璃のように竹本座・豊竹座のような劇場をもたず、地方を個人で渡り歩く放浪芸であったため創作上、限界があった。第二は、パンソリが「成長芸能」であり「流動芸能」だからである。パンソリは、基本的には師匠から口伝されたが、各自のアドリブによって獲得した好評部分により作品は修正される（流動性）。そして、しだいに各自の修正部分が集積されて作品は成長していくのである（共同制作）。

また、浄瑠璃作品は過去の歴史的事件や物語を題材にした〈時代物〉と、当時の町人社会の愛欲痴情や義理人情の葛藤をリアルに描いた〈世話物〉に大別される。前者に属するのが「義経千本桜《よしつねせんぼんざくら》」「仮名手本忠臣蔵《かなでほんちゅうしんぐら》」「菅原《すがわら》伝授手習鑑《でんじゅてならいかがみ》」などで、後者が「曽根崎心中《そねざきしんじゅう》」「心中天《しんじゅうてんの》網島《あみじま》」「冥途《めいど》の飛脚《ひきゃく》」などである。他方、パンソリでは、説話をもとにした「春香歌」「沈清歌」「興甫歌」「水宮歌」と、『三国志演義《さんごくしえんぎ》』の「赤壁《せきへき》の戦い」に材を得た「赤壁歌」に分けることができる。表面的主題は、「春香歌」が儒教の理想とする〈貞節〉、「沈清歌」が〈孝行〉、「興甫歌」が〈友愛〉であるが、裏面的には権力者の腐敗が暴かれ、言動の不一致がからかわれるなど、表面的主題の裏面を突く内容になっている。

日本では、作家に近松門左衛門《ちかまつもんざえもん》、紀海音《きのかいおん》、竹田出雲《たけだいずも》、並《なみ》木宗輔《きそうすけ》、近松半二《はんじ》などが輩出した結果、江戸時代は浄瑠璃の全盛期となった。幕府からは功績のある優秀な太夫に官位が与えられ、義太夫節の創始者竹本義太夫は「竹本筑後掾《ちくごのじょう》」（一七〇一年）を名のり、豊竹座を再興した豊《とよ》竹若太夫《たけわかだゆう》は「豊竹越前少掾《えちぜんのしょうじょう》」（一七三一年）を名のった。この制度は一九四七年、古靭太夫《こうつぼだゆう》の「豊竹山城少掾《やましろのしょうじょう》」受領まで続いた。

他方、パンソリは先に述べたように〈共同制作〉であるので、作者を特定することはできない。ただ、パンソリが人々から大衆に喜び迎えられるようになると、中人（両班《やんばん》と庶民との中間階級）知識人などからも支援者があらわれるようになる。その一人が〈申在孝《しんざいこう》〉で、彼は改作したパンソリ六篇を残している。また、多くのパンソリ唱者を養成した。そして、賎民扱いされた彼ら広大（クワンデ［芸人］）が権力者から庇護されることが朝鮮時代末期にほんの短い期間あったが、それも王朝の崩壊とともに消えた。

注

1 鄭魯湜『朝鮮唱劇史』一九四〇年。
2 徐大錫「パンソリの起源」、『パンソリの世界』二〇〇〇年。
3 徐淵昊『韓国の伝統芸能と東アジア』二〇一五年。
4 金東旭『韓国歌謡の研究』一九六一年。
5 折口信夫「言霊信仰」一九四三年。
6 大森荘蔵「ことだま論」、『大森荘蔵著作集』第四巻、岩波書店、一九九九年。
7 尹達善「廣寒楼楽府」一八五二年。
8 杉山其日庵『浄瑠璃素人講釈』一九二六年。

執筆者一覧

掲載順①現職②専門③主要著書・論文

編著者◉ハルオ・シラネ→奥付

小峯和明（こみねかずあき）
①立教大学名誉教授、中国人民大学高端外国専家
②『説話の森―中世の天狗からイソップまで』（岩波現代文庫、二〇〇一年）、『中世日本の予言書―〈未来記〉を読む』（岩波新書、二〇〇七年）、『遣唐使と外交神話』（集英社新書、二〇一八年）

北條勝貴（ほうじょうかつたか）
①上智大学教授
②東アジア環境文化史
③『環境と心性の文化史』上・下（共編著、勉誠出版、二〇〇三年）、『寺院縁起の古層―注釈と研究』（共編著、法藏館、二〇一五年）、『パブリック・ヒストリー入門―開かれた歴史学への挑戦』（共編著、勉誠出版、二〇一九年）

宮﨑順子（みやざきよりこ）
①関西大学非常勤講師
②中国民間信仰（風水）
③「伝郭璞『葬書』の成立と変容」（『日本中国学会報』58、二〇〇六年）、「音韻による風水占い」（武田時昌編『陰陽五行のサイエンス　思想編』京都大学人文科学研究所、二〇一一年）、「方位は幸せを運ぶ―神々のいる風水術」（三浦國雄編『術の思想―医・長生・呪・交霊・風水』風響社、二〇一三年）

陸晩霞（りくばんか）
①上海外国語大学教授（中国）
②日本古典文学、和漢比較文学
③「樹上法師像の系譜―鳥窠禅師伝から『徒然草』へ」（『アジア遊学』一九七号、勉誠社、二〇一六年）、「試論『世説新語』対『徒然草』的影響」（中国比較文学会『中国比較文学』二〇一九年第二期）、『遁世文学論』（武蔵野書院、二〇二〇年）

錦　仁（にしきひとし）
①新潟大学名誉教授
②中古・中世文学
③『なぜ和歌（うた）を詠むのか：菅江真澄の旅と地誌』（二〇一一年）、『日本人はなぜ、五七五七七の歌を愛してきたのか』（編著、二〇一六年）、『文学研究の窓をあける：物語・説話・軍記・和歌』（編著、二〇一八年、以上笠間書院）

佐伯真一（さえきしんいち）
①青山学院大学教授
②中世文学
③『平家物語遡源』（若草書房、一九九六年）、『戦場の精神史―武士道という幻影』（日本放送出版協会、二〇〇四年）、『武国日本―自国意識とその罠』（平凡社、二〇一八年）

安井眞奈美（やすいまなみ）
①国際日本文化研究センター教授
②民俗学、文化人類学
③『出産環境の民俗学―〈第三次お産革命〉にむけて』（昭和堂、二〇一三年）、『怪異と身体の民俗学―異界から出産と子育てを問い直す』（せりか書房、二〇一四年）、『グリーフケアを身近に―大切な子どもを失った哀しみを抱いて』（編著、勉誠出版、二〇一八年）

野田研一（のだけんいち）
①立教大学名誉教授
②アメリカ文学、環境文学
③『交感と表象―ネイチャーライティングとは何か』（松柏社、二〇〇一年）、『自然を感じるこころ―ネイチャーライティング入門』（筑摩書房、二〇〇七年）、『失われるのは、ぼくらのほうだ―自然・沈黙・他者』（水声社、二〇一五年）

李　愛淑（いえすく）
①国立韓国放送大学教授（韓国）
②物語文学
③「王朝の時代と女性の文学」（『王朝人

の生活誌』森話社、二〇一三年)、『色彩から見た王朝文学―韓国の「ハンジュンロク」と「源氏物語」の色』(笠間書院、二〇一五年)、「紫式部の内なる文学史―「女の才」を問う」(『文学史の時空』笠間書院、二〇一七年)

堀川貴司（ほりかわたかし）
①慶應義塾大学附属研究所斯道文庫教授
②日本漢文学
③『詩のかたち・詩のこころ　中世日本漢文学研究』(若草書房、二〇〇六年)、『五山文学研究　資料と論考』(正・続、笠間書院、二〇一一・一五年)

多田伊織（ただいおり）
①大阪府立大学講師・客員研究員
②仏教説話、日中文化交流史、医学史（日本・中国）、中国古典文学
③『日本霊異記と仏教東漸』(法蔵館、二〇〇一年)、「受命と改元―漢末の改元をめぐって」(水上雅晴編『年号と東アジア―改元の思想と文化』八木書店、二〇一九年)、「絵画と説話―古代において仏教説話はいかに語られたのか」(倉本一宏他編『説話の形成と周縁　古代篇』臨川書店、二〇一九年)

井戸美里（いどみさと）
①京都工芸繊維大学准教授
②日本美術史、表象文化論
③『戦国期風俗図の文化史―吉川・毛利氏と「月次風俗図屏風」』(吉川弘文館、二〇一七年)、『東アジアの庭園表象と建築・美術』(編著、昭和堂、二〇一九年)

天野雅郎（あまのまさお）
①和歌山大学教授・図書館長
②哲学
③「教養の哲学」(和歌山大学教育学部紀要、二〇一二年)、「教養の森、インゴルシュタットの森」(和歌山大学「教養の森」センター年報、二〇一五年)、「大学とは何か」(和歌山大学の歴史と展望、二〇一七年)

宮崎法子（みやざきのりこ）
①実践女子大学教授
②中国美術史
③『世界美術大全集　東洋編　8　明』(共編著、小学館、一九九九年)、『花鳥・山水を読み解く―中国絵画の意味』(角川書店、二〇〇三年／文庫版：ちくま学芸文庫、二〇一九年)、『中国絵画の内と外』(中央公論美術出版、二〇二〇年)

平松隆円（ひらまつりゅうえん）
①東亜大学芸術学部トータルビューティ学科長・准教授
②化粧心理学、化粧文化論
③『化粧にみる日本文化』(水曜社、二〇〇九年)、『邪推するよそおい―化粧心理学者の極私的考察』(繊研新聞社、二〇一四年)、『黒髪と美の歴史』(KADOKAWA、二〇一九年)

小山弓弦葉（おやまゆづるは）
①東京国立博物館学芸研究部工芸室長
②日本東洋染織史
③『「辻が花」の誕生―〈ことば〉と〈染織技法〉をめぐる文化資源学』(東京大学出版会、二〇一二年)、『日本の伝統模様』全三巻(監修、汐文社、二〇一八年)、「日本におけるタイ向け輸出用更紗に関する一試論」(『アジア仏教美術論集　東南アジア編』中央公論美術出版、二〇一九年)

堀口悟（ほりぐちさとる）
①茨城キリスト教大学教授・放送大学客員教授
②日本古典文化
③「『九雲夢』の楊少游と『源氏物語』の六条院」(『韓国の古典小説』ぺりかん社、二〇〇八年)、『香道秘伝書集註の世界』(笠間書院、二〇〇九年)、『江戸初期の香文化―香がつなぐ文化ネットワーク』(共著、文学通信、二〇二〇年)

崔京国（ちぇきょんくっく）
①明知大学教授（韓国）
②江戸文学
③「江戸時代における「展示型見立て」」

—開帳を模倣したイメージの展覧会」（『国際日本文学研究集会会議録』（35）1–32、二〇一二年三月、国文学研究資料館）、「日本における「乳虎図」の様相」（『アジア遊学』163、二〇一三年四月、勉誠出版）、「江戸時代の絵画に描かれた加藤清正の虎狩」（『アジア遊学』195、二〇一六年三月、勉誠出版）

Nguyen Thi Lan Anh（ぐぇん・てぃ・らん・あぃん）
①ハノイ大学講師（ベトナム）
②歴史学、日本文化史
③"*The Overseas Chinese in Nagasaki in the XVII and XVIII Centuries*" Vietnam National University, Journal of Social Sciences and Humanities, Vol 5, 1b, 2019、「史料からみた波佐見磁器—18～19世紀「くらわんか」を中心に」（『多文化社会研究』6、長崎大学多文化社会学部、二〇二〇年）

山田恭子（やまだきょうこ）
①近畿大学准教授
②朝鮮古典文学・日朝比較文学
③『日朝古典文学における男女愛情関係—17～19世紀の小説と戯曲』（勉誠出版、二〇一七年）、「宇野秀彌の新資料とその生涯について」（『近畿大学教養・外国語教育センター紀要・外国語編』10–2、二〇一九年）、「東アジアの交流と日朝比較文学—「武威」と「文華」をキーワードに」（廣田收・岡山善一郎編『日韓比較文学研究』9、日韓比較文学研究会、二〇二〇年）

渡辺憲司（わたなべけんじ）
①立教大学名誉教授
②日本近世文学
③「江戸吉原叢刊」（編著、八木書店、二〇一〇年）、「江戸遊里の記憶：苦界残影考」（ゆまに書房、二〇一七年）、「いのりの海へ：出会いと発見大人の旅」（婦人之友社、二〇一八年）

山本ゆかり（やまもとゆかり）
①多摩美術大学・和光大学・中央大学非常勤講師
②日本近世絵画史
③『上方風俗画の研究』（藝華書院、二〇一〇年）、「水辺の女—西川祐信画にみる水流と美人」（論集『西川祐信を読む』立命館大学アートリサーチセンター、二〇一三年）、『春画を旅する』（柏書房、二〇一五年）

原田信男（はらだのぶを）
①国士舘大学名誉教授・京都府立大学客員教授
②日本文化論・日本生活文化史
③『江戸の料理史』（中公新書、一九八九年）、『中世の村のかたちと暮らし』（角川選書、二〇〇八年）、『江戸の食生活』（岩波書店、二〇〇九年）

伊藤信博（いとうのぶひろ）
①椙山女学園大学教授
②日本文化史
③『『酒飯論絵巻』影印と研究：文化庁・フランス国立図書館本とその周辺』（臨川書店、二〇一五年）、「擬人化の転換期において」（『妖怪・憑依・擬人化の日本文化—異類文化学入門』笠間書院、二〇一六年）、「水陸斎図、掲鉢図からみた植物の擬人化の様相」（『西のモンスター・東の妖怪』勉誠出版、二〇一八年）

石塚修（いしづかおさむ）
①筑波大学教授
②日本近世文学・茶の湯文化研究
③『西鶴の文芸と茶の湯』（思文閣出版、二〇一四年）、「『万の文反古』巻一の四「来る十九日の栄耀献立」再考—献立のどこが「栄耀」なのか」（『近世文藝』100、二〇一四年）、『茶の湯ブンガク講座』（淡交社、二〇一六年）

劉暁峰（りゅうぎょうほう）
①清華大学教授（中国）
②日本歴史、民俗学
③『古代日本における中国年中行事の受容』（桂書房、二〇〇二年）、『寒食節』（中国社会出版社、二〇〇六年）、『東アジアの時間：歳時文化の比較研究』（中華書局、二〇〇七年）

鍋田尚子（なべたなおこ）
①タンロン大学講師（ベトナム）
②民俗学
③「ベトナム・フエ地域のオンタオ崇拝」（『地域文化論叢』16、沖縄国際大学大学院地域文化研究科、二〇一五年三月）、「版画に描かれたモティーフとオンタオ儀礼―シン村オンタオ版画を中心に」（『非文字資料年報』12、神奈川大学日本常民文化研究所非文字資料研究センター、二〇一六年三月）、「檳榔とキンマをめぐるベトナムの民俗」（『比較民俗研究』33、比較民俗研究会、二〇一九年三月）

野村伸一（のむらしんいち）
①慶應義塾大学名誉教授
②東アジア地域文化研究
③『巫と芸能者のアジア』（中央公論社、一九九五年）、『東シナ海祭祀芸能史論序説』（風響社、二〇〇九年）、『東アジア海域文化の生成と展開―〈東方地中海〉としての理解』（編著、風響社、二〇一五年）

松尾恒一（まつおこういち）
①国立歴史民俗博物館教授、千葉大学大学院客員教授
②民俗宗教、日中文化交流史
③『物部の民俗といざなぎ流』（吉川弘文館、二〇一一年）、『儀礼から芸能へ―狂騒・憑依・道化』（角川学芸出版、二〇一一年）、『日本の民俗宗教』（筑摩書房、二〇一九年）

諏訪春雄（すわはるお）
①学習院大学名誉教授
②比較芸能史
③『日本王権神話と中国南方神話』（角川書店、二〇〇五年）、『霊魂の文化誌』（勉誠出版、二〇一〇年）、『日本の風水』（角川選書、二〇一八年）

斎藤英喜（さいとうひでき）
①佛教大学教授
②神話・伝承学
③『神楽と祭文の中世』（共編、思文閣出版、二〇一六年）、『折口信夫―神性を拡張する復活の喜び』（ミネルヴァ書房、二〇一九年）、『増補・いざなぎ流　祭文と儀礼』（法蔵館、二〇一九年）

韓正美（はんじょんみ）
①上智大学グリーフケア研究所客員教授・東京大学大学院客員研究員
②日本古典文学
③『キーワードで読む『源氏物語』』（共著、JnC、二〇一三年）、『源氏物語における神祇信仰』（武蔵野書院、二〇一五年）、「富士信仰の変容様相―古代・中世文芸を中心に」（『日語日文学研究』110、韓国日語日文学会、二〇一九年）

西岡健治（にしおかけんじ）
①福岡県立大学名誉教授
②朝鮮古典文学
③『春香伝の世界―その通時的研究』（法政大学出版局、二〇〇二年）、「完板八十四張本『烈女春香守節歌』に見る非妓生的表現の考察」（大谷森繁博士古稀記念朝鮮文学論叢刊行委員会編『朝鮮文学論叢』白帝社、二〇〇二年）、「日本における『春香伝』翻訳の初期様相―桃水野史訳『鶏林情話春香伝』を対象として」（『福岡県立大学人間社会学部紀要』13―2、二〇〇五年）

〔翻訳〕

北村結花（きたむらゆいか）
①神戸大学大学院准教授
②比較文学・比較文化
③「千年の時をかける少年少女―児童書における『源氏物語』の現在」（『文学・語学』219、全国大学国語国文学会、二〇一七年）、「「光源氏」を書き変える」（寺田澄江他編『源氏物語を書きかえる　翻訳・注釈・翻案：二〇一七年パリ・シンポジウム』青簡舎、二〇一八年）、ハルオシラネ『四季の創造：日本文化と自然観の系譜』（翻訳、角川選書、二〇二〇年）

ま

や

ら

わ

▍な

▍は

た

さ

地名

あ

か

▌や

▌ら

▌わ

▍は

▍ま

た

な

さ

書名

あ

か

▌ま

▌や

▌ら

な

は

た

さ

■ か

索引凡例

本索引は、各巻ごとの本文中の固有名詞を人名（観音・閻魔など神仏・異類名も含む）、書名（資料名も含む）、地名（寺社名、施設名、地獄・極楽など仏教世界も含む）の三種に区分けし、それぞれ日本語式読みの五十音順に配列した。原則として、習熟した読みの例（北京＝ペキン）を除き、各論の本文のルビとは別途に漢字音の読みに統一した。対象語彙は、前近代（19世紀以前）に限定したが、個別の論によっては近代も含めた場合もある。

人名

あ

編著者

ハルオ・シラネ（Haruo Shirane）

コロンビア大学教授。専門分野は日本文学・文化。著書に『夢浮橋―源氏物語の詩学』（中央公論社、1992 年）『芭蕉の風景 文化の記憶』（角川書店、2001 年）『四季の創造―日本文化と自然観の系譜』（KADOKAWA、2020 年）など。

執筆者（掲載順）

小峯和明／北條勝貴／宮﨑順子／陸 晩霞／錦　仁／佐伯真一／安井眞奈美／野田研一
李 愛淑／堀川貴司／多田伊織／井戸美里／天野雅郎／宮崎法子／平松隆円／小山弓弦葉
堀口 悟／崔 京国／ Nguyen Thi Lan Anh ／山田恭子／渡辺憲司／山本ゆかり／原田信男
伊藤信博／石塚 修／劉 暁峰／鍋田尚子／野村伸一／松尾恒一／諏訪春雄／斎藤英喜
韓 正美／西岡健治

東アジア文化講座　第 4 巻

東アジアの自然観
東アジアの環境と風俗

2021（令和 3）年 3 月 12 日　第 1 版第 1 刷発行

ISBN978-4-909658-47-0　C0320

発行所　株式会社 **文学通信**

〒 170-0002　東京都豊島区巣鴨 1-35-6-201
電話 03-5939-9027　Fax 03-5939-9094
メール info@bungaku-report.com ウェブ http://bungaku-report.com

発行人　岡田圭介
印刷・製本　モリモト印刷

ご意見・ご感想はこちらからも送れます。上記のQRコードを読み取ってください。